D0286008

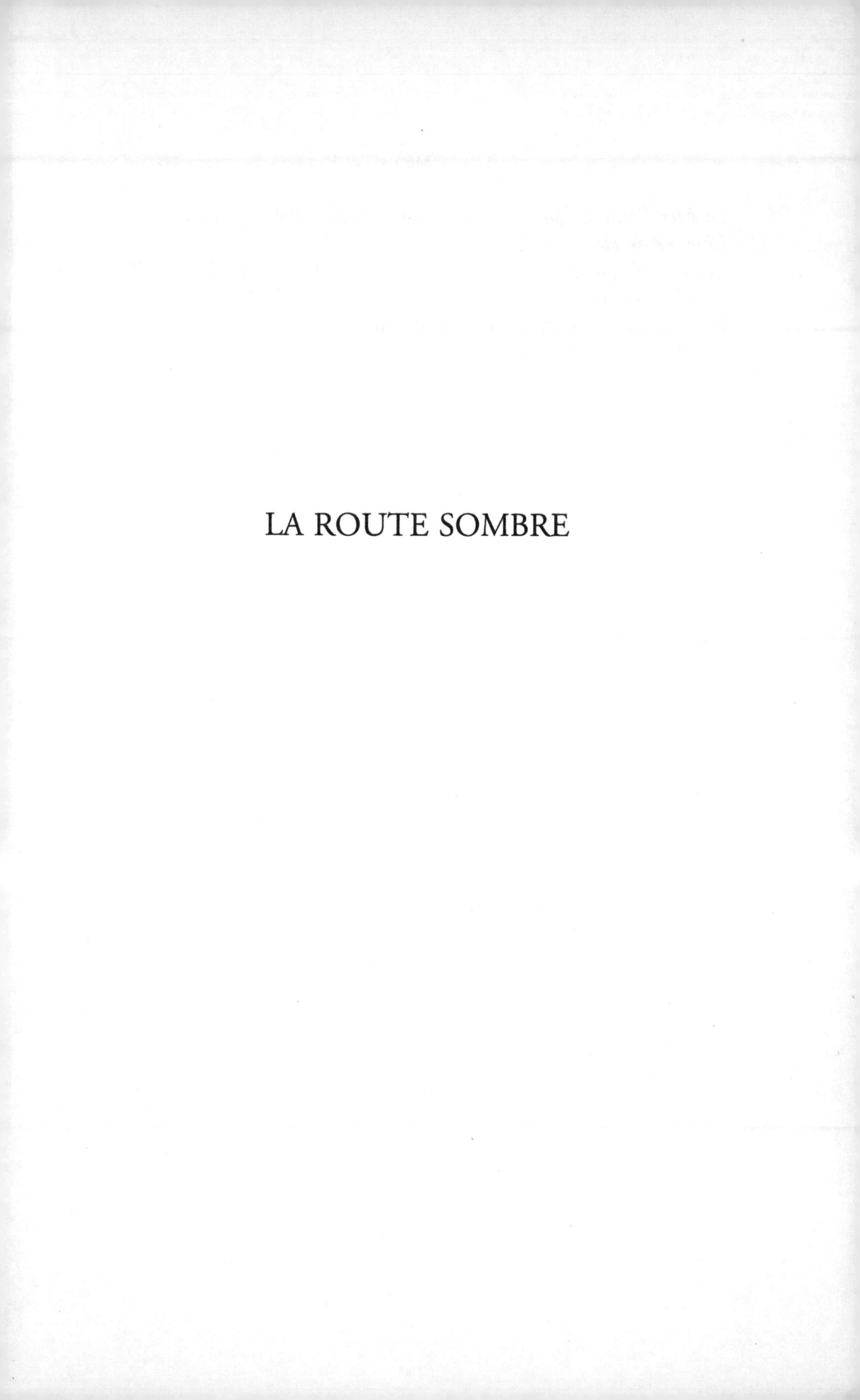

LA ROUTE SOMBRE

DU MÊME AUTEUR

La Mendiante de Shigatze, Actes Sud, 1988 ; Babel, 2002.
Chienne de vie, Actes Sud, 1993.
Chemins de poussière rouge, Éditions de l'Aube, 2005 ; J'ai lu, 2014.
Nouilles chinoises, Flammarion, 2006 ; J'ai lu, 2009.
Beijing coma, Flammarion, 2008 ; J'ai lu, 2009.

MA JIAN

LA ROUTE SOMBRE

Traduit par Pierre Ménard

Flammarion

Titre original : *The Dark Road*
Éditeur original : Chatto & Windus

ISBN : 978-2-0813-0888-6

Pour Flora

MOTS-CLEFS : *stériliser, planque, lait maternel, équipe du planning familial, dattier, médaille de longévité, grotte de Nuwa.*

L'esprit de l'enfant voit la Mère assise au bord du lit, les mains appliquées sur son ventre arrondi, la peur fait trembler ses jambes...

Meili pose les mains sur son ventre de femme enceinte et perçoit les pulsations cardiaques du fœtus, semblables au tic-tac d'un réveil sous un oreiller. Les coups martelés sur le portail de l'enclos sont de plus en plus forts, l'ampoule qui pend du plafond diffuse une lueur vacillante. Les responsables du planning familial sont venus me chercher, se dit-elle. Elle retire ses pieds de la cuvette d'eau chaude où elle les faisait tremper, va s'enfouir sous sa couette et attend que le portail ait cédé.

Cet après-midi, tandis que les rayons du soleil faisaient fondre les derniers reliquats de neige sur les fagots de maïs empilés dans le jardin, Fang, leur voisine, était en train de trier des graines de sésame, son bébé de trois semaines pendu à son sein, lorsque quatre responsables du planning familial ont déboulé chez elle et l'ont emmenée de force, pour la faire stériliser. Fang s'est débattue en poussant des cris perçants, comme une truie qu'on mène à l'abattoir. Le riz gluant qu'elle faisait ramollir dans une bassine pour préparer des gâteaux à la vapeur s'est renversé sur le sol et deux canards se sont précipités pour picorer les grains. Les responsables ont finalement réussi à lui lier les mains derrière le dos avant de la faire monter de force à l'arrière de leur camion. Sa tunique blanche s'était déchirée et le sang de l'officier au crâne rasé qu'elle avait frappé au visage en se débattant s'égouttait sur ses épaules. Agenouillé, l'homme lui a maintenu les jambes avant de les ligoter fermement aux barreaux métalliques du camion. Immobilisée à partir de la taille, Fang s'est penchée et a lancé :

— Que vos ancêtres soient maudits jusqu'à la huitième génération ! Avez-vous oublié celles qui ont pris soin de vous dans votre enfance ? Et vous osez arracher aujourd'hui un nourrisson au sein de sa mère ? Puissent vos femmes ne pas engendrer un seul fils pendant neuf générations !

Meili a franchi l'enclos et recueilli dans ses bras le bébé de Fang, suppliant l'officier en uniforme de relâcher la jeune femme.

— Si vous la stérilisez, elle n'aura plus de lait. Attendez au moins que son enfant ait atteint l'âge de trois mois.

— Ne vous mêlez pas de ça ! a répliqué l'officier en frottant ses mains rougies par le froid. Vous n'avez donc pas lu l'avis à la population ? Si jamais une femme tombe enceinte sans y avoir été autorisée, tous les foyers à la ronde seront punis, dans un rayon de cent mètres. Vous auriez dû la dénoncer aux autorités avant la naissance de l'enfant. Étant sa voisine immédiate, vous écoperez d'une amende d'au moins mille yuans.

Meili ne reconnaissait pas ces officiers, sans doute originaires des districts voisins. Si elle n'avait pas redouté qu'ils remarquent son ventre rebondi, elle se serait empressée d'apporter une couverture à Fang et d'en couvrir ses épaules. Au lieu de ça, elle demeura clouée sur place et regarda le camion s'éloigner en cahotant. Fang gigotait comme un beau diable à l'arrière, du lait s'écoulait de ses seins dénudés à la peau rougie.

Les coups sur le portail s'interrompent un instant, avant de retentir à nouveau.

— C'est moi, Kongzi..., l'entend-elle s'écrier. Ouvre-moi !

Se souvenant enfin qu'elle a calé une pelle en travers du battant quelques heures plus tôt afin qu'on ne puisse pas l'ouvrir de l'extérieur, elle se précipite dans le jardin et fait entrer son mari.

Kongzi pénètre dans la maison d'une démarche vacillante. Les cheveux hirsutes et le regard affolé, il se met à arpenter la pièce avec nervosité. Il revient tout juste d'une réunion du Parti.

— L'équipe du planning familial qui est arrivée hier provient de la commune de Hexi. Le bâtiment qui abrite le siège du Parti au village n'est pas assez grand pour la besogne qu'ils sont venus accomplir, aussi ont-ils réquisitionné l'une des salles de classe de l'école : c'est là que seront pratiqués les stérilisations et les avortements. La campagne de répression sera sans merci.

— Qu'allons-nous faire ? demande Meili d'un air apeuré.

— Je l'ignore. Les officiers ont été on ne peut plus clairs : toutes les femmes enceintes qui seront dans l'incapacité de produire un permis de naissance subiront un avortement immédiat et devront payer une amende de dix mille yuans.

— Dix mille yuans ! Jamais nous ne pourrons réunir une somme pareille, même en vendant la maison. Heureusement que nous avons pu acheter ce faux permis de naissance le mois dernier.

— Ils ne s'y laisseront pas prendre, dit Kongzi en ôtant ses lunettes et en se frottant le visage. Ils examinent les permis de très près, cette fois-ci, et repèrent aisément les faux.

— Combien de femmes ont-ils arrêtées aujourd'hui ? demande Meili, saisie d'une brusque nausée.

— J'en ai aperçu une dizaine, ligotées devant le siège du Parti. Le gardien de l'école a reconnu son épouse et a voulu se porter à son secours mais les responsables du planning familial l'ont frappé à la tête avec un marteau avant de le conduire à l'école et de l'enfermer dans la cuisine. La vieille couturière qui habite dans l'allée des caroubiers a essayé de cacher sa fille enceinte mais ils l'ont battue à mort.

— Ils l'ont tuée ? s'étrangle Meili.

Elle caresse son ventre arrondi et regarde Kongzi qui arpente la pièce, grommelant et agitant les mains en tous sens. Jamais elle ne l'a vu dans un tel état. Il s'assoit brusquement à côté d'elle, renversant la cuvette posée à ses pieds. Une flaque sombre se répand aussitôt sur le sol en ciment. Des petites plumes viennent se poser à sa surface, telles des coquilles de noix sur un lac.

— Pourquoi as-tu laissé traîner cette cuvette ? s'exclame Kongzi en se relevant d'un bond. Regarde, mes chaussures sont trempées à présent…

— J'avais gardé cette eau pour toi. Allons, assieds-toi.

Meili saisit le grand thermos et verse à nouveau de l'eau chaude dans la cuvette avant de s'agenouiller pour ôter les chaussures de Kongzi et lui laver les pieds. Après les avoir séchés à l'aide d'une serviette, elle éponge l'eau qui s'est répandue sur le sol.

— Les cours ont été suspendus, reprend-il. Je me demande d'ailleurs s'il y aurait eu beaucoup d'élèves… Certains ont déjà été envoyés chez des parents dans des cantons voisins, en attendant que cette campagne de répression prenne fin.

— Recevras-tu tout de même ton salaire ?

— Tu parles ! Ça fait trois mois que j'attends d'être payé. Dans sa grande largesse, le ministère de l'Éducation m'accorde cent misérables yuans par semaine mais n'arrive même plus à me les verser. La semaine dernière, tout ce que j'ai obtenu c'est un petit bidon d'essence et une ramette de papier. Et les autorités du district ont le culot de prétendre que cette campagne de répression contre les foyers qui enfreignent les règles du planning familial a pour but de recueillir de l'argent destiné aux écoles communales ! Tu peux être sûre en tout cas que la nôtre ne touchera pas un rond.

Meili jette un coup d'œil sur sa droite et aperçoit leur fille, Nannan, accroupie dans un coin près d'une pile de chaussures boueuses, les yeux fixés sur le sol mouillé.

— Qu'est-ce que tu fabriques ici, Nannan ? lui lance-t-elle. Retourne te coucher.

Nannan lève ses yeux endormis vers Kongzi.

— Veux faire pipi, papa…

— Débrouille-toi toute seule. Tu as deux ans maintenant, tu ne devrais plus avoir peur du noir.

Nannan se dirige d'un air bougon vers la porte d'entrée mais n'arrive pas à tourner la poignée. Meili va l'aider et ouvre le battant. Une bouffée d'air froid pénètre dans la pièce et elle sent son ventre se contracter.

Kongzi frissonne et allume une cigarette. Sur le mur, derrière lui, une grande mosaïque murale représente une chaîne de montagnes verdoyantes traversées de rivières bleues : c'est son ami le vieux Cao, un artiste local jouissant d'une certaine réputation, qui l'a réalisée pour lui lorsque Kongzi a construit sa maison trois ans plus tôt. L'année dernière, le vieux Cao est allé s'installer à cinquante kilomètres d'ici avec son fils et sa belle-fille, tous deux cadres à l'échelon inférieur et occupant en ville un luxueux appartement dans une résidence réservée aux employés du gouvernement. À sa gauche, près de l'entrée de la cuisine, est suspendu un rouleau reproduisant le texte de Confucius destiné aux enfants, le *Classique des Trois Caractères*, ainsi qu'une photo montrant Kongzi et Meili sur la place Tienanmen, lors de leur voyage de noces à Beijing. À droite se dresse la porte de la chambre de Nannan : sous son lit, cachée sous des sacs d'engrais et de nourriture pour les cochons, se trouve la trappe donnant accès à la planque secrète que Kongzi a creusée afin que Meili puisse s'y réfugier, lorsque sa grossesse ne pourra plus être dissimulée.

— Le vieux Huan, le responsable du planning familial de notre district, assistait à cette réunion, poursuit Kongzi après avoir aspiré une longue bouffée. Il nous a dit que cette campagne de répression était lancée à l'échelle nationale. Tous les responsables de haut rang ont été mobilisés. Les officiers qui composent ces équipes sont sous pression et doivent impérativement obtenir des résultats. Dès demain, chaque femme du village qui a déjà eu un enfant devra être équipée d'un stérilet.

— Je ne les laisserai pas me placer de force un de ces engins métalliques dans le ventre ! Yan dit que le sien la fait tellement souffrir qu'elle ne peut plus se pencher quand elle travaille aux champs.

— Oui, d'autant que cela pourrait provoquer une fausse couche. Il vaut donc mieux que tu restes à la maison demain. Si les responsables du planning familial débarquent ici, essaie de les convaincre que tu n'es pas enceinte et montre-leur le permis de naissance en leur disant que tu n'as pas besoin de stérilet, puisqu'on t'a autorisée à avoir un second enfant. Mon père est toujours bien vu au sein du Parti : avec un peu de chance, ils te ficheront la paix.

— Mais mon ventre est bien visible, à présent ! Et en traversant le village hier, j'ai été prise de nausées et j'ai vomi dans le caniveau. La femme de Kong Dufa qui passait à ce moment-là m'a lancé un regard suspicieux.

Meili allume une lampe torche et pointe son faisceau sur Nannan qui est toujours dehors, accroupie au pied de l'enclos séparant leur maison de celle des parents de Kongzi.

— C'est malin ! Imagine qu'elle soit allée raconter ça à la police : ils paient cent yuans à présent pour avoir ce genre de renseignement... (Voyant que Nannan s'apprête à rentrer, il lui lance :) Allez, file dans ton lit à présent ou tu vas attraper froid !

— J'ai fait un gros pipi, papa, lance la fillette en trébuchant sur un tas de fils emmêlés. J'ai soif...

Kongzi détourne les yeux et lève les bras au ciel.

— Avortements, stérilisations forcées, poses de stérilets ! Où en est arrivé ce pays ? Confucius disait que des trois manquements au devoir filial, le pire consistait à ne pas engendrer de descendant mâle. Et aujourd'hui, deux mille ans plus tard, on m'interdit à moi qui suis son descendant à la soixante-seizième génération d'exercer ce devoir sacré !

— Je ne veux pas qu'on m'emmène de force à l'école demain, dit Meili. J'irai me cacher dans la planque.

— La femme qui élève des lapins au village de Ma est restée cachée dans une planque de ce genre mais les responsables du planning familial l'ont découverte hier. Ils l'ont emmenée pour la stériliser et lui ont confisqué ses trois cents lapins.

Meili sent une écœurante odeur de nourriture envahir sa bouche et ses narines et se demande si elle vient du dehors ou des profondeurs de son propre corps.

— Regarde, papa, j'ai un gros bidon moi aussi ! lance Nannan en soulevant sa chasuble et en tendant son ventre en avant.

— Au lit ! Immédiatement ! s'écrie le Père.

Nannan fond en larmes et se jette dans les bras de la Mère.

— Je déteste ce papa, s'écrie-t-elle, j'en veux un autre !

La Mère porte Nannan dans son lit, l'enveloppe dans sa couette et caresse doucement ses petites nattes.

Remontant en arrière, l'esprit de l'enfant a refait le voyage de la Mère et du Père, dérivant au-dessus des paysages aquatiques au sein desquels ils ont erré neuf ans durant. Il vient enfin d'atteindre le lieu de l'origine : c'est ici que se trouve le foyer légitime du second enfant de la Mère, où il a été assigné à résidence jusqu'à l'instant victorieux de sa naissance.

Seules les scènes qui se sont déroulées dans l'obscurité sont pour l'instant visibles à l'esprit de l'enfant. Il voit des ombres trembler, comme agitées par le vent, et entend les échos du passé

résonner à travers la maison désormais dénuée de toit et de fenêtres, s'attardant devant un éclat de mosaïque encore fixé à un pan de mur écroulé. Le jardin est aussi noir que du charbon et totalement vide, en dehors d'un dattier incliné vers le sol et dont le tronc n'offre plus que quelques branches squelettiques. Lorsqu'il avait appris que la Mère était enceinte pour la seconde fois, disait un jour le Père, il avait planté un dattier dans le jardin pour s'assurer qu'il s'agirait bien d'un fils, enterrant ensuite au pied de l'arbre une médaille de longévité afin que l'enfant vienne au monde sain et sauf. Avant qu'il ne plante l'arbrisseau, disait la Mère, elle l'avait emmené jusqu'à la grotte de Nuwa et frotté contre la paroi de la crevasse sacrée afin que dans les années à venir tous ses enfants puissent naître sous cet arbre et recevoir la bénédiction de la déesse Nuwa. Le Père affirmait aussi que dans la planque secrète aménagée sous le lit de Nannan se trouvait un coffre en laque rouge où étaient enfermés une vieille édition des *Analectes* de Confucius et un volume relié, contenant le registre du clan des Kong. Le coffre rouge est toujours là, enterré à présent sous les débris du lit et du mur abattu par un bulldozer. Les yeux noirs et perçants des souris brillent un peu plus haut entre les mauvaises herbes et les tuiles brisées.

Dans l'allée, juste au-delà, un saule se dresse au sommet d'un monticule de gerbes de maïs brûlées, telle une fée gracieuse figée dans l'élan de sa danse. Un peu plus loin, passée la murette rouge, on distingue deux petits osmanthus et la voie communale qui mène hors du village.

MOTS-CLEFS : *stérilet, salauds de communistes, flammes, trompes de Fallope, Kong le Cadet, ennemi de classe.*

Les habitants affolés du village sont assis, entassés sur le lit de Meili et de Kongzi, sur le canapé qui lui fait face ou à même le sol. Comme Kongzi, ils appartiennent presque tous au clan des Kong, descendants en ligne directe du plus illustre d'entre eux : Confucius. Meili a pris place au bord du lit, les mains croisées sur le ventre. Elle soupçonne les parents de son mari d'avoir deviné qu'elle est enceinte. Le père de Kongzi est assis sur l'appuie-tête et lui lance des regards furtifs en tirant sur sa cigarette. Il a été le chef du village pendant plus de vingt ans et, bien qu'il se soit retiré récemment, il inspire toujours le respect : ce qui explique que tant de villageois se soient réunis ici ce soir pour donner libre cours à leur colère.

Kong Qing, qui a fait son service militaire dans l'artillerie, est affalé dans un coin, pleurant et maudissant la terre entière, la tête enveloppée d'un bandage sanguinolent.

— Salauds de communistes, gémit-il. Ils m'ont arraché mon fils, ma lignée est désormais éteinte…

Lorsque l'équipe du planning familial est venue frapper à sa porte la veille, il a pris la fuite avec sa femme enceinte de leur troisième enfant, dans un état de grossesse avancée, et ils sont allés se cacher au milieu des roseaux, près du réservoir. Le soir, son père est venu leur apporter à manger sans se rendre compte que la police le suivait. Il a poussé le cri du canard – qui est leur signal convenu – mais, dès que Kong Qing et son épouse ont émergé des roseaux, la police s'est emparée d'eux. Sa femme a été conduite à l'école où les responsables du planning familial l'ont ligotée sur une table en bois, avant de lui faire deux injections dans l'abdomen. Le fœtus avorté gît à présent au pied de Kong Qing, dans une cuvette en plastique. Il a le nez plat et les petits yeux de son père. Des restes de liquide amniotique sont encore collés à ses cheveux noirs.

— Ancien chef du village, vous devez nous soutenir, lance Kong Zhaobo, un membre important du clan qui a fréquenté le lycée de Hexi et possède aujourd'hui la seule mobylette du village. La piété filiale exige que nous engendrions des fils et des petits-fils. La lignée masculine doit se poursuivre. Nous ne pouvons pas laisser le Parti s'en mêler et l'interrompre de la sorte.

— D'ailleurs, les autorités disaient que nous autres, paysans, nous avions le droit d'avoir un second enfant si le premier était une fille, intervient un individu surnommé Pied Bot, assis près du téléviseur et les mains crispées sur sa canne. Pourquoi obligent-ils les femmes qui n'ont eu qu'un enfant à porter des stérilets ? Si ça continue, les enfants de ce village n'auront bientôt plus de frères ni de sœurs, pas plus que d'oncles ni de tantes. Quel avenir est-ce là ?

Pied Bot est connu pour son appât du gain. L'année dernière, il a acheté un ordinateur, surfé sur Internet et annoncé à la ronde qu'on pouvait faire fortune en élevant une espèce de canards sauvages qui pondent des œufs d'un jaune particulièrement doré. Sa maison se dresse à côté du temple des ancêtres dédié à Confucius, construit par le grand-père de Kongzi et détruit lors de la Révolution culturelle.

C'est au tour d'une femme au corps grêle et menu de prendre la parole. Kongzi a eu autrefois comme élève Xiang, sa troisième fille :

— L'équipe du planning familial est venue chez nous aujourd'hui et a exigé que nous leur versions à titre rétroactif une amende de dix mille yuans, à cause de la naissance illégale de Xiang – qui a maintenant douze ans ! Je leur ai dit que nous ne disposions pas d'une telle somme mais ils ont fouillé la maison et mis la main sur les deux mille yuans que ma fille aînée nous a envoyés, après avoir trimé comme une esclave pendant un an dans une usine de Shenzhen. Ils ont emporté tout notre argent, nos sacs de riz, nos poêles, nos casseroles et même notre pendule de cuisine. Et ils exigent que nous leur donnions la somme manquante d'ici à la fin de la semaine.

— Et vous savez où ira cet argent ? lance Pied Bot en étreignant la poignée de sa canne. Droit dans les poches des bureaucrates corrompus de Hexi. Vous avez vu le nouveau bâtiment qu'ils ont fait construire pour abriter le siège régional du Parti ? Il est plus grand que la porte de la place Tienanmen. Et après nous avoir dépouillés de notre argent, ils viennent massacrer nos enfants. Nous ne pouvons pas les laisser faire, cette fois-ci. Il faut réagir et se révolter.

— Non, ce serait de la folie, dit le père de Kongzi en écrasant sa cigarette et en lissant ses cheveux blancs. La route qui mène au village a été bloquée et une vedette de la police patrouille aux abords du réservoir. Nous sommes encerclés. Si nous déclenchons les hostilités, nous serons aussitôt écrasés.

— Les officiers ont les noms de toutes les femmes du village en âge d'avoir un enfant, précise Kong Wen, la responsable locale du planning familial. Nous avons été contraints de leur communiquer cette liste la semaine dernière. Sur cette centaine de femmes, une quarantaine seront obligées de porter un stérilet, et les autres, qui ont déjà un ou deux enfants, seront stérilisées.

Kong Wen a travaillé pendant trois ans dans une fabrique de vêtements à Guangzhou, à coudre des fermetures Éclair sur des pantalons. Presque toutes les femmes du village possèdent à présent un des blue-jeans de la marque Lee qu'elle leur a ramenés. Lorsqu'elle a été informée que cette campagne de répression était imminente, elle a confié à sa sœur enceinte une lettre de recommandation estampillée du sceau officiel et lui a dit d'aller se réfugier à Beijing. En conséquence de quoi, on ne lui a confié qu'un rôle secondaire dans cette opération et elle sera probablement démise de ses fonctions lorsque tout sera terminé.

Yuanyuan pénètre à cet instant dans la maison. Elle dégage une odeur de chou pourri : comme elle est enceinte de huit mois et qu'il n'y a pas de planque chez elle, elle est allée se cacher dans la cabane du potager de ses voisins. Après s'être accroupie aux côtés de Meili, elle lance :

— Je viens de voir une femme perchée au sommet d'un arbre. Elle a perdu la raison et refuse de descendre, en prétendant que son bébé s'est réfugié là-haut.

Yuanyuan est allée à Guangzhou en même temps que Kong Wen et a trouvé du travail dans une usine fabriquant des ordinateurs pour Apple. Elle compte y retourner après la naissance de son bébé. Elle dévisage sa compagne et lui lance :

— Tu as léché les bottes des cadres du Parti quand tu es revenue ici, dans l'espoir qu'on te nomme chef du village. J'espère que tu te réjouis aujourd'hui de les aider à massacrer nos enfants ? Nous descendons toutes ici de la déesse Nuwa, qui a façonné le peuple chinois à partir de la terre jaune de cette plaine. Et le gouvernement voudrait maintenant nous empêcher d'avoir des enfants ! Son but est-il d'exterminer la race chinoise ?

Yuanyuan est la seule femme du village à posséder une paire de bottes en cuir qui lui arrivent aux genoux. Meili aimerait bien avoir les mêmes un jour.

Les villageois qui n'ont pas pu se faufiler dans la pièce sont restés dans le jardin et s'agglutinent devant les fenêtres.

— Même les chiens ont le droit d'aboyer avant d'être abattus ! lance l'un d'eux. Kongzi, pourquoi ne vas-tu pas les trouver pour parler en notre nom ?

— Oui, acquiesce Kong Zhaobo en tirant sur le col roulé de son pull. Tu sais parler et tu as de l'éducation. De plus, tu as toujours été un rebelle.

L'insoumission de Kongzi s'était manifestée alors qu'il n'avait pas dix ans. Tandis que tous les écoliers répétaient en chœur : *Lin Biao et Confucius sont des vauriens*, il avait modifié les paroles et chantait à la place : *Confucius est un modèle de sagesse et de vertu*, ce qui lui avait valu d'être emmené au poste. Grâce aux relations de son père il avait été relâché le lendemain, à condition de chanter cent fois le slogan officiel. Le véritable nom de Kongzi est Kong Lingming, mais à la suite de cette courageuse manifestation de soutien à l'égard de son illustre ancêtre, tout le monde s'est mis à l'appeler Kongzi – le surnom courant de Confucius. Parfois, certains l'appellent aussi Kong Lao-er, ce qui signifie Kong le Cadet, sobriquet désobligeant sous lequel le vieux sage était désigné pendant la Révolution culturelle, ou tout simplement Lao-er, qui signifie également « bite ». Au fil des ans son intérêt pour son ancêtre n'a cessé de croître et il est devenu l'autorité du village concernant la vie et les œuvres du maître.

— Tu as étudié *L'Art de la guerre* de Sun Zi, dit Kong Dufa, un membre du Parti à la mine pincée, marié à la comptable du village. Tu n'as qu'à choisir parmi les trente-six stratégies qu'il recommande et élaborer un plan.

Kongzi lève les mains en signe de protestation.

— Non, non, dit-il. Je suis peut-être instituteur mais je n'ai aucune formation. Je suis un simple paysan qui a lu quelques livres. Je serais bien incapable d'élaborer la moindre stratégie.

Voulant éviter qu'il ne se mêle à cette contestation politique, Meili lance un regard entendu à son mari mais il ne le remarque pas. Pour attirer son attention, elle se penche vers Nannan qui s'est blottie sur les genoux de la mère de Kongzi et lui pince violemment le bras.

— Aïe ! s'exclama Nannan. Une souris m'a mordue, grand-mère !

— Du calme, mon enfant, lui dit la mère de Kongzi en lui frottant le bras. Tiens, prends ce bonbon au malt.

— Non, je veux du chocolat.

Nannan déteste les bonbons au malt, qui lui collent aux dents. Les villageois en offrent traditionnellement au dieu du foyer lors de la Fête du Printemps, pour s'assurer qu'il restera bouche cousue et n'émettra aucun propos malencontreux pendant son entrevue avec le Maître des Cieux.

— J'ai entendu dire que de nombreux paysans avaient marché sur Hexi pour protester contre cette opération, dit Li Peisong. Ils ont saccagé les locaux du planning familial, détruisant tous les ordinateurs et les distributeurs d'eau. Nous devrions quitter le village en catimini ce soir et aller nous joindre à eux.

Pendant la Révolution culturelle, Li Peisong était à la tête du comité révolutionnaire du village. En 1966, il avait été envoyé dans la province du Shandong pour aider les Gardes rouges à détruire le temple de Confucius à Qufu, la ville natale du vieux sage. Dans un grand élan de ferveur révolutionnaire, il avait alors changé son nom en Mie-kong : « Anéantir Confucius ». Mais en 1974, alors que la campagne contre Lin Biao et Confucius battait son plein, il avait viré de bord : non seulement il ne dénonçait plus Confucius lors des réunions publiques, mais il avait repris son nom de Li Peisong et épousé une femme du clan des Kong. Ils ont à présent deux enfants dont le second, Petit Gros, est âgé de deux ans. Mais ils n'ont toujours pas payé l'amende dont ils sont redevables pour cette naissance illégale.

— Qu'est-ce qu'un distributeur d'eau ? demande le Balafré, un paysan défiguré dans son enfance à la suite d'une brûlure.

Sans ressources, il paie l'éducation de ses trois filles avec des sacs plus chargés de sable que de haricots.

— Tu sais bien, ces gros bacs en plastique que les cadres installent dans leurs bureaux remplis d'une eau minérale censée guérir tous les maux. Mais pour y avoir droit, tu dois débourser un mao par tasse !

Kong Guo, qui vient de lui répondre, est un homme de forte carrure qui est allé travailler sur un chantier à Wuhan l'année dernière mais a été arrêté parce qu'il ne possédait pas le permis de résidence temporaire nécessaire : il a dû payer deux mille yuans d'amende avant d'être ramené au village par les autorités.

— Voilà donc ce qu'ils font de notre argent : ils le boivent, lance en serrant les poings un individu d'ordinaire pondéré, qui fait le tour du village à vélo tous les matins pour récupérer les œufs qu'il va ensuite vendre au marché du canton.

Un paysan échevelé du nom de Wang Wu se lève, incapable de retenir plus longtemps sa colère.

— Ils m'ont réclamé vingt mille yuans pour la naissance illégale de mes deux filles cadettes. Je leur ai dit que je n'avais même pas de quoi acheter des semences. Ils ont alors fixé un câble à l'avant-toit de ma maison, attachant l'autre extrémité à leur tracteur. Quand le tracteur s'est mis en route, tout le toit a été arraché. Où ces salopards s'imaginent-ils que nous allons vivre à présent ?

On entend soudain des bruits sourds et des martèlements de bottes. Le portail d'entrée s'ouvre brutalement et des policiers du district font irruption dans le jardin, suivis par l'équipe du planning familial. Dans la maison, les femmes se replient à la cuisine tandis que les hommes se précipitent à l'extérieur. Avant d'avoir pu émettre la moindre protestation, Wang Wu est jeté au sol. Le père de Kongzi monte sur un tabouret de bambou et s'exclame :

— Ne vous battez pas ! Pas de violence !

Agrippant la cuvette en plastique où gît le fœtus de son fils, Kong Qing se met à hurler :

— Assassins ! Fascistes ! Vous me paierez ça !

Le vieux Huan, directeur de l'office du planning familial de Hexi, émerge de la rangée de policiers.

— Je te préviens, Li Peisong, lance-t-il en pointant vers l'intéressé un index accusateur, si tu n'as pas versé ce soir les neuf mille yuans que tu nous dois encore pour la naissance de Petit Gros, nous confisquerons ton poêle, tes casseroles, tes woks, et nous détruirons ta maison !

Kong Guo se fraie un chemin jusqu'au premier rang et lance :

— Allez-y ! Si vous détruisez nos maisons, nous irons nous installer chez vous.

Les policiers se dirigent vers l'entrée en criant :

— Quelqu'un a vu Yuanyuan pénétrer ici, nous devons fouiller la maison.

— Mettez un seul pied dans cette pièce et vous pourrez dire adieu à la vie ! lance Kongzi en brandissant un hachoir.

Difficile de reconnaître l'instituteur qui se rend tous les matins en costume gris à l'école, son cartable noir à la main. Ce n'est pourtant pas sa première expérience en matière d'insubordination. En 1989, il s'est rendu à Beijing pour aller voir celui qu'il continue d'appeler le professeur Zhou – un jeune citadin qui avait été envoyé dans le village des Kong pendant la Révolution culturelle et avait été à l'époque l'instituteur de Kongzi. En sa compagnie, il avait défilé dans les rues de Beijing aux côtés des étudiants protestataires, agitant des bannières et scandant des slogans en faveur de la démocratie et de la liberté. La Sécurité publique du district a conservé le dossier détaillé des activités subversives auxquelles il s'est livré durant ce mois passé dans la capitale.

Dans le jardin à moitié recouvert de ciment, la foule commence à montrer des signes d'agitation. Les villageois se bousculent, heurtant le dattier récemment planté et étayé par des tiges de bambou. Les enfants, accompagnés de quelques chiens qui se mettent à aboyer, se sont hissés au sommet d'un tas de briques dans un coin du jardin, pour échapper à la bousculade.

Qian, secrétaire du Parti à l'échelle du district et membre le plus âgé du groupe, émerge au sein de la foule, accompagné d'une brute à sa solde, et s'écrie :

— Kongzi ! En tant que membre du Parti, tu as le devoir de seconder notre équipe. Si tu n'agis pas correctement, tu te retrouveras derrière les barreaux.

— Ne menacez pas mon fils, monsieur Qian, intervient le père de Kongzi avec une calme autorité. (Il lâche le mégot de sa cigarette et l'écrase du talon.) Et veuillez maintenant quitter les lieux.

Kongzi vient se placer aux côtés de son père.

— Oui, dit-il, vous êtes ici chez moi. Et dans la maison d'un Kong, ce sont les Kong qui commandent. Je n'ai commis aucun crime. Je vous prierai donc de sortir d'ici, vous et vos sous-fifres !

— Vous cherchez la bagarre, c'est ça ? lance l'officier au crâne rasé qui est venu arrêter Fang deux jours plus tôt. Nous allons tous vous enterrer vivants.

Il adresse un regard entendu à la brute qui les accompagne, pour lui signifier de donner une raclée à Kongzi. Mais avant qu'il ait pu lever le petit doigt, Kong Qing, qui se trouve derrière lui, brandit sa cuvette et lance un retentissant : « Va te faire voir ! » avant de l'abattre avec force sur son crâne. Aussitôt, les villageois s'emparent de briques ou de pelles et se lancent à l'assaut des policiers. Les enfants juchés sur les murs bombardent de cailloux le secrétaire Qian. À l'intérieur de la maison, la mère de Kongzi s'est repliée à la cuisine avec les autres femmes et serre Nannan dans ses bras, tandis que Meili s'est tapie au coin du lit, les yeux fermés et la couette serrée contre elle comme pour se protéger.

Kongzi regagne en toute hâte l'intérieur de la maison afin d'aider Yuanyuan à se glisser dans la planque. Puis il attrape une pelle et repart à l'assaut, frappant le vieux Huan à l'épaule. Couvert de poussière, Wang Wu brandit une faucille devant la poitrine d'un officier en hurlant : « Que ta maison s'effondre, elle aussi ! » L'officier au crâne rasé empoigne son bras et le rabat derrière son dos mais reçoit à son tour un coup de pelle en pleine poitrine. Saisie d'un brusque courage, la frêle mère de Xiang se jette sur un policier et lui mord violemment l'épaule. Le corpulent Kong Guo tord le bras d'un officier et le jette au sol en criant : « Va te faire voir, enculé de ta mère ! » Se voyant bientôt débordés et en infériorité numérique, les intrus paniqués ne tardent pas à prendre la fuite. Kong Zhaobo et Li Peisong aperçoivent le vieux Huan qui gémit, recroquevillé dans un coin : ils le soulèvent et le jettent à son tour dans la rue.

— Meili, va verrouiller la porte ! lance la mère de Kongzi une fois que tout le monde est parti.

Meili rouvre enfin les yeux, empoigne sa torche et se risque au-dehors. Les distiques rouge et or de la Fête du Printemps qu'elle avait suspendus de chaque côté de la porte ont été réduits en lambeaux. Le dattier a été piétiné et le fœtus avorté de Kong Qing gît lamentablement sur le sol. Un coup de feu retentit au loin et elle se hâte de verrouiller le portail, qu'elle bloque ensuite avec une pelle avant de regagner précipitamment l'intérieur de la maison.

Dehors, dans les ruelles, les villageois en colère quittent leurs maisons en brandissant des faucilles ou des pioches et prennent la direction de l'école. Kongzi et ses élèves mènent la marche, armés de caillasses et de gourdins. Lorsqu'ils atteignent l'enceinte de l'établissement, les policiers qui gardent l'entrée lèvent leurs matraques et s'apprêtent à les frapper.

— Fuyez, professeur Kong ! s'exclament les enfants.

Pris de panique, les manifestants se dispersent. Petit Gros essaie de rester à côté de son père, Li Peisong, et s'agrippe aux pans de sa veste. Mais il est renversé par la foule qui s'éparpille et entraîne son père avec lui dans sa chute. Un autre groupe de villageois en colère émerge d'une ruelle plus au nord, portant à bout de bras le cadavre de la vieille couturière et scandant : « Chaque mort sera vengée ! » et « Rendez-nous ce qui nous appartient ! » À la vue du cadavre, Kongzi et ses élèves saisis d'une brusque rage font volte-face et repartent à l'assaut des policiers postés devant l'école. Des jeunes gens fourrent un ballot de paille sous un véhicule militaire et y mettent le feu, tandis que Pied Bot chasse un chien policier avec sa canne. Les femmes qui étaient enfermées dans la cuisine de l'école réussissent à sortir et envahissent le terrain de sport en lançant des chaises sur les responsables du planning familial. Puis elles se précipitent pour récupérer les sacs de riz et d'engrais qu'on leur avait confisqués. Le chef de la police ordonne une nouvelle fusillade et les femmes battent en retraite, abandonnant les sacs. Dehors, dans la ruelle, le véhicule militaire qui a disparu sous une épaisse fumée noire finit par exploser dans un vacarme assourdissant et s'embraser comme une boule de feu. Les jeunes gens allument des torches aux flammes qui s'en dégagent et les jettent par-dessus le mur d'enceinte sur le terrain de sport.

— Ce type fait partie du planning familial ! lance une voix. Attrapez-le ! Tuez-le !

L'esprit de l'enfant revoit une fois encore cette nuit de février qui s'est déroulée neuf ans plus tôt, lorsque le village des Kong s'est transformé en un vaste champ de bataille. La Mère est sortie, à la recherche du Père. Elle porte une veste blanche, le vent du nord soulève et balaie ses cheveux. Une détonation retentit et elle tombe à genoux, tremblant de peur et de froid, le corps recroquevillé comme une boule. Un homme portant un uniforme de sergent branche un mégaphone et lance : « Villageois ! Si la croissance excessive de la population chinoise n'est pas enrayée, toute la société en souffrira. Notre nation ne sera pas en mesure d'atteindre un développement économique durable ni de prendre la place qui lui revient dans le monde. Deng Xiaoping nous a demandé de prendre les mesures nécessaires afin de limiter le taux des naissances. Ceux qui s'opposent à la politique du planning familial sont des ennemis de l'État. Des ennemis de classe. Les masses ne doivent pas se laisser manipuler par un petit groupe de fauteurs de troubles. Les céréales et les biens qui ont été saisis sont désormais la propriété de l'État. N'y touchez pas... » Des torches enflammées atterrissent sur le terrain de sport, éclairant l'amoncellement de portes, de cadres de fenêtres en aluminium et de chevrons en bois récupérés par les autorités après la démolition des maisons. Un peu plus loin, sous un caroubier, les flammes commencent à s'élever au-dessus d'un monceau de meubles confisqués : penderies, étagères, frigos, bassines en émail... Des cochons ligotés gisent juste à côté. Une troupe de poules et de canards affolés par le bruit s'est réfugiée dans un coin, à l'abri de l'obscurité, tandis que les officiers du planning familial courent dans tous les sens, essayant désespérément d'éteindre l'incendie. Dehors, dans la rue, une foule en colère brandit des faucilles et

des pioches devant un slogan peint en blanc sur le mur de l'école : TRANCHEZ LES TROMPES DE FALLOPE DE LA PAUVRETÉ ! INTRODUISEZ LES STÉRILETS DE LA PROSPÉRITÉ ! Une brèche est ouverte, qui ne tarde pas à s'élargir jusqu'à ce que l'ensemble du mur cède et s'effondre. Craignant pour leur vie, les responsables du planning familial escaladent une échelle et franchissent le mur de derrière, avant de prendre la fuite de l'autre côté.

La Mère reste devant les grilles et regarde les villageois qui envahissent le terrain de sport et se mettent à fouiller parmi les monceaux d'objets entassés, avant d'en retirer les pelles, les bassines ou les chaises qui leur appartiennent. Serrant contre sa poitrine une pendule de cuisine, une femme frêle erre au milieu de la foule en criant : « Xiang ! Xiang ! Où es-tu ? » Deux garçons arborant une casquette de l'armée et munis de longs bâtons poussent devant eux une troupe de canards et leur font franchir les pans effondrés de la muraille avant de disparaître dans une ruelle plongée dans les ténèbres. N'ayant pas réussi à retrouver le Père, la Mère s'empresse de regagner leur maison. Empoignant fermement sa torche électrique, elle court le long des allées sans arbres qu'illumine la lueur orangée des flammes. Dans un coin, balayé par le vent du nord, se dresse encore un petit monticule de neige couvert de crottes de chien et de débris de pétards allumés pour la Fête du Printemps.

MOTS-CLEFS : *permis de naissance, rivière d'Eau Sombre, locaux du planning familial, camionnette de propagande, Ciel au-delà du Ciel, slogans subversifs.*

Alors que l'aube s'apprête à poindre, Kongzi regagne en catimini la maison. Il s'effondre sur le lit et ôte ses lunettes couvertes de poussière.

— Les autorités du district nous envoient un détachement policier de mille hommes, ainsi qu'un camion de bergers alsaciens. Il faut que nous prenions la fuite sur-le-champ.

— Pour aller où ? demande Meili. Pourquoi ne pas nous contenter de nous cacher dans la planque ?

— C'est inutile, Kong Guo connaît son existence. Il a été arrêté et ne manquera pas de nous dénoncer.

— Pourquoi portes-tu ce bandeau noir autour du bras ?

Meili vient à peine de se réveiller et ses yeux sont encore ensommeillés.

— La police a battu à mort deux villageois hier soir. Nous étions tellement hors de nous que nous avons réussi à atteindre Hexi pour nous joindre aux protestataires qui se sont regroupés devant le siège du Parti. Trente mille paysans étaient rassemblés, tu te rends compte ? Ils venaient de tous les villages du district pour protester contre cette campagne de répression. Un cordon de policiers protégeait le bâtiment sur quatre rangs mais nous avons néanmoins réussi à y mettre le feu. Les locaux du planning familial qui se trouvent juste à côté avaient déjà été réduits en cendres. Si le gouvernement ne renonce pas à cette politique de l'enfant unique, il va y avoir une révolution.

— C'est du sang que tu as sur les mains ? demande Meili.

— Non, de la peinture rouge. J'ai écrit des slogans sur les murs. Si tu n'étais pas enceinte, je serais allé au poste de police avec les autres aujourd'hui pour essayer de libérer Kong Guo et le reste des prisonniers.

— Des slogans subversifs ? Es-tu devenu fou ?

Meili se passe la main dans les cheveux, encore imprégnés de l'odeur de moisi de la couette.

— Je me suis contenté d'écrire : « Révoquez le secrétaire du Parti du district et exécutez le gouverneur de la région. » Je me suis bien gardé de dire : « À bas le Parti communiste. »

— Tu as encore voulu te faire remarquer pour ton talent de calligraphe ! Comment peux-tu être aussi stupide ? Tu risques cinq ans de prison pour avoir fait une chose pareille.

— Comment sauraient-ils que c'est moi qui ai écrit ça ? Toute la région s'est soulevée. Mais il faut que nous partions aujourd'hui, sinon le bébé ne survivra pas. Les responsables du planning familial traquent tout le monde dans le village, leurs yeux sont injectés de sang et ils n'hésitent pas à pratiquer des avortements en plein air. Je viens d'apprendre ce qui est arrivé à Yuanyuan. Elle a quitté notre planque hier soir pour aller se cacher aux abords du réservoir mais les officiers l'ont poursuivie jusque là-bas. Ils l'ont immobilisée sur la berge, maintenant ses bras avec leurs genoux, et lui ont injecté leur poison dans le ventre... Mes parents ont deviné que tu étais enceinte, ils seront d'accord pour que nous partions. Nannan a-t-elle dormi chez eux cette nuit ? Bon, nous la récupérerons au passage. Hâtons-nous de rassembler nos affaires. Nous reviendrons après la naissance du bébé. Dépêche-toi ! Nous avons besoin de nos permis de résidence, de notre certificat de mariage, d'un peu d'argent liquide...

— Mais où irons-nous ? Chez ton frère à Wuhan ? Ou chez ta sœur au Tibet ?

Le frère aîné de Kongzi travaille sur un chantier de construction à Wuhan et sa sœur cadette tient une boutique de souvenirs devant un monastère de Lhassa.

— Non, nous allons descendre la rivière d'Eau Sombre, rejoindre le Yangtze et nous installer chez mon cousin à Sanxia. La ville est déjà aux trois quarts démolie à cause du barrage des Trois Gorges, il règne là-bas un chaos indescriptible et la politique du planning familial ne doit pas y être appliquée à la lettre. Nous serons en sécurité. Allez, dépêche-toi de rassembler nos affaires !

Il glisse la main derrière leur placard en bois et en retire un grand panier en chanvre.

On ne sent toujours pas les premiers effluves du printemps dans l'air froid de février. Les jeunes peupliers qui poussent sur les talus se dressent le long de la route comme autant de grilles profondément plantées dans le sol. La brise glaciale qui souffle sur la route en ciment menant à Hexi ne soulève pas de poussière ; mais lorsqu'un camion ou un autocar passe, les sacs en plastique déchirés qui jonchent le sol s'envolent en tourbillonnant.

Un cycliste s'arrête pour les avertir qu'un barrage de police a été dressé un peu plus loin.

Kongzi a rabattu sur son visage la visière de sa casquette bleue. Les verres de ses lunettes s'embuent chaque fois qu'il expire. Sa main droite est glissée dans la poche de sa veste, serrant le faux permis de naissance accordé à Meili.

En scrutant l'horizon, il distingue le gyrophare rouge d'une voiture de police qui roule dans leur direction. Il se précipite dans le fossé, entraînant sa femme avec lui, et ils restent couchés à plat ventre jusqu'à ce que le véhicule soit passé.

— Qu'as-tu fourré là-dedans ? demande-t-il en montrant le grand sac que porte Meili.

— Pas grand-chose. Quelques vêtements, deux pulls, un savon, les crayons et les chaussures de Nannan…

— Bon sang ! Nous avons oublié de passer la prendre ! Il faut que je retourne chez mon père pour la récupérer. Attends-moi ici.

— Tant que tu y es, repasse donc chez nous et ramène-moi mon carnet d'adresses, ainsi que mes modèles de broderie qui se trouvent dans le premier tiroir du placard… Et tes caleçons longs en laine…

Avec sa veste blanche et son écharpe rouge, Meili ressemble plus à une guide de voyage qu'à une mère en fuite.

Après que Kongzi a rejoint la route et disparu en direction du village, elle est saisie d'une brusque nausée, comme tous les matins. Elle se penche en avant, secouée par les renvois ; puis, comme un chat, elle recouvre de terre ses vomissures. Elle se relève ensuite précautionneusement et regarde autour d'elle. À sa gauche, sur le champ couvert de neige, elle aperçoit la tombe d'un parent éloigné de Kongzi. Seuls quelques pétales en papier restent accrochés à la couronne de bambou déposée lors de la Fête des Morts. Plus loin, des tiges desséchées s'inclinent sur la neige, semblables à de rares mèches noires striant une chevelure blanche.

De l'autre côté de la route se dresse une réserve de fourrage. L'immense slogan que Kongzi a dû peindre en blanc l'année dernière – DIX NOUVELLES TOMBES VALENT MIEUX QU'UN NOUVEAU BERCEAU – se distingue encore sur la façade de l'édifice. Les deux osmanthus plantés juste devant sont plus petits que celui qui orne le jardin de ses parents, au village de Nuwa, mais ils produisent au printemps de magnifiques fleurs blanches. Elle en a ramené quelques branches en mai dernier et les a disposées dans un vase vert avec des feuilles de bambou : elles ont conservé leur fraîcheur pendant plus de deux semaines.

Je vais donc quitter le village des Kong, la ville de Hexi et le district de Nuwa, se dit-elle. En dehors de leur bref voyage de noces à Beijing, Meili n'a guère dépassé la campagne qui s'étend autour de son lieu de naissance, dans un rayon de dix kilomètres. Elle a vu à la télévision des images de la région située au nord de Nuwa, avec ses montagnes couvertes de forêts et ses villes prospères où les hommes sont habillés comme des cadres supérieurs et les femmes comme des réceptionnistes d'hôtels. Mais elle n'a pas la moindre idée de ce qui se trouve au-delà de la frontière sud de la province. Toutefois, elle n'a aucune raison de s'inquiéter : Kongzi la guidera. Du moment qu'ils trouvent un endroit où le bébé puisse naître en toute sécurité, tout ira bien. Et elle s'arrangera pour ne plus tomber enceinte par la suite.

Elle distingue à peine dans le lointain le bâtiment de deux étages où elle a rencontré Kongzi. Le professeur Zhou est venu exprès de Beijing pour le construire et l'a baptisé hôtel du « Ciel au-delà du Ciel ». Quatre ans plus tôt, Meili a quitté le village de Nuwa pour y passer un entretien et n'a pas tardé, non seulement à y être engagée, mais à épouser Kongzi, alors gérant de l'hôtel. Elle se souvient que le professeur Zhou a débarqué un jour avec un autocar rempli de touristes en provenance d'une ville lointaine et aux vêtements encore plus élégants que ceux des habitants du sud de la province. Le premier soir, les clients ont nagé dans la piscine et deux femmes se sont même déshabillées, ne gardant que leurs sous-vêtements. Elle remarque que de la fumée s'élève à l'est d'un village construit au sommet d'une colline et se demande si ses habitants ont mis le feu, eux aussi, aux locaux du planning familial.

Se tournant à nouveau vers le nord, son regard suit la ligne des poteaux télégraphiques dont la taille diminue jusqu'à disparaître dans le lointain. Derrière eux, la montagne de Nuwa barre l'horizon. À ses pieds se trouve le village où vivent encore ses parents. Meili sait que si elle est enceinte aujourd'hui c'est parce qu'elle l'a escaladée trois ans plus tôt pour se rendre à la grotte de Nuwa et qu'elle a caressé l'antre sacré de la déesse. Quelques jours plus tard, elle était enceinte de Nannan. Après la naissance de leur fille, Kongzi lui a dit que leur prochain enfant devait être un garçon. Lorsqu'il a appris sa nouvelle grossesse, il a demandé moyennant finances à un prêtre taoïste de lui écrire une ancienne formule rituelle sur un bout de papier qu'il a ensuite placé dans une médaille de longévité et enterré au pied de leur dattier, en déclarant : « C'est ici que naîtra le descendant mâle de Confucius à la soixante-dix-septième génération. »

Une camionnette de propagande se rapproche à cet instant. De l'énorme haut-parleur fixé sur son toit, une voix se déverse : « La direction du planning familial du district a envoyé ses responsables dans notre village. Ils passeront ce matin dans chaque maison pour poser un appareil intra-utérin à toutes les femmes en âge de porter un enfant et leur fourniront toutes les informations nécessaires en matière de reproduction et de fertilité… » Un camion suit le véhicule de près : dans sa benne à l'air libre sont entassées des femmes enceintes aux jambes solidement ligotées. Meili reconnaît parmi elles une ancienne camarade de classe et détourne les yeux. Quelques instants plus tard surgit le minibus pourpre de Shan, le cousin de Kongzi, qui livre du matériel aux entreprises locales et conduit au marché du canton les villageois qui souhaitent y vendre leurs œufs et leurs légumes. Ses services coûtent deux fois moins cher que l'autocar officiel, aussi ses affaires sont-elles florissantes. Meili se hisse sur la route et lui fait signe. Le minibus s'arrête un instant, puis repart, avant de revenir en arrière et de s'immobiliser à nouveau. Le juge Wang, le corpulent président de la Cour de Justice de Hexi, en émerge, suivi par deux policiers qui s'emparent aussitôt de Meili.

— Lâchez-moi ! s'écrie-t-elle en donnant des coups de pied dans la portière, tandis qu'ils essaient de la faire monter à bord. J'ai un permis de naissance ! J'ai le droit d'être enceinte, je n'ai donc pas besoin de stérilet !

— Dans ce cas, les responsables du planning familial voudront savoir si vous êtes déjà enceinte, lui répond le plus grand des policiers.

— C'est le cousin de mon mari, dit-elle en montrant le chauffeur. Shan, dis-leur que je ne suis pas enceinte !

— Elle ne peut pas être enceinte, juge Wang, intervient Shan, la tête rentrée dans les épaules pour se protéger du froid. Elle a eu une fille il y a deux ans et on lui a placé un stérilet juste après la naissance.

— Dans ce cas, les responsables devront s'assurer qu'il est toujours en place, rétorque l'autre policier. Allez, montez !

Kongzi fait sa réapparition à cet instant précis, suivi de près par Nannan.

— Lâchez immédiatement ma femme ou je mets le feu à ce minibus ! s'écrie-t-il en allumant son briquet et en approchant la flamme d'un bout d'étoffe qu'il a sorti de son sac. Vous ne pouvez pas arrêter les gens de la sorte, sans la moindre raison. Vous n'avez donc aucun respect de la loi ?

Shan passe la tête par la fenêtre de la portière.

— Ne mets pas le feu à mon minibus, cousin ! implore-t-il tandis que le vent rabat sa frange en arrière.

— Veux faire pipi, papa, gémit Nannan en s'accrochant au pantalon de son père.

Sa veste rouge matelassée est trois fois trop grande pour elle et lui arrive presque aux chevilles.

— Tu n'as qu'à te soulager dans ce talus, lui lance Kongzi. Débrouille-toi toute seule.

— La politique du planning familial ne relève pas de la loi, dit le grand policier en allumant sa matraque électrique et en regardant les étincelles bleues qui se mettent à clignoter au bout.

— Sale traître ! lance Kongzi à son cousin en le gratifiant d'un regard glacial.

— C'est Meili qui m'a fait signe, répond Shan dont le visage s'est empourpré. Sinon, je ne me serais pas arrêté. L'équipe du planning familial a réquisitionné tous les véhicules du canton. Ils nous paient soixante yuans par jour.

— Relâchez-la pour cette fois, intervient le juge Wang. (Il se tourne ensuite vers Kongzi et lui lance, sans aménité :) Quant à vous, Kong Lingming, si vous essayez encore d'entraver le cours de cette opération, je vous ferai jeter en prison – et votre vénérable ancêtre lui-même ne sera pas en mesure de vous sauver.

Les trois hommes en uniforme remontent à bord du minibus. Tandis que le véhicule s'éloigne, des enfants qui ont émergé du village le bombardent de mottes de terre et un chien jaune galeux se lance à sa poursuite jusqu'à ce qu'il soit hors de vue.

Quelques instants plus tard, le Balafré apparaît sur la route, tenant d'une main un hachoir et de l'autre une corde où il a attaché par le poignet ses trois filles, qui le suivent en pleurant. Kongzi tente de s'interposer, évitant le hachoir que l'autre brandit sous son nez. Les deux aînées sont ses élèves.

— Hors de mon chemin ! s'écrie le Balafré dont la cicatrice en travers du front a viré au violet. J'emmène mes trois filles chez le gouverneur du district. Il me dira laquelle est de trop et je la tuerai moi-même sous ses yeux.

Sa fille cadette n'a que trois ans. Remarquant qu'elle a perdu ses chaussures, ses deux sœurs s'arrêtent et essaient de la porter, malgré leurs poignets entravés.

Nannan émerge du fossé. Meili s'accroupit pour la serrer contre elle, mais son visage trahit tout à coup une brusque inquiétude.

— Kongzi... Je crois que je suis trempée... Il faut que je retourne à la maison pour me changer.

Par une nuit froide, il y a neuf ans, après une tentative de fuite avortée le matin précédent, le Père a emmené la Mère et Nannan hors du village des Kong et leur a fait traverser les champs enneigés jusqu'aux berges de la rivière d'Eau Sombre. Là, ils ont pris place à bord d'une petite embarcation. Laissant la fumée du moteur et les remous derrière eux, ils ont pris la direction du sud à la recherche d'un endroit où leur second enfant puisse naître en sécurité. L'esprit de l'enfant les quitte à présent et poursuit son chemin le long de la rivière d'Eau Sombre dont il remonte le cours jusqu'à sa source sacrée, dans les tréfonds de la grotte de Nuwa.

MOTS-CLEFS : *mal de mer, testicules, fils emmêlés, rouge à lèvres mauve, grenouilles bouillies, centre de détention.*

Le fleuve Yangtze aux reflets noirs s'écoule paresseusement au pied des falaises de calcaire qui se dressent à pic, épousant la courbe de ses berges sinueuses. Le bateau chargé de passagers avance sur l'eau, laissant une traînée d'écume blanche qui s'étire en vain derrière lui. Secoué de violentes trépidations, le moteur à essence crache des nuages de fumée qui se répandent à travers le bateau avant de se dissiper dans le ciel nocturne. La plupart des passagers ont gagné le pont supérieur, fuyant les relents de vomissures et d'excréments qui imprègnent les cabines. Meili est assise contre le bastingage, à côté d'une femme qui arbore un rouge à lèvres mauve et vient d'une bourgade située à dix kilomètres à peine du village de Nuwa. Lorsqu'elle a émergé sur le pont et vu que Meili était vraiment patraque, elle lui a donné une pilule contre le mal de mer. Elle se rend à Fengjie, une ville située un peu plus bas le long du fleuve et où elle travaille dans un salon de coiffure. Elle raconte à Meili que toutes les bourgades situées sur cette partie du Yangtze doivent être évacuées et détruites avant la fin de la construction du barrage et l'inondation de la vallée : il est donc facile de trouver du travail en ce moment dans un chantier de démolition. Elle lui confie également que son mari vient de subir une vasectomie.

— Trois jours après l'opération, les cicatrices se sont infectées et ses testicules sont maintenant gros comme des carottes. Il passe ses journées à boire de l'alcool pour calmer ses douleurs, qui sont paraît-il insoutenables, tout en grommelant qu'il étranglerait volontiers les responsables du planning familial qui l'ont aussi mal opéré.

La femme fume une cigarette. Lorsqu'elle parle, ses dents sont tellement blanches qu'elles brillent dans la nuit.

— Les hommes sont rarement enchantés à l'idée de perdre leur virilité, lui dit Meili. Vous devriez demander au planning familial de vous verser une indemnité.

Elle s'est accoutumée à la voix haut perchée de cette femme et contemple sa bague en se demandant si elle est en or massif ou simplement plaquée. Meili a une alliance, elle aussi, mais elle l'a laissée au fond de son sac : depuis qu'elle est enceinte ses doigts ont enflé et elle ne peut plus l'enfiler.

— Mon mari a réclamé des indemnités, évidemment, mais ils ne lui ont donné que mille deux cents yuans – ce qui ne couvre même pas une semaine de soins à l'hôpital. Nous avons demandé une copie du rapport de la visite de contrôle, mais ils ont refusé de nous le communiquer, craignant que nous ne déposions une plainte officielle. Nous avons bien essayé de les poursuivre en justice mais le juge du district nous a dit que les responsables du planning familial sont au-dessus des lois. Si nous portions notre affaire devant les autorités de Beijing, nous serions arrêtés pour « revendication illégale ».

Meili sort de son sac un lot de bananes et en propose une à la femme. Kongzi est allongé, endormi à ses pieds, des relents d'alcool s'échappent de ses lèvres. Quelques instants plus tôt, il a émergé de son sommeil d'ivrogne et marmonné une phrase des *Analectes* de Confucius : « Si ma route arrive à son terme, je monterai sur un radeau et prendrai la mer. » Un groupe de travailleurs itinérants accroupis à côté de lui vident des bouteilles de bière.

— Non, non, dit la femme, je n'ai pas faim.

Mais elle accepte tout de même une banane. Meili en prend une de son côté et jette la peau par-dessus bord, la regardant disparaître dans la coulée d'écume blanche qui s'étire au milieu des eaux noires du fleuve.

— Ma mère qui a plus de quatre-vingts ans est à notre charge, reprend la femme. Et j'ai une fille de deux ans. L'argent que je ramène est aussitôt dépensé.

Meiji déplace la tête de Nannan, qui dort en travers de ses genoux, et remue ses orteils engourdis. Puis elle regarde le visage de la femme rongé par les soucis et songe à la précarité de sa propre situation. Je n'ai que vingt ans, se dit-elle, et je ne veux pas vieillir aussi mal qu'elle. Je trouverai du travail, gagnerai de l'argent et m'achèterai une jolie robe et des chaussures en cuir. Kongzi m'a dit un jour que mes pieds étaient la partie la plus attirante de mon corps et j'ai eu soin de ne pas les exposer depuis lors. Mais un jour, je m'achèterai de belles sandales en cuir et je peindrai mes ongles en rouge...

— Dites-moi... Vous êtes enceinte, n'est-ce pas ? lui lance la femme. Et vous fuyez les foudres du planning familial ?

— Comment l'avez-vous deviné ? Oui, je suis enceinte de trois mois. Le district de Nuwa a pris des mesures sévères contre ceux qui ne respectent pas les consignes du planning familial. Nous aurons le droit d'avoir un second enfant lorsque notre fille atteindra l'âge de cinq ans, mais je suis tombée enceinte plus tôt sans l'avoir vraiment cherché.

— Vous voulez un fils, c'est ça ? Pour prolonger la lignée familiale...

— Mon mari appartient au clan des Kong : aussi tient-il à avoir un fils, évidemment. Il cite à tout bout de champ la phrase des *Analectes* qui affirme que « des trois manquements au devoir filial, le pire est de n'avoir aucun héritier mâle ». Ou quelque chose d'approchant.

— Comment avez-vous fait pour éviter qu'on ne vous place un stérilet ? Votre famille a sûrement de l'influence. Je suis certaine que vous êtes la seule femme sur ce bateau à ne pas en porter.

— Non, mes parents sont de simples paysans. Mon père travaille dans une mine de charbon à présent et ma mère s'occupe des champs. Mais le père de mon mari est un héros de la guerre et il a été chef de village – ce qui lui a permis de tirer quelques ficelles...

— Votre mari doit être professeur, pour citer ainsi les classiques. Il suffit de voir l'épaisseur de ses lunettes !

Meili sourit et ramène ses cheveux en arrière.

— Oui, tout le monde au village l'appelle Kongzi, comme le vieux sage. Nos voisins lui demandent souvent de choisir les prénoms de leurs enfants ou d'écrire les distiques qu'ils accrochent devant leur maison.

Les deux femmes regardent Kongzi, qui est maintenant vautré sur le dos et ronfle bruyamment.

— Si nous parvenions à nous faufiler jusque-là, nous pourrions nous asseoir dans la salle de télévision, dit la femme en désignant la direction du menton.

Après avoir regardé les ouvriers qui boivent leurs bières, elle se met à fredonner un air en cantonais : *Tandis que la nuit s'assombrit, la boisson me monte à la tête. Prends garde à tes paroles, car chacun sait qu'on me brise aisément le cœur*… Le bateau entame une courbe du fleuve et le vacarme du moteur s'accroît.

— Vous parlez le cantonais ? s'exclame Meili. Êtes-vous déjà allée à Guangzhou ?

Elle connaît cette chanson et l'avait chantée lors de son entretien à l'hôtel du « Ciel au-delà du Ciel » : le professeur Zhou, impressionné, l'avait aussitôt engagée.

— Oui, dit la femme, j'y suis allée deux ou trois fois. Il faut parler le cantonais pour trouver du travail là-bas, surtout dans les salons de coiffure. Mais les hommes sont pleins aux as, à Guangzhou. Si je voulais, je gagnerais autant en un jour là-bas qu'en une année dans mon village. Et vous, vous pourriez aisément y faire fortune, avec votre peau si lisse, votre cou élancé et vos traits délicats : quel homme vous résisterait ? J'irais bien m'y installer moi-même mais c'est trop loin de chez moi. Je dois rentrer toutes les semaines pour retrouver ma fille – et pour donner de l'argent à ma famille. Mais si cela ne tenait qu'à moi, jamais je ne remettrais les pieds dans cette maudite contrée.

— Moi, dit Meili, j'aurais préféré rester chez moi. La seule idée de voyager m'effraie.

Elle revoit Yuanyuan revenir de l'école, le jour de leur départ. Sa belle-mère était à ses côtés, la soutenant d'une main et portant de l'autre le fœtus avorté du bébé. Yuanyuan avait éprouvé les premières contractions dès qu'on l'avait ligotée sur la table de la salle de classe : mais lorsque le bébé était venu au monde il était déjà mort, tué par l'injection. Le responsable du planning familial avait jeté son cadavre dans une cuvette en plastique mais sa taille était déjà telle qu'il en débordait. La cuvette et son horrible contenu étaient restés pendant des heures sur le sol, personne n'osait y toucher. Lorsque sa belle-mère était venue chercher Yuanyuan, elle les avait ramassés, refusant de les relâcher.

— Mon village est entouré de montagnes splendides, reprend la femme au rouge à lèvres mauve. La terre est si fertile qu'on pourrait y faire pousser n'importe quoi. Mais les officiers du planning familial nous rendent la vie infernale. Ils viennent arrêter les femmes au beau milieu de la nuit. Une fois, ils m'ont enfermée pendant neuf jours dans un local de l'armée. Nous étions une vingtaine de femmes dans une pièce qui faisait à peine douze mètres carrés. Nous ne pouvions même pas nous allonger. Il y avait parmi nous une fillette de quatre ans qu'ils avaient prise en otage pour obliger sa mère à revenir de Shanghai. L'une de ces femmes venait de subir un avortement et saignait encore abondamment. Mais le deuxième soir, l'officier Zheng et son collègue sont venus la chercher et l'ont violée à tour de rôle dans le couloir.

— Les choses ne sont pas allées jusque-là dans notre village. Les officiers ont détruit plusieurs maisons et arrêté pas mal de monde, mais aucune femme n'a été violée.

Meili n'ose pas parler ouvertement de la véritable nature de cette répression. Elle jette un coup d'œil aux ouvriers itinérants installés à côté d'elle. Les grenouilles bouillies qu'ils sont en train de manger lui font penser à de minuscules fœtus.

— Je déteste ce Zheng, poursuit la femme. Je suis à nouveau tombée enceinte l'année dernière et il m'a promis que je pourrais garder l'enfant, mais on a fini par me traîner à la clinique où j'ai dû subir un avortement forcé. C'est à cause de ce salopard que j'ai quitté le village.

— Vous n'avez rien dit à votre mari ? demande Meili en se doutant que l'officier avait obligé la femme à coucher avec lui.

— À quoi bon ? Il n'aurait pas eu assez de couilles pour lui casser la gueule – et c'est moi qu'il aurait battue à la place. Suivez mon conseil et ne comptez pas sur votre mari pour vous rendre heureuse. Le gouvernement persécute les hommes, qui persécutent leurs femmes pour se venger. Et elles, qu'est-ce qu'elles peuvent faire ? Si elles ont un enfant, elles lui donnent une raclée pour se défouler. Sinon, elles vont se jeter dans la rivière ou avalent un flacon de pesticide.

Meili pense à ces femmes qui quittent leur village pour aller chercher du travail dans le sud et qui reviennent au bout d'un an, après avoir gagné beaucoup d'argent. Yuanyuan lui a dit que celles qui n'arrivent pas à se faire embaucher en usine travaillent comme prostituées dans des salons de coiffure. Elle se garde bien de demander à son interlocutrice si elle a déjà couché avec des hommes pour de l'argent, mais se rappelle ce qu'elle lui a dit tout à l'heure : qu'elle gagnerait autant en un jour là-bas qu'en un an au village. Elle en déduit donc que cela a dû lui arriver.

Cette conversation trouble un peu Meili et lui remet en mémoire l'époque où un homme l'avait embobinée et avait presque réussi à coucher avec elle, quand elle avait quinze ans. Elle regarde le ciel nocturne et a brusquement conscience de l'esprit qui anime son fœtus, l'obligeant à s'enfoncer dans les profondeurs de son ventre. Serrant les cuisses et se repliant sur elle-même, elle murmure :

— N'aie pas peur, mon petit. Reste tranquillement où tu es.

Cette nuit, la Mère regarde dans les ténèbres comme si elle voulait converser avec l'esprit de l'enfant. La lumière de la lune éclaire l'arête étroite de son nez. Ses lèvres semblent esquisser un sourire. Une femme au rouge à lèvres mauve lui dit :

— Soyez particulièrement vigilante dans les gares, les places publiques, les hôtels. Tous ces lieux grouillent d'agents de la sécurité. S'ils remarquent une femme qu'ils soupçonnent d'être illégalement enceinte, ils lui sautent dessus et l'entraînent de force dans une clinique pour la faire avorter. Ils reçoivent cinquante yuans pour chaque femme qu'ils ramènent ainsi. Et restez toujours sur vos gardes dans les grandes villes : les paysans n'y sont pas les bienvenus. Les autorités pensent que nous donnons une mauvaise image du pays aux touristes, ils nous regroupent dans des centres de détention en nous faisant payer une « taxe de rénovation urbaine » qui est en fait une amende, pour le simple fait d'avoir mis les pieds en ville. La seule manière d'éviter une telle arrestation, c'est de vivre sur l'eau.

— Comment ça, vivre sur l'eau ?

La Mère regarde l'immensité du fleuve. Elle n'aperçoit aucune terre, aucun être humain à l'horizon, seulement l'étendue de l'eau qui s'écoule. Et ce spectacle semble la rassurer.

— Vous n'avez donc pas idée des dangers qui vous guettent dans ce pays ? rétorque l'autre femme. Quand on a la malchance d'être née avec un con, on est sans cesse surveillée. Les hommes contrôlent notre vagin, l'État contrôle notre utérus. Vous pouvez bien essayer de verrouiller votre corps, le gouvernement en possédera toujours la clef. Tel est le destin des femmes, conclut-elle avec des larmes dans les yeux.

— Vous voulez dire qu'on ne vérifie pas le permis de résidence des gens qui vivent sur le fleuve ? demande la Mère.

— Oui, parce qu'ils se déplacent sans cesse et se fondent au sein de cette population flottante. À Guangdong on les appelle les « familles d'œufs », parce qu'ils vont de ville en ville sur des bateaux qui font penser à des coquilles coupées en deux.

Meili pense à son enfance sur les berges de la rivière d'Eau Sombre. Tous les jours elle regardait les bateaux qui s'amarraient à la jetée et déchargeaient leur cargaison de chaux, de briques et de tuiles. Parfois, un bateau à moteur faisait son apparition et déversait des paysans en costumes de fête qui allaient en pèlerinage à la montagne de Nuwa. Elle n'aimait pas s'approcher de la rivière, surtout depuis qu'elle avait appris que celle-ci avait sa source dans la grotte et conférait la fertilité à toutes les femmes qui la touchaient.

La femme au rouge à lèvres mauve regarde Meili droit dans les yeux.

— Il y a pourtant un endroit en Chine où l'on peut vivre en totale liberté : c'est la Commune Céleste. Elle se trouve dans la province de Guangdong. J'y ai travaillé quelque temps. Personne ne s'y préoccupe de savoir combien d'enfants vous avez. Et il est quasiment impossible de tomber enceinte là-bas.

— On voit bien que vous ne connaissez pas mon mari ! s'exclame Meili, en songeant à Kongzi qui exige qu'ils fassent l'amour tous les soirs, la laissant chaque fois aussi défaite qu'une pelote de fils emmêlés.

— Non, vous n'y êtes pas… L'atmosphère de la ville est saturée de produits chimiques qui rendent les hommes infertiles. Les journaux parlent de pollution mais je n'irai pas jusque-là. Il y a juste une drôle d'odeur dans l'atmosphère.

— La Commune Céleste, dites-vous… Où se trouve-t-elle exactement ? demande Meili tout excitée, comme si on lui avait parlé de la Terre promise.

Elle jette ensuite un coup d'œil à Kongzi, toujours endormi à ses pieds.

— Près de Foshan, à une heure de Guangzhou, dans le delta de la rivière des Perles. C'était un petit village au départ mais il a triplé de volume au cours des cinq dernières années. Il y a un grand lac au milieu et les rues disparaissent sous des montagnes de téléviseurs et de téléphones étrangers, ainsi que des quantités d'appareils électroniques qu'on ne voit jamais à la campagne. Toutes ces machines sont déversées par camions entiers et les gens travaillent au bord du lac, en regardant la télévision. Le salaire est de huit cents yuans par semaine, la nourriture et le logement sont pris en charge. Des enfants courent dans tous les coins. Personne ne vient vérifier vos permis de naissance ni vous emmener dans une clinique pour vous obliger à mettre un stérilet.

— Mais vous disiez qu'il était impossible de tomber enceinte. Comment se fait-il dans ce cas qu'il y ait autant d'enfants ?

Tout en posant sa question, Meili essuie la morve qui coule du nez de sa fille.

— Il faut avoir respiré une grande quantité de ces produits chimiques avant qu'ils ne commencent à produire leurs effets. On les appelle des dioxines, si j'ai bien compris. Les responsables du planning familial sont très détendus là-bas, car ils savent que même en déployant beaucoup d'énergie il est peu probable qu'un homme parvienne à mettre sa femme enceinte.

— Quel merveilleux endroit !

Meili se sent pleinement réveillée à présent. Elle s'imagine assise sur un tabouret au bord du lac, épluchant des légumes et regardant ses enfants patauger dans l'eau, tout en attendant le retour de Kongzi parti donner ses cours à l'école locale, vêtu d'un costume cravate et chaussé de lunettes à montures dorées…

— La ville abonde en fabriques et en ateliers où l'on démantèle tous ces engins électroniques, reprend la femme. Elle a le statut de zone économique spéciale à présent, comme Shenzhen. Mais pour y arriver, il faut traverser plusieurs grandes villes. Si la police vous épingle en cours de route, vous serez enfermée dans un centre de détention avant d'être ramenée chez vous.

Meili s'imagine à nouveau dans ce cadre paradisiaque, assise en toute sécurité dans un jardin et tricotant paisiblement, tout en respirant à pleins poumons ces produits chimiques bénis, qui empêchent les femmes de concevoir des enfants. Elle ignore combien de temps il faut pour se rendre de la fertile montagne de Nuwa aux étendues stériles de la Commune Céleste : du moins a-t-elle désormais connaissance d'un endroit où le bonheur serait possible.

Elle ferme les yeux et revoit le regard sévère de sa mère, lui reprochant sans arrêt de gaspiller la nourriture, puis le visage inquiet et maculé de suie de son père. Elle a entendu dire qu'après avoir travaillé un certain temps dans les mines, les gens ont les poumons aussi noirs que leurs visages. Son frère est un couard lui aussi. Quand il était petit, il n'osait pas sortir tout seul la nuit pour aller pisser. Même si Meili a dû quitter l'école à l'âge de huit ans pour aider sa grand-mère dans les champs, elle rêve toujours de mener une vie moderne. Elle a beau être officiellement rangée dans la catégorie des paysans, elle fera tout ce qui est en son pouvoir pour que ses enfants aillent à l'université et trouvent du travail dans une grande ville. Elle n'est pas dénuée de talent. Elle a l'oreille absolue et sa grand-mère lui a transmis l'art des complaintes funèbres. À l'hôtel du « Ciel au-delà du Ciel », elle chantait tous les soirs « Sur les champs de l'espoir », en terminant sur une note suraiguë qui lui valait de copieux applaudissements. Avant de se marier déjà, elle avait résolu de connaître le bonheur et le succès, en fuyant l'existence monotone que menaient ses parents. Abordant une nouvelle courbe du fleuve, le moteur du bateau se remet à rugir. Nannan sursaute dans son sommeil et se pelotonne à nouveau sur les genoux de sa mère, posant la tête sur le sac de chanvre avant de replonger dans son rêve.

Lorsque l'aube point, Meili émerge du sommeil et aperçoit le visage de Nannan baigné par les premières lueurs du soleil, qui se reflètent sur sa veste rouge matelassée. Les moustiques qui ont bourdonné toute la nuit ont laissé de petites marques de piqûres sur le cou de sa fille, mais son visage est aussi lisse et immaculé qu'un œuf. Tandis que le bateau poursuit sa descente au fil du courant, le rêve dans lequel Meili était plongée se dissipe peu à peu. Tout ce qu'il lui en reste, c'est la vague sensation d'avoir nagé aussi librement qu'un poisson dans les eaux profondes du lac de la Commune Céleste.

MOTS-CLEFS : *cités fluviales, chien errant, contrebande, bonheur, sol printanier, civilisation, dix orteils.*

— Pourquoi on s'en va du bateau, papa ? demande Nannan en se pendant à ses basques.

Kongzi la soulève et la prend dans ses bras avant de se mêler aux autres passagers chargés de sacs et de paquets qui traversent la passerelle pour rejoindre le quai. Meili, qui les suit de près, considère cette cohue avec nervosité, en refoulant la nausée qui la gagne à nouveau. Elle pose instinctivement les mains sur son ventre et se sent dans la peau de la femme qu'elle avait aperçue dans une série télévisée et qui cachait des produits de contrebande dans les replis de son corps. Le sac à dos rouge qu'elle a rempli de biscuits, de lait en poudre et de saucisses séchées pèse sur ses épaules tandis qu'elle entreprend d'escalader la centaine de marches qui partent du quai, s'écartant pour éviter les voyageurs qui dévalent l'escalier à toute allure en sens inverse pour attraper le bateau.

Arrivé au sommet, Kongzi lève les yeux et se tord le cou pour contempler la ville dont les maisons s'étagent sur le flanc escarpé de la montagne. Le gros sac en plastique noir qui pend à son épaule racle le sol.

— Voici donc Sanxia, commente-t-il. Dans quelques mois, le niveau des eaux montera de cent cinquante mètres et la vieille ville sera entièrement recouverte. Regarde, ils sont en train de détruire des maisons… Les habitants iront ensuite s'installer dans les nouveaux bâtiments qui ont été construits un peu plus haut.

La fumée du charbon et une épaisse odeur de maïs bouilli planent dans l'atmosphère.

— Vous cherchez un hôtel ? leur lance quelqu'un. Vous voyez cette péniche, en bas ? Le tarif est de cinq yuans la nuit. Vous ne trouverez pas moins cher dans la région.

— Pouvons-nous lui faire confiance ? murmure Meili, les bras croisés sur son ventre et convaincue que tout le monde la regarde, particulièrement les hommes coiffés d'une casquette bleue. Vise un peu ce type, ajoute-t-elle. On dirait un policier. Il va peut-être nous arrêter pour nous conduire dans un centre de détention.

— Non, répond Kongzi, il doit plutôt s'agir d'un percepteur. D'ailleurs, seules les grandes villes possèdent des centres de détention. Sanxia est moins peuplé que Hexi. Tu vois ce magasin : il n'a qu'un étage et il n'y a pratiquement pas de voitures dans les parages. Cesse donc de te faire du souci.

Un jeune homme qui passe à moto se retourne, les regarde et lance à Kongzi :

— Eh, l'ami ! Cinq yuans la course, ça vous va ? Je vous emmène tous les trois.

Kongzi hoche négativement la tête.

— Papa, je veux la moto ! s'écrie Nannan tandis que le deux-roues s'éloigne. Je veux monter sur la moto !

— Nous marcherons à pied, dit Kongzi en s'engageant sur le chemin de terre.

— Méchant papa ! lance Nannan. Je te déteste !

Kongzi ne comprend pas ce que j'éprouve, songe Meili. Si la police nous arrête, c'est moi que l'on punira. C'est dans *mon* ventre que loge ce fœtus indésirable.

Ils longent des maisons et des panneaux d'affichage poussiéreux. Un peu plus loin se dressent les sinistres charpentes des bâtiments abandonnés. Des poutres en bois, des carrelages, des panneaux vitrés et des fauteuils pivotants ont été empilés au bord du chemin. Plusieurs rangées de vieilles maisons qui se sont apparemment affaissées forment une nouvelle strate, un peu plus haut sur la pente.

— Regarde toutes ces demeures effondrées, dit Meili. C'est drôle, elles n'ont pas de portes... Comment les gens faisaient-ils pour entrer ?

— Tu ne sais donc pas que dans les cités fluviales, ce sont les fenêtres qui donnent sur l'eau. Les portes sont situées de l'autre côté, sur l'arrière des maisons.

Ils arrivent au pied d'un escalier de pierre dont les marches taillées à flanc de montagne semblent se perdre dans les hauteurs. Kongzi prend la main de Nannan et entreprend l'ascension.

— Il y en a, des marches..., dit Meili en le suivant péniblement, essoufflée et baignée de sueur. Jusqu'où faut-il monter ? Et si je basculais dans le vide ? Kongzi... Es-tu sûr que ton cousin se souviendra de toi ?

— Évidemment. Nous étions toujours fourrés ensemble au village, quand nous étions enfants, à chaparder des dattes et des cacahuètes dans les jardins des voisins. Et nous partagions les mêmes épis de maïs.

— Papa... Tu as amené tes forces ? demande Nannan en levant vers lui son visage ruisselant de sueur ; sa veste matelassée est beaucoup trop chaude pour un tel endroit.

— Non, dit Kongzi en sachant ce qu'elle a derrière la tête. Je les ai laissées à la maison.

— Je suis fatiguée. Porte-moi.

— Je viens de te dire que j'avais laissé mes forces à la maison. Allez, ajoute-t-il en lui étreignant la main. Continue de grimper et ne regarde pas en haut.

À mi-chemin, ils atteignent un étroit sentier. Kongzi tourne à gauche et s'y engage avant de s'arrêter un peu plus loin, devant une entrée d'immeuble plongée dans la pénombre. Des rangées de boîtes aux lettres rouillées sont clouées à l'intérieur, sur les parois en ciment. Certaines ont été arrachées, d'autres sont remplies de prospectus proposant des téléviseurs bon marché.

— Regarde ce slogan ! lance Meili qui peine encore à retrouver son souffle.

Kongzi se tourne vers la façade branlante et lit à voix haute :

— « Après le premier enfant : un stérilet. Après le second : la stérilisation. En cas de troisième ou de quatrième grossesse, le fœtus sera tué, *tué, tué* ! » N'aie pas peur, ajoute-t-il, c'est un ancien slogan. Regarde, la peinture s'écaille déjà. Oui, nous sommes au bon endroit. Voici sa boîte aux lettres : appartement 121.

Il dépose son gros sac en plastique et ouvre la porte qui donne sur la cage d'escalier commune.

— Attention, papa, chuchote Nannan. Le grand méchant loup est là...

— Je t'attends ici avec Nannan, dit Meili.

Tandis qu'il disparaît à l'intérieur, des effluves de mouton bouilli en provenance de la cage d'escalier lui soulèvent brusquement l'estomac. Elle tombe à genoux et se met à vomir. Nannan se recule d'un air dégoûté.

— Vite, recouvre-moi ça, lui lance Meili en lui montrant un tas de vieux journaux et de pelures d'orange qui traînent dans un coin.

Kongzi revient au bout de quelques minutes.

— Il n'habite plus ici. La femme qui occupe l'appartement voisin m'a dit qu'il était parti il y a deux mois pour s'installer dans une autre ville.

— Il faut absolument que je fasse pipi, lui répond Meili d'un air paniqué.

— Tu ne peux pas faire ça en plein air, nous ne sommes plus à la campagne. Retournons sur le quai, il y a sûrement des toilettes.

Ils ramassent leurs bagages, redescendent prudemment le vertigineux escalier et prennent une chambre dans la péniche qui tient lieu d'hôtel, immobilisée contre la berge.

La nuit, les bâtiments récemment construits qui se dressent à flanc de montagne ressemblent à des planches de bois informes. Quelques lumières brillent çà et là sur leurs façades mais la plupart sont plongés dans l'obscurité.

— Regarde cet immeuble, dit Meili, il doit bien avoir douze étages... Si les fenêtres étaient ouvertes tout en haut, les oiseaux pourraient s'engouffrer à l'intérieur.

Maintenant que Nannan s'est endormie, Kongzi et elle sont venus s'asseoir sur le pont de la péniche, qui loge essentiellement des ouvriers itinérants. Les cabines sentent le moisi et les toilettes sont tellement sales que personne ne songe à les utiliser.

Kongzi enfile sa veste et contemple le fleuve.

— Quel paysage splendide ! Cela me rappelle un poème de la dynastie Tang : « Au printemps le fleuve atteint le niveau de la mer / La lune étincelante se lève sur l'eau et monte avec la marée ».

Il tire une bouffée de sa cigarette et rejette lentement la fumée, ce qui embue les verres épais de ses lunettes.

— J'aimerais bien monter au sommet d'un de ces immeubles, la vue doit être magnifique, dit Meili, observant toujours les lumières qui scintillent sur la montagne.

— Quelle béotienne tu fais ! Comment peux-tu t'extasier sur ces bâtiments modernes alors que nous avons sous les yeux le Yangtze éternel ? Notre plus grand poète, Li Bai, a descendu ce fleuve il y a plus de mille ans et l'a immortalisé dans ses vers. Le Yangtze est l'artère vitale de notre pays. C'est sur ses berges que le peuple chinois s'est établi à l'origine et que notre civilisation est née.

— Tu crois peut-être que je n'ai jamais entendu parler de Li Bai ? « Je dis adieu à la cité de Baidi dans les lueurs rosées de l'aube / Ce soir j'aurai regagné Jiangling, à mille li d'ici / Sur les deux rives sans répit les singes crient / Ma barque légère a déjà franchi les montagnes aux dix mille replis… »

Meili sourit avec fierté. Puis, comme elle le fait chaque fois que Kongzi l'accuse d'être ignorante, elle lui lance :

— Si j'étais une telle béotienne, m'aurais-tu épousée ?

— C'est moi qui t'ai appris ce poème, rétorque Kongzi, dont les dents blanches tranchent sur le visage émacié.

— Tu veux rire ! s'exclame Meili. Je l'ai appris à l'école primaire.

Kongzi aspire une nouvelle bouffée de cigarette.

— Quel crime, tout de même, de détruire cette belle ville ancienne… (Après avoir poussé un long soupir, il récite :) « Sur les eaux de jade du fleuve les oiseaux sont des taches bleues / Sur les montagnes bleues les fleurs sont des flammes / Pourtant un nouveau printemps s'achève / Combien d'années devrai-je attendre avant de rentrer chez moi ? »

Puis, prenant la main de Meili que celle-ci a glissée dans la manche de sa veste pour se réchauffer, il lui dit :

— J'aimerais bien entendre la « Berceuse de la barque de pêche ». C'est une chanson traditionnelle, écrite pour la cithare. En connais-tu les paroles ?

— Cesse de te comporter comme si tu me faisais passer un examen, dit-elle en glissant à nouveau la main dans la manche de son mari. Tu sais bien que je n'aime que les chansons populaires.

— Dans ce cas, chante-nous « Au village il y a une fille qui s'appelle Xiao Fang ».

— Non, nous avons laissé la campagne derrière nous... Je préfère des chansons plus citadines. Écoute donc celle-ci : *Tu dis que tu m'aimes, mais je ne suis pas heureuse. Qu'est-ce que l'amour ? Qu'est-ce que la douleur ? Je n'en sais plus rien...*

Avant d'avoir fini le refrain, la Mère relève les yeux, ôte les lunettes du Père et lui dit :

— Kongzi, promets-moi qu'une fois que ce bébé sera né, nous irons tous les deux nous faire stériliser. Je ne veux plus revivre une telle situation.

— D'accord, mais à condition qu'il s'agisse d'un garçon. J'ai le devoir envers mes ancêtres de prolonger la lignée familiale. Quand je pense que depuis la nuit des temps les Chinois ont pu procréer en toute liberté... C'est bien ma veine, d'être né dans une époque où les naissances sont contrôlées !

— Mais je suis ta femme, tu as le devoir de me protéger, dit la Mère en posant la tête sur l'épaule du Père. Ce serait trop risqué de faire un troisième enfant.

— À quoi sert une épouse, sinon à engendrer des fils ? De surcroît, maintenant que nous sommes ici, tu n'as plus à t'inquiéter. À Sanxia, les responsables du planning familial fichent la paix aux gens qui vivent sur le fleuve. On ne nous a même pas demandé notre certificat de mariage, lorsque nous avons pris une chambre ici. La péniche est remplie de gens qui sont en fuite, comme nous. Nous ne craignons rien.

— Pourquoi es-tu obsédé à ce point par l'idée d'avoir un fils ? C'est une attitude féodale ! Tu ne sais donc pas que les hommes et les femmes sont égaux, de nos jours ?

— Mon frère n'a pas de fils, il est de mon devoir d'assurer la continuité de la lignée familiale. Nos filles iront s'installer dans leurs belles-familles lorsqu'elles se marieront et leurs noms ne figureront pas dans le registre des Kong. Elles ne nous sont d'aucune utilité.

— Tu t'accroches encore à ces croyances confucéennes totalement dépassées ! Je te préviens : le monde moderne poursuivra sa route sans toi.

— Eh bien ! Cela fait à peine une semaine que nous sommes partis et tu fais déjà la maligne ! N'oublie pas que tu as quitté l'école à l'âge de huit ans alors que moi, j'ai poursuivi mes études jusqu'à seize ans. Je serai donc toujours plus intelligent que toi.

— Cesse de te montrer aussi condescendant. Nous sommes tous les deux en fuite à présent. Nous verrons bien où te conduira ton machisme, dans un tel contexte.

— Bon sang ! Je me rappelle brusquement que j'ai laissé le registre du clan des Kong dans la planque de notre maison...

— Tu parles de ce cahier recouvert de papier journal, posé sur la vieille édition des *Analectes* ?

— Oui. Il date du règne de l'empereur Qianlong. C'est le vingt-deuxième de la série et il prouve que je suis le descendant de Confucius à la soixante-seizième génération, en ligne patrilinéaire directe.

— Regarde comme tu fais le fanfaron, à évoquer ton illustre ancêtre ! dit la Mère en lui pinçant l'oreille.

— Ma foi, Confucius a dû traverser lui aussi le pays comme un chien errant, après avoir été banni de la principauté de Lu. Je ne suis donc pas mécontent de mener à mon tour cette existence nomade pendant quelque temps – du moment que tu es là, ma petite chienne errante, pour me tenir compagnie !

— Espèce de coquin ! dit la Mère en glissant la main plus avant dans la manche du Père pour lui pincer la poitrine.

Dans les ténèbres qui les entourent, on ne perçoit que leur rire étouffé et leur souffle haletant. Un inconnu émerge à son tour sur le pont pour fumer une cigarette. Une autre silhouette se penche dans l'embrasure d'un hublot et vide dans le fleuve le contenu d'une cagette.

— Cela fait deux semaines à présent que nous sommes partis, dit Meili en frottant son visage contre la veste de son mari, et je n'ai pas encore écrit à ma mère. De quoi allons-nous vivre à présent ?

— Ne t'inquiète pas. Je viens d'être engagé pour participer aux travaux de démolition. Je serai payé trente yuans par jour. Nous pouvons donc rester ici jusqu'à la naissance de notre fils. D'ici à un an, j'aurai mis assez d'argent de côté pour payer l'amende correspondant à cette naissance illégale et nous pourrons tous retourner chez nous.

Sa main remonte et empoigne le sein de Meili, qui sent la chaleur envahir son visage. Cela fait des jours qu'il ne l'a pas touchée.

— Cela m'effraie un peu, de me retrouver ainsi sans rien, lui dit-elle.

— Oui, nous partons de zéro. Mais tu verras, nous serons bientôt installés.

— Je veux dire que je me sens dépossédée, coupée de tout… Tu ne m'abandonneras pas, n'est-ce pas ?

— Jamais de la vie. Laisse-moi sentir le bébé.

Kongzi relève la robe de Meili, défait les boutons de son chemisier et pose les deux mains sur son ventre.

— Et si c'était une fille ? lui dit-elle, le cœur battant.

— Eh bien, elle ne figurerait pas dans le registre familial avec les garçons de sa génération, dont le prénom doit impérativement commencer par le caractère qui signifie « droiture ».

— Ça ne fait rien. Dans ce cas nous l'appellerons « Bonheur ».

— Oui, c'est une bonne idée. Et nous pourrons toujours ajouter « droiture » par la suite, lorsque nous la déclarerons au gouvernement.

— Tu crois vraiment que nous pourrons faire enregistrer officiellement sa naissance ?

— Absolument ! Dès que l'enfant sera né, je n'aurai pas un seul instant de répit jusqu'à ce que nous puissions payer l'amende…

— Tes mains sont glacées. Retournons à la cabine.

À peine Meili a-t-elle ôté de son ventre les mains de Kongzi qu'il les fourre entre ses cuisses.

— N'appuie pas là, cela fait mal…, lui dit-elle en sentant qu'elle n'arrive plus à se contrôler.

— Mal ? Dans ce cas, laisse-moi te soulager…

Meili a l'impression que des centaines d'araignées se sont mises à galoper dans ses vaisseaux sanguins. Elle s'étire et se laisse envahir par les vagues du plaisir.

— N'appuie pas sur mon ventre… Oui, continue… Continue…

Ses cuisses tremblent sur le banc métallique. À l'intérieur de ses chaussures, ses dix orteils se crispent.

Ses doigts encore en elle, Kongzi porte une cigarette à ses lèvres et l'allume.

— Sors de là ! lui dit Meili en retirant la main de son mari et en essuyant ses doigts sur sa manche.

Un bateau de croisière passe à cet instant, diffusant une valse viennoise à travers le haut-parleur de son pont-arrière. La brise qui souffle sur le fleuve a une odeur de sol printanier et de végétation nouvelle.

— Tant que nous serons ensemble, je me fiche de savoir combien d'enfants nous aurons. Tout ce que je veux, c'est que nous soyons heureux.

— Ne t'ai-je pas rendue heureuse à l'instant ?

— Sois sérieux une seconde ! Si tu m'aimais, tu ferais en sorte de ne pas me mettre en danger. Mais c'est étrange : on se sent plus en sécurité sur le fleuve que sur terre…

L'esprit de l'enfant remarque qu'il y a de moins en moins de monde sur les berges à présent. Les lumières qui brillent le long du quai rejettent les immeubles érigés au loin dans de plus vastes ténèbres.

MOTS-CLEFS : *navire de croisière, soupe de* wawa, *chaussures aux semelles élastiques, programme de relocalisation des Trois Gorges, pilote de bateau, deux dragons, bulldozer.*

Le soleil de mai brille sur le Yangtze, dissipant la brume qui monte du fleuve avant de la rabattre sur le pont. L'humidité imprègne la peau de Meili : elle sent sa chair ramollir et son sang se réchauffer avant de s'élancer dans ses veines, jusqu'au fœtus et à l'esprit de son futur enfant. Surpris, celui-ci tend brusquement la jambe. Ne tape pas aussi fort, lui murmure Meili. Elle est accoudée à la rambarde du pont, vêtue d'un chemisier blanc et d'une longue jupe à fleurs. Lorsque la brise cesse de souffler, sa jupe s'immobilise. Elle a fini de laver les vêtements de travail de Kongzi et les a suspendus pour les faire sécher. Que tu sois une fille ou un garçon, poursuit-elle à mi-voix en caressant son ventre, tu es la chair de ma chair et je ferai tout ce qui est en mon pouvoir pour que tu aies une vie heureuse. Tu iras à l'université, puis tu travailleras dans un grand immeuble et tu prendras l'ascenseur tous les matins pour rejoindre ton bureau, au dernier étage.

La veste blanche de Kongzi flotte au vent, à côté du soutien-gorge de Meili. Celle-ci aperçoit soudain un grand navire de croisière qui remonte lentement le courant, tel un gratte-ciel flottant. Les touristes assemblés sur le pont se découpent sur le bleu du ciel comme des ballons qu'on aurait accrochés au bastingage. Ils braquent leurs appareils photo sur elle. Un homme lui fait signe en lui adressant un grand sourire. Meili s'apprête à lui répondre en agitant la main à son tour mais se sent brusquement rougir et se hâte de baisser les yeux. Dans son ventre, le fœtus s'agite comme un poisson dans une nasse. Un étranger, se dit-elle en regrettant sa mise négligée. Kongzi lui a dit que les Occidentaux qui voyagent en Chine ont un seul but : coucher avec des Chinoises.

Le navire laisse dans son sillage une grande vague qui agite les barques et les barges amarrées sur la berge. Meili regarde les traînées blanches qui s'étirent en travers de l'eau bleue et l'écume qui s'élève, jaillissant au-dessus des vagues avant de s'écraser sur le rivage. Le temps semble s'immobiliser. Elle regarde la cité fluviale tout en voyant le navire de croisière s'éloigner dans l'angle de son champ de vision. Plus loin, à l'endroit où le fleuve s'enfonce entre l'à-pic des falaises, une barque minuscule avance en oscillant, comme si elle flottait quelque part entre le fleuve et le ciel.

Qu'est-ce qui me prend, de lézarder ainsi au soleil comme une vieille femme ? se demande-t-elle. Elle se souvient alors qu'elle doit aller en ville pour acheter des légumes frais et du produit contre les moustiques. C'est aujourd'hui leur troisième anniversaire de mariage. Kongzi lui a offert à cette occasion une paire de chaussures aux semelles élastiques et elle a hâte de les essayer. Cela fera bientôt trois mois qu'ils sont partis et elle veut leur offrir à tous les trois ce soir un vrai repas de fête. Même si la péniche hôtel sent mauvais et s'avère plutôt miteuse, il y a une télévision dans la salle commune et Nannan la regarde pendant des heures, ce qui fait que les journées passent vite. Meili veut aussi téléphoner à son frère, qui travaille avec leur père dans une mine de charbon à cinquante kilomètres de Nuwa, pour lui demander de dire à leur mère qu'ils se portent bien. Comme c'est la deuxième semaine de mai, il va devoir rentrer chez eux pour asperger d'insecticide les plantations de sésame. Sa grand-mère a quatre-vingts ans maintenant et n'a plus assez de force pour travailler aux champs.

— Je veux plonger dans l'eau, maman ! s'écrie Nannan en se précipitant sur le pont et en s'apprêtant à enjamber la rambarde inférieure. Je veux voir le palais du roi des Crabes !

— Descends de là immédiatement ! lui lance Meili. Ce palais n'existe pas en vrai, c'est une invention de la télévision.

— Si, il est vrai ! Je l'ai vu ! Il y a plein de crème glacée et un très grand lit.

Nannan porte une longue robe verte et ses deux petites couettes se dressent sur sa tête.

— Viens, lui dit Meili, nous allons acheter des légumes.

Elle enfile une paire de socquettes par-dessus ses bas en nylon et met ses chaussures à semelles élastiques avant de saisir Nannan par la main et de traverser la passerelle. À peine a-t-elle posé le pied sur la berge que ses muscles se raidissent, sous l'effet de l'appréhension.

— Rappelle-toi, glisse-t-elle à sa fille, si jamais quelqu'un te demande si ta mère est enceinte, contente-toi de secouer la tête. Tu m'entends ? Et évite de dire des bêtises comme tu le fais souvent, sinon les officiers du planning familial viendront te faire une piqûre...

Meili pense à Rongrong, sa copine d'école, qui était la plus belle de la classe. Il y a deux ans, elle est allée mettre un enfant au monde en cachette, dans une cabane de montagne. Mais deux semaines à peine après la naissance du bébé, trois officiers du planning familial ont retrouvé sa trace et l'ont violée à tour de rôle. Elle a failli y rester et doit encore soigner avec des plantes médicinales l'infection pelvienne qu'elle a contractée à cette occasion.

— Chhhuuut..., fait Nannan en pointant le doigt vers la bouche de sa mère. Donne-moi mon chapeau de soleil !

Meili sort un chapeau jaune de son sac et l'enfonce sur le crâne de sa fille.

— Youpi ! lance celle-ci. En route !

Elles grimpent l'escalier escarpé qui rejoint la vieille ville et déambulent dans le marché en plein air. L'odeur du poisson imprègne l'atmosphère et les gens crient de tous les côtés. Meili aperçoit des dizaines de carpes argentées qui gigotent dans un bac en polystyrène rempli d'eau, attendant qu'on les tire de là pour les éventrer et les vider de leurs boyaux. Des plants de moutarde et des germes qui dégagent une odeur âcre sont étalés sur un comptoir en bois. Le marchand plonge la main dans une vaste bassine et la ressort en brandissant une énorme salamandre noire à la queue tachetée.

— Regardez un peu ce *wawa*, je l'ai attrapé aujourd'hui même. Il sera excellent, une fois braisé : c'est un plat idéal pour les femmes enceintes.

Du poisson braisé, ce ne serait pas mal, songe Meili. Avec un peu d'ail pour relever le goût. Mais cette bête doit coûter au moins huit yuans – c'est-à-dire beaucoup trop cher. Elle se souvient d'un repas de mariage auquel elle a assisté l'année dernière, au moment de la Fête du Printemps. Les poissons à la vapeur qu'on servait aux invités étaient encore vivants. Et au milieu de chaque table trônaient deux poulets rôtis, un mâle et une femelle, le premier chevauchant la seconde dans la même position que les mariés pendant leur nuit de noces. Elle n'a jamais pu remanger du poulet depuis lors.

— Je veux du *wawa*, maman, dit Nannan, fascinée par la salamandre qui agite sa longue queue noire.

— Non, ça sent trop mauvais, dit Meili en regardant les boyaux, les écailles de poisson, les feuilles d'épinards et les nouilles écrasées qui jonchent le sol.

Elle s'approche du stand d'un marchand de fruits, achète un *jin* d'oranges et en pèle une ; elle en glisse ensuite un quartier dans la bouche de sa fille.

— C'est acide ! Je ne veux pas d'orange ! Je veux du *wawa*. Si j'en mange je serai comme un *wawa* moi aussi.

— Allons, madame, achetez donc celui-ci ! lance un autre marchand chargé d'une grande bassine. Le *wawa* nourrit le yin et fortifie le yang. C'est une espèce protégée, qui vit uniquement dans les eaux du Yangtze. Nous avons le droit d'en pêcher en ce moment, mais seulement à cause du remue-ménage engendré par la construction du barrage. En temps ordinaire, il est impossible d'en manger.

Il se penche et sort de sa bassine une bête énorme, deux fois plus grosse que celle de son concurrent, dont les pattes s'agitent désespérément et qui ouvre sa large gueule en aspirant de l'air.

— Pourquoi on appelle ce poisson *wawa*, maman ?

— Parce qu'il pousse ce cri quand il s'accouple, comme un bébé qui pleure.

— Mais il ne ressemble pas à un poisson.

— C'en est un, pourtant. Ne le touche pas, il coûte très cher.

Meili se souvient d'avoir lu qu'on fait boire de la soupe de *wawa* aux femmes qui viennent d'accoucher pour leur redonner des forces et favoriser l'allaitement.

— D'accord, dit-elle, je l'achète.

Mais en cherchant son porte-monnaie dans son sac, elle lève les yeux et aperçoit un slogan écrit en lettres rouges sur un mur barbouillé de sang et d'excréments de poule : MIEUX VAUT DES RIVIÈRES DE SANG QU'UN ENFANT ILLÉGAL DE PLUS. Prise de panique, elle renonce à son achat, saisit Nannan par la main et se précipite en courant dans une allée transversale, tourne une fois encore à gauche et s'immobilise devant une rangée de bâtiments à moitié détruits.

— Pourquoi es-tu toute rouge, maman ? lui demande Nannan.

— Parce que j'ai chaud, voilà tout.

Meili saisit le chapeau de soleil de sa fille et s'en sert pour s'éventer le visage. Ses chaussures neuves aux semelles élastiques sont couvertes de poussière.

La ruelle déserte est jonchée d'éclats de briques et de détritus. Un peu plus loin, un vieillard traverse les ruines, traînant un lot de cartons dépliés. Nannan escalade un tas d'ordures et s'empare d'un canard en plastique.

— Lâche ça ! lui crie Meili. C'est sale !

Elle pense à leur maison, dans le village des Kong. Avant la Fête du Printemps, cette année, Kongzi et elle ont repeint la porte et les encadrements des fenêtres en rouge foncé et entrepris de cimenter le jardin. Elle a voulu planter un osmanthus à côté du dattier afin que l'année prochaine la maison se remplisse de son parfum lorsqu'elle ouvrirait les fenêtres.

— Je le laverai, dit Nannan en regardant le canard en plastique avec un grand sourire.

Derrière elle, dans l'encadrement brisé d'une porte, gisent quelques briquettes de charbon encore fumantes et une canette vide de boisson aux amandes.

Elles s'engagent dans une autre ruelle, enjambant des poteaux télégraphiques décapités. Autour d'elles, sur les rares pans de murs encore debout, quelques affichettes vantent les mérites d'un atelier de serrurerie. Sur un tableau d'affichage érigé à côté d'une boutique abandonnée figure une liste de femmes en âge d'avoir un enfant, établie par le comité local des résidents. Après avoir tourné au carrefour suivant, elles débouchent sur un vaste chantier de démolition dont toutes les issues sont visiblement bloquées.

— Maman, ce caca de chien est mort, dit Nannan en lui montrant deux excréments desséchés.

Meili la prend par la main et pénètre dans un bâtiment dont le toit a disparu et qui devait être un restaurant. Sur l'un des murs graisseux figure la photo d'un canard laqué disposé sur un grand plat blanc et un menu plastifié proposant notamment du bœuf sauté aux piments et du poisson poché agrémenté de divers condiments.

Meili ne sait plus où elle se trouve. Elle franchit les piles de détritus et de gravats et redescend la pente, à la recherche d'un sentier. Si elle arrive à rejoindre le fleuve, elle parviendra toujours à regagner la péniche-hôtel.

— Je peux plus marcher, maman, se plaint Nannan.

Son chapeau glisse sur son crâne à cause de la sueur. Meili la prend par la main et l'entraîne à travers une étendue de briques et de tuiles brisées. Elle aperçoit dans le lointain une voiture rouge qui passe à vive allure. Songeant qu'elle doit rouler sur une véritable route, elle prend cette direction et débouche bientôt devant une vieille baraque en brique, en cours de démolition.

Une foule importante s'est rassemblée pour assister à la scène. Un bulldozer progresse au milieu des débris du rez de chaussée. Des ouvriers munis de lourdes masses s'attaquent aux parois extérieures. Le propriétaire de la maison lâche un juron et ramasse un pied de lit en bois avant de se précipiter sur un homme arborant l'uniforme des cadres chargés des affaires judiciaires. Mais avant qu'il ait pu le frapper, trois policiers s'interposent et le jettent au sol.

— Si vous continuez à chercher la bagarre, vous serez accusé non seulement de menace envers la sécurité publique mais de crime politique, ce qui vous vaudra trois ans de prison.

— Je suis un simple pilote de bateau, s'écrie l'homme en retour, le visage déformé par la rage. Je ne sais ni lire ni écrire, comment serais-je au courant de la politique ?

— Nous disposons de toutes les preuves nécessaires. Nous avons découvert chez vous une carte de visite d'un journaliste de Hong Kong, nous pouvons donc vous arrêter pour vous être opposé au programme de relocalisation des Trois Gorges et avoir transmis des secrets d'État à des étrangers.

— Quels secrets d'État voulez-vous que je connaisse ? Je vous préviens, dès lors qu'on le pousse à bout, le plus timide des lapins finit par mordre. Je porterai cette affaire devant les plus hautes autorités. Attendez un peu de voir !

L'homme bat des jambes à présent, tandis que les policiers écrasent son visage contre les planches et lui tordent les bras dans le dos.

Un vieil homme coiffé d'un chapeau de paille, sans doute le père du propriétaire, racle des lambeaux de plâtre collés à un mur et les fourre dans un sac en papier qu'il serre ensuite contre lui.

À ses côtés, une femme âgée étreint de toutes ses forces une chaise en bois et dit en pleurant :

— Les bombardiers japonais n'ont pas réussi à détruire cette maison en 1941. Qui aurait cru que ce serait vous, les communistes, qui réduiriez tout cela à néant ?

Deux ouvriers démolisseurs soulèvent la vieille femme, serrant toujours la chaise dans ses bras, et l'emmènent vers la porcherie. Meili se demande si c'est dans cette équipe de démolition que travaille Kongzi. Le chef de chantier se dirige en boitant vers le propriétaire et lui lance avec colère :

— Je vous préviens : si vous vous plaignez auprès des autorités supérieures, je vous ferai enterrer vivant ! Nous vous avons offert un terrain où vous pourriez construire une nouvelle maison, ainsi qu'une allocation hebdomadaire, mais vous n'en avez pas voulu. Comment osez-vous vous opposer aux décrets du Comité central du Parti ?

— Le terrain que vous me proposiez était dans les montagnes, à cent kilomètres d'ici, rétorque le propriétaire. Qu'est-ce que je serais allé faire là-bas ? J'ai passé toute ma vie ici, à naviguer sur le fleuve.

Il regarde en bas, par-dessus la murette d'enceinte. Bien que la vue sur le fleuve et le ciel soit en partie masquée par le vert émeraude des sommets, on ressent toute la majesté du paysage qui s'étend au loin – la chaleur du soleil sur les péniches et les barques, la fraîcheur à l'entrée des gorges, le vertige qu'on éprouve en débarquant et en posant le pied sur la berge.

— Taisez-vous et emmenez vos parents ! lui lance le chef de chantier. Vous n'avez aucune raison de vous inquiéter pour votre avenir. Les autorités engageront les anciens pilotes de bateau tels que vous pour faire des courses de barques le long du fleuve : cela plaira sans doute aux touristes étrangers.

Sur ces mots, il arrache une porte en bois dont un panneau sculpté représente deux dragons bondissant à travers des vagues agitées. Après avoir jeté un bref coup d'œil à ce motif, il saute à pieds joints sur le battant et le brise en deux. Les deux enfants assis sur un coussin derrière lui paraissent plus jeunes que Nannan.

Crachant des nuages de fumée noire, le bulldozer abat la dernière partie du mur avant de rouler plusieurs fois par-dessus, afin d'égaliser les gravats. Les débris de la maison ne forment bientôt plus qu'une étendue de bois, de brique et de verre brisés. La vieille femme s'est réfugiée derrière la cabane des toilettes et se bouche les oreilles. L'odeur capiteuse du lilas qui se dresse derrière elle s'évapore peu à peu.

Meili sent le fœtus lui donner un violent coup de pied et tirer sur son cordon ombilical. Effrayée à l'idée que quelqu'un remarque son ventre proéminent, elle fait demi-tour et s'éloigne en courant, oubliant un instant la présence de Nannan qui s'était accroupie à ses pieds pour jouer avec son canard en plastique à la propreté douteuse.

MOTS-CLEFS : *magazine sur papier glacé, fleurs de pêcher, azur, péniche-hôtel, boulettes de viande frites, enfants au noir.*

Dès la tombée du crépuscule, la foule et les immeubles disparaissent et les berges du fleuve retrouvent leur tranquillité. Des débris de polystyrène s'agglomèrent à la surface vert sombre de l'eau, comme des taches de rouille sur un vieux miroir, faisant oublier l'univers aquatique qui s'étend en dessous, à cent mètres de profondeur. Une cassette diffuse une chanson à bord d'un bateau voisin : *Je te dis que je t'aime mais tu ne veux rien savoir, mes mots te font-ils donc tant de peine ?....*

À cet instant précis Meili éprouve un vrai bonheur, comme si toutes les parties de son corps étaient reliées entre elles, depuis les ongles de ses orteils jusqu'à la racine de ses cheveux. Un sentiment de satisfaction longtemps en sommeil se répand en elle. Si elle veut que ce bonheur perdure, elle sait que l'amour ne suffira pas : il faut gagner sa vie, s'efforcer d'accomplir quelque chose, donner un sens à son existence. Lorsqu'elle s'est rendu compte que le seul but de Kongzi était de la féconder autant de fois qu'il le faudrait pour qu'elle lui donne un fils, elle a eu peur que le chemin du bonheur ne lui soit à jamais fermé. Mais elle est confiante à présent : tant qu'elle poursuivra des visées qui lui sont propres, si inaccessibles puissent-elles paraître, l'espoir d'une vie heureuse restera possible.

Seules quelques lumières brillent encore dans la vieille ville. Les montagnes se profileront bientôt sur l'obscurité du ciel et tout redeviendra calme. Meili se souvient d'un magazine sur papier glacé dans lequel elle avait vu jadis une photo de mode, montrant une femme qui marchait pieds nus sur une plage, sa robe blanche soulevée par le vent. Évitant de s'attarder sur son décolleté et ses jambes nues, elle avait feuilleté le reste du journal, fascinée par les bijoux et les écharpes chatoyantes qui s'y étalaient. Jamais elle n'avait vu auparavant des couleurs aussi vives. Dans son enfance, elle aimait la douceur des nuances propres à la campagne : ses verts clairs ou foncés, le jaune pâle des branches de céleri, le rose tendre des fleurs de pêcher, le blanc laiteux des pétales d'osmanthus et le roux orangé des chrysanthèmes sauvages qui poussent le long des champs. Mais les couleurs de ce magazine semblaient provenir d'un autre monde : elle ignorait où il était situé, mais sentait que les teintes dans lesquelles il baignait étaient imprégnées de joie. Généralement, elle détestait le bleu : c'était la couleur du ciel vers lequel elle levait tous les jours les yeux en travaillant dans les champs. Mais dans ce magazine, l'azur de la mer avait quelque chose de stupéfiant. Si les cercueils étaient revêtus de ce bleu céleste, songeait-elle, tout le monde s'y étendrait sans crainte. Elle était assise ce jour-là dans le jardin du « Ciel au-delà du Ciel » et regardait le coucher du soleil. Le magazine avait été laissé par un client originaire d'une ville lointaine.

La cabine baigne dans l'odeur de la soupe de poisson et de navet rouge que prépare un autre locataire, ainsi que celle des boulettes de viande frites que Kongzi a achetées dans une échoppe, sur le quai. Ces boulettes seront délicieuses, une fois réchauffées : croquantes en surface, moelleuses et épicées à l'intérieur. Elle en a déjà l'eau à la bouche. Kongzi est agenouillé près du poêle à mazout et fait sauter des oignons dans un wok.

— Venez donc boire un verre avec nous, monsieur Kong, lance l'un des quatre hommes qui occupent la cabine voisine et travaillent dans la même entreprise de démolition que Kongzi.

Sur le mur sale derrière eux est punaisée une affiche représentant une Chinoise aux cheveux décolorés.

— Non, allez-y sans moi, leur répond Kongzi en versant les boulettes de viande sur les oignons grésillants.

Ses cheveux gras sont couverts de poussière. Il n'y a que la sueur inondant son visage qui soit à peu près propre.

En se levant pour aller chercher des bols, Meili sent tout à coup le sang lui monter à la tête. Le fœtus lui donne des coups de pied dans le bas du ventre, ce qui lui fait perdre l'équilibre. Il lui faut un instant pour se souvenir qu'ils ne sont plus chez eux, dans leur maison familiale, et que la table où elle cherchait à s'appuyer n'est plus là. Ils ont quitté leur village et vivent à présent dans cette péniche-hôtel.

— Va donc prendre une douche avant le repas, dit-elle à Kongzi.

Après que son mari a saisi une serviette et s'est éclipsé, elle s'assoit et fredonne la chanson que diffuse la cassette un peu plus loin. En fermant les yeux, elle s'imagine en train de la chanter sur une scène, vêtue d'une élégante jupe en soie. Mais bientôt deux hommes sur le pont commencent à se quereller à propos d'une épaule de porc volée, un enfant jacasse dans le couloir et le générique d'un feuilleton à l'eau de rose retentit dans la salle commune. Dérangée par ce chahut, elle enveloppe ses mains d'un épais chiffon et transporte le poêle sur le pont. Il fait plus frais à l'extérieur, bien que des odeurs de pourriture et de moisi émanent périodiquement des cabines.

— Je sais que nous n'avons rien à craindre ici du planning familial, dit-elle à son mari qui revient de la douche, mais cela me rend tout de même un peu nerveuse de vivre comme une paria à bord de ce bateau.

— Tu n'as aucune raison de t'inquiéter, lui répond Kongzi en s'asseyant torse nu devant la caisse en carton qui leur tient lieu de table. Il y a presque quatre mois que nous sommes à Sanxia et aucun employé du planning familial n'est venu nous voir. Ce sont tes hormones qui te stressent.

— As-tu téléphoné récemment au village ? demande-t-elle en ôtant ses chaussures et en frottant de ses pieds nus la surface métallique du pont.

— Pas depuis le mois dernier. Mon père m'a dit que la loi martiale a été décrétée dans l'ensemble du district de Nuwa. Des unités de police anti-émeute stationnent dans tous les villages. Il m'a conseillé de ne pas le rappeler avant la naissance du bébé. Je ne comprends pas pourquoi il est si nerveux. Les autorités du district n'oseront pas inquiéter un héros tel que lui. À l'école, le trimestre d'été a commencé : c'est Kong Dufa qui m'a succédé.

— Ce prétentieux à la mine pincée ! Qu'est-ce qu'il connaît à l'enseignement ? lance Meili en chassant un moustique qui tourne en bourdonnant autour de son visage. Si seulement nous avions attendu cinq ans avant d'avoir un autre enfant... Regarde tous les sacrifices que nous devons faire pour mettre celui-ci au monde. Quand tout cela va-t-il finir ?

Assise sur un tabouret, elle a écarté les jambes afin que ses genoux n'appuient pas sur son ventre proéminent.

— Ne t'inquiète pas, répond Kongzi en essayant d'avoir l'air rassurant. Nous rentrerons chez nous dès que la loi martiale sera levée.

— Le bébé doit naître dans trois mois, mais cette ville est en cours de démolition. Il n'y a même pas un hôpital ici... Je sens que je couve quelque chose, tu devrais m'acheter des pilules « Buffle jaune » demain pour faire tomber la fièvre.

Meili se sent oppressée par les ténèbres qui l'entourent et aimerait qu'un événement quelconque survienne pour détendre l'atmosphère. Elle regarde le bateau amarré le long du quai qui a été converti en salle vidéo. Trois ampoules de néon clignotent au-dessus de l'entrée. On y diffuse des séries de kung-fu pendant la journée et des films pornos le soir. Kongzi s'y est rendu en catimini il y a quelques jours, sans lui en parler. De retour à leur cabine, il s'est jeté sur elle et lui a fait l'amour comme un animal.

— Nous trouverons un hôpital en temps voulu, lui dit-il, je te le promets. Je gagne dix fois plus sur ce chantier de démolition que quand j'étais instituteur. Une fois que j'aurai mis suffisamment d'argent de côté, nous achèterons un bateau. De nombreux pêcheurs des environs comptent quitter la région avant que la vallée ne soit inondée. J'en ai rencontré un qui va aller s'installer à Guangzhou. Il possède un bateau de pêche qui vaut bien dix mille yuans mais m'a dit qu'il me le céderait pour seulement trois mille. Une fois que nous aurons notre propre bateau, nous serons libres. Nous n'aurons même pas besoin d'avoir un permis de résidence. Si la police tente de nous arrêter, nous mettrons le moteur en route et prendrons la fuite. Et si nous ne trouvons pas d'hôpital à temps, tu pourras toujours accoucher à bord.

— Oui, un bateau nous permettrait au moins de nous cacher. Combien d'argent avons-nous pour l'instant ? La nuit dernière, j'ai rêvé que notre petit « Bonheur » sortait de mon ventre pour s'envoler dans le ciel. C'était affreux.

Tandis que la nuit tombe, l'esprit de l'enfant peut voir la Mère et le Père mangeant leur dîner assis devant leur caisse en carton. Nannan est apparue, sortant de la salle commune, et traverse le pont en sautillant peut-être – c'est difficile à dire.

— Tu n'arrêtes pas de me dire qu'il y a un esprit dans ce fœtus, dit le Père. C'est pour ça que tu as fait ce rêve. Nous avons mille yuans pour l'instant. Encore deux mois et nous pourrons acheter ce bateau.

— Je sais que tu ne crois pas à ces choses, Kongzi, mais je suis convaincue que ce fœtus est habité par un esprit. Je l'ai vu dès l'instant où il a été conçu. Il me parle souvent. Pourquoi crois-tu que les bébés pleurent lorsqu'ils viennent au monde ? C'est parce que les esprits qui ont été assignés à leurs corps ne veulent pas subir une nouvelle incarnation. Ils veulent s'échapper et s'envoler au loin.

Nannan saisit la main de la Mère.

— Je veux manger des bonnes choses, maman.

— Quel genre de bonnes choses ? demande la Mère en se redressant, ce qui fait ressortir son ventre rebondi.

— Ça ! dit Nannan.

Elle montre les poissons frits que mangent les ouvriers, juste à côté : le torse nu, ils font penser à quatre gros œufs bien lisses, dans le halo que diffuse la lampe derrière eux. À la proue de la péniche, quelques hommes fument accoudés au bastingage. D'autres silhouettes sont assises ou allongées par petits groupes sur le pont métallique encore imprégné de la chaleur du jour.

— Goûte cette boulette de viande, dit la Mère à Nannan. J'ai mis de la poudre magique par-dessus, exprès pour toi. Et mange aussi cette tomate. Tu adores ça.

— Je veux du poisson ! s'exclame Nannan en tapant du pied. Je veux ce poisson-là !

— Ne fais pas d'histoire, murmure la Mère en lui donnant une petite tape sur les fesses. Ce poisson leur appartient, il n'est pas à toi.

Nannan fronce les sourcils en cherchant à retenir ses larmes.

— Tu es méchante, bafouille-t-elle. Tu n'as même pas de lunettes, tu es une mauvaise maman.

— Viens donc t'asseoir ici, près du brûle-parfum anti-moustique, dit la Mère en attirant Nannan contre elle. Tu te souviens de ce que je t'ai dit ? Si quelqu'un te demande ton âge, tu dois dire que tu as cinq ans. Ne raconte à personne que tu n'as que deux ans et demi. Tu m'entends ? Sinon, je devrais à nouveau te donner une fessée.

Nannan va se réfugier auprès du Père et s'assoit sur ses genoux.

— Tu es trop faible avec elle, Kongzi, dit la Mère. Si elle trahissait notre secret, les autorités viendraient m'arrêter et ce serait la fin de notre famille.

— Cesse de te tourmenter, dit le Père en allumant une cigarette. Nannan est une brave petite. Elle ne vendra pas la mèche.

— Ah, qu'allons-nous donc devenir ? Ce nouveau-né n'aura jamais de permis de résidence. Il fera partie de ces « enfants au noir » nés sans autorisation, qui ne peuvent bénéficier ni des soins médicaux, ni de la scolarité gratuite. Quand il grandira, il ne sera même pas en mesure de se marier et nous maudira, pour l'avoir condamné à mener cette existence de paria !

— Moi, je ne suis pas une « enfant au noir », dit Nannan en pinçant la cuisse de la Mère. Tu es une méchante maman.

Elle donne un coup de pied dans le vide, ce qui fait valdinguer ses tongs sur le pont.

— Je suis sûr que d'ici à deux mois la situation dans le district de Nuwa se sera calmée, dit le Père en saisissant une boulette de viande du bout de ses baguettes. Nous pourrons alors rentrer chez nous et faire en sorte que notre petit Bonheur soit officiellement enregistré.

— Arrête d'appuyer sur ma vessie, petit monstre ! dit la Mère en regardant son ventre. J'en ai assez de devoir aller aux toilettes toutes les cinq minutes.

— Et moi, maman ? Je te frappais quand j'étais dans ton ventre ? demande Nannan en se frottant le visage.

— Non, tu n'avais pas autant de force que celui-là, lui répond la Mère avant de murmurer au Père : Nannan devient infernale. Elle a jeté ton briquet dans le fleuve ce matin.

Une vedette passe à toute allure, soulevant des vagues qui font osciller la péniche sur ses flancs. La Mère retient les bols sur la caisse pour les empêcher de glisser.

— Je n'ai pas jeté ce briquet ! proteste Nannan en plissant le nez. C'est le Bébé Crabe qui en avait besoin, je lui ai prêté.

— Tu vois ! Elle veut avoir réponse à tout ! dit la Mère en essuyant la sueur de son visage avec le pan de sa chemise.

Une brise humide soulève sa jupe et la fumée de la cigarette du Père se dissipe dans l'air. Les mouches incrustées sur les restes de nourriture s'envolent un instant avant de se remettre à l'ouvrage. La longue péniche chargée d'hommes flotte le long de la berge comme le cadavre d'une vieille femme, la partie inférieure de sa coque immergée dans l'eau froide, la moitié supérieure encore imprégnée de l'intense chaleur du jour. Tandis que l'air de la nuit se rafraîchit, les portes métalliques et les cabines tapissées de bois se contractent, émettant une série de grincements et de craquements sourds.

— Arrête de me donner des coups de pied, s'il te plaît, et laisse-moi finir mon dîner en paix, dit la Mère en se frottant le ventre, avant de lâcher un pet tonitruant.

MOTS-CLEFS : *cage en bambou, sage dans l'eau, ménagère, refuge assuré, canard sauvage, bonheur flottant.*

C'est un vieux bateau de pêche d'environ cinq mètres de long, dont la poupe et la proue sont suffisamment larges pour que deux personnes puissent s'y asseoir côte à côte. La cabine qui se dresse au milieu est surmontée d'un toit goudronné, fixé sur une armature de métal et de bambou. Il faut se pencher pour y pénétrer mais une fois à l'intérieur on a l'impression de se trouver dans une véritable pièce, de la largeur d'un grand lit. Des rideaux en plastique peuvent s'abaisser de chaque côté pour protéger les occupants des diverses intempéries. Meili a très vite aimé cette nouvelle maison flottante. Elle apprécie la présence d'un étendage installé entre la cabine et la proue, ainsi que la cage en bambou accrochée au flanc du bateau. La seule ombre au tableau, c'est qu'elle redoute en permanence que Nannan ne tombe à l'eau. La première fois que Meili est montée à bord, elle a vacillé et s'est lourdement affalée sur son ventre proéminent. À la seule idée que sa fille bascule dans le fleuve, elle a constamment les nerfs à vif.

— Ralentis, Kongzi ! lance-t-elle. Nous sommes allés assez loin, il est temps de faire demi-tour.

Elle est assise dans la cabine et tient Nannan dans ses bras. C'est leur premier voyage à bord du nouveau bateau. Meili ne sait pas nager et dès que Kongzi accélère, son corps se raidit sous l'effet de la peur.

Un énorme poisson, de la taille d'un requin, les dépasse à cet instant : son museau effilé et la crête de son épine dorsale fendent la surface des eaux.

— Quelle est cette étrange créature ? demande-t-elle.

— Un esturgeon de Chine, répond Kongzi. Ce sont les plus vieux vertébrés du monde. Le gouvernement leur a accordé le statut d'« espèce protégée numéro un ». Ils naissent près des sources du Yangtze et descendent ensuite jusqu'à la mer. Dix ans plus tard, ils remontent le fleuve à contre-courant pour se reproduire à l'endroit même où ils ont vu le jour.

— Espèce protégée numéro un, vraiment ! Ces poissons ont bien de la chance... Mais nous autres, pauvres humains, quand serons-nous en mesure de rejoindre notre terre d'origine ?

Meili attrape la bouteille de limonade de Nannan et en boit une gorgée.

— Le Yangtze est tellement pollué de nos jours qu'il n'abrite plus que quelques centaines d'esturgeons. Et quand la construction du barrage sera terminée, l'itinéraire qu'ils suivent pour leur migration sera définitivement coupé. Ils sont voués à l'extinction.

Kongzi regarde l'esturgeon plonger dans les profondeurs de l'eau et réduit la vitesse du bateau. Meili émerge en rampant de la cabine et va s'asseoir à la proue. La brise qui traverse l'accablante chaleur de l'été a quelque chose de rafraîchissant. Ils longent des berges herbeuses, des maisons aux murs de boue, des bosquets de mandariniers... Meili sent ses craintes se dissiper. Fermant les yeux, elle s'imagine qu'elle prend son essor et s'envole au-dessus des eaux dorées, telle une oie sauvage, traversant la brume qui plane sur le fleuve tandis que les contours des barques et des péniches se découpent derrière elle sur le soleil couchant et que le Yangtze s'étire au loin, avant de disparaître entre deux falaises dans un halo aquatique et aérien.

Elle commence à entrevoir que cette dérive le long du fleuve peut déboucher sur un nouveau mode de vie, lui procurer une sorte de bonheur flottant. Elle se sent libre et apaisée.

Kongzi voit une péniche approcher en sens inverse et se mordille nerveusement les lèvres. Il n'a jamais conduit de bateau auparavant et redoute une collision. Pris de panique, il décélère trop rapidement et le moteur du bateau cale. Une fois la péniche passée, il tire sur le câble pour redémarrer et règle la vitesse du moteur. Le bateau se remet en route. Afin de ne pas perdre la face, il décélère à nouveau, part en marche arrière et fait accomplir un tour complet à son embarcation. À la fois surpris et fier de lui, il regarde Meili et lui dit :

— Confucius, mon glorieux ancêtre, disait jadis : « L'homme charitable trouve sa joie dans les montagnes, le sage dans l'eau. » Comme il avait raison ! Lorsqu'il est parti de chez lui après avoir offensé le duc de Lu, il a erré pendant treize ans de province en province, exilé dans son propre pays. Aujourd'hui, deux mille ans plus tard, je suis en fuite moi aussi. Mais contrairement à lui, la terre m'est interdite : aussi dois-je me contenter de suivre le cours du Yangtze.

À midi, avant que Nannan n'émerge de sa sieste matinale, Meili se rend dans le minuscule espace réservé à la cuisine, à l'arrière du bateau. Elle allume le poêle à mazout et fait bouillir de l'eau dans une casserole. À ses côtés trônent des feuilles d'épinards qu'elle a nettoyées un peu plus tôt. Lorsqu'elle doit laver des légumes ou des vêtements, elle n'a qu'à se pencher par-dessus bord pour ramener un seau d'eau. Heureuse de se retrouver dans un cadre qui leur appartienne, elle a déjà lessivé l'embarcation de fond en comble et arraché le revêtement moisi du toit pour le remplacer par une bâche goudronnée flambant neuve. Maintenant, lorsqu'ils dorment le soir dans la cabine, ils ne sont plus importunés par d'infects relents de pourriture. Meili a également passé une corde autour de la taille de Nannan, avant de fixer l'autre extrémité au montant de la cabine : la corde n'est pas assez longue pour permettre à sa fille de se pencher par-dessus bord ou de plonger les mains dans l'eau. Mais Meili ne peut pas empêcher le bateau de tanguer. Même si elle se sent plus libre à vivre ainsi sur l'eau qu'elle ne l'était sur terre, elle sent qu'il lui faudra du temps pour s'habituer à cet élément fluide qui épouse les contours du sol et n'existe qu'à travers son flux constant. Le fleuve est un paysage mouvant qui suit son propre cours, prenant parfois des directions qu'elle ne peut pas toujours prévoir.

Dès l'instant où elle a été enceinte de Bonheur, le sol a cessé d'être ferme sous ses pieds. Ni leur maison, ni la planque que Kongzi avait aménagée sous le lit de Nannan ne constituaient un refuge assuré. La terre appartient au gouvernement. Qu'il soit loué ou emprunté, le moindre mètre carré du sol de ce pays est contrôlé par l'État. Aucun citoyen ne peut posséder un seul grain de riz. Si elle était restée au village, plantée comme un épi de maïs et attendant qu'on la piétine, on lui aurait probablement injecté du poison dans le ventre, comme cela était arrivé à Yuanyuan, ou on l'aurait embarquée dans un camion quelques semaines après son accouchement, comme leur voisine Fang qui perdait son lait, la poitrine dénudée. Depuis qu'elle a quitté leur village, ses muscles se raidissent de peur chaque fois qu'elle pose les pieds sur le sol. La péniche-hôtel avait beau se trouver sur le fleuve, ce n'était guère qu'une extension de la ville. Mais ce bateau de pêche qui oscille au fil de l'eau l'a libérée. Elle apprendra à le piloter et se débrouillera pour survivre avec leurs maigres possessions. Elle a révélé à Kongzi que dans la province de Guangdong se trouve une agglomération baptisée la Commune Céleste où les gens peuvent avoir autant d'enfants qu'ils le souhaitent – en se gardant bien de lui préciser que l'air y est tellement pollué que cela rend les hommes stériles. Kongzi lui a répondu que c'était dans ce cadre paradisiaque que Bonheur devait naître.

— Vous préparez le repas de midi ? lance Meili à la femme enceinte dont le bateau est amarré à quelques mètres du leur. Ça sent bon…

La femme est assise à la proue, les orteils repliés sur le bord de l'embarcation comme des serres d'oiseau. Son mari et elle ont déjà un bébé, ainsi que deux filles assez grandes pour aller faire des courses toutes seules à Sanxia. Meili a observé le bébé lorsque sa mère l'a soulevé pour le faire déféquer dans le fleuve et vu qu'il s'agissait d'une fille. Le bateau de la femme est deux fois plus grand que le leur. Il possède un poste de pilotage et une cabine plus étroite à l'arrière, surmontée d'un toit que calfeutre une couche de toile goudronnée retenue par quelques briques. Quand le bateau disparaît sous les plaques de polystyrène que le mari va livrer sur divers chantiers, il ressemble à un iceberg étincelant. Lorsqu'il part ainsi en expédition, sa femme et ses filles déambulent le long du quai et vendent à la criée des plats de leur confection, chargées de sacs en plastique remplis d'œufs bouillis dans du thé, de tofu épicé et de fèves marinées qu'elles brandissent sous les fenêtres des bus attendant d'embarquer sur le ferry.

— C'est du riz importé de Thaïlande, répond la femme à Meili. Je l'ai trouvé au supermarché. Et vous, qu'allez-vous manger ?

— Des céleris frits et une soupe de poulet que je vais réchauffer.

— Vous ne devriez pas boire des liquides trop chauds en milieu de journée, dit la femme en retirant une botte de gousses d'ail qu'elle a fait tremper dans l'eau. Et avec votre ventre, vous devriez faire attention et ne pas vous agiter à bord du bateau.

— Laissez-les tremper un peu plus si vous voulez éliminer les produits chimiques, lui répond Meili. J'ai planté des gousses d'ail l'année dernière et j'ai dû les asperger de pesticide à deux reprises pour chasser les insectes.

— C'est inutile, je vais les faire bouillir une dizaine de minutes. L'eau du fleuve a l'air propre, mais elle est infestée d'oxyures.

Meili fait la grimace. Ils boivent l'eau du fleuve après l'avoir fait bouillir depuis qu'ils se sont installés sur le bateau.

— Mais une fois bouillie, elle ne présente plus de dangers, n'est-ce pas ? demande-t-elle.

— Détrompez-vous ! À cette époque de l'année, vous feriez mieux de faire le plein d'eau potable dans les douches de la péniche-hôtel. Allez-y à l'heure du déjeuner, quand il n'y a personne. Ou glissez une ou deux pièces à l'employé de la station service pour qu'il vous laisse remplir un seau à son robinet. On peut boire l'eau du fleuve en hiver, mais en été elle grouille de germes et de parasites.

— Comment se fait-il que votre poêle ne dégage pas de fumée ? demande Meili tout en contemplant les fèves que la femme a étalées sur le pont pour les faire sécher.

— Il marche au gaz. Il m'a coûté cent yuans. Venez donc y jeter un coup d'œil, si vous voulez...

Meili saisit sa perche de bambou munie d'un crochet.

— N'oubliez jamais d'éteindre votre poêle avant de débarquer ! lui lance la femme en la fixant de ses yeux aussi perçants que ceux d'un cormoran. S'il se renverse, votre bateau prendra feu et sera réduit en cendres en quelques instants.

Meili tend sa perche et tire le bateau de la femme vers le sien, avant de les attacher ensemble à l'aide d'un cordage.

— Le courant est fort, dit la femme. Votre corde risque de se détacher avec un nœud pareil. (Elle défait le cordage et le noue plus solidement.) Voilà, comme ça votre bateau ne risque pas de partir à la dérive.

— Il faut que j'apprenne à faire ce genre de nœuds, dit Meili.

Elle regarde la cabine spacieuse dont dispose sa voisine et sent l'odeur du riz parfumé qui cuit dans la marmite, sur le poêle à gaz. Après s'être assurée que Nannan dort toujours, elle enjambe le bastingage et prend pied sur l'autre embarcation, puis s'accroupit sur le sol de la cabine tapissé de vinyle.

— Quel poêle gigantesque ! s'exclame-t-elle.

Elle contemple les vêtements et les chapeaux impeccablement alignés sur le mur, à côté d'un calendrier en papier glacé montrant une jeune femme vêtue d'une longue robe argentée.

— Vous devriez en acheter un. Une bonbonne de gaz vous durerait bien une semaine. Et encore un conseil : quand un navire plus imposant s'apprête à croiser votre route, ralentissez et obliquez vers le rivage. De la sorte, les vagues viendront frapper votre bateau par l'arrière et cela lui évitera d'être renversé. Vu la manière dont vous vous cramponniez au toit de votre cabine, j'ai compris que vous ne naviguiez pas depuis très longtemps sur le fleuve. C'est votre fille qui dort dans la cabine ? Assurez-vous qu'elle y reste bien lorsque le bateau est secoué, sinon elle risque de passer par-dessus bord.

— Vous avez raison. Nous avons acheté ce bateau la semaine dernière et je ne suis pas encore habituée à ses mouvements incessants. J'ai l'impression de me trouver sur une balançoire perpétuellement agitée. Je vois que vous avez un téléviseur et un radiateur électrique : quel luxe…

— Cela fait dix ans que nous vivons sur ce bateau. Et pourtant, je souffre toujours du mal de mer. Les étés sont supportables. Mais en hiver, sans radiateur électrique on crève littéralement de froid. Avant que les premières gelées n'arrivent, dites à votre mari d'acheter un mini-générateur et un radiateur, sinon vous ne tiendrez pas.

— Comment vous débrouillez-vous, pour les toilettes ? demande Meili en voyant une colonie de charançons traverser d'un air paniqué le pont surchauffé et se jeter dans le fleuve.

— Lorsque nous sommes amarrés ici, je vais faire mes besoins sur la berge. Et quand nous naviguons, je me soulage directement dans le fleuve ! ajoute-t-elle en soulevant une écoutille aménagée sur le pont.

— Vous fuyez vous aussi les foudres du planning familial ? demande Meili.

Le bébé que la femme porte attaché dans son dos la fixe de ses yeux en forme de triangle.

— Comment t'appelles-tu ? lui dit-elle en se rendant brusquement compte que les enfants des autres l'intéressent modérément.

— Elle s'appelle Petite Troisième, dit sa mère. Trois filles de suite, ce n'est vraiment pas de chance ! Mais après celui-ci, ajoute-t-elle en posant la main sur son ventre, j'arrêterai les frais. J'en ai soupé de cette existence errante. Je rêve de vivre dans une maison en brique, munie d'une porte que je puisse fermer à clef, d'une armoire où ranger mes vêtements, d'un grand frigo où conserver des produits frais et d'un fauteuil confortable où me reposer.

— Mais votre bateau est tellement bien équipé... Vous possédez tout ce dont vous pouvez avoir besoin.

— Le fleuve est peut-être agréable à la vue, mais je n'ai pas envie d'y finir mes jours. Mes parents sont encore vivants. Les feuilles qui tombent vont retrouver leurs racines, comme dit le proverbe. De plus, cette vie vagabonde n'est pas sans danger pour les hommes. Mon mari passe rarement la nuit à bord.

— Oui, vous avez raison : nous avons tous besoin de racines.

Meili sent son ventre se tendre. Elle aimerait s'allonger sur le côté et respirer profondément. Par-dessus l'épaule de sa mère, Petite Troisième lui adresse un nouveau sourire. Elle a déjà quatre dents minuscules, deux en haut et deux en bas. Meili fait mine de l'ignorer.

— J'ai vu que votre mari vous rejoignait le soir, reprend la femme. Il fumait sur le pont pendant que vous faisiez la cuisine. Vous avez de la chance !

Elle se tourne vers le rivage et crie à ses deux aînées :

— C'est l'heure de déjeuner, les filles !

Celles-ci se trouvent dans un champ où l'on cultive des choux, près d'une barge abandonnée qui sert maintenant de poulailler. Un coq qui picore sur la berge boueuse aperçoit soudain une feuille qui traîne et se précipite dessus en se dandinant.

— Mais votre mari a réussi, dit Meili. Son entreprise de livraisons marche bien. Le mien se contente de travailler dans un chantier de démolition. Et pourtant, il était instituteur avant ça. Ah, les hommes..., ajoute-t-elle. Si on ne leur tient pas la bride, ils ne peuvent s'empêcher d'aller voir ailleurs.

Elle jette un coup d'œil sur son bateau et constate que Nannan est toujours endormie. Ses cheveux trempés de sueur lui collent au visage. Sous sa jupe plissée, des insectes rampent le long de ses cuisses potelées.

— Il s'est lassé de moi, dit la femme en coupant ses gousses d'ail en deux. Vous savez ce que dit le proverbe : le cri du canard sauvage en pleine nature semble toujours plus mélodieux que le gloussement de la poule dans votre cour...

De grosses taches d'humidité maculent son tee-shirt, collé à sa poitrine. Meili la regarde aller et venir sur le pont avec son teint cireux, son front ridé, sa silhouette tordue comme une branche : elle imagine ce qu'un homme peut ressentir en s'allongeant sur elle. Elle se dit que dans dix ans, elle aura trente ans et trois ou quatre enfants peut-être, elle aussi. Cette pensée la terrifie. Quoi qu'il arrive, elle ne se laissera pas enfermer comme cette femme dans un rôle de ménagère. Lorsque Bonheur sera né, elle trouvera du travail, s'entraînera pour devenir esthéticienne et achètera les plus beaux vêtements à ses enfants. Les filles aînées de sa voisine arrivent en sautant à bord et le bateau oscille sur l'eau. Leurs visages sont crasseux et leurs pieds nus couverts de boue.

— Je vous laisse déjeuner, dit Meili en regagnant son bateau et en dénouant le cordage. Il est temps que je réveille ma fille.

Le soleil de midi chauffe le toit goudronné et les lattes du pont, de la poupe à la proue. Même à l'ombre de la cabine, la chaleur est étouffante. Meili descendrait volontiers le fleuve afin de trouver un peu d'air, mais elle n'a pas assez confiance en elle pour mettre le moteur en route. Kongzi lui a dit qu'il voudrait bien faire des livraisons, lui aussi, mais il ne sait pas à qui s'adresser. Une trentaine de familles vivent comme eux dans des bateaux amarrés le long du quai. La plupart des hommes travaillent dans les usines ou les chantiers de démolition des environs. Seule une poignée d'entre eux parviennent à gagner leur vie en transportant des marchandises. Quand les hommes rentrent du travail le soir, ils ont les bras chargés de légumes, de beignets et de sachets de nouilles instantanées. Le quai et ses environs baignent alors dans l'odeur des produits chimiques et les enfants courent de toutes parts en poussant des cris aigus, entremêlés de jurons.

MOTS-CLEFS : *melon d'eau, dans la dèche, lignes pourpres, branches d'osmanthus, rougir de honte, film porno, je t'aime.*

Assis devant la cabine, les genoux ramenés contre la poitrine, Kongzi regarde le ciel nocturne et récite un poème des Tang :

— « Près de mon lit la lune éclaire le sol qu'on dirait couvert de givre / Je lève les yeux et la contemple, puis je baisse la tête et songe à mon foyer... » Regarde comme la lune est belle ce soir, ajoute-t-il. Elle est toute dorée. Pas étonnant qu'elle ait inspiré de si beaux poèmes.

Meili reste silencieuse. Le bateau est fortement agité et cela lui donne la nausée. Tous les soirs à cette heure, alors que les moustiques prolifèrent le long des berges, ils gagnent le milieu du fleuve pour échapper à la vedette de la police mais l'eau est nettement plus agitée à cet endroit. Kongzi est rentré tard et Meili a piloté le bateau, seule avec Nannan, à la lueur de la lune dont les reflets s'étendent sur toute la largeur du fleuve. Arrivée au milieu, elle a jeté l'ancre et regardé les taches de lumière danser à la surface de l'eau, s'unir et se confondre comme Kongzi et elle l'avaient fait la première fois, dans l'arrière-cour du « Ciel au-delà du Ciel ». Même si l'hôtel n'était qu'un bloc de béton à la peinture déjà passée, ses allées en brique bien nettes, ses embrasures de porte en demi-cercle, ses barrières blanches et ses pelouses impeccablement taillées apportaient une petite touche citadine au village des Kong. Cette nuit-là, quatre ans plus tôt, alors que la lune brillait dans le ciel au-dessus d'eux, Kongzi l'avait étreinte, adossée à un arbre, et embrassée sur la bouche avant de lui enlever sa culotte.

Meili chasse les moustiques qui bourdonnent au-dessus du visage endormi de Nannan et fixe les ténèbres environnantes. Elle se souvient que certains soirs, lorsqu'elle sortait prendre l'air, leur jardin paraissait figé dans un calme mortel, sous sa couche de givre argenté. Elle voit à présent la même lueur sombre et menaçante se profiler au loin, dans une courbe du fleuve.

— Qu'est-ce qui te tracasse ? demande Kongzi tandis qu'elle le rejoint sur le pont. Détends-toi. Regarde plutôt cette immense étendue d'eau... C'est étrange, je ne savais strictement rien de ce monde fluvial avant de venir par ici mais j'ai l'impression à présent de lui appartenir. La vie y est beaucoup plus agréable qu'au village.

Il est étendu sur le pont en travers de la proue, la tête appuyée sur sa veste roulée en boule, et sirote une bouteille de bière. Il vient de se baigner et ses sous-vêtements mouillés lui collent à la peau. Meili et Nannan ne savent pas encore nager mais se risquent tout de même à barboter près du rivage, protégées par des bouées. Cet après-midi, Meili est ainsi restée immergée jusqu'au coucher du soleil, heureuse de sentir sa sueur se dissoudre et son corps devenir de plus en plus léger. Elle a deviné que Bonheur appréciait cette baignade, lui aussi : il n'arrêtait pas de tourner dans son ventre et de battre des mains dans le liquide amniotique.

— Comme tu oublies vite ton pays natal ! dit-elle en lavant dans le fleuve les sandales boueuses de son mari, avant de les disposer devant la cabine pour les faire sécher. Le village des Kong a du charme, lui aussi. La rivière d'Eau Sombre est presque aussi large que le Yangtze et le réservoir est plus vaste que tous les lacs que j'ai pu apercevoir dans la région.

Elle a encore dans la bouche le goût du melon d'eau qu'ils ont mangé quelques instants plus tôt.

— Confucius a dit : « L'homme noble suit la voie de la vertu tandis que le médiocre ne songe qu'à son foyer », réplique Kongzi, sur la défensive.

Lorsqu'il ne porte pas ses lunettes aux verres épais, ses traits paraissent émaciés. Ses mains et son visage sont couverts de pansements. Depuis une semaine, son équipe démolit le Centre culturel de Sanxia. Il a récupéré sur les étagères des magazines et de nombreux livres voués sans cela à la destruction.

— L'année dernière, quand j'ai proposé que nous laissions Nannan à ta mère pour aller chercher du travail dans le sud, tu m'as dit que nous ne pouvions pas quitter le village parce que Confucius a dit : « Tant que vos parents sont en vie, ne voyagez pas au loin. » Tes propos sont souvent contradictoires...

Kongzi se lève et ramène le bateau vers la berge. Au-dessus du quai, un lampadaire éclaire trois hommes qui fument torse nu, penchés sur le tapis vert d'une table de billard.

— Tu sais très bien que si nous retournions maintenant au village, c'en serait fini de nous, dit-il. (Il manœuvre pour conduire le bateau à son point d'amarrage, puis s'assoit et boit une nouvelle gorgée de bière.) La moitié des gens qui vivent sur ces bateaux fuient comme nous la répression du planning familial. Nous sommes en sécurité, les autorités ne nous cherchent pas d'histoires. La semaine prochaine, je te trouverai une sage-femme.

— C'est inutile. La femme enceinte sur le bateau d'à côté m'a dit qu'elle avait aidé des dizaines de femmes à accoucher. Elle m'a proposé de m'assister lorsque le moment serait venu. Arrête donc de boire cette bière au rabais... Qui sait ce qu'elle contient, tu risques de te rendre malade... (Elle éteint la radio que Kongzi a ramenée du Centre culturel et se penche pour gratter les piqûres de moustique qui lui couvrent les jambes.) Si nous avions un frigo, ajoute-t-elle en soupirant, nous pourrions garder jusqu'à demain le reste de ce melon d'eau.

— Dès que j'aurai touché ma paie, j'achèterai un mini-générateur et un radiateur électrique, dit Kongzi, fier de pouvoir subvenir à présent aux besoins de sa famille.

La veille, il a ramené quatre canards qu'il a enfermés dans la cage de bambou. Ce bateau délabré leur a ouvert les perspectives d'une vie meilleure.

— Non, dit Meili, achetons d'abord un téléviseur. Tout est si calme ici le soir, j'ai l'impression d'entendre marcher toutes les pensées qui me traversent. (Elle s'allonge sur le dos à côté de Kongzi et regarde son ventre.) Et si c'était une fille ? reprend-elle. Je te préviens, je ne veux pas d'une troisième grossesse.

Sentant que le sang circule mal dans ses veines, elle se tourne sur le côté et pose ses pieds enflés sur les jambes de Kongzi.

— Si c'est une fille, dit-il, nous la garderons. Ensuite, quand j'aurai gagné assez d'argent, nous achèterons un bateau plus grand, muni de deux cabines, nous descendrons plus au sud et nous essaierons d'avoir un garçon. Personne ne pourra nous arrêter.

— Tu le crois vraiment ? Il y a une police fluviale, comme il y a une police urbaine. On n'échappe pas si aisément aux griffes du gouvernement.

L'odeur des canards s'élève de la cage placée un peu plus bas et elle fronce les narines d'un air dégoûté.

— La police fluviale s'occupe uniquement de vérifier les permis de navigation et d'encaisser les amendes. Ils se fichent des affaires du planning familial.

— Mais nous ne pouvons pas mener éternellement une vie pareille. Tes parents ont besoin de nous. À leur âge, ils ne peuvent pas passer leur temps à balayer les crottes de poules et courir après les cochons.

À côté d'elle, sous un tabouret de bambou, se trouve un sac contenant une serviette, deux carrés de mousseline, une petite tunique et deux caleçons minuscules qu'elle a préparés pour l'arrivée de Bonheur. Sachant qu'elle sera fatiguée après l'accouchement, elle a déjà fabriqué la petite couette dont le bébé aura besoin cet hiver. Elle se dit qu'elle allumerait bien une bougie pour lui coudre une veste mais redoute que la lumière n'attire les moustiques.

— La seule chose que je regrette depuis que nous avons quitté notre village, dit Kongzi, c'est l'école. Cela me manque de ne plus parler devant mes élèves. Ma gorge est devenue sèche à force de se taire.

Meili éprouve un élan de compassion à son égard. Pour protéger leur famille, il a dû renoncer à sa vocation. En caressant ses mollets du bout de ses orteils, elle lui dit :

— Laisse-moi te chanter une chanson, pour te rendre le sourire : *Mon cher mari, nous avons partagé le même toit et les dépenses du foyer, arpenté le même plancher, dormi dans le même lit. Quand ma tête reposait sur l'oreiller à côté de la tienne, quel bonheur c'était !*

À présent, toute seule dans les draps, je me tourne sur la gauche et je pleure, sur la droite et je soupire…

— Ah non ! proteste Kongzi en jetant son mégot dans le fleuve, ne chante pas cette complainte funèbre, cela va nous porter malheur. De plus, les airs que t'a appris ta grand-mère appartiennent au passé.

— On prétend également que cela porte malheur de faire monter une femme à bord d'un bateau : pourquoi ne me jettes-tu pas par-dessus bord, si tu es à ce point superstitieux ?

La grand-mère de Meili était une petite femme frêle au front grêlé à la suite d'une rougeole contractée dans son enfance. Quand elle avait treize ans et que le district de Nuwa était ravagé par la famine, ses parents démunis l'avaient vendue pour un demi-sac de riz et un luth de bambou au vieux gardien du temple de Nuwa. Un an plus tard, le vieillard l'épousait. Après lui avoir appris des airs d'opéra traditionnel, il l'avait fait chanter lors de toutes les cérémonies célébrées dans le temple. À vingt ans, elle avait appris l'art des complaintes funèbres auprès d'une chanteuse appelée la vieille Dame Wu et son talent était tel que sa renommée s'était répandue à travers tout le comté. Meili se souvient de l'avoir vue chanter devant des familles éplorées, coiffée d'un turban de deuil blanc, et pousser d'une voix suraiguë des lamentations déchirantes, le visage baigné de larmes. C'était une marque de prestige et de prospérité pour une famille que de la faire chanter lors d'une veillée funèbre.

— Les chansons que m'a apprises ma grand-mère sont très belles, rétorque Meili. Elle a perdu sa voix et je suis la seule de la famille à pouvoir les chanter désormais. Bon, si les complaintes funèbres ne te conviennent pas, voici une ballade de Deng Lijun : *Si je l'oublie je serai perdue, je sombrerai dans la misère…*

Une fois la ballade achevée, elle se rallonge sur le dos, replie les jambes et agite un éventail devant son visage.

— Je me sens rougir de honte quand je dois dire aux gens que tu travailles sur un chantier de démolition. Quand tu étais instituteur, je pouvais garder la tête haute.

— Cela n'avait pourtant rien de bien glorieux. Et j'avais un salaire de misère.

— Mais j'étais l'épouse d'un enseignant, cela me donnait un certain statut. Peu m'importaient tes maigres revenus.

— Avant notre mariage, tu me disais que tu m'aimerais même si j'étais dans la dèche. Je m'occupais du « Ciel au-delà du Ciel » à l'époque. C'est cela qui t'avait impressionnée ?

— Ce boulot minable ? Tu plaisantes ! Un jour, je monterai ma propre affaire et tu verras ce que c'est de diriger un commerce pour de bon. Je n'ai jamais compris pourquoi le professeur Zhou a fini par fermer cet hôtel.

— Il n'avait pas assez de clients. Je lui ai suggéré d'élever des crabes dans la piscine pour arrondir ses fins de mois, mais il m'a répondu que s'il suivait mes conseils, les clients ne pourraient plus se baigner.

Meili et Kongzi restent un moment silencieux. Le seul bruit que l'on perçoit provient du grondement assourdi des camions qui roulent un peu plus haut dans la montagne, transportant leurs cargaisons de ciment jusqu'au chantier du barrage des Trois Gorges.

— Je t'aime toujours, Kongzi, finit par dire Meili. Mais le jour où tu m'as rebaptisée pour m'appeler « Belle Aube », tu m'as promis que notre mariage marquerait le début d'une vie merveilleuse.

— Tu regrettes ton ancien nom ? Pourtant, celui-ci est plus poétique. Et je te promets, Meili, qu'une belle aube nous attend en effet.

— Jamais je n'aurais cru qu'une grossesse puisse s'avérer aussi traumatisante. La nuit dernière, j'ai rêvé que le bébé avait gelé, il était dur comme de la glace. Je le plaçais sous une lampe pour le réchauffer mais j'avais peur tout à coup que quelqu'un ne puisse le voir : je l'enveloppais alors dans du papier-toilette et le cachais dans un tiroir. Puis je m'en allais et j'oubliais toute cette affaire, mais en ouvrant le tiroir la fois suivante je découvrais qu'il était mort étouffé.

Les yeux de Meili se remplissent de larmes.

— Ne pleure pas, ma tendre épouse. Tout ira bien. Je te donne ma parole : s'il s'agit d'un garçon, nous n'essaierons pas d'avoir un autre enfant. Laisse-moi toucher ton ventre. Bon sang… Il est si gros et si dur à présent.

— Je suis sûre que le bébé est plus grand que Nannan au même âge. Et plus fort, également. Regarde ces lignes pourpres autour de mon nombril… N'ayons pas d'autre enfant, Kongzi, même si Bonheur est une fille. Nous avons notre vie à mener nous aussi.

La main de Kongzi descend et se glisse entre ses cuisses. Meili le frappe d'un coup sec, du bout de son éventail.

— Ne me touche pas. Je suis en nage.

Lorsque Kongzi est rentré, tard la nuit dernière, il lui a avoué qu'il était allé voir un film porno dans le bateau qui tient lieu de vidéoclub, amarré le long du quai. Il lui a expliqué qu'il n'avait pas pu se retenir, parce que cela fait des semaines qu'elle refuse qu'il la touche. Meili sait que ces films montrent des hommes et des femmes en train de faire l'amour, complètement nus. Elle a toujours pensé que Kongzi était un homme respectable mais le fait qu'il soit allé voir ce genre de spectacle dans un vidéoclub miteux l'a fait baisser dans son estime.

— D'accord… À mon tour de te chanter une chanson, dans ce cas, dit Kongzi en se rasseyant et en jetant dans le fleuve les restes du melon d'eau, sur lequel grouillent les mouches. *Au village il y a une fille du nom de Xiao Fang. Elle est mignonne avec ses grands yeux noirs et ses cheveux en houppe…*

— Arrête ! gémit Meili. Tu chantes faux !

Sentant qu'il a envie de faire l'amour, elle remonte sur ses cuisses le drap où sont imprimées des pivoines et essaie de changer de sujet.

— Il faut que tu appelles tes parents demain, Kongzi, pour savoir comment la situation évolue.

— Je t'ai déjà dit que mon père ne veut pas que je le rappelle avant la naissance du bébé. Bon, je lui téléphonerai demain, puisque tu insistes. Mais si la ligne est sur écoute et que la police vient nous arrêter, tu ne diras pas que c'est ma faute.

Il lui pince gentiment le bras. Meili se penche et croise les jambes.

— Tu n'as pas besoin de lui préciser que nous sommes à Sanxia, dit-elle.

La brise qui caresse son visage rabat vers elle les effluves des fleurs d'osmanthus qu'elle a disposées sur le toit de la cabine. Cette odeur lui rappelle toujours la maison de ses parents ainsi que l'image de sa grand-mère, qui a planté un osmanthus dans leur jardin le jour où Meili est née. Elle se souvient que sa grand-mère aimait frotter les pétales sur ses doigts avant de s'en humecter la peau, derrière les oreilles.

— Ils sont si noirs, si doux..., dit Kongzi en caressant les cheveux de Meili, aussi luisants que la peau d'une anguille.

— Au moins, ce n'est pas compliqué d'avoir les cheveux propres à bord de ce bateau, dit-elle en rejetant une mèche en arrière.

Chaque matin, elle se penche par-dessus bord et plonge la tête dans le fleuve.

— Et tes jambes sont si élancées..., poursuit Kongzi en laissant sa main remonter le long de ses cuisses.

— Fais attention à l'argent ! lui lance Meili en s'assurant d'un geste que la petite pochette qu'elle a cousue dans la doublure de sa culotte est toujours là.

Kongzi lui empoigne la cuisse et elle sent son visage s'empourprer.

— Si je n'étais pas enceinte, j'aurais aussi la taille fine, murmure-t-elle en plongeant son visage dans le creux de son cou.

— Tu es belle de la tête aux pieds, mais ce qu'il y a de mieux chez toi... c'est ça, dit-il en se penchant et en baissant sa culotte.

— Ça ne te viendrait pas à l'esprit de commencer par me dire « je t'aime » ? Depuis que tu es allé voir ce film porno, tu crois qu'il suffit de me pénétrer pour que je me mette à gémir ?

Elle se retourne en se tordant le cou pour s'assurer que Nannan est toujours endormie dans la cabine, puis ferme les yeux et attend que Kongzi lui fasse la même chose que la veille.

— Non, ma tendre épouse, lui murmure-t-il à l'oreille, tout ce que je veux c'est te rendre heureuse. C'est pour cela que je travaille dur tous les jours. Je veux que notre famille ait une vie meilleure.

À ces mots, il monte sur elle et la pénètre.

— Non ! s'écrie Meili en le repoussant. Tu sais que je risque de m'évanouir si tu te mets sur moi.

Elle roule sur le côté, en laissant son ventre reposer sur le pont, puis attrape une bouée et la cale sous sa tête. Kongzi l'enlace avant de la pénétrer par l'arrière. Leur haleine est encore imprégnée de la friture qu'ils ont mangée au petit déjeuner. La sueur ruisselle sur le front et entre les seins de Meili. Les veines bleues visibles sur son ventre sont animées de lentes pulsations. Une infecte odeur de poisson mort monte à travers les fissures du pont en bois. Le bateau tangue sur ses flancs tandis que Kongzi va et vient en elle. Une impression de bien-être se diffuse dans le corps ample et doux de la jeune femme.

— Fais attention à mon ventre... Doucement, doucement...

La tête appuyée contre le pont, elle soulève les hanches et serre les cuisses. Poussant un grognement, Kongzi lâche en elle un flot de sperme et s'écroule ensuite à son tour sur le pont.

Brusquement, Meili voit l'esprit de l'enfant voltiger devant ses yeux, un sourire hilare aux lèvres. Émergeant de son hébétude, elle s'écarte vivement de Kongzi.

— Sors de moi ! lui crie-t-elle. Je ne veux pas mettre au monde un enfant mort-né !

— Cesse de t'inquiéter ! Tout se passera bien. Nous vivons sur le fleuve à présent. Nous sommes libres ! Regarde cette vue splendide... « L'ombre au loin de la voile solitaire disparaît dans le vide bleuté / On ne voit plus que le fleuve Yangtze qui coule au bord du ciel. »

Il farfouille à la recherche de ses allumettes et allume une nouvelle cigarette.

— Je viens de revoir l'esprit de l'enfant, dit Meili qui cherche encore à reprendre son souffle.

La lune s'est cachée derrière les nuages et le parfum de l'osmanthus qui flotte dans l'air semble émaner de sa propre peau.

— Tu étais dans les vapes. Ton cerveau a dû te jouer un tour. Je m'en tiens toujours au conseil de Confucius : « Respectez les dieux et les esprits des morts, mais gardez-les à distance. »

— Je l'ai pourtant vu ! Il dansait devant moi comme la flamme d'une bougie. Puis il s'est glissé vers l'entrée de mon ventre et il a disparu. Il a dû retourner dans le corps de Bonheur.

Elle se relève et chasse les insectes qui se sont collés à ses fesses. Puis elle regarde le fleuve qui brille dans l'obscurité et aperçoit un emballage de repas en polystyrène blanc qui flotte à la surface. Il y a quelques jours, elle a vu le cadavre d'un nouveau-né aux épais cheveux noirs qui dérivait doucement au fil de l'eau, de la même manière. Comme il passait, des enfants perchés sur une éminence rocheuse l'ont poussé du bout de leurs branches.

— Bonheur me donne encore des coups, dit-elle. Regarde, on distingue ses petits poings sous ma peau ! Il veut naître sur le fleuve afin de descendre ensuite jusqu'à la mer et voyager à travers le monde. Ce ne sera plus très long maintenant. Encore une semaine ou deux…

Kongzi pose la main sur elle et exhale un nuage de fumée. À l'intérieur de la cabine, Nannan tousse dans son sommeil. Meili lève les yeux et regarde la ville en cours de destruction. Au pied de la montagne, les vieilles maisons ont été entièrement rasées à présent. Un peu plus haut, les contours en dents de scie des constructions inachevées se dressent comme les remparts d'une cité en ruine. Sur ce simple flanc de montagne, le passé, le présent et le futur semblent s'être mélangés. Meili a l'impression que son propre avenir flotte dans l'air au-dessus d'elle, tourbillonnant comme les millions de spermatozoïdes qui franchissent en ce moment même le col de son utérus.

Elle se rallonge, pose la tête sur la cuisse de Kongzi et essuie son front baigné de sueur en disant :

— Tiens, donne-moi donc une bouffée de ta cigarette.

MOTS-CLEFS : *fer à souder, enfreindre les règles du planning familial, cadran arrêté, ocytocine d'importation, dépenses diverses, yeux ingénus.*

À la fin d'une longue journée de labeur, le visage couvert de poussière, Kongzi traverse d'un pas traînant et d'un air accablé le radeau amarré le long de la berge, avant de monter à bord du bateau et de s'affaler lourdement dans la cabine.

— Tu as réussi à avoir tes parents ? lui demande Meili.

Mais comme elle croise le regard désespéré de son mari, son cœur se serre dans sa poitrine.

— Qu'est-ce qu'il y a ? lui demande-t-elle. Que s'est-il passé ?

— Notre maison a été détruite. Un bulldozer l'a réduite en miettes, comme je le fais moi-même tous les jours pour d'autres édifices. Ils n'ont pas épargné un seul cadre de fenêtre.

Il plonge la main dans sa large poche et en sort une petite poupée en plastique aux longs cheveux jaunes et à la robe rouge qu'il a ramassée aujourd'hui même sur le chantier de démolition. Il essuie de la main la poussière qui la recouvre et la donne à Nannan.

— Ils ont détruit notre maison ? s'exclame Meili. Et l'armoire en noyer où je rangeais mes photos ? Et le luth en bambou de ma grand-mère ?

Kongzi allume une cigarette. Une libellule qui s'était posée sur le bord du bateau s'envole aussitôt.

— Et tes parents ? reprend Meili.

Les canards qu'elle a libérés pour qu'ils puissent nager un moment se dirigent vers la berge et elle se dit qu'elle aurait mieux fait de les laisser dans leur cage.

— Leur maison n'a pas été touchée, heureusement. J'ai également appelé Kong Zhaobo : il m'a dit que les responsables du planning familial avaient détruit les maisons de neuf familles qui refusaient de payer leurs amendes. Li Peisong a réussi à rassembler les neuf mille yuans qu'ils lui réclamaient pour la naissance de Petit Gros, il a donc pu sauver sa demeure. Sur les quarante-trois villageois qui avaient été arrêtés, neuf ont été libérés et les autres attendent encore leur condamnation.

Nannan embrasse la poupée en plastique et la serre contre son cœur.

— Comment s'appelle-t-elle, papa ?

— Malchanceuse, lui répond Kongzi.

Il est allongé sur le flanc, sur la natte en bambou. Près de lui traînent la demi-banane abandonnée par sa fille, deux culottes de Meili et la veste crasseuse dont il vient de se débarrasser.

— Elle vit pour de vrai, papa ? J'aime ses cheveux jaunes. Je vais lui laver le visage.

— Mais pourquoi ont-ils détruit notre maison ? demande Meili. Ils ignoraient que j'étais enceinte. Peut-être que la ligne était sur écoute quand tu as appelé ton père le mois dernier. (Elle se tourne vers Nannan et lui lance :) Laisse moi nettoyer cette poupée avant de jouer avec elle.

Une chaleur suffocante règne dans la cabine. Incapable de se pencher à cause de son énorme ventre, Meili attrape du bout de ses orteils la veste de Kongzi, avant de la plier et de la poser sur le tabouret. Puis elle sort, tournant le dos au soleil couchant, et inspire profondément. La brise chaude plaque contre son corps sa robe imprégnée de sueur.

— En tout cas, dit-elle, jamais la police du village des Kong ne pourra nous dénicher ici. Pas à partir d'un simple appel téléphonique.

— Probablement pas. Mais j'ai entendu dire que les autorités locales ont lancé une opération visant à contrôler les papiers des ouvriers itinérants qui travaillent dans la région. Notre chef de chantier nous a demandé de vérifier qu'ils étaient bien en règle.

— Dans ce cas, il vaut mieux descendre un peu plus au sud. Si la police met la main sur nous, nous sommes fichus.

Meili lève les yeux vers la berge et voit plusieurs hommes émerger d'une camionnette. Au même instant, un bateau blanc s'approche du leur et un officier bedonnant qui se tient à la poupe lui lance :

— Eh, vous ! Avec votre gros ventre ! Vous avez un permis de naissance ? D'où venez-vous ?

Prise de panique, Meili se hâte de regagner la cabine et s'exclame :

— Vite, Kongzi ! Mets le moteur en marche ! Ils sont venus nous arrêter.

Kongzi se précipite à l'arrière du bateau et empoigne la barre, mais avant qu'il ait pu faire quoi que ce soit, trois des hommes sortis de la camionnette sautent à bord et se jettent sur lui, avant de lui tordre le bras dans le dos. Aussi discrètement que possible, Meili se replie vers tribord et se glisse dans l'eau.

— Remontez immédiatement à bord ! lui lance l'un des hommes.

— Je voulais juste... me laver, bredouille-t-elle, immergée jusqu'aux épaules et tremblante de peur.

— Inutile d'essayer de dissimuler votre état, rétorque le policier. On voit très bien votre ventre dans l'eau. Maintenant, remontez à bord et montrez-nous votre permis de naissance.

— Elle n'est pas enceinte, intervient Kongzi, le visage livide. Elle est seulement un peu grosse.

— Nous vérifierons cela à la clinique.

Tandis que le policier achève sa phrase, le bateau blanc s'est approché et s'attache au leur. À la poupe, l'officier bedonnant boit une gorgée de sa canette de Coca. La boucle de son ceinturon brille au soleil.

— Sortez de l'eau ! lance-t-il à Meili. Nous appartenons à la Commission du planning familial du district et nous regroupons toutes les femmes de Sanxia qui sont actuellement enceintes sans en avoir l'autorisation.

Kongzi pousse Nannan hors de la cabine et s'exclame :

— C'est la première grossesse de ma femme ! Cette petite est la fille de nos voisins.

— Je suis ta fille, papa, bafouille Nannan avant de fondre en larmes. Je ne dis pas des bêtises. Maman, maman…

L'officier bedonnant fixe Kongzi droit dans les yeux.

— Si j'embarque cette gamine, vous continuerez de prétendre que ce n'est pas votre fille ?

Un individu arborant d'épaisses lunettes noires monte à bord.

— Toutes les femmes qui sont enceintes sans autorisation enfreignent les règles du planning familial et mettent en danger le développement économique de notre pays, dit-il. Vous croyez peut-être que vous pouvez vous installer ici et procréer à votre guise ? Nous sommes dans la Zone économique protégée du barrage des Trois Gorges, vous ne le savez donc pas ?

— Si vous vous montrez coopérants, dit un autre, vous n'aurez pas à payer d'amende. Mais si vous nous résistez, nous demanderons au secrétaire du Parti de votre village d'arrêter tous les membres de votre famille.

— Nous sommes des paysans, dit Kongzi, nous avons des permis de résidence ruraux et notre fille a déjà cinq ans, ma femme a donc le droit d'avoir un deuxième enfant.

— Cinq ans, dites-vous ? dit l'homme aux lunettes noires. Je ne lui en donne pas plus de trois. Et qui sait combien d'autres enfants vous nous dissimulez encore.

— Ma femme est enceinte de huit mois. Je vous en prie, ne l'emmenez pas à la clinique. Je paierai l'amende sur-le-champ.

Torse nu au milieu de ces hommes en chemise blanche, Kongzi paraît encore plus vulnérable et plus soumis.

L'officier bedonnant jette sa canette dans le fleuve.

— Nous avons pour ordre d'interrompre toutes les grossesses illégales que nous rencontrons, dit-il. Si nous épargnons ne serait-ce qu'une femme, nos salaires seront diminués d'autant.

À l'énoncé du verbe « interrompre », une brusque bouffée de colère s'empare de Kongzi.

— Vous n'avez donc pas la moindre humanité ! s'écrie-t-il. Vous voulez tuer notre enfant avant terme ? Avez-vous oublié que vous avez vécu autrefois dans le ventre de votre mère ?

Une femme officier s'avance à cet instant.

— Pas la moindre humanité ? dit-elle d'un air méprisant. Si votre bébé était une fille, vous la jetteriez par-dessus bord. Ne venez pas nous parler d'humanité : vous autres, travailleurs itinérants, vous parcourez le pays en semant derrière vous les cadavres de vos filles. C'est vous qui devriez avoir honte ! Vous croyez peut-être que cela nous amuse de venir discuter avec vous dans vos bateaux infects ? Mais ce sont les plus hautes autorités de la région qui nous envoient, à cause de toutes les saletés que vous abandonnez au fil du courant.

Meili se souvient du cadavre du nouveau-né qu'elle a vu dériver l'autre jour et se dit que c'est sans doute à lui que la femme fait allusion. Elle aimerait pouvoir plonger dans le fleuve et prendre la fuite en nageant.

— Assez de palabres ! aboie l'homme aux lunettes noires. Embarquez-la dans la camionnette !

Quatre hommes se penchent, tirent Meili hors du fleuve et la traînent jusqu'à la berge. Comme elle tente de résister, l'un des officiers lui donne un coup de pied dans le ventre. Elle crie de douleur et sent ses membres fléchir. Après avoir été poussée de force dans le véhicule, elle regarde par la vitre arrière et voit Kongzi frapper l'un des policiers avec une rame : l'homme bascule par-dessus bord mais deux de ses collègues plaquent Kongzi sur le pont et lui passent une paire de menottes. Tandis que la camionnette s'éloigne, elle perçoit les cris de Nannan qui continue de pleurer dans la cabine.

Le véhicule traverse en cahotant les décombres de la vieille ville. Chaque soubresaut provoque de violents élancements dans son ventre déjà douloureux. Elle crie en exigeant qu'on la relâche, frappe la vitre du poing, donne de grands coups de tête contre la portière. Le policier assis à côté d'elle lui immobilise les poignets. La camionnette escalade lentement le flanc de la montagne en suivant une route bordée de bâtiments neufs, avant de bifurquer dans un chemin de terre et de s'immobiliser.

Meili distingue une âcre odeur de sang qui lui rappelle la naissance de Nannan, mais pour l'instant c'est la terreur qui l'étreint. On la tire de force vers le bâtiment en ciment mais elle refuse d'entrer. Elle sait que c'est ici qu'on va lui arracher Bonheur. Les policiers la poussent à l'intérieur et la conduisent jusqu'à une salle d'opération dont ils referment la porte derrière elle. Assise derrière un bureau, une femme en uniforme blanc lève les yeux vers elle.

Meili se jette sur elle et lui tire les cheveux. La femme lui plante ses ongles dans les mains et s'écrie :

— Vite ! Appelez le Dr Gang !

Deux hommes saisissent les bras de Meili et les plaquent dans son dos. Oubliant son ventre, elle lance des coups de pied dans tous les sens : en direction des hommes, de la femme en blanc, des murs, de la table d'opération en acier chromé. Un autre individu l'attrape par les cheveux et lui tire la tête en arrière. Au même instant, la porte s'ouvre et le Dr Gang pénètre dans la pièce, une seringue à la main.

— Maintenez son bras gauche, ordonne-t-il.

Meili tente de se libérer mais ne tarde pas à recevoir un coup violent dans le creux des reins. Surpris par le choc, Bonheur serre les poings et lui martèle le ventre. La femme en blanc s'agenouille et saisit Meili par les jambes. Par-derrière, un homme lui enserre la taille tandis qu'un autre empoigne son bras, le déplie et lance :

— Vous pouvez la piquer, docteur.

Le Dr Gang brandit sa seringue et lui plante son aiguille dans l'avant-bras. Meili voit l'ampoule vaciller devant ses yeux et la lumière qui filtre à travers les interstices de la porte commence à se brouiller.

— Où alliez-vous ce matin quand je vous ai croisé dans le couloir ? entend-elle la femme en blanc demander au docteur.

— Aux latrines. Le *wawa* que j'ai acheté hier m'a donné la diarrhée.

— Dites à votre femme qu'il faut faire bouillir les *wawa* et les écailler avec soin avant de les accommoder. Bon, elle a sa dose à présent. Allongez-la sur la table.

L'esprit de l'enfant observe la Mère ligotée à la table d'opération métallique, bien des années plus tôt. Ses mains sont retenues par des cordes de chanvre et des sangles en plastique. Son ventre pâle et dénudé ressemble à la carcasse d'un cochon sur un étal de boucher.

Un homme en blouse blanche se frotte le nez, puis soulève et relâche l'élastique de sa culotte. La voyant sursauter, il ordonne :

— Faites-lui une autre injection, pour plus de sécurité.

— Ne tuez pas mon bébé, bredouille la Mère. Ne touchez pas mon...

Une écume blanchâtre lui monte aux lèvres. L'homme passe la main sous les fesses de la Mère et lui retire sa culotte.

— Voyou ! gémit la Mère. Si mon bébé meurt, son esprit viendra vous hanter pour l'éternité.

Elle essaie de lui cracher au visage mais n'y arrive pas et la bave retombe sur ses lèvres.

L'homme commence à appuyer sur le ventre de la Mère.

— Ne faites pas ça, je vous en supplie, marmonne-t-elle. Laissez-moi garder cet enfant. Je n'en aurai pas d'autre, je vous le promets. C'est un citoyen chinois, il a le droit de vivre...

On tend à l'homme une nouvelle seringue, munie d'une aiguille beaucoup plus longue. Il plante son extrémité dans le ventre de la Mère, avant de l'introduire en entier.

— Arrêtez ! Ne faites pas de mal à mon bébé...

L'esprit de l'enfant voit sa première incarnation se tordre et se convulser tandis que l'aiguille pénètre dans son crâne. À mesure que le froid liquide astringent se diffuse dans le cerveau, l'esprit voit les cellules trembler puis se contracter et le fœtus s'agiter dans le liquide amniotique, heurtant les parois utérines de la Mère d'abord avec violence, puis de plus en plus faiblement, jusqu'à l'immobilité complète, en dehors du léger frémissement de sa colonne vertébrale.

— C'est donc pour ça que vos mères vous ont mis au monde ? lance la Mère aux individus qui l'entourent. Pour tuer des enfants ? Vous feriez mieux de me tuer moi aussi, tant que vous y êtes...

— Bon travail, docteur Gang, dit la femme en blanc. Vous avez dû observer ma technique en cachette.

— L'opération était moins compliquée que celle de ce matin. Regardez : quand on appuie sur le ventre à cet endroit, on voit nettement le crâne du nourrisson. La cible était facile à atteindre.

Ignorant ses gémissements et la traitant sans plus de ménagement que s'ils manipulaient un cadavre, les médecins écartent les jambes de Meili, insèrent un spéculum dans son vagin, épongent ses écoulements. Puis, lorsque le col de l'utérus est visible, ils y insèrent un suppositoire de prostaglandine. Meili essaie de crier mais ne parvient à émettre qu'un faible soupir. Elle tente de rouler sur le côté mais en dehors de son cou son corps refuse de bouger. « Pardonne-moi,

Bonheur, murmure-t-elle, je n'ai pas su te protéger. Je me tuerais si je le pouvais afin que nous mourions ensemble, mais j'ai les mains et les pieds liés. » Elle soulève la tête, serre violemment les paupières pour en chasser les larmes et regarde son ventre. Une douleur aiguë traverse ses organes, se diffuse dans le bas de son dos et irradie l'ensemble de son corps.

— Déesse Nuwa, mère de l'Humanité, sauve-moi ! se met à psalmodier la Mère. Oh, Père des Ténèbres...

— Quelle belle voix vous avez, dit l'homme avec froideur. Vos plaintes toutefois n'y changeront rien. Nous avons vu de tout dans cette pièce : des vomissures, des excréments, du sang, de l'urine, des hurlements de colère... Mais les femmes peuvent bien nous maudire et résister de toutes leurs forces, elles finissent toujours par nous abandonner leurs bébés. Vous croyez que vous pouvez défier l'État ? Ne perdez donc pas votre énergie en vain.

— Vous étiez deux quand nous vous avons attachée à cette table, lui susurre à voix basse un infirmier coiffé d'une toque bleue. Mais quand vous sortirez d'ici, vous serez seule.

— Monstres ! Barbares ! gémit Meili. (Elle essaie de croiser les jambes pour fermer le col de son utérus mais parvient à peine à faire bouger ses orteils. Une odeur de saucisse grillée plane dans l'atmosphère surchauffée de la pièce.) Puissiez-vous mourir sans descendance ! Et vos lignées s'éteindre à jamais ! s'écrie la Mère, inondée de sueur.

Ses lèvres ont la couleur de la viande congelée.

— Si vous voulez sortir d'ici en vie, vous feriez mieux de vous taire ! lance l'infirmier en ôtant sa toque bleue pour s'éventer le visage.

— Oui, ajoute la femme en blanc, si vous ne restez pas tranquille, vous serez tenue pour responsable du moindre accident médical susceptible de survenir dans cette pièce. Votre ventre appartient à l'État. Être enceinte sans en avoir l'autorisation est contraire à la loi. Allez plaider votre cause devant le gouvernement, si cela vous chante. Et allez donc voir en Amérique ce qu'ils pensent de tout ça. La politique de contrôle des naissances de la Chine a reçu l'aval des Nations unies. Êtes-vous seulement capable de le comprendre, pauvre paysanne inculte ?

— Les médecins ont le devoir de porter secours aux mourants et de soigner les blessés. Mais vous…

— Nous sommes des chirurgiens compétents. Nous avions des postes bien rémunérés dans de grands hôpitaux. Vous croyez que ça nous amuse, de venir opérer dans la région des femmes de votre espèce ? Pour la misérable prime qu'on nous verse ?

— Si ce travail ne vous convient pas, docteur Gang, intervient la femme en blanc, je demanderai au directeur de vous renvoyer chez vous.

Les hommes derrière elle rigolent en douce.

Les parois gorgées de sang du ventre de Meili commencent à se détendre et le col de l'utérus à s'entrouvrir. Elle aperçoit un filet de sang qui coule le long de sa cuisse jusqu'à sa main gauche, bientôt suivi d'un flot plus abondant qui ruisselle le long de la table inclinée avant de se répandre sur le sol.

— Cette ocytocine d'importation semble agir beaucoup plus rapidement. Regardez, les membranes ont déjà cédé.

La femme en blanc fait le tour de la table et jette un coup d'œil entre les cuisses de Meili.

— Quels beaux cheveux noirs ! Il va falloir y aller aux forceps.

Meili a l'impression qu'on lui insère un fer à souder brûlant dans le corps. Quand elle entend le bruit de la chair qui se déchire, elle se représente mentalement les yeux, les oreilles, la gorge du bébé.

— Mère, aide-moi ! hurle-t-elle de toutes les fibres de son être. Ne sors pas, mon enfant ! Ne sors pas dans ce monde infernal. Reste à l'intérieur de moi et nous pourrons ainsi mourir ensemble…

Mais les forceps continuent à maintenir le bébé et à l'extraire lentement de sa chair. L'entendant brusquement crier, Meili lève la tête, essayant désespérément d'entrevoir son enfant.

— Il est toujours vivant, ce petit entêté ! s'exclame le Dr Gang en le tenant par le cou. Qu'allons-nous en faire ?

Bonheur agite ses petits pieds comme il le faisait dans le ventre de sa mère. Meili aperçoit son entrejambe : c'est un garçon. Elle essaie de graver son image dans son esprit mais ne distingue bientôt plus qu'un halo rouge et indistinct.

— Étranglez-le, répond la femme en blanc. Il ne restera plus qu'à l'enregistrer ensuite comme enfant mort-né. Et n'essuyez pas son visage : on n'ôte pas le mucus des bébés nés dans l'illégalité. Serrez son cou à cet endroit. Oui, c'est ça. Continuez... Voilà.

Lorsque le corps de Bonheur s'est définitivement immobilisé, le Dr Gang le jette dans un sac en plastique, comme s'il s'agissait du cadavre d'un criminel qu'on vient d'exécuter.

Meili se tord le cou pour entrevoir une dernière image de son fils.

— Ta mère t'a entendu pousser trois cris, mon petit. Reviens-moi vite lors de ta prochaine incarnation et tu pourras boire mon lait. (Elle lève les yeux vers les médecins et lâche d'une voix épuisée.) Assassins, assassins...

— Je vais manquer le bateau de l'après-midi et ne serai pas chez moi avant 22 heures ce soir. Je suis sûre que mon fils ira encore traîner dans ce maudit cybercafé... Wen, remplissez cette bassine d'eau.

— Ils en ont également terminé avec l'autre femme dans la salle d'à côté. Quel nom faut-il mettre sur le certificat d'avortement ?

— Guo Ni. C'est l'épouse du chef du Bureau des Affaires routières. Elle a mis au monde un second fils et son mari a donné vingt mille yuans à la clinique ce matin, nous aurons donc une prime confortable ce mois-ci.

— Ce n'est pas au sujet de votre fils que vous devriez vous faire du souci, docteur Su. J'ai entendu dire que votre mari passait régulièrement au sauna le soir après avoir quitté son travail. Vous pouvez être sûre qu'il aura bientôt une « seconde épouse ».

— Si vous cherchez à mettre de la zizanie dans mon ménage, vous n'y parviendrez pas !

— Vous ne me croyez pas ? dit le Dr Gang en ôtant ses gants de chirurgien couverts de sang. Attendez un peu, vous verrez bien.

Il s'assoit sur une chaise en plastique et porte une cigarette à ses lèvres.

— N'essayez pas de semer la discorde. Et sortez d'ici si vous voulez fumer.

Le ventilateur électrique diffuse l'odeur du sang répandu à travers la pièce. Le placenta de Meili s'étale sur la table métallique, telle une grosse chaussette mouillée.

La femme en blanc enroule les restes du cordon ombilical autour de sa main gantée et récupère le placenta dans un sac en plastique.

— Ce placenta a l'air de bonne qualité.

— Eh bien, vous ne pourrez pas l'emporter. Le secrétaire du Parti l'a déjà réservé.

Meili a l'impression de flotter sur l'eau. Ses pensées deviennent vagues et confuses. Des gouttes de sang rouge et foncé se répandent encore entre ses cuisses, comme du cou d'un canard qu'on vient de trancher.

Lorsqu'elle reprend conscience, l'ampoule brille toujours et le ventilateur électrique continue de brasser l'air de la pièce. Elle revoit l'image de Kongzi menotté sur le pont du bateau. La jeune femme qui est de garde s'est endormie, affalée sur son bureau. Des sachets remplis d'intraveineuses vides pendent à un crochet, à côté d'une horloge au cadran arrêté. La salle baigne dans une odeur de poisson pourri. Réalisant tout à coup qu'elle est toujours étendue sur la table d'opération, dénudée à partir de la taille, Meili tend instinctivement ses mains engourdies pour se protéger et s'aperçoit que les cordages qui les maintenaient ont été défaits. Elle essaie de se relever mais son corps n'en a pas la force. Son ventre lui donne l'impression d'avoir été vidé et une douleur diffuse l'irradie par en bas. Ses jambes sont toujours insensibles. Dans le couloir, un homme chante à la radio : *Je viens de rencontrer une jolie fille à la peau douce et aux yeux ingénus...*

Derrière le bureau, la jeune femme se redresse et se frotte les yeux.

— Ah, vous êtes enfin réveillée..., dit-elle à Meili. Tenez : lorsque vous aurez signé ce formulaire et réglé la facture, vous pourrez partir.

Elle s'empare de son oreiller et en ôte la taie. Le bras gauche de Meili est tellement enflé à cause de l'injection qu'elle ne peut pas le plier.

— Ce sachet vous est également destiné, poursuit la jeune femme. Il contient une bouteille d'eau minérale gratuite, quatre paquets de préservatifs et un manuel de contraception. Maintenant, si vous voulez bien vous lever... Je dois encore nettoyer cette table.

Après avoir précautionneusement ramené ses jambes sur le côté,

Meili s'appuie sur la jeune femme et pose les pieds par terre : mais à peine s'est-elle redressée que ses genoux cèdent sous son poids. Elle retombe sur la table et rajuste sa robe. La jeune femme éponge le sang et le liquide amniotique qui se sont répandus sur le sol, puis aide Meili à enfiler sa culotte. Baissant les yeux, elle aperçoit le sac en plastique qui contient le petit cadavre de Bonheur, qui lui fait penser aux poulets fraîchement abattus et plumés qu'elle achetait sur le marché du village. Les paupières ouvertes, les lèvres béantes, il baigne dans une flaque de sang maternel et fœtal.

— Oui, c'est bien votre bébé, dit la jeune femme en suivant son regard. Si vous voulez que je vous en débarrasse, il faut signer le formulaire et régler la note.

— C'est mon fils. Je veux l'emmener avec moi.

À cet instant, la porte s'ouvre et Kongzi se précipite dans la salle d'opération, en repoussant le policier qui l'escorte. Son regard se pose sur les jambes de Meili constellées de sang et il se met à hurler, hors de lui :

— Espèce de salopard ! Que ta lignée soit maudite et périsse à tout jamais ! Salopard, salopard…

— Insulte-moi encore une fois et je te tords le cou, aboie le policier.

La jeune femme tend la facture à Kongzi.

— Comme vous le voyez, dit-elle, tout est détaillé avec précision : 210 yuans pour l'injection intra-utérine, 160 pour l'anesthésie, 190 pour diverses dépenses, qui correspondent à l'évacuation du cadavre, aux frais de nettoyage et de lessive, etc. Le montant total est de 775 yuans. Le tarif habituel pour une interruption de grossesse au huitième mois est de 1 400 yuans, vous avez donc bénéficié d'une réduction de 50 %. Si j'étais vous, je paierais cette facture et je partirais sans tarder. Si vous êtes encore là passé minuit, vous devrez régler un supplément de 30 yuans. Vous pouvez emporter ce formulaire et le remplir chez vous. Il suffit que vous signiez cette déclaration, attestant que vous, camarades untel et untel, avez volontairement consenti à interrompre la grossesse, en accord avec les directives de l'État, et qu'en agissant de la sorte vous avez apporté une glorieuse contribution à l'effort de la Chine en matière de contrôle des naissances.

— Vous avez tué notre enfant, s'exclame Kongzi, le visage empourpré de colère, et vous voulez en plus que nous vous donnions de l'argent et signions vos papiers ?

— Vous pouvez toujours laisser tomber le formulaire, dit le policier. Mais la prochaine fois que vous aurez affaire au Bureau du planning familial, vous vous en mordrez les doigts.

— Donne-lui cet argent, Kongzi, et partons d'ici, dit Meili en se penchant pour ramasser à deux mains le sac en plastique.

— Vous ne pouvez pas emporter le bébé, dit le policier. C'est contraire au règlement. Il doit être jeté à la poubelle. Et d'ailleurs, à quoi pourrait bien vous servir le cadavre de ce nourrisson ?

— C'est notre enfant, répond Kongzi. Nous avons le droit de l'emmener avec nous.

Il sort une liasse de billets de la poche de son pantalon, les tend à la jeune femme et signe le formulaire.

— Je vous préviens, répond le policier. Nous nous trouvons dans la zone de prévention sanitaire des Trois Gorges : si vous vous avisez d'enterrer ce bébé où que ce soit dans les parages, vous serez arrêté et devrez payer une amende.

— Eh bien, arrêtez-moi donc ! hurle Kongzi.

Deux gardes de la sécurité font leur apparition, saisissent Kongzi par les bras et le soulèvent de chaque côté, avant d'aller le jeter dans la rue. Agrippant le sac en plastique, Meili descend prudemment de la table d'opération puis traverse la salle en titubant et en se retenant aux murs pour ne pas tomber. À peine a-t-elle franchi l'entrée principale que ses jambes cèdent sous elle et qu'elle tombe à genoux. Kongzi se précipite pour l'aider à se relever.

— Et maintenant tire-toi, espèce de va-nu-pieds ! lui lance le policier tandis qu'ils s'éloignent.

Un individu à moto s'arrête et leur propose :

— Cinq yuans la course, je vous emmène où vous voulez. Ça vous va ?

Kongzi aide Meili à s'installer à l'arrière.

— Je n'y arrive pas, gémit-elle.

Les caillots de sang qui obstruent son vagin commencent à durcir et elle a peur de provoquer une nouvelle hémorragie en écartant les jambes. Kongzi soulève délicatement sa jambe gauche et la fait passer de l'autre côté du siège. En poussant de petits cris, Meili se plie en deux, le visage livide.

— Tu as mal ? lui demande Kongzi en prenant place derrière elle et en l'enlaçant par la taille.

— Non, non, lâche-t-elle à mi-voix. Retournons vite au bateau.

Elle ferme les yeux et appuie la tête contre le dos du conducteur.

— Tu as laissé Nannan toute seule ? demande-t-elle à Kongzi. Et si elle était tombée par-dessus bord ?

La moto s'engage sur la route défoncée qui descend de la montagne. Meili a beau être secouée sans ménagement, sa main étreint avec une sourde violence le sac en plastique posé sur ses cuisses.

MOTS-CLEFS : *carpe qui vient de naître, paradis des eaux, robe rouge, sang congelé, chant funèbre.*

Kongzi observe un objet qui flotte à la surface du fleuve en se demandant s'il s'agit d'un poisson mort, d'une baguette ou d'un brin de paille. Il a coupé le moteur et laisse le bateau filer, emporté par le courant. Ils longent des berges herbeuses et de petits groupes de maisons en pisé. Les rafales de vent qui secouent leur embarcation de droite à gauche entraînent avec elles les effluves des déchets industriels que déversent dans le fleuve d'énormes conduits de vidange.

Étendue sur le pont, Meili regarde défiler les collines et les bosquets de bambous en laissant pendre sa jambe dans l'eau. Le fleuve immobile et profond est d'un bleu aussi limpide que le ciel. Soudain, Nannan l'éclabousse et les gouttes retombent en pluie sur sa tête.

— Regarde, maman ! s'exclame-t-elle. Tu as des fleurs dans les cheveux !

Elle attache ensuite un bout de ficelle à sa poupée en plastique et la plonge dans l'eau : sa robe rouge se déploie autour d'elle comme une mare de sang. Meili ferme les yeux et entend intérieurement un chant funèbre que sa grand-mère psalmodiait autrefois : *Mon cher enfant, comme une carpe qui vient de naître et bondit hors de son bassin pour tomber dans les griffes du chat, tu as rejoint l'outre-monde avant l'éclosion de ta première dent. Les parents que tu laisses derrière toi pleurent leur malheur*... Meili a grandi en écoutant les complaintes déchirantes de sa grand-mère. Elles ont planté en elle une graine devenue aujourd'hui un arbre qui soutient sa colonne vertébrale, ses hanches, ses côtes et chaque fibre de sa chair. Elle voudrait chanter un morceau de la complainte mais n'arrive qu'à balbutier entre ses larmes : « Mère, ô Mère... » Elle prend Nannan dans ses bras, secouée de sanglots mais incapable de prononcer un mot. Son dos se soulève et s'abaisse, se soulève et s'abaisse, tel un chiffon ballotté par les vagues.

— Il y a trop de larmes sur ton visage, maman, dit Nannan en se reculant.

Ses jambes bronzées qui émergent de son short vert ont la noirceur de la sauce soja.

Un long moment plus tard, Kongzi enfile sa veste et conduit le bateau jusqu'au milieu du fleuve, où il jette l'ancre. Puis il saisit le sac en plastique contenant le cadavre de Bonheur, glisse une brique à l'intérieur et le ferme à l'aide d'une ficelle.

— Attends ! lui dit Meili.

Elle ouvre le sac où elle range leurs vêtements et en sort le bonnet, la petite veste et les chaussons minuscules qu'elle avait tricotés pour leur fils.

— Mets-les dans ce sac, dit-elle en les tendant à Kongzi.

— Pourquoi mon frère est mort, maman ? demande Nannan en posant sa petite main sur le ventre plat de Meili.

— Les méchants l'ont obligé à sortir alors qu'il n'était pas prêt, lui répond Meili.

Elle pense à l'angoisse et aux cauchemars qu'elle a endurés depuis qu'ils ont quitté le village des Kong et se dit qu'il n'y a pas une seule demeure sur tout le territoire chinois où elle puisse désormais se sentir en sécurité. Autrefois, elle refusait de croire Kongzi quand il lui décrivait les horreurs qui ont marqué le massacre de Tienanmen, la Révolution culturelle ou la campagne contre Confucius et Lin Biao. Aujourd'hui seulement, elle comprend qu'aux yeux du Parti communiste, elle est une simple criminelle qu'ils peuvent torturer à loisir, une femme qui n'a même pas le droit de mettre son enfant au monde.

— Mais je veux pas qu'il soit mort, maman, dit Nannan en pleurant et en montrant le sac en plastique. Je veux qu'il bouge. Tu m'avais dit que j'aurais un petit frère.

Les lèvres de Meili, de la rougeur sombre des prunes, tranchent sur la pâleur de son visage. Après avoir regagné le bateau, elle a dormi pendant deux jours d'affilée, rejetant encore des caillots de sang. Dans son sommeil, elle entendait Nannan pleurer et sentait Kongzi placer de temps à autre dans sa culotte une couche propre de papier-toilette ou lui glisser un morceau de banane dans la bouche. Lorsqu'elle a émergé de son sommeil, elle a aperçu le sang qui imprégnait sa robe, la natte de bambou et jusqu'aux ongles de Nannan.

Tapi sur le toit de la cabine, un essaim de mouches semble l'observer, tel un commando du planning familial qui s'apprêterait à l'assaillir.

Au crépuscule, une barge qui drague le sable dans le lit du fleuve passe non loin de leur bateau : la traînée d'écume brillante qu'elle laisse derrière elle donne un surcroît de volume à l'étendue d'eau environnante.

— J'ai fini, dit Nannan en soulevant ses fesses nues et en jetant un coup d'œil dans son pot.

La Mère essuie le derrière de Nannan et la serre violemment contre elle.

— Ton petit frère a eu un triste destin, Nannan. Il doit aller au paradis à présent. Dis-lui au revoir.

Ses yeux ne sont plus que deux fentes étroites entre ses paupières gonflées, rouges d'avoir tant pleuré.

— Mais le paradis, c'est dans le ciel. Pourquoi envoyer mon frère dans le paradis des eaux ? Il sait nager ? Il va nager jusqu'au palais du Dragon des mers ?

— Non, dit la Mère, ton frère a juste envie de faire un très long dodo. Kongzi, laisse partir notre petit Bonheur.

La Mère s'allonge de nouveau à plat ventre sur le pont, ses longs cheveux couvrent ses yeux, son bras enflé se tend vers la proue du bateau. Un peu plus bas, deux canards tendent le cou à travers les barreaux de la cage en bambou, tandis que l'eau et le ciel s'assombrissent.

— Attends ! dit la Mère. Va donc cueillir sur la berge quelques branches d'osmanthus.

L'esprit de l'enfant perçoit les bruits de cette soirée particulière, mais n'en distingue pas clairement les images car les ténèbres n'ont pas encore envahi le ciel. Le fleuve est calme. On entend seulement le bruit sourd de l'hélice du bateau qui brasse l'eau. Après une courte absence, le Père réapparaît sur le pont, trois branches d'osmanthus à la main. Il ramène ensuite l'embarcation jusqu'au milieu du fleuve, coince les branches sous la ficelle qui ferme le sac en plastique et l'enfonce doucement dans l'eau. L'esprit de l'enfant plonge à son tour dans les profondeurs du fleuve et regarde le sac descendre lentement vers lui.

— Regarde, maman, dit Nannan. Il y a une feuille qui nage.

Une fois ces funérailles fluviales accomplies, Kongzi ramène le bateau jusqu'au rivage et jette l'ancre.

— Nous passerons la nuit ici, dit-il en s'accroupissant, les yeux rivés à la surface étale de l'eau.

La nuit s'épaissit et le fleuve devient noir. Bonheur et les branches d'osmanthus ont disparu. Les mouches sont parties. À la lueur de la bougie, Meili aperçoit la poupée de Nannan qui flotte sur l'eau, l'un de ses bras tendu devant elle. Après avoir passé toute la journée dans l'eau, sa robe rouge a maintenant la couleur du sang congelé et ses yeux sont d'un bleu plus intense. Ses cheveux jaunes s'étalent autour de son petit visage en plastique qui brille dans la nuit.

Meili sent une brusque montée de lait. Elle se penche par-dessus le flanc du bateau et presse ses seins pour l'extraire. Le lait sort par petites giclées, le fleuve ouvre la bouche et l'avale.

MOTS-CLEFS : *îlot de sable, Fête nationale, avortement forcé, caillot de sang, permanganate de potassium.*

Avant la tombée de la nuit, Kongzi amarre le bateau au pied d'une jetée qui surplombe le fleuve, non loin d'une décharge municipale. D'autres embarcations délabrées et quelques péniches y stationnent déjà, sur lesquelles s'entassent des caisses en plastique, des coussins et des abat-jour récupérés parmi les ordures. Des poules, des canards et des enfants courent dans tous les sens sur la berge boueuse tandis qu'un peu plus haut, courbés sur la pente, des gens fouillent ces monceaux de détritus au milieu des éclats de briques et de tuiles. Au-delà, sur la colline, de nombreux bâtiments arborent les bannières et les drapeaux de la Fête nationale. L'agglomération semble relativement importante.

Meili aperçoit une femme qui lave des feuilles d'épinards sur le bateau voisin, ce qui lui rappelle qu'ils sont eux-mêmes à court de riz.

— Je vais aller en acheter en ville, lui dit Kongzi. Et j'en profiterai pour ramener du savon. Tu pourras ainsi te laver dans le fleuve ce soir.

Kongzi n'a pas gagné un centime depuis qu'il a payé la facture de l'avortement et il lui reste à peine une cinquantaine de yuans.

— C'est inutile, je ne me laverai pas.

Meili est incapable du moindre contact avec l'eau du fleuve depuis que Bonheur y a été inhumé. Son corps est sale et couvert de piqûres d'insectes mais son bras gauche est tout de même moins enflé et elle peut à nouveau le plier.

— Je veux jouer avec eux, papa, dit Nannan en montrant un groupe d'enfants qui pourchassent des poules à travers un champ de choux, en brandissant des tiges de bambou.

Dans la cage suspendue au flanc du bateau, les deux canards battent des ailes dans l'espoir qu'on les libère et qu'on les laisse nager un moment.

Kongzi arrime le bateau à un bloc de béton brisé, prend Nannan dans ses bras et traverse la décharge pour rejoindre l'agglomération.

Meili se tourne de l'autre côté et aperçoit un îlot de sable qui s'étend au milieu du fleuve. Quelques bateaux aussi déglingués que le leur y sont amarrés, le long du rivage. Des enfants jouent à cache-cache dans les buissons et des bébés dorment, couchés sur de vieux pneus de voiture. Des vêtements aux couleurs vives sèchent sur des fils tendus entre les arbres, ce qui donne au décor un petit côté familial. Au premier coup d'œil, elle a compris que ces gens fuient comme eux la répression du planning familial : ils doivent s'être regroupés de la sorte et verser des pots-de-vin aux autorités locales pour que celles-ci les laissent en paix. Meili se dit que Kongzi et elle seraient sans doute plus en sécurité s'ils allaient se joindre à eux. Elle n'a pourtant pas l'intention de s'installer ici : une fois qu'ils auront traversé la province de Guangxi, ils atteindront Guangdong et pourront alors rejoindre la Commune Céleste. Pour la première fois depuis l'avortement, elle s'autorise à poser la main sur son ventre aplati. Un relent de pourriture lui monte à la bouche. Elle sent que la mort est tapie quelque part dans les tréfonds de son corps, implacable et froide. Son ventre se crispe tandis que son utérus expulse un nouveau caillot de sang. Elle revoit la grimace que faisait son amie Rongrong en avalant cette décoction d'herbes médicinales, pour soigner son infection pelvienne. Elle se sent loin de chez elle, démunie et inquiète.

La nuit, tout est calme dans les parages du fleuve, même si l'on entend parfois un chien aboyer ou un bébé qui se met à pleurer. Un peu plus loin, la rumeur de la circulation sur la route fait trembler les arbres mais épargne les bateaux. Meili a posé la tête sur un matelas pour bébé qu'elle a récupéré dans la décharge et serre contre elle une bouteille d'eau chaude. Ses seins s'affaissent de part et d'autre sous son tee-shirt. La lampe à pétrole diffuse une lueur orangée sur son visage et son cou.

— Allons donc nous amarrer pendant quelques jours devant cet îlot de sable, dit-elle à Kongzi. Ce fleuve est interminable, je ne sais même plus où nous sommes.

— Nous avons quitté le Yangtze et suivons maintenant la rivière Gui, avant de pénétrer dans la province de Guangxi. Cette ville s'appelle Xijiang. Guangdong se trouve un peu plus à l'est. D'accord, installons-nous ici et reposons-nous quelque temps. Je trouverai facilement du travail et nous pouvons aussi vendre des objets que nous récupérerons dans la décharge. La vie n'est pas chère par ici. La bouteille d'huile d'arachide ne coûte que quatre yuans et le *jin* de riz à peine plus de trois yuans. Le diesel et l'essence sont également bon marché.

Meili peut à nouveau manger mais souffre toujours de douleurs abdominales.

— Les jours sont comme l'eau du fleuve, dit-elle à Kongzi. Ils s'étendent devant moi mais je n'arrive pas à les saisir.

Avant le repas du soir, Kongzi verse de l'eau bouillie dans une bassine à son intention. Elle se frotte les mains et le visage avec du savon et pour la première fois depuis l'avortement se lave également entre les jambes, avant de désinfecter cette partie de son corps avec du permanganate de potassium.

— Il ne faut pas que tu cèdes au désespoir, lui dit Kongzi. Nous aurons un autre enfant. Nous ne baisserons pas les bras.

Il ouvre la bouteille d'alcool de riz qu'il a achetée dans une échoppe, près de la voie express, et en remplit un verre. Un navire de croisière à la coque blanche passe un peu plus loin, un drapeau rouge flotte à son mât. Sur le pont arrière, un couple s'embrasse au pied d'un haut-parleur qui diffuse une « Ode à la mère patrie » : *notre nation bien-aimée est riche et puissante, les signes de sa prospérité s'affichent de toutes parts…*

— Pourquoi ne rentrons-nous pas chez nous pour nous livrer aux autorités ? demande Meili. Si nous leur montrons le certificat d'avortement, ils renonceront peut-être à nous faire payer cette amende. La vie n'est pas moins dangereuse ici qu'ailleurs. J'en ai assez…

— Le certificat n'a pas été tamponné, il n'est donc pas valable. Ah, tout cela est ma faute ! Nous aurions dû quitter Sanxia sitôt après avoir acheté ce bateau. Les fleuves et les rivières sont les artères de ce pays. Tant que nous continuerons de les suivre, nous finirons bien par remonter jusqu'à son cœur – le havre mystique où nous pourrons vivre en paix.

— Tu crois qu'il existe un endroit plus mystique que la grotte de Nuwa ? À peine ai-je posé la main sur sa paroi que je suis tombée enceinte de Nannan. Les femmes de Nuwa ne sont pas faites pour engendrer des fils. Tu ferais mieux d'accepter le destin qui est le nôtre.

Elle revoit brusquement le visage étranglé du petit Bonheur. Elle se penche et éteint la lampe.

— De surcroît, je ne peux pas prendre le risque d'une autre grossesse illégale et d'un nouvel avortement forcé. Tu tiens à me voir mourir ?

— Bien sûr que non. Tu es ma femme. Mais nous avons le droit de faire une nouvelle tentative pour avoir un fils.

Kongzi se donne une claque sur le bras pour chasser un moustique. Puis il contemple les ténèbres, cherchant peut-être à distinguer les ailes de l'insecte qui s'est envolé ou l'image à jamais gravée dans son esprit du cadavre de Bonheur.

— Nous n'en avons nullement le droit, espèce de tête de mule ! Seul l'État peut décider si je puis avoir ou non un autre enfant. Baisse les rideaux, j'ai froid.

Tandis que les ténèbres s'épaississent autour d'elle, Meili sent s'apaiser les battements de son cœur. Kongzi aspire la dernière bouffée de sa cigarette et dit :

— Ces salauds de communistes ont réussi à détruire l'héritage de Confucius : la bienveillance, la droiture, la propriété, la sagesse – toutes les valeurs qu'il mettait en avant ont disparu. Quand la femelle d'un panda attend un petit, la nation entière se réjouit. Mais quand une femme tombe enceinte, on la traite comme une criminelle. Dans quel pays sommes-nous donc ?

Il jette son mégot dans la rivière et s'assied en silence, en fixant le décor qui s'étend devant lui. Lorsque l'obscurité l'a recouvert et qu'on ne distingue plus rien, il baisse la tête et pousse un cri guttural, donnant brusquement libre cours à sa douleur :

— Mon fils ! Mon fils ! Reviens-nous ! « L'été les incendies ne détruiront pas l'herbe / Car au printemps les vents lui redonneront vie... » Je ne parviens pas à croire que dans cet immense pays il n'y ait pas de place pour mon descendant.

Le frère de Kongzi, de trois ans son aîné, n'a eu qu'une fille lui aussi mais ne l'a pas déclarée à sa naissance, au cas où il aurait un second enfant avant qu'elle n'ait cinq ans. Néanmoins l'un des villageois qui travaillait dans la même équipe que lui à Wuhan l'a dénoncé à la police, ce qui fait que ni sa fille, ni l'enfant qu'il pourrait éventuellement avoir ne pourront bénéficier d'un permis de résidence. Kongzi et son frère se ressemblent comme deux gouttes d'eau. L'aîné a quitté le village des Kong il y a dix ans pour travailler à Wuhan, d'où il revient chaque année à la Fête du Printemps, les poches bourrées de billets. Avec son maigre salaire d'instituteur, Kongzi s'est toujours senti inférieur. L'école du village est si pauvre que les parents doivent acheter les bureaux de leurs enfants et Kongzi lui-même a dû fournir le sien. C'est son frère qui a payé son mariage, dépensant cinq mille yuans pour un banquet de quatre-vingts invités, sans compter la troupe de chanteurs et de danseurs qui ont égayé l'assemblée. Il n'aime pas lire et ne parle à personne. Quand il revient au village, il passe ses journées devant la télévision, à fumer cigarette sur cigarette. Kongzi aimerait bien discuter avec lui aujourd'hui, tout en sachant que s'il évoquait la nécessité pour leur famille d'avoir un héritier mâle, il se heurterait au silence de son frère. Kongzi reste convaincu que seul un fils sera en mesure de lui apporter le bonheur. Si son frère n'en a pas, le sort de la lignée retombera sur ses épaules. Sa belle-sœur aura bientôt quarante ans, le temps presse à présent. Il n'a pas eu le courage de téléphoner à son père pour lui dire que Meili avait subi un avortement forcé et que le bébé était un garçon. Pas plus qu'il n'a voulu dire à sa femme qu'après leur fuite du village son père a été arrêté et détenu une semaine en prison. Ni qu'on a obligé sa propre mère à porter un stérilet, à la place de Meili qui ne s'était pas présentée pour recevoir le sien.

Nannan émerge du sommeil, repousse sa couverture et va se blottir à tâtons sur les genoux de son père.

— Retourne sur ton matelas, Nannan, lui dit Kongzi en l'écartant d'un geste.

— J'ai peur du Dragon des mers, il est venu se cacher là, dit Nannan en désignant sa tête.

Avant qu'elle ne s'endorme, Kongzi lui a raconté l'histoire d'une fée appelée Fille de la Fleur, emprisonnée par le Dragon des mers et sauvée par le Bodhisattva de la Pitié.

— Ne fais pas l'idiote, lui dit Kongzi. Le Dragon des mers est mort il y a bien longtemps.

— Tu as dit que mon frère était mort mais qu'il reviendrait un jour.

— Viens dormir avec moi, dit Meili en attirant sa fille contre elle, ce qui fait tanguer leur bateau. Tu n'as pas entendu ce que je te disais, Kongzi ? Baisse les rideaux, je grelotte de froid. Allez, Nannan, rendors-toi à présent.

— Je veux mon papa pour dormir, pas ma maman, dit Nannan en rampant à nouveau vers Kongzi qui est allongé sur une couverture, trois magazines lui tenant lieu d'oreiller.

— Les nuits sont froides à présent, dit Meili en disposant un pull sur les épaules de Nannan. Si nous ne retirons pas un peu d'argent à la banque demain pour acheter un générateur et un radiateur électrique, notre fille va finir par tomber malade. Nous ne pouvons pas continuer à vivre ainsi, comme des animaux.

MOTS-CLEFS : *beignets allongés, sperme, stérilisation obligatoire, chaussures en cuir vernies, volaille roussie.*

Meili est réveillée par des cris qui s'élèvent un peu plus loin :

— Il y a un homme en ville qui menace de sauter d'un immeuble de cinq étages ! Debout tout le monde, il ne faut pas rater ça !

Meili se redresse et un filet de sperme coule le long de sa cuisse. Avec une grimace de colère et de dégoût, elle prend quelques mouchoirs en papier dans une boîte et les fourre dans sa culotte. Ce fichu préservatif a dû se déchirer hier soir, se dit-elle : si je tombe encore enceinte, je serai à nouveau considérée comme une ennemie du Parti. Durant les huit mois qui se sont écoulés depuis l'avortement, elle a repoussé les avances de Kongzi. Mais la nuit dernière, elle a fini par céder et l'a laissé pénétrer en elle.

Kongzi se tourne sur le côté et lui dit :

— Si tu vas faire un tour en ville, profites-en pour me ramener un beignet allongé, je meurs de faim.

— Pourquoi irais-je regarder un inconnu se donner la mort en sautant dans le vide ? rétorque Meili. Je suis moi-même à deux doigts de me jeter dans le fleuve. Pourquoi ne manges-tu pas le reste des nouilles d'hier, si tu es affamé ?

Elle se lève en toussant, incommodée par la fumée de sa cigarette.

Ils ont fini par s'installer sur l'îlot de sable. Meili élève une trentaine de canards et Kongzi a acheté deux poules pondeuses et un coq, qu'il garde dans la cage en bambou. Quand il n'est pas occupé à transporter des cargaisons d'articles de contrefaçon, il parcourt la ville et la décharge à la recherche de rebuts susceptibles d'être revendus. Douze autres familles sont installées sur l'îlot, la plupart ayant fui comme eux la menace du planning familial.

Meili plonge un gant dans l'eau et se frotte le visage, puis le reste du corps, en grelottant de froid. Leurs voisins, Xixi et Chen, s'apprêtent à traverser la rivière pour se rendre en ville. Ils ont été les premiers à s'installer sur l'îlot. L'année dernière, la police fluviale est venue détruire toutes les cabanes mais les insulaires en ont vite édifié d'autres, à l'aide de planches et de toiles goudronnées récupérées dans la décharge. Un fort sentiment communautaire unit désormais ces familles, qui élèvent toutes des poules et des canards, ce qui fait qu'une odeur de volaille rôtie imprègne constamment l'atmosphère.

— Tu veux venir avec nous, Meili ? lance Chen.

Meili commence par accepter, avant de se rétracter.

— Non, si les gens se sont attroupés pour regarder ce type, la ville doit grouiller de policiers. Je ne tiens pas à être traînée dans une clinique du planning familial pour qu'on me mette un stérilet contre mon gré.

Meili a peur de la foule, désormais, et ne s'est rendue que trois fois en ville.

— Cesse de te faire du souci, lui dit Kongzi. Comme je te l'ai dit, le responsable du Bureau régional du planning familial est un homme raisonnable. Sinon, on ne nous laisserait pas habiter sur cet îlot. Va donc faire un tour en ville et emmène Nannan avec toi.

Kongzi récolte de nombreuses informations locales auprès de ceux qui fouillent comme lui la décharge. La semaine dernière, on lui a dit qu'un professeur de l'université de Guangxi allait donner au Centre culturel du district une conférence sur le néoconfucianisme et la modernité et il a mis un point d'honneur à y assister.

— Non, je n'emmènerai pas Nannan, dit Meili en montant sur le bateau de Chen et Xixi. Il risque d'y avoir des voleurs d'enfants dans la foule.

— Mais ils ne s'intéressent qu'aux garçons, dit Kongzi.

— Peu importe. Occupe-toi d'elle.

Une fois que le bateau s'est éloigné, Kongzi patauge dans l'eau pour aller donner les nouilles de la veille aux poules enfermées dans leur cage.

En ville, après avoir longé le marché couvert et le bâtiment flambant neuf du « Sauna Oriental », Meili aperçoit en effet une foule importante, amassée devant un immeuble de bureaux en cours de construction au sommet duquel un ouvrier s'est réfugié et menace de sauter. Sa manière d'agiter les mains rappelle à Meili une ancienne camarade d'école, qui travaille aujourd'hui pour le gouverneur du district de Nuwa. Pressée d'échapper à cette cohue, elle contourne l'attroupement et s'engage dans une large rue vide. Dans la lumière éclatante du matin, les bannières du planning familial qui flottent au-dessus d'elle paraissent encore plus grandes. La moitié de la rue a été récemment cimentée, l'autre est toujours jonchée de nids-de-poule. Meili poursuit son chemin, attirée par les effluves de beignets, de friture et de cuisine à la vapeur qui émanent d'une petite échoppe installée devant la façade d'un restaurant aux vitres bleutées.

Elle y achète trois beignets allongés. Incapable de résister, elle déplie le morceau de journal qui les enveloppe et mord dans l'un d'entre eux. Il est absolument délicieux. Elle s'assied sur le perron en ciment du restaurant et regarde le slogan grossièrement peint sur le mur d'en face : TOUTES LES FAMILLES QUI CHERCHERONT À ÉCHAPPER À LA STÉRILISATION OBLIGATOIRE SERONT ARRÊTÉES ET DEVRONT PAYER UNE AMENDE. Pour la première fois depuis l'avortement, elle arrive à lire ce slogan familier sans sentir son estomac se nouer sous l'effet de la peur.

Elle remarque le regard absent des passants qui se rendent à leur travail et éprouve un vague regret. Elle aimerait bien, elle aussi, sortir le matin en arborant une jolie robe, des chaussures en cuir vernies, un sac à main où elle fourrerait sa brosse à cheveux et sa trousse de maquillage. Mais l'accès des grands immeubles où il fait chaud en hiver et frais en été – et où des gens grassement payés passent leurs journées assis derrière un bureau – est interdit aux paysans. Meili a beau être née à la campagne, elle rêve de mener la vie des femmes riches qu'elle voit dans les feuilletons télévisés, qui ont de grands appartements et des voitures climatisées et n'ont jamais mis les pieds dans un champ. Une fois qu'elle aurait rejoint leurs rangs, elle pourrait elle aussi porter de beaux tailleurs, se vernir les ongles, arborer d'élégantes sandales et franchir d'un air conquérant la porte d'un avion ou d'un luxueux hôtel au sol couvert de tapis. Elle n'a peut-être pas reçu beaucoup d'éducation mais elle a confiance en elle et elle est déterminée. Après tout, elle est capable d'interpréter n'importe quelle chanson en public après l'avoir entendue deux fois. Elle rêve toujours de devenir une pop star et de parcourir le pays en chantant des ballades, vêtue de robes du soir en satin. Avant son mariage, elle avait formé avec quelques amies un groupe baptisé la Troupe artistique internationale de Nuwa, censé se produire sur les marchés de campagne et dans les mines de charbon de la région. Mais elle l'avait quittée au bout d'une semaine, lorsque le responsable de l'un des villages lui avait expliqué qu'à moins que les filles ne se montrent nues sur scène, personne ne paierait pour les voir. Elle a toujours pensé que les femmes doivent être respectables et faire preuve de modestie. Depuis qu'elle a épousé Kongzi, elle s'est entièrement dévouée à sa famille et a enduré la pauvreté sans rechigner. Mais elle sent à présent qu'il est temps qu'elle se ressaisisse et qu'elle trouve du travail, pour gagner à son tour un peu d'argent. Même s'ils n'arrivent pas à s'établir en ville, il faut au moins qu'ils soient en mesure de construire une nouvelle maison munie des derniers équipements électroniques lorsqu'ils regagneront le village des Kong.

Elle rebrousse chemin et rejoint l'immeuble de cinq étages au sommet duquel l'ouvrier menace toujours de sauter. La foule s'est épaissie. Juché sur un escabeau de fortune, un homme lance dans un mégaphone :

— Si vous voulez vraiment profiter du spectacle, achetez l'une de mes paires de jumelles pliantes !

D'autres spectateurs, impatients d'aller au travail, crient à l'inconnu :

— Allez, dépêche-toi de sauter ! Nous n'allons pas poireauter toute la journée !

Sans relever les yeux, Meili se fraie un chemin à travers la foule et réussit à atteindre le marché couvert sans avoir écrasé les deux beignets qui lui restent. L'odeur de volaille roussie qui plane dans l'atmosphère lui est familière. Depuis son mariage, c'est toujours elle qui a abattu les poulets avant de les plumer, puis de leur roussir la peau. En regardant autour d'elle les boutiques affairées du marché, elle se dit qu'elle pourrait peut-être monter elle aussi un petit commerce par ici. Cela lui permettrait au moins d'avoir un toit qui la protège des intempéries.

Elle se tourne vers une marchande et lui demande :

— Combien coûtent les canards aujourd'hui, grande sœur ?

— Trois yuans le *jin*. Et un yuan de plus s'il faut abattre l'animal, le plumer et le vider.

— Je peux le plumer moi-même. Vous n'avez pas besoin d'une assistante, par hasard ?

Meili se voit déjà en train de vendre leur basse-cour, afin de réunir la somme nécessaire à la location d'un emplacement et à l'achat de la marchandise.

— Non, mais ce type là-bas en cherche une, lui réplique la marchande en désignant du menton un individu de grande taille et maigre comme un clou, debout derrière un étal de poissons.

Meili s'approche et lui demande s'il ne voudrait pas l'embaucher. Il la toise de ses yeux exorbités et lui répond :

— J'ai besoin de quelqu'un pour écailler et vider les poissons. Je paie un *jiao* par poisson. Si vous voulez savoir comment on fait, asseyez-vous et regardez-moi.

Meili tire vers elle une caisse en bois, s'y assoit et aperçoit sur le mur opposé une affiche qui proclame : AVERTISSEMENT DU DÉPARTEMENT DE L'HYGIÈNE MUNICIPALE CONCERNANT LE LAIT EN POUDRE : POUR LA PROTECTION DES NOURRISSONS ET LA SÉCURITÉ DE L'ENSEMBLE DE LA POPULATION, LA VENTE DU LAIT EN POUDRE DE QUALITÉ INFÉRIEURE EST DÉSORMAIS INTERDITE... Elle se souvient que Kongzi lui a dit avoir livré récemment un stock important de lait en poudre de contrefaçon à un homme d'affaires qui l'achetait à raison de trois yuans le sachet et comptait le revendre le triple. À l'époque, elle s'était dit que cette poudre – authentique ou simple contrefaçon – serait toujours plus nourrissante que le bouillon de riz que la plupart des paysannes donnent à leurs nourrissons. Le lait pour enfants est un produit recherché. Si elle ouvrait dans ce marché un magasin de nourriture pour bébés, elle ferait sûrement des affaires.

Après avoir regardé le poissonnier vider et écailler ses bêtes plusieurs heures durant, elle se souvient brusquement que Kongzi doit toujours attendre ses beignets et qu'il doit se demander pourquoi elle tarde tant à revenir. Elle ressort à l'air libre et se hâte de descendre la colline. Le soleil de juin fait briller la poussière dans les rues et les mauvaises herbes qui poussent le long des trottoirs. Le vent chaud l'accompagne jusqu'à la rivière. Elle s'avance au bord de l'eau, tout essoufflée et les yeux rivés sur l'îlot de sable, mais n'aperçoit pas la moindre trace de Kongzi ni de leur bateau. Se tournant vers la droite, elle reconnaît soudain leur embarcation au milieu d'une flottille de radeaux amarrés le long de la jetée. Leur coq tend le cou hors de sa cage et la dévisage. Essuyant la sueur qui inonde son visage, elle fait signe à Kongzi qui se tient derrière la barre, vêtu d'une veste, d'un short et d'une paire de tongs boueuses.

Il l'aide à monter à bord en lui tendant une perche de bambou, tout en fronçant les sourcils d'un air mécontent.

— Pourquoi as-tu mis tout ce temps ? aboie-t-il.

La robe de Nannan est trempée. Leur fille lève la jambe, dresse son pied nu vers elle et lui lance :

— Papa m'a interdit de danser, maman !

— J'étais au marché, dit Meili, et j'apprenais à vider et à écailler les poissons.

Sentant que Kongzi désapprouve son indépendance, elle s'empresse de changer de sujet.

— Alors, ce type a-t-il sauté, finalement ?

— Je croyais que tu étais allée le voir... Non, il n'a pas sauté. La police l'a embarqué il y a moins d'une heure. J'ai retiré cent yuans à la banque. Cela n'a pas posé de problème, ils ne sont pas en relation directe avec notre agence du Hubei. Nous avons encore mille yuans sur notre compte.

Nannan presse la main de Meili.

— Maman, notre coq s'appelle Le Rouge. Son menton qui pend s'appelle Petit Ver. Papa s'appelle Serpent à lunettes. Et toi tu t'appelles Grands Yeux. Tu aimes mes surnoms ?

— Nous avons besoin d'un revenu stable, reprend Meili. Je veux travailler de mon côté, Kongzi, ne serait-ce qu'en tenant une échoppe au marché.

Elle s'assied à la poupe. Son front et ses épaules mouillées brillent au soleil.

— Maman, c'est de la sueur ou du pipi ? demande Nannan en caressant la cuisse de Meili, luisante de transpiration.

— Que comptes-tu faire, alors ? demande Kongzi avec un sourire condescendant. Vendre des poissons ?

— Je ne suis pas sans ressources, tu l'as dit toi-même un jour. Quand j'ai décidé de faire quelque chose, j'arrive toujours à mes fins.

— Maman, mon pipi ressemble à du jus d'orange mais je n'ai pas mangé d'orange aujourd'hui.

MOTS-CLEFS : *abri, joyeux anniversaire, activités dissolues, impératrice Yang Guifei, préservatif, « têtes de lion » frites.*

À l'aube, dès que le coq a chanté, Meili s'habille, émerge de leur abri et s'assure que leur embarcation est toujours ancrée le long du rivage. Un bateau a été volé sur l'îlot il y a quelques jours. Depuis lors, Kongzi et elle ont décidé de dormir à tour de rôle sur le leur, sauf qu'hier ils ne l'ont pas fait. Cela fait un an à présent qu'ils vivent sur cette bande de sable et même s'ils n'ont pas gagné beaucoup d'argent, leur vie a tout de même pris un tour plus agréable. Kongzi s'est acheté une paire de lunettes à montures dorées, un poêle à gaz, un ventilateur électrique et un triporteur dont il se sert pour faire ses livraisons dans les environs. Il a fixé une rallonge au mini-générateur du bateau, de sorte que leur abri dispose lui aussi de l'électricité. Meili de son côté a acheté une montre, un petit téléviseur noir et blanc et une poupée chanteuse destinée à Nannan. Leur abri n'est qu'une modeste cabane construite à partir de portes au rebut et de vieilles lattes de bois mais ne contient pas moins un sommier en aggloméré que Kongzi a recouvert de coussins en mousse : aussi dorment-ils plutôt confortablement.

À travers les bambous et les saules qui se dressent sur la rive opposée, Meili aperçoit les contours de la ville. Les néons du « Sauna Oriental » encore allumés dans le jour naissant évoquent les activités dissolues de la nuit qui s'achève. Un camion chargé de détritus fait route vers la décharge. Lorsque les ordures auront gagné une dizaine de mètres sur les eaux de la rivière, les autorités de Xijiang couleront par-dessus une dalle de béton et élèveront à cet endroit une statue de la belle impératrice Yang Guifei, de la dynastie des Tang, dont on affirme qu'elle est originaire de cette ville. Le gouvernement central a vivement encouragé les autorités régionales, à travers le pays, à développer le tourisme en érigeant des statues et des monuments en l'honneur des célébrités locales. Ici, à Xijiang, on a déjà construit sur une colline la réplique d'un temple de la dynastie des Tang où l'impératrice serait soi-disant enterrée, creusé un puits où elle serait venue boire et édifié un peu plus loin dans les environs, au sommet d'un tertre, un pavillon où elle aurait eu l'habitude de venir s'asseoir pour peigner ses cheveux. On a également confié la protection du site à la famille d'un martyr de la révolution inconnu jusqu'alors et fixé le tarif à dix yuans par visite. D'ici à trois ans, les autorités locales espèrent que leur district sera devenu la principale destination touristique de la province de Guangxi.

Meili ne travaille plus pour le poissonnier. Elle a repris une petite échoppe d'épices à la femme qui s'en occupait et était sur le point d'accoucher. Puis, après avoir mis suffisamment d'argent de côté, elle a graissé la patte au directeur du marché pour qu'il l'autorise à ouvrir sa propre boutique. Elle s'est également arrangée pour faire partie de l'équipe qui nettoie le marché le soir et parvient ainsi à récupérer au milieu des déchets assez de nourriture pour nourrir sa famille et vendre le surplus aux autres habitants de l'îlot. Kongzi aime nettoyer les têtes de poisson, les tripes, les couennes de porc et les divers abats qu'elle ramène : il les fait cuire pendant des heures avec un mélange d'épices et les grignote ensuite en buvant de la bière. Meili l'a convaincu de faire pousser des légumes qu'on ne trouve pas dans les autres boutiques. Ayant remarqué que la place du Temps – une vaste esplanade construite à la hâte pour impressionner les dirigeants nationaux lors de leurs visites – restait le plus souvent déserte, de jour comme de nuit, il a descellé quelques dalles de ciment et planté en dessous des oignons de printemps. Après avoir surveillé les lieux deux semaines durant sans apercevoir âme qui vive, il a déplacé quelques pierres au pied d'un lampadaire qui n'a jamais rien éclairé et planté à la place des épinards, de la ciboulette et des tomates. Au début de l'automne, quand tout le monde a envie de manger des ragoûts agrémentés de légumes verts, il a fait pousser des liserons que Meili a vendus dans sa boutique et qui ont remporté un grand succès. Le mois dernier, il a fait imprimer trois cents prospectus sur du papier jaune proposant la livraison gratuite de ses produits et les a distribués à travers l'ensemble du marché. Meili a compris que lorsque les possibilités s'avèrent limitées, on ne peut espérer connaître le bonheur qu'en s'engageant sur de nouveaux sentiers : en attendant de pouvoir s'installer dans la Commune Céleste, cette ville fluviale leur offre assez de débouchés pour leur permettre de mener leur barque avec succès.

Elle saisit le wok et entreprend de préparer le repas du matin, en faisant réchauffer le potage de riz qu'elle a acheté la veille au marché et en y ajoutant deux œufs frais, ainsi que quelques fleurs d'osmanthus. Tout en remuant la préparation qui cuit à feu doux, elle se retourne pour que Kongzi ne la voie pas et avale deux pilules contraceptives. Bien qu'elle ait vérifié les dates et qu'elle ait la certitude de ne pas avoir été en période d'ovulation la dernière fois qu'ils ont fait l'amour, elle ne tient pas à prendre le moindre risque. Elle a également pris la décision dans son for intérieur de se faire poser un stérilet. Elle en a assez que Kongzi refuse l'usage des préservatifs, ce qui l'oblige à laver son vagin à grande eau, à peine son mari a-t-il sombré dans le sommeil post-coïtal. Elle ne supporterait pas de devoir subir un nouvel avortement forcé. Elle veut travailler dur et gagner suffisamment d'argent pour s'offrir un petit plaisir de temps à autre. Elle le mérite plus particulièrement aujourd'hui, puisque c'est son anniversaire. Elle a décidé qu'une fois son travail terminé, Kongzi et elle iraient passer la soirée en ville.

Au crépuscule, après qu'elle a plié et rangé son échoppe, Kongzi arrive avec son triporteur, ayant confié Nannan à la garde de Xixi et Chen. Meili saute d'un air enjoué à l'arrière du véhicule. Tandis que son mari pédale, elle ramasse quelques prospectus jaunes qui traînent dans la caisse et les jette en l'air, puis dénoue et brandit son écharpe que le vent agite derrière eux. La rue s'élargit tandis qu'ils rejoignent le centre de la ville. Ils longent des rangées d'immeubles gris, dépassent un manège aux animaux en bois vivement colorés – chevaux, lapins et tigres – puis le grand bâtiment rouge du Centre culturel du district où l'on passe des films de kung-fu et, parfois, quelques productions étrangères. Meili a déjà choisi ce qu'elle allait commander pour le dîner : une carpe à la vapeur, des boulettes de viande frites dites « têtes de lion » et une soupe aigre-douce – des mets qu'elle peut difficilement préparer sur l'îlot. Aussi, lorsque la serveuse vient déposer les plats sur la table, parvient-elle à se contrôler, les savourant à tour de rôle par petites bouchées, alors que Kongzi se jette sur la nourriture avec une avidité un peu gênante. Ce n'est pas le repas en lui-même que Meili apprécie mais le plaisir d'être confortablement assise dans un restaurant raffiné, où les employés font une courbette en apportant les plats et en disant : « Voici les "têtes de lion" frites, madame, j'espère que vous les apprécierez. » Comme c'est agréable d'être traitée avec respect, de pouvoir payer les gens pour faire la cuisine et la vaisselle à votre place. Si elle continue à travailler dur, elle pourra venir plusieurs fois par an dans des restaurants tels que celui-ci, aux tables couvertes de nappes en tissu. Lorsque Kongzi lève son verre et lui souhaite un joyeux anniversaire, elle a l'impression d'être revenue à l'époque de leur lune de miel.

— Il faut que nous fêtions de la même manière ton anniversaire le mois prochain, lui dit-elle.

Elle a déjà décidé d'offrir à Kongzi un lecteur de CD et un disque où figure sa chanson préférée, la « Berceuse de la barque de pêche ». Pendant quelques instants, elle oublie qu'ils sont en fuite et vivent dans l'illégalité, sans posséder une maison ni même un lit qui leur appartiennent en propre. Elle oublie qu'elle a une fille qui les attend sur cet îlot de sable et ne sait même plus quel âge elle vient d'avoir au juste. Dans son enfance, la seule chose qui différenciait son anniversaire du reste de l'année, c'est qu'on mettait un peu plus de nouilles dans son bol ce jour-là. Quand elle a eu quinze ans, son père lui a offert une veste en polaire lorsqu'il est revenu pour la Fête du Printemps, trois mois après son anniversaire. Kongzi et elle ont bien mangé dans un restaurant pendant leur lune de miel à Beijing – le professeur Zhou les avait emmenés dans un célèbre établissement spécialisé dans le canard à la pékinoise – mais Meili était tellement intimidée qu'elle n'a pas levé les yeux de son assiette de tout le repas. Aussi est-ce aujourd'hui la première fois qu'elle célèbre dignement son anniversaire. Prise d'une brusque exaltation, elle aide Kongzi à vider sa bouteille d'alcool de riz. Et c'est seulement lorsqu'il lève sa dernière coupe et porte un toast à leur futur fils qu'elle émerge de ce brouillard radieux et voit l'esprit de l'enfant voleter à nouveau devant ses yeux.

MOTS-CLEFS : *ballons, parois utérines, permis de travail, légumes, spéculum vaginal.*

Pendant que Kongzi embarque sur la navette, chargé d'un sac de graines de colza qu'il compte semer sur la place du Temps, Meili demande à Xixi de surveiller Nannan ce matin et s'apprête à aller en ville. Elle est résolue à empêcher l'esprit de l'enfant de pénétrer une deuxième fois dans son ventre, cette prison de chair dans laquelle il serait condamné à attendre une nouvelle exécution.

Tout en se brossant les dents au bord de la rivière, elle regarde Kongzi débarquer sur l'autre rive. Derrière lui, les haillons et les sacs en plastique colorés qui pendent aux arbres rappellent à Meili les ballons qu'on avait accrochés sur le porche de leur maison, le jour de leur mariage. Elle se rend brusquement compte que le paysage n'est pas le même que d'habitude : le niveau de la rivière a dû baisser, révélant du même coup cette rangée d'arbres dont les décorations de fortune brillent comme des pierres précieuses sous le soleil matinal. L'eau a baissé et les journées sont de plus en plus froides. Kongzi lui a dit qu'ils devaient essayer de mettre un nouveau bébé en route avant que l'hiver ne s'installe, afin qu'elle puisse dissimuler son état sous d'épais vêtements lorsque son ventre commencera de grossir. Il a éjaculé deux fois la nuit dernière, juste à l'entrée de son utérus (propriété de l'État). Finissons-en, se dit-elle à elle-même. Il n'y a pas de temps à perdre.

La rue est jonchée de poussière et d'éclats de brique. Des ouvriers aux cheveux gras la bousculent en passant. En apercevant l'enseigne menaçante du Bureau du planning familial, elle a un instant d'hésitation. Lorsqu'il apprendra qu'elle s'est fait mettre cet engin dans le ventre, Kongzi sera hors de lui. Mais l'idée de tomber à nouveau enceinte et de se retrouver ligotée à une table d'opération pour subir un deuxième avortement est une perspective autrement plus effrayante. Pendant une fraction de seconde, elle revoit le visage figé du petit Bonheur.

Elle pénètre dans l'établissement et se dirige vers la réception.

— Camarade, je voudrais subir un examen gynécologique et me faire placer un stérilet, dit-elle à la jeune infirmière assise derrière le comptoir.

Les yeux de l'infirmière s'étrécissent.

— Il me faut votre carte d'identité, votre attestation de mariage et votre certificat médical de travailleuse itinérante.

Meili sent sa bouche s'assécher.

— Je n'ai que ma carte d'identité et un certificat d'avortement, dit-elle.

L'infirmière lui tend deux factures, l'une d'un montant de quarante yuans pour l'examen gynécologique, l'autre de quinze yuans pour la pose d'un stérilet. Puis elle la conduit dans une salle à l'extrémité du couloir et lui confie le formulaire destiné aux femmes mariées.

Une doctoresse dont le visage est protégé par un masque blanc palpe le ventre et les seins de Meili, puis lui dit de s'étendre sur le lit et d'écarter les jambes. L'infirmière ouvre un sachet et en retire un spéculum en plastique qui ressemble à une tête de canard. Elle insère le bec froid de l'appareil dans le vagin de Meili et l'écarte. Une odeur de désinfectant se répand aussitôt dans son corps.

— Vous prétendez n'avoir qu'une fille de trois ans mais il est évident que vous avez mis un enfant au monde plus récemment, dit la doctoresse en examinant l'utérus de Meili à l'aide d'une lampe.

Elle se tourne ensuite vers l'infirmière et lui dit :

— Notez : parois lisses, sans érosion ni polypes.

— Oui, ajoute l'infirmière, les pointes de vos seins sont rouges, c'est bien la preuve qu'on les a tétés.

Elle mordille son stylo tout en palpant le mamelon gauche de Meili.

— Mais je n'ai pas de lait ! s'insurge Meili. Et pas davantage de bébé, je vous le jure – seulement une fille qui aura quatre ans le mois prochain. J'ai subi un avortement l'an dernier. Pourquoi vous mentirais-je ? Je suis venue ici pour qu'on me place un stérilet, parce que je veux éviter de tomber à nouveau enceinte.

Meili est gênée, à cause de la rougeur de ses tétons. Tout ça à cause de Kongzi, qui tient absolument à les sucer le soir avant de s'endormir...

— Pourquoi ne l'avez-vous pas fait après votre premier enfant ? demande la doctoresse en regardant le certificat d'avortement de Meili. Et que fait votre mari ?

De toute évidence, elle doit penser que Meili se prostitue dans un salon de coiffure.

— Il travaille sur un bateau, dit Meili. Et il cultive aussi quelques légumes.

Elle a honte du statut inférieur de son mari et grimace de douleur tandis que le spéculum continue d'écarter le col de son utérus.

— C'est bon, dit la doctoresse en enfilant ses gants, nous allons vous poser ce stérilet. Vous avez de la chance que le directeur soit absent aujourd'hui : sinon, nous vous aurions directement envoyée au troisième étage, où vous auriez été stérilisée.

— Mais on ne stérilise les femmes qu'après la naissance de leur deuxième enfant, dit Meili en regardant la porte et en se préparant inconsciemment à prendre la fuite.

— Comment pouvons-nous être sûrs du nombre d'enfants que vous avez mis au monde ? Vous dites que vous êtes à la fin de votre cycle mais regardez la quantité de sang qui imprègne votre serviette hygiénique. Vos règles sont-elles toujours aussi abondantes ? Quand celles-ci ont-elles commencé ?

— Il y a dix jours. J'ai des règles très irrégulières.

Meili se demande si la doctoresse a aperçu dans les profondeurs de ses organes des traces du sperme de Kongzi. Elle sent qu'on lui enfonce dans le vagin un tampon de gaze chirurgicale, qu'on fait ensuite tourner à plusieurs reprises. Elle serre les dents et ferme les paupières, tandis que la sueur ruisselle sur son visage.

Une paire de forceps glacés force le col de son utérus. Une longue aiguille est ensuite insérée puis retirée de son ventre, avant d'être comparée à plusieurs modèles de stérilets.

— Je vous conseille celui-ci, lui dit l'infirmière. C'est un modèle de fabrication locale, il ne vous coûtera que quatre-vingts yuans. Les modèles coproduits avec l'étranger coûtent deux cents yuans. Choisissez donc le moins cher. Ajouté aux frais de l'intervention, cela vous reviendra à cent quatre-vingts yuans.

— Mais je n'ai pas une telle somme sur moi ! s'exclame Meili. Je croyais que les poses de stérilet étaient gratuites.

— Seulement pour les habitants du district, répond l'infirmière.

— Regardez ce que j'ai dans mes poches, dit Meili en montrant son pantalon.

L'infirmière s'exécute et compte l'argent.

— Il n'y a que cent yuans, dit-elle. Vous êtes sûre que vous n'avez rien d'autre ?

— Ne tenez-vous pas une boutique au marché ? demande la doctoresse.

— Si, je vends des légumes, des herbes et des condiments. Venez me voir la prochaine fois. Tous mes produits sont garantis sans pesticides.

Le bail qu'a obtenu Meili pour cette échoppe expirera bientôt et le directeur du marché l'a déjà avertie qu'il ne pourrait pas le renouveler, étant donné qu'elle n'a pas de permis de travail officiel.

— Eh bien, nous travaillerons pour cent yuans aujourd'hui, dit la doctoresse. J'espère que vous appréciez l'indulgence dont nous faisons preuve à votre égard. Passez-moi le modèle ovale, infirmière.

La doctoresse soulève le stérilet à l'aide d'une paire de longues pinces à l'extrémité émoussée, écarte davantage l'ouverture du spéculum et glisse l'appareil à l'intérieur. Tout en sentant ses parois utérines se resserrer autour de ce corps étranger, métallique et froid, Meili regarde les deux mouettes rouges qui sont peintes sur le mur, au-dessus du radiateur.

L'infirmière tend à Meili une fiche de rendez-vous.

— Vous devrez passer un examen de contrôle approfondi d'ici à trois mois, pour vérifier que le stérilet ne s'est pas détaché ou que vous ne l'avez pas délibérément enlevé. Toutes les femmes qui tentent de se débarrasser de leur stérilet, même sous le prétexte qu'il leur fait mal, doivent payer une amende de cinq cents yuans.

— Il est possible que vous éprouviez des crampes ou des nausées et que vous souffriez de légers saignements, précise la doctoresse. Mais ces effets secondaires sont généralement de courte durée.

Elle ôte alors son masque, révélant du même coup son rouge à lèvres éclatant, tandis que l'infirmière continue de remplir le dossier.

— Vous m'avez bien dit que les crêtes vaginales étaient aplaties ? demande-t-elle en levant les yeux vers la doctoresse.

Meili la voit jeter à la poubelle le spéculum souillé de sang et perçoit le bruit que fait le col de son utérus en lâchant un dernier filet d'air, avant que l'ouverture ne se referme.

MOTS-CLEFS : *branches de saule, poussin mort, ailes de poulet, balle de coton, « Trois Sans », bœuf sous le joug.*

— Venez tous vous joindre à nous ! C'est l'anniversaire de ma fille. Laissez-moi remplir vos verres et buvons tous à sa santé !

Kongzi est assis dans un fauteuil de bureau qui a perdu ses pieds et qu'il a récupéré dans la décharge, puis fixé à l'aide d'une corde à un tronc d'arbre. Le tube de néon branché sur pile qu'il vient d'acheter est suspendu aux branches, un peu plus haut, et éclaire les assiettes disposées sur des caisses en bois.

— Merci, maître Kong, répond Dai, un individu aux yeux globuleux et au front sillonné de rides. Yiping et moi, nous sommes de simples paysans : c'est un honneur pour nous de boire un verre en compagnie d'un maître d'école. Je porte un toast à votre fille, maître Kong !

Dai prend son élan et se force à vider le verre d'un trait. Yiping et lui sont originaires de la Montagne Pourpre, dans la province de Jiangsu. Ils sont venus s'installer sur l'îlot six semaines plus tôt et ont construit un abri sous les arbres, juste derrière le leur. Meili les a rencontrés en ville. Dai errait dans les rues, une perche en travers des épaules : un seau rempli de casseroles et de vêtements pendait à une extrémité, une balle de coton à l'autre. Deux fois plus menue que lui et enceinte jusqu'aux yeux, Yiping le suivait, leurs deux filles à la main. Meili les a abordés et leur a conseillé de venir se réfugier sur l'îlot avant que les responsables du planning familial ne viennent les arrêter.

Un dénommé Bo, aussi maigre que chauve, lève son verre et s'exclame :

— Buvons ! Buvons !

Son crâne et ses épaules décharnées brillent sous le néon. Ses ongles sont noirs et abîmés à force de fouiller dans les déchets. Sa femme et lui ont trois filles ainsi qu'un fils de quatre mois.

Kongzi a fait frire des ailes de poulet et Meili préparé une salade de champignons noirs. Des odeurs d'ail et d'huile de sésame se répandent dans l'atmosphère tandis que tout le monde se met à manger. Les enfants arrivent tous à la fois, s'emparent de quelques ailes de poulet et repartent en courant le long de la rivière. Chen revient de la ville à bord de son bateau, l'amarre à un rocher et prend pied sur la plage sableuse.

— Même ici, tu te souviens des dates des anniversaires, dit-il à Kongzi. Cela fait des années que nous avons oublié ceux de nos enfants.

Il pose un paquet de boulettes de viande frites sur l'une des caisses en bois. Lorsqu'il rit, montrant ses dents jaunes et noircies, on dirait un singe.

— Nous sommes nés tous les deux en novembre, ma fille et moi, répond Kongzi. Et nous avons toujours fêté nos anniversaires ensemble.

Meili et les autres femmes sont assises entre elles sur des cartons, mangeant du riz et du tofu braisé. Les effluves du ragoût de canard qui mijote sur le poêle à gaz devant l'abri tempèrent un peu la fraîcheur de la brise.

— Ressers-toi, Xixi, dit Meili en désignant de la pointe de ses baguettes le bol de tofu. Tu dois manger pour deux à présent. Et goûte un peu de ce foie, il est plein de vitamines.

— Merci, merci, dit Xixi en boutonnant son gilet de laine et en caressant son ventre déjà rond. (Elle se tourne vers Yiping et lui demande :) Et le tien, c'est pour bientôt ?

— Non, encore quatre mois... Mais regarde, mon ventre est déjà si gros que je ne vois plus mes jambes. Dai dit que nos couettes sont trop chaudes pour cette ville, il veut que nous allions les revendre un peu plus haut dans les montagnes.

Yiping est assise les jambes croisées sur un matelas. Avec son gros ventre qui émerge de sa frêle silhouette, elle ressemble à une patate douce qu'on vient d'extraire du sol.

— Attendez pour repartir que votre bébé soit né, lui dit la femme de Bo, une dénommée Juru. Tu pourras accoucher dans une clinique qui se trouve juste derrière le planning familial. La sage-femme ne demande que trois cents yuans.

Juru sort un sein de sa chemise et le fourre dans la bouche de son bébé. Lorsque Meili a visité son abri, elle a été choquée en apercevant la paille infecte et trempée qui recouvrait le sol et a conseillé à Juru de la changer plus souvent, pour la santé du nourrisson.

— Oui, renchérit-elle, si vous partez maintenant les autorités risquent de t'arrêter et de t'obliger à avorter. Dai ferait mieux d'oublier cette histoire de couettes et de chercher du travail à la décharge. Je songe pour ma part à acheter une centaine d'autres canards et à construire un grand enclos sur la plage. Je suis sûre que je pourrais gagner dix mille yuans par an avec une telle basse-cour.

Depuis qu'elle ne redoute plus de tomber enceinte, Meili a l'impression qu'elle peut se consacrer à l'édification d'une vie plus confortable, pour sa famille et elle.

— Avoue donc, lui glisse Yiping avec ce fort accent montagnard que Meili a parfois de la peine à comprendre. Tu t'es fait mettre un stérilet, c'est ça ?

— Non, non, répond Meili en jetant un regard nerveux en direction de Kongzi. J'ai envisagé de le faire mais je me suis dit que si jamais je voulais avoir un autre enfant, il faudrait que je donne cent yuans à une infirmière pour qu'elle me l'enlève.

— Je suis tellement ignorante, dit Yiping en éclatant de rire. À part mettre des enfants au monde, je ne suis bonne à rien. La première fois que j'ai vu un préservatif, j'ignorais de quoi il s'agissait : j'ai cru que c'était un morceau de tripe, je l'ai plongé dans ma soupe et je l'ai mangé !

— Jamais je ne laisserai personne me mettre un stérilet, dit Xixi. Dans notre village, un voisin a un jour essayé d'enlever celui de sa femme. Il a farfouillé dans son ventre pendant des heures, sans arriver à l'attraper. Finalement, il était tellement excédé qu'il l'a fait sauter.

Xixi frissonne à cette évocation et recrache un éclat d'os de poulet.

— Sauter ? demande Meili en revoyant soudain le visage figé de Bonheur.

— Oui, il a fourré un pétard dans le vagin de sa femme et y a mis le feu, dit Xixi en croisant nerveusement les jambes.

— Les hommes sont tellement obsédés par l'idée d'avoir un héritier qu'ils en perdent la raison ! dit Meili en jetant à nouveau un coup d'œil du côté de Kongzi.

Celui-ci est en train de brandir le poing et s'écrie avec colère :

— Ces salauds de communistes, ils viennent nous emmerder jusqu'ici avec leurs foutus préservatifs !

Deux jours plus tôt, des responsables du planning familial ont débarqué sur l'îlot pour distribuer à la population fluviale des sachets de préservatifs sur lesquels sont imprimées des photos de vedettes de cinéma.

— J'espère que tu ne les as pas insultés de la sorte lorsqu'ils sont arrivés ici, dit Chen. Quand mon frère a été placé dans un centre de détention l'an dernier pour avoir pénétré en ville sans autorisation, il a injurié un officier et on lui a coupé la moitié de la langue.

— J'ai été arrêté pour vagabondage, moi aussi, dit Bo en grattant son crâne chauve. Quand on a de l'argent et des relations, on vous relâche au bout de vingt-quatre heures. Mais moi, je n'ai rien de tout ça. On m'a forcé à travailler pendant deux mois dans les champs, en me battant tous les jours, uniquement pour le plaisir. Lorsqu'on m'a relâché, je n'avais plus que la peau sur les os.

— Quels papiers faut-il donc pour éviter d'être arrêté ? demande Dai en chassant de la main une touffe de coton qui s'était collée sur sa veste.

— Une carte d'identité, un certificat de santé, un permis de résidence temporaire urbain, un permis de travail temporaire, une autorisation de grossesse, un certificat de mariage..., énumère Kongzi. Mais même avec tout ça, si tu te retrouves dans une grande ville et que tu as la tête d'un paysan, on t'arrêtera quand même. Et après t'avoir mis les menottes aux poignets, on te pressera comme un citron pour te soutirer le peu que tu possèdes.

— On nous surnomme les « Trois Sans », dit Bo : sans papiers, sans domicile, sans ressources... Quand mon fils aura un peu grandi, je m'en irai d'ici et j'irai travailler sur un chantier de construction, pour mener enfin une vie normale.

Bo aura bientôt cinquante ans. La rumeur a couru sur l'îlot qu'il était allé en prison pour avoir enlevé la femme de son voisin, avant de la vendre à un veuf.

— Non, le véritable surnom qu'ils nous donnent, c'est celui de « clochards aveugles », de vagabonds errants, dit Chen avec un sourire béat.

Son costume à l'occidentale est déchiré par endroits. Il gagne bien sa vie à présent, à livrer des cargaisons d'oranges plusieurs fois par semaine le long de la rivière.

— Quand on pense que c'est un crime à présent de vivre dans son propre pays ! s'exclame Kongzi, le visage empourpré par l'alcool. Où veulent-ils donc que nous allions ?

— Ne parle pas si fort, lui dit Meili. Tu n'es plus dans ta salle de classe.

Elle lève les yeux et regarde la ville, de l'autre côté de la rivière. Derrière la décharge, un ancien entrepôt a été rénové et transformé en « Night-club du Paradis terrestre ». Ses néons rutilants éclipsent ceux du « Sauna Oriental » un peu plus haut. Des passants regardent l'enseigne d'un air ébahi. Une moto-taxi s'arrête devant l'entrée et un couple sur son trente et un descend du siège arrière, aussitôt encerclé par une troupe de gamins vendant des roses et des chewing-gums. Plus près de la jetée, d'autres gens déambulent devant un étal qui propose des articles d'occasion au pied d'un lampadaire. Meili se souvient brusquement du lecteur de CD qu'elle y a acheté, avant de l'offrir à Kongzi pour son anniversaire. Elle court le chercher, ainsi que le CD de la « Berceuse de la barque de pêche », glisse le disque dans le lecteur puis monte le volume. Les accords mélancoliques de la cithare se répandent au même rythme régulier que l'eau de la rivière. Elle ferme les yeux et se représente des bateaux de pêche naviguant dans la nuit et dont les voiles brillent sur la crête des vagues. Tandis que les notes s'égrènent, s'élèvent puis décroissent, elle voit le soleil qui se couche à l'occident, les vagues qui viennent lécher le rivage, les branches de saule qui remuent doucement, un héron qui s'élance dans le ciel... Lentement, les saules, les vagues, les voiles, la rivière et le ciel sont gagnés par la même lueur dorée, qui finit par s'assombrir et s'estomper. Durant un court instant de silence, elle se revoit allongée sur le pont de leur bateau, chantant une complainte funèbre pour leur petit Bonheur tandis que l'esprit de l'enfant s'agite devant elle. Après qu'un dernier accord nostalgique a résonné, Kongzi lève les yeux, regarde la lune et pousse un soupir.

— Ah, dit-il, n'a-t-on pas l'impression de se fondre soi-même dans le paysage ? C'est exactement comme dans le poème où il est dit : « Puise de l'eau à la rivière et la lune est dans ta main / Cueille une fleur sur un arbre et son parfum imprègne tes habits. » Merci, Meili, pour ces merveilleux cadeaux. Je les garderai précieusement.

— Oui, dit Chen, c'est une belle chanson.

Tous les autres restent silencieux, avant de se resservir. Comme l'eau s'étend de toutes parts autour d'eux, l'atmosphère se refroidit le soir – surtout maintenant que l'hiver est arrivé – et l'îlot paraît plus grand.

— Quelle quantité de graines donnes-tu chaque jour à tes canards ? demande Juru à Meili, en ôtant un brin de paille accroché à sa veste.

Voyant les enfants qui reviennent en agitant des branchages, elle protège son bol et leur lance :

— Faites attention, ne mettez pas de sable dans la nourriture !

— Tenez, prenez-en chacun une, dit Meili en tendant les boulettes de viande aux enfants.

— Essuie d'abord tes mains sur ton pantalon, petite cochonne ! dit Juru à sa fille. Regarde, elles sont pleines de boue.

Nannan émerge de derrière un arbre et regarde les autres enfants qui repartent en courant dans les buissons.

— Ne marchez pas dans les crottes ! leur lance Chen.

— J'aimerais bien que les gens arrêtent d'aller faire leurs besoins dans ces buissons, dit Meili en regardant Juru avec insistance. Quand il n'y a pas de vent, la puanteur qui règne sur cet îlot doit monter jusqu'au ciel. Tu me demandes ce que je donne à manger aux canards ? Nous n'en avons plus que vingt-trois à présent et nous leur donnons un petit bol de graines chaque jour – deux s'ils sont en train de couver.

Elle voit Nannan ramasser un poussin mort et lui lance :

— Lâche ça !

— Pourquoi il est mort, maman ? demande Nannan en observant l'oisillon de près.

— Sans doute parce qu'il était malade.

— Pourquoi il veut quitter son papa et sa maman ?

— Ah, tu n'arrêtes pas de poser des questions ! Viens ici et mange une autre boulette.

— Je suis pleine, dit Nannan en fronçant les sourcils. Mon ventre va éclater.

— Pourquoi ne vas-tu pas l'enterrer ? propose Meili. Comme ça, il serait au chaud.

Son regard se pose ensuite sur les canards parqués dans le petit enclos que Kongzi a construit avec des branches et des brindilles. Nannan pose le poussin près du poêle et l'enfonce dans le sol avec son pied.

— Tu as de la chance d'avoir des œufs frais tous les jours, dit Xixi en prenant un beignet de légume sur l'assiette que Juru fait circuler. Mes canards semblent avoir renoncé à pondre.

— Juru, dit Meili, j'ai entendu dire que tu n'avais pas assez de lait. Tu devrais donner du lait en poudre à ton bébé avant d'aller le coucher.

Le bébé suce pour l'instant le sein gauche de Juru, son petit nez et ses menottes sont rougis par le froid.

— Le lait en poudre qu'on trouve sur le marché est une contrefaçon, dit Juru. C'est un simple mélange de sucre et de riz moulu, il ne contient aucune protéine.

— J'aurais bien aimé qu'on me donne du riz et du sucre à son âge ! s'exclame Meili. Allons, goûtons donc ce ragoût de canard... Passez-moi vos bols.

Un peu plus loin, ses lunettes dorées brillant sous le néon, Kongzi se met à chanter :

— *Condamnés à mener la même existence vagabonde / À notre première rencontre nous avons ri comme de vieux amis...* Qui a écrit ce poème, d'après vous ? Si vous ne pouvez pas répondre, vous devez vider votre verre d'un trait.

— Nous sommes de simples paysans, s'insurge Bo. Comment connaîtrions-nous la poésie ?

Bo ne se lave jamais lorsqu'il revient de la décharge. Dès qu'il boit une goutte d'alcool, une odeur de pourriture émane de son corps.

— Si nous jouions à trouver des rimes ? propose Dai à Kongzi en écrasant son mégot sur le col. Mais commençons par remplir nos verres.

— Non, joue d'abord avec lui, dit Kongzi en désignant Chen du menton.

— D'accord, dit Dai en levant son verre en direction de Chen. À nous deux, alors. Si tu n'arrives pas à compléter le distique, tu dois vider ton verre d'un trait. Voici le premier vers : « Les hommes qui errent au fil de l'eau… »

Chen réfléchit un instant et réplique :

— « … Finissent avec un couteau dans le dos. »

Dai le dévisage de ses yeux globuleux.

— Un couteau dans le dos ? s'étonne-t-il. Depuis quand l'un d'entre nous s'est-il fait poignarder de la sorte ?

— Aidez-moi, vous autres ! gémit Chen.

— Désolé, mon ami, mais tu as perdu. Vide ton verre !

L'esprit de l'enfant voit que tous ces êtres ont à présent disparu de l'îlot. Tout ce qu'il en reste, c'est une odeur de ténèbres et quelques volutes du souffle de la Mère, émanant des buissons qui ont recouvert la plage de sable. Les reflets des néons de la ville s'étendent sur l'eau à travers la rivière et plus bas jusqu'aux roseaux. Le sac en plastique du Père et de la Mère est encore accroché à une branche. À l'intérieur se trouvent de vieux prospectus jaunes, un miroir de poche, trois préservatifs, un bâton de cannelle, quelques anis étoilés et un bout de gingembre moisi. Les bruits de cette soirée ancienne reprennent brusquement.

— Allons, maître Kong… À mon tour de te mettre au défi…

— Entendu, je suis prêt.

— « Un homme qui jamais ne boit… »

— « … Mène une vie plus morne qu'on ne croie. »

— « Un homme qui ne fume ni ne joue… »

— « … Est plus misérable qu'un bœuf sous le joug. »
Les trouvailles du Père sont bruyamment applaudies.
— Quel lettré ! On voit bien que tu es de la lignée du grand Confucius… Quelle science ! Allons, maître Kong, remplis à nouveau nos verres et recommençons…

MOTS-CLEFS : *espèce inférieure, mont Yang Guifei, manège, trampoline, pansements.*

Le mois dernier, après deux journées de pluies torrentielles, l'îlot de sable a été inondé. Certaines familles se sont réfugiées sur leurs bateaux, les autres ont traversé la rivière et édifié des cabanes de fortune aux abords de la décharge publique. Quand les eaux se sont retirées, elles ont regagné l'îlot et reconstruit leurs abris. Pour la Fête du Printemps, Kongzi a composé des distiques pour l'ensemble de leurs voisins, que chacun a accrochés devant sa porte. Bo et Juru, qui n'ont pas de porte, ont suspendu le leur – AU COURS DE CET ÂGE D'OR, TOUTES LES FAMILLES PROSPÉRERONT / AU COURS DE CETTE ANNÉE NOUVELLE, TOUTES LES FAMILLES SE RÉJOUIRONT – AUX BRANCHES DE L'ARBRE LE PLUS PROCHE.

Kongzi a libéré les canards et les laisse aller et venir librement sur l'îlot : ils se nourrissent en becquetant au pied des arbres des algues, des mollusques et des poissons que les eaux ont abandonnés. À la nuit tombante, il se contente de leur donner du gruau de maïs aux choux après leur avoir fait réintégrer l'enclos. Les poules brunes courent dans tous les sens en poussant des gloussements aigus, comme des enfants au sortir de l'école. L'oiseau préféré de Meili est une grande grue blanche, deux fois plus haute que les canes. Depuis qu'elle s'est trouvée dans l'impossibilité de renouveler le bail de son échoppe au marché, elle passe la plupart de ses journées sur l'îlot, à s'occuper de la basse-cour. Tous les matins, elle récupère cinq ou six œufs étincelants dans les cartons où les volatiles vont se réfugier pour pondre.

Hier, Kongzi a acheté une centaine de canetons pour la modique somme de deux cents yuans. Meili se dit qu'à ce prix, il doit s'agir d'une espèce inférieure. Elle a découpé un carton en petits morceaux qu'elle a disséminés sur la plage, avant de déposer sur chacun une ration de riz bouilli.

— Lève-toi, maintenant ! lance-t-elle à Kongzi tout en observant les canetons jaunes qui marchent en se dandinant vers un buisson parsemé de sacs en plastique. C'est l'heure de déjeuner.

Il est déjà midi mais Kongzi dort toujours à poings fermés, vautré sur sa couverture et son drap où sont imprimées des pivoines. Le nouvel abri qu'il a construit à l'aide de tuiles, de vieilles portes, de planches et de toiles goudronnées récupérées de droite à gauche s'avère enfin étanche, après bien des réparations. Il est plus grand que l'ancien et plus spacieux que la cabine de leur bateau, ce qui fait qu'ils peuvent y dormir tous les trois dans un relatif confort. Meili a cloué un portemanteau sur le battant intérieur de la porte et fixé à l'extérieur un casier où elle range sa réserve de louches, de spatules, de cuillères et de baguettes, ainsi que ses bouteilles de vinaigre et de sauce de soja. Contre la pile de chaussures qui s'élève à côté de l'entrée, Kongzi a enroulé un tuyau d'arrosage en plastique qu'il a ramené de la décharge. Il comptait s'en servir pour arroser ses plantations sur la place du Temps, mais la semaine dernière la police a découvert ses carrés de légumes et les a détruits : aussi n'en a-t-il plus l'usage pour l'instant.

— Meili ! s'écrie Kongzi. Viens me donner un coup de main !

Meili passe la tête à l'intérieur de l'abri et aperçoit le sexe de son mari, dressé sous le drap.

— Non, lui dit-elle, j'ai les mains sales.

Kongzi se redresse, attire Meili à lui et l'oblige à saisir son pénis. Non sans réticence, elle se met à le caresser tout en regardant à travers une fente de la porte un canard qui s'ébroue au soleil en étirant le cou. Son regard revient au membre en érection qu'elle tient entre ses mains et elle sent brusquement une onde brûlante l'irradier, à l'intérieur de ses cuisses. Kongzi lui empoigne un sein. La chaleur lui monte aux joues.

— Espèce de cochon lubrique, lui lance-t-elle. Tu ne peux pas attendre ce soir ?

— Ne t'arrête pas, lui répond Kongzi d'une voix rauque tout en essayant de lui enlever son pantalon. Mets-toi sur moi, tu veux bien ?

La fermeture Éclair de son pantalon cède. Elle repousse Kongzi et lui dit :

— Attends que je sois allée faire pipi, nous irons ensuite dans la cabine.

À peine s'est-elle allongée sur le drap où sont imprimés des cœurs que Kongzi la pénètre et s'active un moment en elle comme une rame sur son pivot, avant d'éjaculer. Meili sent son ventre se crisper. Son sperme est en moi à présent, se dit-elle. Mais peu importe. Le stérilet y mettra bon ordre. Elle pousse un soupir de soulagement et croise les jambes.

— Ce coup-ci, je suis sûr de t'avoir fait un fils, dit Kongzi.

Il jouit presque tous les jours en elle à présent, dans le vain espoir que l'un de ses spermatozoïdes finisse par atteindre son but.

— Les canards ont fini de manger, dit Meili en renfilant son pantalon. Je vais aller les arroser.

— À quoi bon ? demande Kongzi en grattant les piqûres de moustique qui constellent ses bras.

— J'ai entendu dire l'autre jour que le fait de les arroser une fois leur repas terminé les pousse à lustrer leurs plumes. Ils ont besoin de cet exercice quotidien, cela leur fait du bien.

Kongzi émet un ricanement méprisant.

— Ne sois pas aussi vulgaire ! lui lance-t-elle. Que t'est-il donc arrivé ? Je te préférais du temps où tu étais instituteur, où tu avais un costume propre et une chemise boutonnée au ras du cou.

— Il faut savoir s'adapter aux circonstances. Je ne dispense plus ma science, je suis un homme en fuite qui essaie d'échapper aux griffes du planning familial.

— Eh bien, je n'ai pas l'intention de me relâcher pour autant. À partir de maintenant, nous nous brosserons les dents tous les jours. Regarde un peu les tiennes : on dirait qu'elles sont couvertes de rouille. La prochaine fois que tu iras en ville, achète donc trois brosses à dents et un tube de dentifrice de la marque « Sœur Noire » : la publicité affirme qu'il est particulièrement efficace pour la protection des gencives. Et prends aussi des comprimés pour Nannan, je suis sûre qu'elle a des vers, elle n'arrête pas de manger ces jours-ci. De surcroît, elle a probablement la teigne. Tu as vu cette plaque rouge sur sa jambe ? Tu passeras à la pharmacie demain, après avoir vendu nos œufs.

Meili quitte le bateau et rejoint leur abri. Quelques instants plus tard, Nannan arrive en courant pour chercher quelque chose à manger : mais elle se prend les pieds dans un wok qui traînait par terre et va heurter le poêle, faisant basculer dans son élan une casserole de gruau bouillant dont le contenu se renverse sur son pied nu. Elle se met à hurler. Meili enjambe la casserole et la prend dans ses bras. Kongzi remonte de la plage et considère l'énorme cloque écarlate qui enfle déjà sur le pied et la cheville de sa fille. Meili essaie d'apaiser la douleur en y étalant de la sauce de soja et déclare :

— La brûlure est sérieuse, il faut l'emmener à l'hôpital.

Kongzi soulève Nannan et la porte jusqu'au bateau, avant d'appeler les autres habitants de l'îlot pour leur demander si l'un d'entre eux pourrait lui prêter un peu d'argent.

Meili s'apprête à le rejoindre à bord.

— Non, lui dit-il. Reste ici. Si tu te montres à l'hôpital, ils vont vouloir te mettre un stérilet.

Elle regarde Kongzi et Nannan traverser la rivière. Une fois sur la berge, son mari prend leur fille dans ses bras, traverse la jetée et disparaît en direction de la ville. Elle l'imagine remontant la route qui mène à l'hôpital : ils longeront d'abord le bassin où elle a emmené Nannan le mois dernier, la regardant pédaler avec ravissement dans un petit bateau en plastique, les lèvres et les mains bleuies par le froid. Derrière elle, assises sur un trampoline, deux fillettes contemplent le ciel en grignotant des graines de tournesol. Après le bassin, ils dépasseront la rôtisserie de l'impératrice Yang Guifei et sa devanture remplie de poulets à la peau craquante et dorée, puis une petite boutique où s'empilent des packs de bière et des cartons de nouilles instantanées. L'odeur du poulet rôti les accompagnera jusqu'à l'extrémité de la route et la cour d'entrée de l'hôpital, ornée de gros rochers et d'une immense affiche publicitaire vantant les mérites de la chirurgie esthétique. À la seule idée de pénétrer dans ce bâtiment, Meili sent la terreur l'envahir. Pour se changer les idées, elle fait bouillir de l'eau dans une bassine et y plonge leurs vêtements et leurs draps, afin d'éliminer les punaises qui ont récemment envahi leur abri.

Kongzi revient au bout de quelques heures. Nannan sanglote toujours, son pied gauche est à présent couvert de pansements.

— Maman, dit-elle en pleurant, débarrasse-moi de cette douleur. Ça fait mal, ça fait mal !

Meili serre la petite main de Nannan dans la sienne et fond en larmes à son tour.

— Tu es une grande fille, lui dit-elle. Demain, je t'achèterai des nouilles instantanées et un petit singe en chocolat, je te le promets.

Au même instant, Meili réalise soudain qu'elle est mère et que son corps est toujours relié à celui de Nannan. Elle sent la brûlure sur le pied de sa fille comme si elle était gravée dans sa propre chair. Elle veillera désormais à ce que ce genre d'accident ne se reproduise plus. Nannan vient se blottir sur ses genoux. Son corps brûlant est aussi mou que celui d'un canard bouilli.

— J'ai dû débourser deux cents yuans, rien que pour quelques pansements, dit Kongzi en s'affalant dans son fauteuil sans pieds.

Tandis que le ciel s'assombrit et que l'humidité imprègne peu à peu l'atmosphère, les canards sortent des buissons et rejoignent en se dandinant les auges de fortune où la nourriture les attend. Les plumes qu'ils ont laissées dans les branchages frémissent sous la brise qui fraîchit déjà.

Les deux filles de Dai surgissent à cet instant : leur père propose à Kongzi de venir boire un verre avec lui.

— Dites-lui que cela m'est impossible ce soir, Nannan s'est blessée.

Il est rare que Kongzi refuse une telle invitation. De nombreuses familles sont arrivées, puis reparties, depuis qu'ils se sont établis sur l'îlot, mais leurs meilleurs amis sont toujours là. Leurs enfants respectifs passent leurs journées à jouer ensemble et les familles se réunissent souvent pour le repas du soir.

— On dirait que les canards ont des crampes, dit Meili à Kongzi, tout en portant Nannan jusqu'à l'abri. Nous ferions mieux de ne pas les laisser barboter dans la rivière.

L'esprit de l'enfant regarde le Père qui s'accroupit et tourne le bouton de la radio pour chercher une autre station. Une voix nasillarde en émane : « Aujourd'hui la prospérité est à la portée de chacun. Si vous voulez que vos rêves deviennent réalité, ne manquez surtout pas la nouvelle édition du *Chemin de la Fortune*... »

— Pendant que j'attendais, à l'hôpital, un type m'a parlé d'un boulot intéressant, dit le Père à la Mère. Le salaire est de soixante-dix yuans par jour, plus le repas de midi. Il s'agit de camoufler la montagne qui se dresse derrière la ville et que les autorités ont rebaptisée mont Yang Guifei. Ils ont fermé la carrière et engagent des ouvriers pour repeindre la roche en vert avant la visite le mois prochain des responsables du développement du tourisme régional.

— Je pourrais très bien faire ça, dit la Mère étendue dans l'abri, en écrasant une puce qui vient de se poser sur son pantalon de coton bleu. Tu resterais ici pour t'occuper de Nannan et surveiller les canards.

— Non, la peinture en bombe est toxique et peut rendre les femmes stériles. Deux ouvriers sont tombés dans les pommes aujourd'hui à cause des émanations. Je les ai vus arriver sur des civières à l'hôpital tout à l'heure.

— S'ils veulent dissimuler la cicatrice qu'a laissée cette carrière, pourquoi ne pas y planter des arbres ? demande la Mère en baissant le rideau devant la porte pour empêcher les courants d'air.

— Cela prendrait trop de temps. Ils veulent que les lieux soient présentables avant l'arrivée de la délégation officielle.

— L'îlot avait été assaini, après les inondations. Mais il y a tellement de saletés qu'il est à nouveau infesté de moustiques. Les services de l'hygiène et la voirie municipale ne tarderont pas à venir nous chercher des histoires. J'en ai marre que Bo et Juru aillent faire leurs besoins dans les buissons. Pourquoi ne creusent-ils pas une fosse comme tout le monde ? Lorsque le vent souffle de l'ouest, il règne une odeur infecte. Il est temps que nous décampions d'ici. Je me suis renseignée et j'ai appris que la Commune Céleste n'était pas très loin du mont Foshan. Plions bagage et partons donc vers le sud.

— Tu ne vas pas nous bassiner à nouveau avec ta Commune Céleste, dit le Père en se grattant le cou. Je ne quitterai pas cet endroit tant que tu ne seras pas enceinte. Cela fait six mois que nous essayons et il ne se passe toujours rien.

— L'impératrice Yang Guifei n'a jamais eu d'enfants, elle non plus. Cela doit tenir à la qualité des eaux de la région.

— Maman, j'ai enterré le poulet mort dans le sable, pourquoi ne s'est-il pas encore réveillé ? demande Nannan.

À la lueur de la lampe à pétrole, son visage paraît aussi sombre que ses cheveux.

— Parce qu'il fait un très gros dodo, dit la Mère en caressant le pied bandé de Nannan.

— Tu n'as qu'à dire à papa de le sortir de là, dit Nannan dont les yeux brillent dans l'obscurité.

— Je ne peux pas le sortir de là, Nannan, dit le Père qui a replié les jambes et posé son menton sur ses genoux.

— Maman, les fleurs n'ont pas d'yeux, pourquoi meurent-elles alors ?

— Parce qu'elles sont trop belles pour ce monde.

— Papa dit que je suis belle, je vais donc mourir bientôt ?

Le Père fronce les sourcils.

— Petite idiote ! Tu ne sais même pas écrire ton nom. Que peux-tu comprendre à la mort ?

— Tu es un méchant papa ! Je ne veux pas d'un papa comme ça ! Tu vois, ma poupée est très en colère.

— Ne t'emporte pas contre elle, Kongzi, murmure la Mère. Regarde, Nannan : tes orteils ont exactement la même forme que les miens. Viens, je vais te couper les ongles.

— Qu'est-ce que ça veut dire s'emporter, papa ?

— Ça veut dire être fâché, dit le Père dont la voix s'est adoucie. Oui, je vois bien que ta poupée est en colère : ses cheveux noirs sont devenus jaunes et ses yeux sont bleus.

— Papa, tu te moques de moi… Le poulet ne dort pas. Tu l'as vendu à quelqu'un qui va le manger pour son dîner. Dis-moi la vérité.

— Non, Nannan, je ne l'ai pas vendu. Peut-être que ton poulet s'est réveillé et qu'il s'est envolé dans le ciel.

Le Père allume sa torche et ouvre un exemplaire de *Confucius et le néoconfucianisme.*

— Le poulet n'est pas dans le ciel, il n'est pas monté dans un arbre, dit Nannan en retenant ses larmes. Maman, papa dit que je suis sortie de ton ventre, je dois donc sentir très mauvais.

— Mais non, dit la Mère, tu ne sens pas mauvais. Quand tu es sortie, je t'ai allaitée tous les jours et maintenant tu dégages une bonne odeur de lait.

Elle se tourne vers le Père et ajoute :

— Je n'arrive pas à croire qu'elle a déjà quatre ans. Le temps passe si vite, nous n'avons pas un instant pour nous poser et profiter un peu les uns des autres.

— Oui, le temps passe vite. Si tu tombais enceinte maintenant, Nannan aurait cinq ans lorsque tu accoucherais et la naissance de cet enfant serait légale.

— Après ce qui s'est passé aujourd'hui, je veux m'occuper un peu mieux de Nannan. Demain je l'emmènerai faire un tour de manège en ville. Nous irons ensuite au marché et je verrai si je ne peux pas me débrouiller pour louer une autre échoppe.

MOTS-CLEFS : *forces du yin, chenille de ver à soie, animal traqué, fiente de canard, natte de bambou, tanks de l'armée.*

Durant les quelques instants d'obscurité qui précèdent l'aube, Meili se réveille en sursaut : elle a l'impression d'être enfermée dans un cercueil. La veille au soir, alors qu'elle était sur le point de s'endormir, Kongzi lui a murmuré à l'oreille : « Les ombres de l'automne persistent / Le gel viendra plus tard / Les feuilles de lotus alanguies sur l'étang / Écoutent la pluie qui crépite ». Puis il est monté sur elle. Les gouttes tambourinent sur le toit de l'abri, comme des haricots secs qu'on verserait sur une plaque métallique. Des bourrasques de vent balaient l'eau qui s'est déposée dans les arbres et la projettent avec fracas sur la toile goudronnée. Meili ferme les yeux et attend que la tempête ait atteint son apogée. Tandis que les éclairs déchirent le ciel et que le tonnerre fait trembler le sol, Kongzi se retourne et se juche à nouveau sur elle.

— Aie pitié... de moi, Kongzi, marmonne-t-elle. Je ne veux pas... tomber enceinte...

Les mains crispées sur la nuque de son mari, elle le sent qui l'étreint de plus en plus fort, jusqu'à ce que son corps soit écrasé et ses poumons vidés. Elle a l'impression de se noyer et doit ouvrir la bouche pour chercher un peu d'air. L'haleine imbibée d'alcool de Kongzi lui donne la nausée mais elle ne peut l'éviter. Il lui semble qu'elle s'enfonce peu à peu dans le sol à mesure que le corps de son mari s'active pesamment sur elle. Elle essaie désespérément de le repousser.

— Il pleut des cordes, il faut… que je rentre les légumes… que j'ai mis à sécher sur le clapier…

Pour éviter de faire l'amour avec lui tous les soirs, Meili va fréquemment dormir sur le bateau avec Nannan. Elle est terrifiée à l'idée de tomber à nouveau enceinte et que les autorités viennent lui arracher une part de sa chair, aussi chaude et vivante qu'elle. De devoir dissimuler à l'intérieur de son corps un produit de contrebande, destiné à grandir et à devenir de plus en plus visible au fil des jours. Elle a quitté le village des Kong pour regagner la liberté mais si elle est à nouveau enceinte elle sait qu'elle se retrouvera une fois de plus dans la peau d'un animal traqué.

Après que le coq a salué l'aube depuis sa cage de bambou, de plus petits oiseaux se mettent à chanter dans les saules et des nuées d'insectes s'échappent des roseaux. Meili sent un flot de sperme s'écouler de ses cuisses. Est-il encore temps ? se demande-t-elle. Ses règles ont trois semaines de retard et elle craint que le stérilet ne se soit décroché.

Elle se redresse et regarde la marque que la natte de bambou a imprimée sur le front de Kongzi. Son mari lui est devenu si familier qu'elle le considère presque comme un étranger. Elle a envie de crier : « Voilà, je suis enceinte ! Tu es content à présent ? » Mais elle se retient juste à temps. Si tel est le cas, elle se demande si elle parviendra à provoquer une fausse couche en soulevant des charges trop lourdes ou en encourageant Kongzi à lui faire l'amour plus brutalement qu'ils ne le font d'ordinaire. Elle rampe hors de l'abri et enfile un tee-shirt. Ses seins lui semblent lourds et elle a un goût un peu aigre dans la bouche. Oui, tous les symptômes sont décidément là… Tandis que ses pieds nus s'enfoncent dans le sable, des images du passé lui traversent l'esprit. Elle revoit ce matin d'hiver durant lequel ses yeux se sont posés pour la première fois sur Kongzi, se dirigeant vers elle vêtu de sa veste jaune, emblème d'un avenir doré. Lorsqu'il lui a donné rendez-vous dans les bois, ses jambes tremblaient un peu. Ils se sont assis à l'ombre d'un arbre, à côté d'un alignement de pierres tombales. Il lui a offert des cacahuètes et dit qu'il l'inviterait à voir un film dans le chef-lieu du district, avant qu'ils aillent dîner ensemble. Un ami à lui avait ouvert un restaurant de cuisine du Sichuan au rez-de-chaussée du Centre culturel du district : on y servait du bœuf braisé au piment et du ragoût de Chongqing. Elle revoit la photo de Kongzi enfant à côté du professeur Zhou, un large sourire aux lèvres. Elle sait que Kongzi était son élève préféré et qu'en 1989, lorsqu'il est allé le rejoindre à Beijing, ils ont participé ensemble aux manifestations pour la démocratie : le 4 juin, bras dessus bras dessous à l'angle d'une rue, ils ont vu les tanks de l'armée pénétrer dans la capitale. Elle est à présent son épouse. Pour le sauver, elle a quitté le village que lui assignait son permis de résidence et le confort de leur maison au toit de tuiles. Elle a rêvé qu'en travaillant d'arrache-pied, elle parviendrait un jour à ouvrir un magasin et acheter un appartement moderne dans une ville du district, équipé d'une douche et d'un W.-C. indépendant, comme celui où vivait Cao Niuniu, le fils du vieux Cao, l'ami peintre de Kongzi. Elle croit encore qu'à condition d'éviter une autre grossesse, elle pourra mener un jour une vie agréable et arpenter les allées des supermarchés en arborant des collants en nylon et des escarpins à talons.

Elle retourne jeter un coup d'œil dans l'abri. Nannan se redresse et dit :

— Je veux faire un câlin à papa.

— Non, lui répond Meili, tu vas le réveiller.

— Je vais lui dire que je ne le réveillerai pas, alors ! dit Nannan en se penchant et en prenant la tête de son père dans ses petits bras.

Meili lui fait enfiler un second pull, puis referme la porte et se dirige vers la plage. Les bras serrés sur sa poitrine pour se protéger du froid, elle regarde le soleil se lever en éclairant l'horizon et en diffusant sa lueur ténue sur la rivière, les berges et le pont qui se profile au loin. Une fois encore, elle éprouve le besoin pressant de dire à Kongzi qu'elle est enceinte, ne serait-ce que pour voir la joie illuminer son visage. Puis elle songe qu'il vaut mieux garder cela pour elle et se débarrasser discrètement du fœtus en avalant de l'huile de ricin. Non, finit-elle par se dire en plantant ses orteils dans le sable – je vais garder cet enfant. Une fois qu'il sera né, Kongzi me laissera tranquille et je n'aurai plus à subir d'autres grossesses. Elle se revoit brusquement, petite fille, penchée au-dessus d'une bassine en émail et aspergeant son visage d'eau glacée avant de partir à l'école. Elle sent encore la froideur de l'eau imprégner sa peau et se diffuser jusqu'à ses pommettes.

Des effluves de poisson et de fiente de canard commencent à s'élever du sol. Dans leur enclos, les volatiles lissent leurs plumes et ébrouent leurs ailes. Meili perçoit l'odeur de vieille sueur qui imprègne son corps et aimerait pouvoir prendre une douche ou un bain. Elle sait que, tout en tenant lieu de bordel, l'établissement des bains publics municipaux dispose de bassins chauffés où les clients peuvent se baigner pour la modique somme de six yuans, à condition d'apporter leur serviette et leur savon. Elle n'a pas encore osé s'y rendre, réticente à l'idée de se dévêtir devant des inconnus. La rivière était trop froide ces derniers temps pour qu'on puisse s'y baigner. Mais l'hiver est à présent derrière eux. En serrant les dents, elle s'avance dans l'eau jusqu'aux chevilles. Le froid la rafraîchit et la ravigote. Elle se sent pleinement réveillée, consciente du battement de son propre cœur et de chaque seconde qui s'égrène. Elle s'avance plus profondément dans l'eau et sent le froid l'entraîner plus loin encore dans son passé. Elle a conscience d'être simultanément une femme adulte et une enfant : la mère de sa fille et la fille de sa mère. Elle se souvient d'un jour, vingt ans plus tôt, à l'époque où les osmanthus étaient en fleur et où elle avait accompagné sa mère chez le dentiste pour une histoire de molaire et de couronne : elle se rend compte qu'elle est aussi vieille aujourd'hui que sa mère l'était ce jour-là – que dans vingt ans elle aura l'âge qu'a sa mère aujourd'hui et qu'après cela il ne lui restera plus à affronter que la vieillesse et la décrépitude... Tandis que ses pensées commencent à se figer, elle jette un coup d'œil par-dessus son épaule et aperçoit les canards qui se bousculent pour sortir de l'enclos et se précipiter dans les eaux peu profondes.

Kongzi émerge de l'abri et se rince la bouche. Meili se dirige vers le poêle, ouvre le paquet d'aliments pour animaux qu'elle a acheté la veille dans un restaurant et déverse une partie de son contenu dans le seau destiné à la nourriture des canards. Un grand porte-conteneurs enveloppé d'un nuage de fumée noire passe lentement devant l'îlot, en lançant un grand coup de sirène. L'immense vague qu'il soulève derrière lui vient se déverser sur la berge et inonde brièvement leur habitacle avant de refluer, emportant avec elle les tongs de Meili. Celle-ci pénètre dans l'abri pour se laver les dents mais s'aperçoit que sa brosse elle aussi a été emportée par la vague.

Comme d'habitude, durant les quelques minutes qui précèdent le crépuscule, le vent retombe et la rivière s'immobilise. Kongzi est assis à la proue de leur bateau, contemplant les canards et la silhouette de Meili qui regagne le rivage, de l'eau jusqu'aux genoux et sa robe remontée sur les hanches. Nannan est allongée dans la cabine, elle contemple sa poupée en plastique et fredonne une chanson sans queue ni tête qu'elle vient d'inventer : *A-da-li-ya, wah wah !...* Une lueur dorée comme on en voit à la fin du printemps envahit le ciel et s'étend au-dessus de la rivière, ce qui donne au paysage aquatique l'aspect d'une photo en couleurs un peu floue.

Le temps que Kongzi ait remonté la plage avec le seau chargé des trognons de choux qu'il a débités pour nourrir les canards, le soleil est descendu si bas dans le ciel que son reflet s'étend jusqu'au milieu de la rivière. Il remarque soudain, non sans inquiétude, que cinq ou six canards sont entraînés par le courant. Il s'avance dans l'eau, patauge jusqu'au bateau et essaie de les ramener vers le rivage à l'aide de la perche de bambou. Avec toute cette agitation, le bateau se libère et part à son tour à la dérive. Kongzi met le moteur en route et le ramène à son point d'ancrage, tandis que Meili court après les canards égarés et leur lance des cailloux pour les obliger à rejoindre la berge. Les canards s'ébrouent en agitant leurs ailes, soulevant des gerbes d'eau.

— Rappelle-les, Kongzi ! lance Meili.

— « Toutes les choses qui passent sont à cette image et ne cessent jamais, qu'il s'agisse du jour ou de la nuit... », lui répond Kongzi en citant un passage des *Analectes* et en observant le courant avec jubilation. Ne t'inquiète pas, Meili, je vais déposer la nourriture sur la plage, cela les attirera et les obligera à revenir.

Il saute hors du bateau, si violemment que Nannan perd l'équilibre et bascule sur le côté. Meili s'avance un peu plus dans l'eau et se place devant les canards pour leur bloquer le passage, puis les repousse vers la berge en agitant les bras. Les volatiles finissent par faire demi-tour et rejoignent la plage, où ils s'ébrouent avant de partir en se dandinant vers le seau qu'a laissé Kongzi.

Une heure plus tard, la rivière est plongée dans les ténèbres et l'îlot enveloppé d'une brume humide et froide. La lueur de la lampe à pétrole éclaire les visages hâlés de Chen et de Kongzi.

— Fort bien récité, mon ami, s'exclame Kongzi avant d'avaler une gorgée de bière tout en lorgnant le derrière de Meili, penchée devant le poêle. Essayons-en un autre.

Le bateau de Chen a percuté un cargo la semaine dernière et les réparations prendront au moins un mois. Lorsque Nannan s'était brûlé le pied, il lui avait offert une nouvelle paire de tongs.

— D'accord, dit-il. Je vais essayer de réciter « Impression sur le fleuve au début de l'hiver » de Meng Hoaran. Voici donc : « Les arbres agitent leurs feuilles, les oies sauvages s'envolent vers le sud / Les rivières frissonnent sous le vent du nord / Mon foyer est au loin, sur un méandre de la Xiang / Dans le pays de Chu, au-dessus des nuages / Vagabond mélancolique, dont les larmes ont séché / Mon regard se porte vers une barque solitaire au bord du ciel / Après tant d'errances il me tarde de regagner ma demeure / Devant moi s'étendent la mer immobile et le ciel sans fin. » Ah, je n'ai pas oublié un seul vers ! Tu es vraiment un bon professeur. Accepterais-tu de donner des leçons à mes filles ?

Chen a une dent en or qui brille toujours la nuit, à la lueur de la lampe.

— Oui, dit Kongzi, nous pourrions faire cela le matin. Ce sont peut-être des « enfants au noir » sans permis de résidence ni statut légal, mais il faut penser à leur avenir. Je pourrais au moins leur apprendre à lire et à écrire.

— Quelle chance nous avons de côtoyer un lettré de ton calibre… Et un descendant de Confucius, qui plus est ! Je lève mon verre à ta santé, mon ami !

Le visage de Chen se fend d'un large sourire. Tandis qu'il mâchonne l'une des chenilles de ver à soie grillées qu'il a apportées, une âcre odeur de levure se répand autour de lui.

— De nos jours, les professeurs sont les membres les moins respectés et les plus mal payés de la société, rétorque Kongzi. Le président Mao nous appelait l'« infecte neuvième catégorie ». Mais l'enseignement, c'est ma vocation. L'argent m'est bien égal. Comme disait Confucius : « L'homme vertueux ne cherche pas plus à avoir le ventre plein qu'à rester confiné chez lui. »

— Pourquoi n'es-tu pas médecin, papa ? demande Nannan en caressant la robe rouge de sa poupée.

— Parce que je voulais être instituteur. Et je suis trop vieux à présent pour changer de métier.

— Le chat de Wen est mort aujourd'hui. Tu n'as pas été très efficace, cette fois-ci. Quand je me suis brûlée, tu as su guérir mon pied.

— Tu as raison, Kongzi, reprend Chen. Nos poches sont peut-être vides mais notre volonté est intacte. Quand nos enfants auront grandi, ils trouveront du travail dans des usines qui leur fourniront le gîte et le couvert. Ils n'auront plus à mener cette existence vagabonde.

Depuis l'accident de son bateau, Chen s'est rendu tous les jours en ville afin de chercher du travail. Kongzi n'est pas resté inactif, lui non plus. Le matin même, il a convoyé une cargaison d'amiante jusqu'à une usine gérée en partenariat avec Hong Kong et qui fabrique des panneaux isolants, à quelques kilomètres d'ici.

Il y a eu beaucoup d'allées et venues sur l'îlot cette semaine. La police fluviale, la police municipale et les officiers du planning familial ont débarqué à plusieurs reprises pour vérifier les divers permis des habitants. Il y a deux jours, Bo et Juru, puis Dai et Yiping ont plié bagage et s'en sont allés. Kongzi se sert désormais des abris qu'ils ont abandonnés comme enclos supplémentaires pour ses canards.

Meili vient débarrasser les bols et les baguettes et dit aux deux hommes :

— Restez donc bavarder un peu, je vais dormir dans la cabine.

— Les dieux ne sont pas avec nous, dit Kongzi en poussant un soupir et en regardant Meili qui retrousse sa robe et s'avance dans l'eau en roulant des hanches pour rejoindre le bateau. Je n'ai toujours pas réussi à l'engrosser.

— J'espère pour ma part avoir un garçon, cette fois-ci.

Xixi, son épouse, est sur le point d'accoucher.

— Meili est née dans le village de la déesse Nuwa, reprend Kongzi. Les forces du yin sont trop puissantes dans cette région. Tous les noms ont une connotation féminine et les femmes originaires de cet endroit ne sont visiblement pas destinées à engendrer des fils.

— S'il n'a pas de fils, un homme ne peut pas se tenir droit, dit Chen. Cette satanée politique du planning familial nous a conduits à la ruine ! Jadis, au village, nous possédions deux cents tortues qui valaient bien huit mille yuans. Mais après la naissance de notre deuxième fille, les autorités les ont confisquées.

Tout en mâchant une chenille calé dans son fauteuil, Kongzi réplique :

— Même le pire des empereurs que la Chine ait connus dans l'ensemble de son histoire n'aurait jamais imaginé de développer l'économie en massacrant les enfants avant leur naissance et en brisant du même coup les lignées familiales ! Mais les tyrans d'aujourd'hui assassinent sans sourciller des millions de bébés chaque année. Et lorsque l'un de ces malheureux échappe à leurs filets, ils se rabattent sur ses parents et les ruinent en confisquant leurs biens et en leur réclamant des amendes.

— Je suis ton bébé, papa, dit Nannan, perchée à côté de lui sur un vieux cylindre de moteur. Pourquoi en veux-tu un autre ?

— N'interromps pas les grandes personnes quand elles parlent, lui lance Kongzi. Va plutôt retrouver ta mère dans le bateau.

Nannan enlace le cou de son père.

— J'ai tellement mangé que je dois être une grande personne à présent, dit-elle. Papa, pourquoi as-tu des poils dans le nez ?

Kongzi prend Nannan sur ses genoux et lui pince gentiment l'oreille.

— Une grande personne, dis-tu ? Dans ce cas, pourquoi fais-tu encore pipi au lit la nuit ?

Depuis que Nannan s'est brûlée, il se montre plus affectueux envers elle.

— Quand tu es là, dit Nannan, c'est toi que j'aime. Quand tu n'es pas là, j'aime maman.

Le fond de son pantalon est trempé et ses petits pieds nus sont gelés.

MOTS-CLEFS : *retour de l'époux, aisselles poilues, funérailles appropriées, Mère du Dragon, pêcheurs de cadavres, poissons morts.*

Par une journée caniculaire, alors que Kongzi est allé faire une petite sieste dans la cabine après le déjeuner, Meili aperçoit sur la berge un individu qui les hèle à grands cris, en brandissant son sac.

— Lève-toi, Kongzi ! lance-t-elle. Je crois que quelqu'un a besoin de nos services.

Au cours du dernier mois, elle a vendu une trentaine de canards – ce qui lui a rapporté deux cents yuans – et Kongzi en a gagné trois cents de son côté en livrant des cargaisons de pastèques gorgées d'engrais chimiques et des stocks de riz moisi de l'année dernière dont des négociants peu scrupuleux ont poli les grains afin de pouvoir les revendre en les faisant passer pour la nouvelle récolte.

Meili conduit le bateau jusqu'à la berge. Les lunettes à montures dorées de Kongzi sont tombées dans la rivière la semaine dernière et, depuis lors, c'est elle qui pilote leur embarcation. L'homme saute à bord et lui dit :

— Je dois me rendre à Yinluo.

De grande taille, il a des cheveux grisonnants en broussaille, une petite barbiche et des lunettes à montures d'écaille. Sa chemise blanche lui colle à la peau et son dos est trempé de sueur.

— Vous voulez faire l'aller-retour dans la journée ? lui demande Meili.

— Je ne sais pas encore, dit l'homme en s'épongeant le front.

— Quel genre de marchandises allez-vous récupérer ? intervient Kongzi en tirant le rideau de la cabine, les yeux encore gonflés de sommeil.

Il est accroupi et ne se rend pas compte que son pénis émerge de la braguette ouverte de son short.

— Je ne vais pas chercher des marchandises. Je dois aller là-bas à cause de ma mère, qui s'est jetée dans la rivière la semaine dernière. Je voudrais ramener son corps et lui faire des funérailles appropriées.

— Vous voulez que nous transportions un cadavre ? s'écrie Kongzi en émergeant sur le pont. C'est hors de question. Je veux bien charger des objets de contrebande ou des contrefaçons, mais un cadavre… jamais !

— Je sais qu'il ne s'agit pas d'une proposition ordinaire, aussi suis-je prêt à vous payer quatre-vingts yuans pour la journée.

— Ce n'est pas qu'une question d'argent, dit Kongzi dont le ton s'est un peu radouci. Vous ne savez pas que cela porte malheur, d'avoir un cadavre à bord ?

— Oui, je comprends, dit l'homme. Disons quatre-vingt-dix yuans, dans ce cas. C'est d'accord ?

Il transpire tellement qu'on pourrait croire qu'il vient de plonger dans la rivière. Kongzi réfléchit un instant et lui dit :

— Je n'accepterai pas le marché à moins de cent yuans. À quoi il faut ajouter les vingt yuans de taxe administrative que je vais devoir payer pour amarrer mon bateau dans le port de Yinluo.

La vérité, c'est que Kongzi évite de s'amarrer sur le quai et préfère aller jeter l'ancre un peu plus loin le long des berges.

— Je vous en prie, petit frère, acceptez de le faire pour quatre-vingt-dix yuans. Je suis un modeste instituteur et je n'ai pas beaucoup d'argent.

— Emmenons-le, intervient Meili qui s'est assise à côté du moteur.

Ses pieds nus dessinent des empreintes mouillées sur le pont. Apprenant que l'homme est instituteur, Kongzi ne se sent plus le cœur de refuser.

— D'accord, dit-il. Entendu pour quatre-vingt-dix yuans. Meili, tu resteras sur l'îlot avec Nannan et tu t'occuperas des canards.

— Non, dit-elle, tu ne peux pas conduire le bateau sans tes lunettes, ce serait imprudent. Xixi peut surveiller Nannan et se charger des canards. Son bébé a quatre mois, elle peut le porter dans son dos à présent et se déplacer librement.

Ils rejoignent l'îlot, laissent Nannan et les canards à la garde de Xixi et prennent ensuite la direction de Yinluo.

— Je suis instituteur moi aussi, confie Kongzi à leur passager, accroupi à ses côtés.

Tandis que le bateau descend lentement le courant, une brise fraîche dissipe la chaleur étouffante et fait vibrer la toile goudronnée de l'auvent. Meili est à la poupe, tenant la barre d'une main et plaquant l'autre sur sa robe de coton pour éviter que le vent ne la soulève. Elle se demande pourquoi la mère de cet homme a voulu se noyer. Jadis, dans le village de Nuwa, quelques femmes s'étaient tuées en se jetant dans un puits ou en se pendant à un arbre, mais la plupart de celles qui choisissaient de mourir préféraient avaler des pesticides.

— J'ai fouillé la rivière Xi pendant dix jours, reprend l'homme, mais je n'ai pas aperçu sa trace. J'ai entendu dire qu'aux abords de Yinluo se trouve un plan d'eau stagnante où les cadavres finissent souvent par échouer.

Meili observe l'individu du coin de l'œil. Son visage est crasseux et ses cheveux hirsutes, mais une certaine distinction émane pourtant de sa personne. Il ôte ses lunettes d'écaille et éponge la sueur qui coule sur ses sourcils.

— Yinluo n'est pas très loin d'ici, dit Kongzi en acceptant la cigarette que l'homme vient de lui tendre. Nous devrions y être d'ici à deux heures.

L'homme s'est un peu détendu. Il ne doit guère avoir plus de quarante ans. Il porte des chaussures de sport où figure le label d'une marque étrangère. Son short gris est maculé de boue, sa chemise blanche au col douteux est tachée en plusieurs endroits, mais il n'en conserve pas moins une certaine élégance.

— Pourquoi votre mère s'est-elle donné la mort ? lui demande abruptement Kongzi.

— Elle venait d'apprendre qu'elle avait un cancer du sein. Le traitement à l'hôpital lui aurait coûté mille yuans par jour. Elle savait que nous nous débattions déjà pour payer les études de mon fils à l'université et ne voulait pas que cela entame nos ressources.

— Votre fils est à l'université ? dit Kongzi en ouvrant de grands yeux.

— Oui, nous nous sommes saignés pendant deux ans pour l'aider à préparer ses examens. Il est le seul élève de notre district à avoir réussi le concours. Quelle gloire pour nos ancêtres ! Mais les droits d'inscription s'élèvent à dix-huit mille yuans et j'en gagne à peine cinq mille par an. Je suis néanmoins déterminé à réunir cette somme. J'envisage d'abandonner l'enseignement et d'aller chercher du travail dans une usine de Shenzhen. Lorsque la lettre d'admission de mon fils est arrivée, je l'ai montrée à ma mère et elle s'est noyée l'après-midi même.

— Quelqu'un l'a-t-il vue sauter ? Peut-être est-elle seulement partie en voyage.

— Elle a laissé un testament et une lettre me demandant de ne pas chercher à retrouver son corps : il faudrait dans ce cas procéder à une crémation et elle préférait que nous consacrions cet argent aux frais d'inscription de mon fils. Ses clefs étaient posées sur la table de la cuisine.

Remuée par l'histoire de cet homme, Meili appuie sur la poignée de l'accélérateur afin d'augmenter la vitesse du bateau.

— C'est donc pour ça qu'elle a choisi de se noyer, plutôt que de se pendre ou d'ouvrir le robinet du gaz ! s'exclame Kongzi. Pour vous éviter de débourser les mille yuans que coûterait la crémation… Le gouvernement est vraiment sans scrupules d'empocher de l'argent de la sorte sur le dos des cadavres. Les pauvres n'ont même plus les moyens de mourir, de nos jours !

— Peu importe le prix, je dois absolument retrouver son corps et lui faire des funérailles dignes de ce nom. Sinon, comment oserai-je regarder mes descendants en face ?

L'homme baisse la tête. Ses yeux sont injectés de sang, la sueur qui couvre son visage s'évapore peu à peu sous l'effet de la brise.

— Si personne ne l'a vue sauter, reprend Kongzi, on peut la considérer comme une personne disparue. Pourquoi ne contactez-vous pas la police fluviale pour qu'ils vous aident à la rechercher ?

— Je suis déjà allé les trouver. Ils m'ont dit qu'il fallait un délai d'un mois pour qu'une personne soit officiellement considérée comme disparue. Ils ne peuvent pas ouvrir un dossier plus tôt. Comme sa disparition remonte seulement à dix jours, il leur est impossible d'intervenir. Tenez, petit frère, prenez une autre cigarette.

— Non, je ne peux pas. C'est une marque de luxe, elles ont dû vous coûter une fortune.

— Ne vous inquiétez pas. Le ministère de l'Éducation nous en offre deux cartouches par mois, à la suite d'un pacte douteux qu'ils ont conclu avec cette marque de tabac. Ils les déduisent d'ailleurs de notre salaire, que nous les fumions ou non... Je m'appelle Weiwei, au fait. Et vous ?

— Kong Lingming, répond Kongzi en laissant le vent caresser son visage. Le problème, poursuit-il, c'est que si la police fluviale accepte de s'occuper de votre affaire, ils se contenteront probablement d'envoyer quelques avis aux postes de police locaux. Jamais ils ne feront de véritables recherches, à moins que vous ne leur graissiez la patte.

— C'est bien pour ça que j'ai décidé de mener l'enquête moi-même. (L'homme relève la tête et considère un moment Kongzi.) D'après votre nom, monsieur Kong Lingming, je présume que vous êtes un descendant du vénérable sage ? C'est un grand honneur pour moi de faire votre connaissance. Nous avons un Kong nous aussi dans notre district, à la soixante-quinzième génération. Il est député du Congrès national populaire.

— Oui, je descends en effet de cette illustre lignée, même si je dois aujourd'hui mener la vie d'un clochard, dit Kongzi, embarrassé par l'indigence de sa situation.

Des montagnes couvertes de forêts émergent peu à peu de chaque côté de la rivière. Meili contemple leurs sommets, puis les reflets qu'ils dessinent sur l'eau. Elle inspire profondément, s'emplissant de cette atmosphère verdoyante, et sent son esprit s'éclaircir. Il n'y a aucun village, aucune ville en vue. Elle ferme les yeux et se laisse gagner par le calme et la paix ambiants.

— Pourquoi ne pas diffuser un appel à la télévision, au cas où quelqu'un l'aurait vue sauter ? reprend Kongzi pour relancer la conversation.

— J'ai essayé. Mon frère travaille pour la chaîne de télévision locale : il a demandé à ses supérieurs de le faire mais ils ont refusé. Ils ont relayé tellement d'appels concernant des disparitions de femmes ou d'enfants ces derniers temps qu'ils préfèrent désormais renoncer à ce genre de service. J'ai fait imprimer des centaines d'affichettes et les ai collées aux coins des rues, mais cela n'a pas eu le moindre effet. Aucune organisation officielle ne peut me venir en aide, je dois me débrouiller seul, ajoute-t-il en écrasant une larme.

— Ne soyez pas si triste. Qu'y pouvons-nous, si nous sommes nés à une époque où l'on empêche les gens d'accomplir leur devoir filial ?

Depuis la semaine dernière, Kongzi arbore des lunettes de soleil bon marché qui lui donnent l'allure d'un bonimenteur parcourant les campagnes pour vendre des produits douteux.

— Pendant des années, reprend-il, j'ai travaillé sans compter dans une école de village, au service de mon pays, mais que me donnait le gouvernement en échange ? Je n'arrivais même pas à nourrir ma famille avec le maigre salaire qu'on me versait.

— Mais aujourd'hui, vous avez opté pour le commerce et vous êtes devenu un entrepreneur privé. Comme j'envie votre liberté !

Weiwei caresse sa barbiche, puis sort de son sac une photo de sa mère qu'une brusque bourrasque manque lui arracher des mains. Kongzi la prend et l'examine à l'ombre de l'auvent.

— Quelle belle femme ! dit-il enfin. On ne dirait pas qu'elle était malade.

Sentant que le vent soulève sa robe, Meili tente de la coincer entre ses cuisses.

— Nous sommes dans le district de Fengkai à présent, dit Weiwei. Regardez : voici le rocher qu'on a baptisé « En attendant le retour de l'époux », l'un des huit sites naturels situés le long de la rivière Xi.

Après avoir saisi la bouteille que lui tend Kongzi, il avale une gorgée de limonade et désigne un groupe de rochers inclinés, au sommet d'une montagne couverte de verdure.

— S'agit-il d'une femme qui attend son mari ? Ou d'un mari qui attend sa femme ? demande Meili en levant les yeux.

Le moteur fait tellement de bruit à présent qu'elle doit crier pour se faire entendre.

— D'une femme qui attend son mari, bien sûr, intervient Kongzi avant que Weiwei ait eu le temps de répondre. Autrefois, seuls les hommes voyageaient. Les femmes restaient à la maison.

Meili est furieuse que Kongzi soit intervenu de la sorte : elle aurait aimé que ce soit leur passager qui lui réponde.

— Lorsque nous avons dû quitter notre village, reprend Kongzi en se tournant vers Weiwei, jamais nous n'aurions imaginé être encore en fuite deux ans plus tard. Nous pensions trouver refuge au milieu des rivières, mais elles sont presque aussi surveillées que les routes. De soi-disant postes de sécurité pour la navigation fluviale ont poussé comme des champignons le long de la Xi. Les inspecteurs se fichent bien de savoir si votre embarcation est apte à naviguer ou non : tout ce qui les intéresse, c'est votre argent. Ils vous arrêtent et confisquent votre permis jusqu'à ce que vous leur ayez versé les deux cents yuans d'amende qu'ils vous réclament.

Meili enfile un tee-shirt blanc par-dessus sa robe et se sent un peu plus à l'aise, maintenant qu'on ne voit plus ses aisselles poilues. De sa main libre, elle remet un peu d'ordre parmi les magazines, les éventails et les paquets de lessive qui traînent à côté d'elle.

— Combien vous a coûté ce bateau ? demande Weiwei.

— Oh, environ dix mille yuans, ment Kongzi qui cherche à l'impressionner.

— Et les affaires marchent bien ?

Le regard de Weiwei se porte sur Meili qui tient maintenant la barre à deux mains et dont les cheveux sont soulevés par le vent.

— Les bénéfices ne sont pas énormes… Des petits bateaux comme celui-ci ne peuvent transporter des cargaisons importantes que sur de courtes distances. La plupart du temps, je livre des objets de contrefaçon dont les navires officiels n'osent pas se charger. Et le prix de l'essence ne cesse d'augmenter. Je gagne tant bien que mal quarante yuans par jour.

— Vous n'avez pas songé à vous mettre à la pêche ? demande Weiwei sans quitter Meili des yeux. Vous pourriez monter une baraque sur les berges et y vendre du crabe et des crevettes.

— La rivière est tellement polluée à présent qu'on n'y trouve presque plus de poissons. La plupart des pêcheurs originaires de la région ont fini par ranger leurs filets pour aller chercher du travail en ville. Ah, quelle belle perspective nous avons, d'ici ! Cela me rappelle le poème de la dynastie des Song : « Les nuages semblent dériver sous la coque du bateau / Le lac désert est transparent... »

— « ... Je lève les yeux, les baisse et me demande / S'il existe un autre Ciel dans les profondeurs de l'eau... »

Weiwei l'a interrompu pour achever le quatrain. Il regarde à sa droite et montre un sommet montagneux.

— Vous voyez cette statue blanche, là-haut ? C'est la mystérieuse Mère du Dragon.

— Elle est belle ! s'exclame Meili. Mais on dirait un ange ou une déesse, plus qu'une mère.

— Les mères peuvent être belles, elles aussi – comme vous, par exemple ! rétorque Weiwei en souriant.

Meili détourne les yeux, un peu embarrassée, et dit la première chose qui lui vient à l'esprit :

— La Mère du Dragon est-elle elle-même un dragon, ou une femme qui a mis des dragons au monde ?

— C'est une divinité locale, répond Weiwei, une déesse de la pluie et de la fécondité. La légende raconte qu'à sa naissance, ses parents l'ont placée dans une caisse en bois et abandonnée au fil de la Xi, où elle a été recueillie et élevée par un pêcheur. Après avoir grandi, elle s'est révélée capable de maîtriser les inondations. Dans la région, les gens qualifient de dragons tous les êtres doués de pouvoirs surnaturels.

Meili se sent mal à l'aise à l'idée qu'une mère puisse abandonner son bébé. Elle imagine les vagues ballottant la tête du nouveau-né dont le corps finit par couler avant de se déposer sur le lit de la rivière. Elle relève les yeux et fixe à nouveau la silhouette blanche de la Mère du Dragon, ainsi que le temple doré et le bosquet de bambous qui se dressent juste à côté. Des touristes escaladent l'étroit sentier qui rejoint le sommet en se contorsionnant comme une colonie d'asticots.

Tandis que le bateau s'approche de Yinluo, la rivière s'élargit et finit par se diviser. Un bras mort s'étend sur la droite : l'eau y est sombre et stagnante, mais couverte de bouteilles en plastique et de caisses en polystyrène qui oscillent lentement à sa surface. À l'autre extrémité, des cabanes édifiées à l'aide de vieilles portes et de panneaux en plastique se dressent çà et là sur la berge envahie d'herbes folles. La brise moite du soir dégage une odeur de pourriture et de décomposition.

— Il doit s'agir de l'endroit dont on m'a parlé, dit Weiwei en s'agrippant à l'auvent.

Meili oblique sur la droite et guide le bateau en faisant très attention. L'eau n'est pas très profonde à cet endroit et le moteur commence à renâcler, lâchant dans l'atmosphère des nuages de fumée bleue. Kongzi va se placer à la proue pour estimer la profondeur de la rivière du bout de sa perche en bambou. Ils finissent par se retrouver devant une masse compacte de débris flottants apparemment infranchissables. Meili réduit l'allure au minimum et essaie de les contourner sur la droite mais Kongzi lui lance :

— Non, nous n'arriverons jamais à atteindre la berge de ce côté.

Elle part donc dans l'autre sens et finit par trouver un passage dégagé qui rejoint le rivage. Un homme émerge de l'une des cabanes et les dévisage. Des nuées de moustiques et de corbeaux planent au-dessus de lui, assombrissant encore le ciel souillé de gris.

— Êtes-vous un pêcheur de cadavres, l'ami ? lui lance Weiwei tandis qu'ils se rapprochent. Je cherche le corps de ma mère.

— Quand s'est-elle noyée ? demande l'homme en atteignant la berge.

Il porte un pantalon noir et une veste blanche et s'évente le visage avec un chapeau de paille.

— Il y a dix jours, répond Weiwei en caressant nerveusement sa barbiche.

— Trois femmes seulement ont échoué ici cette semaine. Quel âge avait votre mère ?

— Soixante-cinq ans.

— Ces trois-là sont beaucoup plus jeunes. L'une d'elles est à moitié nue, elle a les pieds et les mains liés et les ongles vernis en rouge.

— Et les deux autres ?

— La plus âgée ne doit pas avoir plus de quarante ans. Elle porte un pantalon bleu foncé, une veste violette, et elle a les pieds nus.

— Une veste violette ? dit Weiwei. Puis-je la voir ?

Meili coupe le moteur et Kongzi amène le bateau jusqu'au rivage.

— Je dois vous prévenir, camarade, que si vous voulez voir ce cadavre cela vous coûtera cent cinquante yuans. Et trois mille si vous désirez que je le drague hors de la rivière et m'arrange pour qu'on vous le ramène dans une camionnette. Et c'est moi qui ai les tarifs les moins élevés du secteur. Le type qui est installé là-bas exigera deux cents yuans pour vous laisser voir le cadavre, mais c'est un escroc. Il sait lire, contrairement à moi, et il repère les annonces concernant les personnes disparues que publient les journaux. Il téléphone ensuite aux familles et leur dit de passer le voir, tout en sachant pertinemment que le corps qu'ils recherchent ne se trouve pas ici. Jamais je ne ferais une chose pareille. J'ai des principes.

— Vous devez avoir fait fortune ! s'exclame Kongzi. Cent cinquante yuans, rien que pour jeter un coup d'œil… C'est du vol ! Ce bateau m'en a à peine coûté trois mille…

Kongzi se mord les lèvres, se souvenant trop tard qu'il avait mentionné une somme beaucoup plus importante quelques instants plus tôt.

— Personne ne s'enrichit avec un tel commerce, rétorque l'homme. Seules cinq ou six familles viennent ici chaque année à la recherche d'un parent mort. Et nous devons fournir les cordages et les sacs en plastique nécessaires. Nous sommes quatre à repêcher des cadavres dans le secteur et aucun d'entre nous n'a fait fortune. Si vous ne me croyez pas, allez poser la question à mes collègues.

— Est-ce que la femme à la veste violette a les cheveux gris ? lui demande Weiwei en scrutant attentivement son visage.

— Quelques mèches grises, peut-être, mais pas tant que ça. Vous voyez, je suis un honnête homme. Si vous aviez posé la question à Chang, il vous aurait raconté des bobards.

— D'accord, je veux bien la voir. Où est-elle ?

— Tous les cadavres sont attachés à des piquets, sous la couche de détritus qui flottent à la surface. Mais je ne peux pas vous montrer la femme à la veste violette, elle appartient à Chang. Nous respectons à la lettre ce code d'honneur entre nous. Il est allé en ville aujourd'hui et ne reviendra que demain.

Kongzi murmure à Weiwei qu'ils feraient bien d'interroger les autres pêcheurs de cadavres, puis demande à voix haute à leur interlocuteur s'il y a un poste de police dans les environs.

— Oui, répond l'homme, une antenne a été ouverte non loin d'ici il y a deux ans. La police nous versait cent yuans pour chaque cadavre que nous ramenions et se chargeait de les incinérer. Mais tellement de corps sont venus s'échouer ici l'an dernier qu'ils ne faisaient plus face à la situation. Ils passaient encore une fois par semaine, il n'y a pas si longtemps, pour photographier les cadavres et leur prélever une mèche de cheveux. Mais l'argent se fait rare en ce moment et on ne les voit plus. Nous dépendons donc uniquement de gens comme vous pour gagner notre vie.

Weiwei et Kongzi traversent la berge jonchée de déchets et se dirigent vers les autres cabanes en se bouchant le nez, tant la puanteur est infecte.

— C'est dégoûtant, n'est-ce pas ? lance dans leur dos le pêcheur de cadavres en remettant son chapeau de paille. Ce n'est pas un cadeau de vivre par ici, je vous assure.

Ils rejoignent une cabane entourée de monceaux de bouteilles en plastique. Un individu en émerge, une canette de Coca à la main.

— Bonjour, lui dit Weiwei, je suis à la recherche de ma mère. Elle a soixante-cinq ans, les cheveux gris... Avez-vous aperçu récemment un corps qui lui ressemblerait ? Tenez, prenez donc, ajoute-t-il en tendant une cigarette à l'homme et en cherchant son briquet.

— J'ai vu un cadavre de vieille femme flotter à la dérive hier, mais il était dans un état de décomposition avancé.

Kongzi jette un coup d'œil derrière lui en direction de l'homme auquel ils viennent de parler, furieux que celui-ci n'ait pas mentionné la présence de ce cadavre.

— Combien de temps faut-il pour qu'un corps se retrouve dans un tel état ? demande-t-il.

— Je ne suis pas du métier, mais je dirai : trois bonnes semaines. Un peu moins si les crabes s'y sont attaqués. Le vieux Gui là en bas conserve ses cadavres au moins six mois dans l'eau, sous les déchets. Si personne n'est venu les réclamer, il les ramène alors jusqu'à la rivière et laisse le courant les emporter. Mais à ce stade, ils ne sont plus identifiables.

— Vous n'êtes donc pas impliqué dans ce commerce de cadavres ? demande Kongzi en se reculant pour éviter une énorme blatte qui rampait vers lui.

— Oh, non ! Cela me donnerait des cauchemars ! Tous les matins, les pêcheurs de cadavres partent fouiller au milieu des ordures et des débris flottants pour voir si un corps ne s'y serait pas empêtré durant la nuit. Lorsqu'ils repèrent un endroit où l'odeur s'avère particulièrement nauséabonde ou que survolent des nuées de mouches, ils y plongent leur gaffe munie d'un crochet dans l'espoir de ramener un macchabée. Jamais je ne pourrais faire une chose pareille.

— Est-ce que des nouveau-nés viennent parfois s'échouer par ici ? demande Kongzi en se souvenant du petit Bonheur.

— Et comment ! On voit davantage de cadavres de nourrissons que de poissons morts dans la région… Mais personne ne vient jamais les réclamer, aussi les pêcheurs les laissent-ils pourrir sur la berge.

Kongzi chasse les mouches qui bourdonnent autour de lui et lève les yeux vers les cabanes situées un peu plus haut.

— Inutile d'aller interroger les autres, leur dit l'homme. Tout ce qu'ils chercheront, c'est à vous délester de votre argent. Je ne pense pas que votre mère se trouve par ici. Les corps que j'ai vus récemment sont soit plus jeunes, soit beaucoup plus âgés.

Kongzi et Weiwei regagnent le bateau. Meili se tient toujours derrière la barre, la main plaquée sur la bouche.

— Cette puanteur est insupportable, marmonne-t-elle tandis que les deux hommes remontent à bord.

Autour d'eux, l'eau brunâtre est jonchée de débris de polystyrène, de canettes vides et de poissons morts. Weiwei contemple le décor d'un air accablé.

— Peut-être son corps s'est-il pris dans une ancre ou coincé sous un rocher, au fond de la rivière. À moins qu'il n'ait été emporté plus loin par le courant, auquel cas je ne le retrouverai jamais.

La rivière et le ciel s'assombrissent mais le pâle couvercle des rebuts flottants émet encore une faible lueur. Kongzi se retire dans la cabine. Meili le suit et lui dit :

— Je ne peux pas supporter plus longtemps cette odeur et je suis dévorée par les moustiques. Fichons le camp d'ici.

— Nous devrions lui laisser un peu plus de temps, rétorque Kongzi en allumant une cigarette.

— Non, j'en ai marre ! Et peu importe l'argent. Cet endroit est un cimetière flottant. Qui sait combien de cadavres sont en train de pourrir sous ces ordures ?

— Parle moins fort, murmure Kongzi.

Il jette un coup d'œil en direction du rideau qui protège la porte. Weiwei est toujours accoudé au bastingage, le regard fixé sur l'étendue de déchets flottants.

— Il nous reste de la bière ? demande Kongzi.

— Non, réplique sèchement Meili.

Elle a envie de crier, tellement elle est en colère, mais se retient pour que les insectes qui prolifèrent autour d'elle n'en profitent pas pour s'insinuer dans sa bouche.

— Nous n'avons plus rien à manger non plus ?

— Non, rien de rien !

Kongzi ressort sur le pont et tapote l'épaule de Weiwei, qui retient ses larmes.

— Il est temps de se mettre en route, l'ami, lui dit-il. Si nous nous attardons davantage, il nous faudra passer la nuit dans ce lieu désolé.

— Oui, ajoute Meili qui les a rejoints. Remontons un peu le cours de la rivière et trouvons un meilleur endroit pour jeter l'ancre. Il est trop tard pour rentrer chez nous ce soir. Mais ne vous inquiétez pas, nous ne vous demanderons pas de supplément pour la nuit.

Non sans réticence, Weiwei finit par acquiescer. Meili regagne la poupe, une serviette plaquée sur la bouche, et met le moteur en marche. Tandis que le bateau s'éloigne, la brise la rafraîchit un peu. Mais la puanteur qui règne dans le bras mort s'est insinuée en elle et continue de lui donner des haut-le-cœur. Ils remontent le courant dans le jour déclinant et ses yeux se remplissent de larmes tandis qu'elle songe au petit Bonheur, se demandant s'il gît encore au fond du Yangtze ou s'il a été entraîné lui aussi jusqu'à ce méandre d'eau stagnante et pourrit quelque part sous cette couche de détritus, en compagnie d'autres cadavres en décomposition.

— Après le meurtre de notre deuxième enfant, que les autorités ont arraché au ventre de sa mère, dit Kongzi à Weiwei en écrasant sa cigarette, nous l'avons inhumé dans les eaux du Yangtze. Aujourd'hui, je sais au moins que si jamais il a échoué par ici les pêcheurs de cadavres l'auront laissé en paix.

Weiwei le considère un instant, le visage figé par l'horreur, avant de plonger la tête dans ses bras et de se mettre à pleurer comme un enfant.

Meili les conduit jusqu'à un point retiré de la berge où ils pourront s'amarrer, non loin d'un petit groupe de bicoques en brique. Dans l'obscurité qui s'étend, la surface de l'eau est lisse comme une peau que déchirerait la proue du bateau avant de se refermer derrière lui.

MOTS-CLEFS : *lunettes à montures d'écaille, bien le plus précieux, robe mouillée, feuilles de moutarde séchées, esprit en paix.*

Kongzi arrime le bateau à une petite jetée en bois recouverte d'une fine couche de poudre de ciment. Il lève les yeux et aperçoit une baraque en brique surmontée d'une pancarte où est écrit : RESTAURANT – CUISINE DE QUALITÉ. Un enfant accroupi chie au pied d'un poteau télégraphique. Dans une remise, non loin de là, un moteur tourne bruyamment.

Ils pénètrent dans le restaurant. Kongzi regarde le menu et commande du poisson à la sauce aigre-douce, des travers de porc aux épices, des haricots verts sautés et une bouteille d'alcool de riz. Dans un coin de la salle, à la télévision, une chanteuse vêtue d'une robe à fleurs se lamente : *Ta tendresse me déroute, la solitude est mon destin...* On vient déposer les plats sur leur table. Meili contemple les ténèbres à travers la fenêtre, jetant de temps à autre un bref coup d'œil à Weiwei et à son mari, dont les visages ne tardent pas à s'empourprer sous l'effet de l'alcool.

— Ne cédez pas au désespoir, dit Kongzi à leur passager. Mourir, au fond, c'est juste éteindre les lumières. Allons, buvez un autre verre... Toi aussi, Meili.

Meili lève son verre et étudie le regard de Weiwei derrière ses lunettes. Elle se dit que même s'il a dû abandonner ses recherches, la pensée que le corps de sa mère repose au fond de la rivière dans un lieu inconnu de tous doit évidemment le ronger. Elle remarque que son col est crasseux et a brusquement envie de lui arracher sa chemise pour aller la laver.

Kongzi lève les yeux au plafond et pousse un soupir.

— Le vieux philosophe Laozi disait : « Le bien le plus précieux est pareil à l'eau : il donne vie aux dix mille créatures mais il le fait sans violence. Se répandant dans des lieux que les hommes redoutent, il ressemble au Tao… » Mais cette rivière Xi ne donne pas la vie, ce n'est qu'un cimetière flottant chargé de cadavres, d'ordures et de déchets pollués…

— Les philosophes taoïstes cherchaient à définir des principes susceptibles de gouverner la nature humaine, répond Weiwei. Mais qui s'intéresse aux principes, de nos jours ? À la mort de sa mère, le sage taoïste Zhuangzi s'est mis à battre son tambour et a éclaté de rire. Sa mère s'était éteinte de mort naturelle, aussi pouvait-il prendre la chose avec une certaine sérénité. Mais ma propre mère s'est donné la mort à cause d'un gouvernement qui se désintéresse du sort des malades et des plus démunis. Aussi m'est-il difficile de ne pas céder au désespoir. Depuis le massacre de Tienanmen, ce pays a perdu son âme. L'argent est devenu sa seule religion.

Weiwei allume une cigarette mais la première bouffée le fait tousser.

— Si vous n'avez pas l'habitude de fumer, vous feriez mieux de vous abstenir, dit Meili en lui prenant sa cigarette.

Elle en tire une bouffée et la garde à la main, la tapotant de temps à autre contre une tasse vide pour en faire tomber la cendre.

— Vous avez raison, dit Kongzi. Je ne me soucie jamais d'évoquer ces questions avec ma femme, mais croyez-moi : la vérité relative à Tienanmen éclatera un jour, à l'encontre du verdict officiel. Mon vieux professeur, M. Zhou, en est convaincu. Portons un toast, Weiwei : « Les amis qui vivent au loin se voient rarement. Levons notre verre dans la joie et noyons notre chagrin. » Étant donné que vous n'avez pas retrouvé le corps de votre mère, nous ne vous ferons pas payer ce voyage. Allons, ce n'est pas tous les jours que j'ai la chance de me trouver en compagnie d'un lettré. Organisons donc un petit tournoi… Nous réciterons à tour de rôle un vers d'un poème classique contenant un caractère relatif à l'eau. Le premier qui échouera devra vider son verre d'un trait.

Au fond du restaurant, deux hommes couverts de poussière de ciment boivent de la bière. Le seul éclairage de la pièce provient d'une ampoule pendue au plafond et de la lueur que diffuse le téléviseur. Sur le comptoir, un ventilateur rouillé brasse mollement l'air. Des colonnes de mouches et de moustiques vont et viennent entre les assiettes garnies de nourriture et les trois paires d'avant-bras posées sur la table.

— Entendu, dit Weiwei. Portons d'abord un toast à la rivière Xi et allons-y.

Il s'apprête à déboutonner sa chemise mais suspend aussitôt son geste, après avoir jeté un regard à Meili.

— « Le soleil blanc s'enfonce derrière la montagne comme le fleuve Jaune pénètre dans la mer », récite Kongzi en pianotant sur la table pour marquer le rythme.

— « Un rayon de soleil s'étire sur l'eau, vert émeraude d'un côté, rouge de l'autre », chantonne Weiwei en caressant les montures d'écaille de ses lunettes.

— J'ai dit qu'il devait y avoir une allusion à l'eau, non que le mot lui-même devait y figurer, proteste Kongzi. Vous avez perdu ! Videz votre verre !

— Si vous y tenez, soupire Weiwei avant de s'exécuter. Mais la prochaine fois, si je parviens à remplacer « eau » par un autre mot tout en conservant le sens, vous devrez l'accepter.

— C'est entendu. À moi, maintenant. Vous êtes prêt ? « La lumière éclatante s'élève sur la mer ; des différents points du ciel, c'est le même paysage que nous admirons. »

— « Moi à un bout du Yangtze, vous à l'autre, nous buvons… » (le mot suivant est « eau » mais Weiwei se rattrape juste à temps)… « nous pleurons nos bien-aimés, qui gisent sur le lit du fleuve. »

— Un bien beau vers, commente Kongzi que l'image touche en plein cœur.

Il marque une pause et essuie une larme avant de reprendre le jeu.

— « Sur dix mille li la lune suit le cours du fleuve ; au printemps sa lueur envahit les berges. »

— « Le col est malaisé d'accès ; qui ne ressentirait de la tristesse pour celui qui s'est égaré ? » dit Weiwei en redressant ses lunettes.

— Mais il n'y a pas d'allusion à l'eau ! s'exclame Kongzi en frappant la table. Vous avez encore perdu !

— Le caractère de « tristesse » contient le radical de l'eau, proteste Weiwei.

— Il faut deux radicaux pour que cela puisse être pris en compte. Je crains que vous n'ayez perdu pour de bon, mon ami. Allez, videz votre verre !

Une fois que les deux hommes ont fini la bouteille, Meili murmure à son mari qu'ils devraient regagner le bateau et aller dormir. Kongzi part dans l'obscurité, à la recherche des toilettes. Weiwei va régler l'addition, puis revient s'asseoir à la table et demande à Meili :

— Vous êtes sûre d'avoir suffisamment mangé ?

— Oui, merci, répond-elle.

Elle regarde les arêtes qui traînent sur les plats et se demande soudain, avec un frisson, si les poissons qu'ils viennent de manger ne se seraient pas nourris du cadavre de la mère de Weiwei. Des mouches de plus en plus nombreuses se posent sur les assiettes et s'attaquent aux restes.

— Vous étiez si belle lorsque vous pilotiez le bateau, lui dit soudain Weiwei. Kongzi a de la chance.

Elle lève les yeux vers lui mais Weiwei se tourne vers la fenêtre, trop gêné pour croiser son regard. Un grondement retentit à l'extérieur, semblable au bruit d'un camion déversant des gravats sur un bateau. Le cœur de Meili se met à battre plus fort. C'est la première fois en dehors de Kongzi qu'un homme lui dit qu'elle est belle. Ne sachant quoi lui répondre, elle baisse à nouveau les yeux et fixe les assiettes, puis la montre de Weiwei.

— Je vous ai causé bien des tracas à tous les deux aujourd'hui, poursuit Weiwei en empoignant son verre vide. « Où serai-je en m'éveillant de mon sommeil aviné ? / Sur les berges couvertes de saules, dans la brise de l'aube, sous la lune qui s'estompe. » Cela pourrait marcher : « aviné » et « berges » renvoient tous les deux à l'eau…

— Pas le moins du monde, l'assure Meili. Mais dites-moi : combien votre mère a-t-elle eu d'enfants ?

Elle a envie de lui dire qu'avec ses lunettes rondes en écaille, il ressemble aux professeurs d'université qui font des conférences à la télévision.

— Quatre garçons et une fille, répond-il. C'est moi l'aîné. Comment vous appelez-vous, déjà ?

— Meili.

— Comme dans « Belle et jolie » ? Voilà qui est approprié.

— On ne peut plus commun, vous voulez dire... À la campagne, toutes les femmes s'appellent Meili. Mais dans mon cas, le « mei » correspond à l'aube. Je suis née le matin.

— Ah... C'est très poétique.

Meili pense à sa mère et la revoit assoupie dans un fauteuil, nourrissant son petit frère accroché à son sein, le lait maternel s'écoulant sur la joue du nourrisson... Elle se demande si sa grand-mère a encore la force d'aller entretenir le jardin.

— Tant que nos parents sont en vie, dit-elle, nous sommes encore jeunes. Et quand ils meurent, nous sommes devenus vieux.

— Vous avez raison, dit Weiwei en baissant les yeux. Quand nos parents sont en vie, ils se tiennent devant nous et nous dissimulent la présence de la mort. Mais dès qu'ils sont partis, nous nous retrouvons à notre tour au bord du gouffre. Que nous sautions maintenant ou un peu plus tard, quelle différence cela fait-il ? Le prochain pas sera de toute façon le dernier.

— Ne soyez pas aussi pessimiste. Peut-être votre mère ne s'est-elle pas jetée dans la rivière, au bout du compte. Peut-être réapparaîtra-t-elle un jour. Vous n'avez qu'une vie : il faut aussi que vous pensiez à vous.

— Oui, vous avez raison, nous n'avons qu'une vie. Il est peu probable que nos chemins se recroisent un jour.

Weiwei tourne à nouveau les yeux vers la fenêtre. La rivière est invisible à présent, seule la traînée de lumière d'un navire qui passe indique sa présence. Les mouches et les moustiques qui infestent l'air nocturne apparaissent uniquement lorsqu'ils viennent se cogner à la vitre.

— Vous avez une longue vie devant vous, un fils qui part à l'université...

Tout en prononçant ces mots, Meili surveille du coin de l'œil le programme éducatif que diffuse la télévision. Des papillons de nuit volettent autour de l'ampoule, au plafond. L'un d'eux se brise une aile et tombe en vrille sur la table, où il s'agite avec détresse.

— D'une certaine façon, reprend Weiwei, je préférerais savoir qu'elle est morte. C'est l'incertitude qui est insupportable. Je sais à présent qu'il n'y a pas de pire torture au monde que d'être confronté à la disparition de quelqu'un qui vous est cher.

Il écrase d'un geste un moustique qui s'est posé sur son bras.

— Non, dit Meili. Vous, les hommes, vous n'avez pas idée de ce que peut être la souffrance d'une femme enceinte vivant chaque jour dans la hantise qu'on lui arrache son enfant. Et une fois qu'on le lui a arraché, de le voir étranglé sous ses yeux. Mon fils m'apparaît souvent en rêve, couché dans un sac en plastique, le visage difforme et congestionné. S'il était en vie aujourd'hui, sans doute vous appellerait-il « Tonton Lunettes »...

Meili plonge son visage dans ses mains et se met à pleurer.

— Vous êtes une bonne mère, Meili, ne pleurez pas, dit Weiwei en lui tendant une serviette en papier. Ma mère a eu une vie difficile elle aussi. Elle s'est mariée à l'époque de la Réforme agraire, quand le Parti encourageait les masses à massacrer les riches propriétaires terriens. Le lendemain de son mariage, son père a été traîné dans la salle des fêtes du village et pendu en public. On a obligé mes parents à assister à la scène. Ma mère m'a raconté qu'une fois son cadavre pendu au plafond, les paysans se sont mis à le fouetter, si fort que des lambeaux de chair ont giclé jusque sur son visage. J'étais présent moi aussi ce jour-là, à l'intérieur de son ventre. Pendant les deux années suivantes, mes parents ont dû vivre « les mains vides ».

— Qu'est-ce que cela signifie ?

— Que lorsqu'ils ont évacué leur maison, ils n'ont rien pu emporter avec eux, pas le moindre bagage ni le moindre objet. En été, ils n'avaient pas le droit de porter des chaussettes ou des pantalons longs. Les autorités avaient peur qu'ils ne cachent des armes sur eux et n'essaient de venger la mort de mon grand-père. La plupart des membres des familles qui avaient subi des exactions se suicidaient à cette époque. Mais ma mère a tenu bon et s'est battue, à cause de moi. Je suis né trois mois avant terme et pesais à peine trois livres. Quand j'ai eu six ans, elle m'a enseigné le

Classique des Trois Caractères ainsi que des poèmes anglais qu'elle avait appris dans son enfance, chez les missionnaires. Elle s'est accrochée à la vie pour s'occuper de moi et, aujourd'hui encore, elle s'est sacrifiée en se donnant la mort dans mon intérêt.

Weiwei ôte ses lunettes d'écaille et frotte ses yeux gonflés de larmes. Meili cherche des mots susceptibles de le consoler.

— Je ne suis pas une bonne mère, finit-elle par dire. Pour tout vous avouer, je me suis fait poser un stérilet, parce que je ne souhaite pas avoir d'autres enfants. Ce que je veux c'est travailler, gagner de l'argent et mener une vie normale, manger correctement et laver mon linge à la machine.

Weiwei relève les yeux.

— Cela ne devrait pas s'avérer très difficile, dit-il. Les temps ont changé. Les femmes peuvent monter leur entreprise de nos jours, être leur propre patron. Mais toutes ne sont pas d'aussi bonnes mères que vous.

— J'aimerais suivre les cours par correspondance à la télévision, poursuit Meili en regardant à nouveau l'image vacillante du professeur qui s'affiche à l'écran. Je respecte profondément la culture mais je suis totalement ignorante et n'ai reçu aucune éducation. Je n'ai fréquenté l'école que pendant deux ans. Au fait, reprend-elle, Kongzi ne sait pas que j'ai un stérilet. Ne le lui dites pas, je vous en prie.

— Votre secret sera bien gardé, n'ayez crainte. Je partirai demain matin et ne vous reverrai sans doute jamais, ni l'un ni l'autre.

— Je sais que vous nous considérez comme des paysans. Une fois parti, vous vous empresserez sans doute de nous oublier.

— Non, je ne vous oublierai jamais. Je vais vous laisser mon adresse. Vous serez toujours les bienvenus chez moi, Kongzi et vous.

Leurs regards se croisent et ils perçoivent les effluves de leurs sueurs respectives.

— Vous êtes vraiment belle, reprend-il. La vie serait simple, si j'avais quelqu'un comme vous à mes côtés. (Ses cheveux paraissent brusquement moins gris.) Attendez, vous avez quelque chose, là...

Il désigne ses lèvres. Avant que Meili ait pu faire un geste, il tend la main et retire un infime morceau d'épinard collé à l'une de ses dents de devant. Meili se lève d'un bond en voyant revenir Kongzi et lui demande où sont les toilettes.

— N'y va pas, lui dit-il, il fait trop sombre, on n'y voit strictement rien dehors. Attends que nous ayons regagné le bateau.

À l'odeur qu'il dégage, elle se rend compte qu'il vient de vomir. Son visage est injecté de sang.

— Tout est si calme à présent, dit Weiwei. Cette baignade m'a fait beaucoup de bien.

Meili contemple l'eau qui ruisselle de ses mains et le long de son dos nu, tout en lui tendant une serviette. Puis elle passe dans la cabine, ôte sa robe mouillée, se sèche rapidement à l'aide d'un drap et enfile la jaquette blanche de Kongzi.

— Vous pouvez venir dormir ici avec nous, dit-elle à Weiwei en passant la tête dans la fente du rideau. Nous n'aurons qu'à nous serrer un peu.

Le vent est tombé mais une vague odeur d'osmanthus semble planer dans l'air immobile. Meili et Weiwei sont à présent étendus de part et d'autre de Kongzi, qui ronfle paisiblement. Meili sent bien que leur passager ne dort pas. Lorsqu'ils ont regagné le bateau, Kongzi est aussitôt allé s'affaler dans la cabine tandis qu'elle plongeait dans l'eau pour faire quelques brasses, ayant remarqué à leur arrivée que la rivière était propre à cet endroit. Weiwei n'a pas tardé à la suivre. L'obscurité était trop profonde pour qu'elle distingue l'expression de son visage, elle ne voyait que le contour sombre du bateau à la lueur de l'enseigne du restaurant.

— Je suis désolé de vous déranger de la sorte, chuchote Weiwei par-dessus le corps assoupi de Kongzi.

— Ne vous inquiétez pas. Il aurait été trop dangereux de naviguer de nuit. Ce bateau est en bois, il volerait en éclats s'il heurtait le moindre écueil. Nous dormirons ici et regagnerons Xijiang demain matin.

Les odeurs qui imprègnent les lieux ont beau lui être familières, il règne dans la cabine une ambiance étrange. Elle n'arrive pas à dormir et les ronflements de Kongzi l'embarrassent.

— Vous ne ronflez pas, n'est-ce pas ? demande-t-elle à Weiwei.

Elle glisse un pull sous son oreiller pour redresser un peu sa tête, puis secoue son drap encore humide pour qu'il retombe bien à plat sur son corps.

— Non, je ne ronfle pas, chuchote Weiwei. Mais j'ai de la peine à m'endormir. C'est la première fois que je passe la nuit à bord d'un bateau.

— Il m'a fallu du temps pour m'y habituer, moi aussi, dit Meili. Mais maintenant, lorsque je suis privée de ses mouvements, il me faut des heures pour trouver le sommeil. Vous n'avez pas trop chaud ? Notre ventilateur électrique est en panne, j'en ai peur. Tenez, prenez cet éventail en bambou. J'imagine que vous autres, citadins, vous bénéficiez tous de l'air conditionné.

— Non, peu de gens peuvent se le permettre. Et même s'ils le font installer, ils ne s'en servent pas très souvent, au prix où est l'électricité...

— Quelle université votre femme a-t-elle fréquenté ?

Sentant sa peau moite adhérer à celle de Kongzi, Meili s'écarte un peu et dégage son sein droit, écrasé sous son flanc.

— La même que moi, répond Weiwei. Mais nous n'avons pas été nommés au même endroit. Elle est sous-directrice dans une usine de circuits imprimés, à Dunhuang. Son salaire est beaucoup plus élevé que le mien.

— Vous êtes obligés de vivre séparément, mais vous êtes toujours mariés.

Kongzi est maintenant plongé dans un profond sommeil et ronfle bruyamment.

— Je n'ai plus vraiment l'impression d'être marié, dit Weiwei. Quand je lui ai téléphoné pour lui dire que ma mère s'était noyée, elle n'a même pas proposé de venir me voir. Elle ne se soucie plus du tout de moi.

— Quand on se marie, c'est pour la vie. Peut-être devriez-vous lui témoigner un peu plus d'affection et la convaincre de reprendre une vie commune.

Meili est gênée par les relents d'alcool que dégage Kongzi. Elle sait que les gens de la ville se brossent les dents deux fois par jour.

— Non, jamais elle ne renoncera à son travail pour venir me rejoindre. Au début, elle ne voulait pas aller à Dunhuang, mais nous avions besoin de cet argent pour faire vivre notre famille. Aujourd'hui, elle s'y plaît tellement qu'elle ne veut plus en partir.

— On ne se rend compte de l'importance des choses qu'après les avoir perdues. Vous ne devriez pas la laisser s'éloigner ainsi de vous. Même si elle s'échappe pendant quelque temps, une femme a toujours besoin d'un nid vers lequel revenir.

Meili se souvient de la femme au rouge à lèvres mauve qu'elle a rencontrée sur le bateau, en se rendant à Sanxia. Elle se dit que son mari, resté à la campagne, ne se doutait sûrement pas qu'elle se prostituait dans un salon de coiffure.

Meili a brusquement envie de prendre Weiwei dans ses bras. Son corps est aussi brûlant qu'une viande qu'on viendrait de faire sauter dans un wok. Elle ramasse une veste qui traîne à côté d'elle et l'étend sur la poitrine de Kongzi, effleurant du même coup la main de Weiwei. Celui-ci saisit aussitôt la sienne et elle sent la chaleur irradier son corps. Il se met à la caresser, d'abord lentement, puis plus vite, puis à nouveau plus lentement. Elle s'abandonne ainsi à la main de Weiwei jusqu'à ce qu'elle s'endorme, ballottée de droite à gauche dans l'obscurité de la cabine.

À l'aube, Weiwei laisse son adresse, son numéro de téléphone et deux paquets de cigarettes sur le tabouret de bambou à côté d'elle. Puis il sort et gagne l'arrière du bateau, les traits légèrement plus détendus que la veille.

Meili vient le rejoindre.

— Vous devriez abandonner vos recherches et rentrer chez vous à présent, lui dit-elle. Votre mère sera plus en paix au fond de la rivière que si vous parveniez à l'enterrer.

— Non, je dois absolument la retrouver, sinon mon esprit ne sera pas en paix.

Sans même lui dire au revoir, il saute sur la jetée, remonte la berge et s'éloigne.

Meili attrape un sac de feuilles de moutarde séchées dans la réserve du bateau et se précipite derrière lui. Après l'avoir rejoint sur le rivage, elle fourre le sac entre ses mains.

— Il suffit de les faire tremper pendant la nuit et de les préparer le lendemain avec du bœuf et des tomates. Plus vous les laisserez cuire longtemps, meilleures elles seront.

— Je suis un piètre cuisinier, lui dit Weiwei.

— Mais vous les mangerez quand même. Je les ai fait sécher moi-même.

Il fait volte-face et poursuit son chemin le long du sentier. En regardant sa silhouette s'éloigner, elle sent son ventre se crisper, comme si une anguille gigotait à l'intérieur. Sans réfléchir, elle se lance à nouveau derrière lui et lui arrache ses lunettes à montures d'écaille, à titre de souvenir, avant de regagner le bateau en courant.

MOTS-CLEFS : *métallique, plage marécageuse, handicapés, main baladeuse, pâte de crevettes pourrie, risques d'infection.*

— L'orage ne tardera plus, dit Kongzi en désignant le ciel de plomb au-dessus de Dexian. Et il va être carabiné.

Quelques instants plus tard, le tonnerre déchire les nuages d'ébène, libérant une pluie torrentielle.

— Le pont est trop glissant, lui crie Meili. Vite, regagne la cabine !

La pluie vient s'écraser contre la proue du bateau avant de ruisseler dans la rivière. Dans leur cage de bambou, les canards battent des ailes et poussent de grands cris.

— Regarde, dit Kongzi, l'eau de pluie est tellement polluée qu'elle paraît presque métallique. Le bateau va être abîmé si nous restons ici. Levons plutôt l'ancre et rejoignons le village de Guai. Passe-moi mon chapeau de paille et mon imperméable.

— Mais tu ne verras rien à travers ces trombes d'eau, rétorque Meili. Nous risquons de nous emboutir quelque part.

Kongzi a livré une cargaison de chaux vive le matin même et lorsque la pluie entre en contact avec les débris poudreux qui se sont insinués dans les interstices du pont, des fumerolles blanches s'élèvent dans l'air, dégageant une infecte odeur d'œufs pourris. Nannan a vomi la nuit dernière et n'a rien avalé de la journée, en dehors d'un gâteau sec et d'un bout de chou-fleur. Allongée sur le dos dans la cabine, elle regarde le déluge qui se déverse à travers une fente du rideau.

Kongzi essuie les verres des lunettes cerclées de métal qu'il a achetées la semaine dernière, avant de manœuvrer pour quitter la berge. Ils progressent ainsi pendant des heures sous une pluie battante, au milieu d'un labyrinthe de voies navigables et de canaux. De temps en temps, Meili lui lance :

— Attention, ça sent la boue par ici, nous sommes probablement trop près du rivage. Bifurque un peu sur la droite.

Lorsqu'ils passent sous un pont et qu'elle entend le grondement du moteur résonner contre l'arche de béton, elle éprouve toujours une impression d'enfermement.

Après leur périple à Yinluo en compagnie de Weiwei, ils ont regagné l'îlot de sable et découvert que la police fluviale avait détruit leur abri en leur absence. Ils ont récupéré Nannan, qu'ils avaient confiée à Xixi, attrapé quelques canards dans l'enclos et sont repartis au fil de la rivière, chargeant et transportant des cargaisons au gré de leurs étapes jusqu'à atteindre la ville industrielle et crasseuse de Dexian, dans l'ouest de la province de Guangdong. Ils y ont jeté l'ancre la semaine dernière. Même si Kongzi n'a pas de problème pour trouver du travail dans les environs, le cadre n'a rien d'agréable. Le soir, les usines qui fabriquent du papier rejettent dans la rivière des eaux usées qui sentent la pâte de crevettes pourrie. Ils se sont mis à tousser tous les trois et sont régulièrement pris de nausées.

Le lendemain de leur arrivée à Dexian, Meili a acheté un test de grossesse dans une pharmacie, sur les quais. Après avoir plongé le bâtonnet dans son urine et vu apparaître le signe +, elle s'est demandé pourquoi son stérilet s'était révélé inefficace. Oubliant que ses règles avaient déjà trois semaines de retard lorsqu'ils ont rencontré Weiwei, elle a pensé que ce devait être sa main baladeuse qui avait déplacé l'engin, permettant ainsi à Kongzi de la féconder au cours des jours suivants. Les caresses de Weiwei ont éveillé en elle des sensations qu'elle n'avait jusqu'alors jamais connues. Dans la semaine qui a suivi son départ, elle s'est bien gardée de repousser les avances de Kongzi lorsque celui-ci avait envie de faire l'amour, se collant au contraire contre lui et l'encourageant à la posséder avec davantage d'ardeur. Elle se dit que c'est sans doute au cours d'une de ces nuits torrides, au milieu de ses gémissements de plaisir, que le sperme de son mari a pénétré son ovule et que l'esprit de l'enfant s'est à nouveau insinué en elle.

Lorsqu'elle a annoncé à Kongzi qu'elle était enceinte, il lui a dit qu'il fallait qu'ils s'installent dans un endroit tranquille jusqu'à la naissance du bébé. Il s'est renseigné autour de lui et a entendu parler d'un village du nom de Guai, à une trentaine de kilomètres, où les règles du planning familial ne sont pas strictement appliquées. Mais le village se trouve à l'écart de la rivière, un bon kilomètre à l'intérieur des terres, et il se demande depuis quelques jours comment il va pouvoir gagner sa vie dans un tel environnement.

— Regarde, nous devons être arrivés, dit-il en apercevant sur leur gauche, derrière les arbres couverts de poussière, un groupe de maisons surmontées d'antennes paraboliques.

— Le village est plus important que je ne m'y attendais, dit Meili. Es-tu certain que nous serons en sécurité ici ? Si l'on m'arrache à nouveau mon bébé, je n'en aurai pas d'autre. L'endroit m'a l'air sinistre. Je préférerais que nous continuions à vivre sur l'eau, cela me permettrait d'accoucher sur le bateau. Après tout, tu m'as dit que tu voulais appeler notre enfant « Né-sur-l'eau ».

Elle considère la berge jonchée de détritus et le monticule de choux flétris qui se dresse dans un champ voisin, envahie d'un brusque dégoût.

— D'accord, lui dit Kongzi, nous resterons à bord du bateau. Mais il faut tout de même nous installer dans un endroit sûr. Bonheur est mort parce que nous n'avions pas choisi le bon endroit. Nous ne pouvons pas commettre deux fois la même erreur.

Enfouie sous sa couverture, Nannan dit d'une voix ensommeillée :

— J'ai faim, papa. Je veux manger quelque chose de bon, je ne veux plus de ce poisson dégoûtant.

La veille, Kongzi a préparé un poisson qu'il avait pêché dans la rivière polluée et dont il a encore l'odeur infecte dans la bouche. C'était l'anniversaire de Meili, qui a passé la journée à bouder dans la cabine. Kongzi s'est rendu à Dexian et lui a acheté des assiettes, des casseroles, un radiateur électrique et un miroir de poche, pour remplacer ceux qu'ils ont dû laisser sur l'îlot, mais cela n'a nullement altéré son humeur. Kongzi regrette d'avoir fait ce voyage en compagnie de Weiwei : non seulement cela ne leur a rien rapporté, mais ils ont perdu leur abri à cette occasion. Meili, quant à elle, se reproche d'avoir laissé Weiwei la caresser ce soir-là et lui en veut amèrement d'avoir abusé d'elle.

Une pellicule de pollution huileuse s'étend à la surface de la rivière. Le long des berges, les branches des saules ploient sous le poids des détritus et tentent péniblement de se redresser pour se tourner vers le soleil. Kongzi fait passer le bateau sous un pont, s'engage à gauche dans une crique étroite et s'arrête au pied d'une volée de marches rejoignant un sentier qui mène d'après lui au village de Guai. Des chiens, des poules et des canards les observent depuis la berge.

— J'ai entendu dire que les habitants de ce village vendent des enfants handicapés à des organisations criminelles, dit Meili. Si j'ai bien compris, la plupart des petits mendiants difformes que l'on voit faire l'aumône dans les gares seraient originaires de cet endroit.

— Ce ne sont que des rumeurs, répond Kongzi. Tu vois ces gamins là-bas ? Ils ont l'air tout à fait normaux... Eh bien, nous voici enfin arrivés ! Quelle équipée... Cela me rappelle le poème : « Montagne après montagne, rivière après rivière, il ne semble pas y avoir d'issue / Mais derrière un saule ombragé et un arbre aux fleurs éclatantes, un autre village apparaît enfin. » Je vais aller y jeter un coup d'œil.

Il saisit la planche qui leur sert de passerelle et la pose sur la dernière marche de l'escalier en ciment.

— Je t'attends ici, papa, dit Nannan en jetant depuis la cabine un regard inquiet sur ce décor inhabituel.

En se dressant sur la pointe des pieds, Meili aperçoit sur le vaste champ qui s'étend un peu plus haut des parcelles de céréales non récoltées, deux bicoques recouvertes de toile goudronnée, un enclos à canards, un tuyau d'arrosage étalé à côté d'un fossé vide et une sorte de hangar aux portes et aux fenêtres murées. Un avis peint en blanc sur la façade de brique rouge annonce que POUR ÉVITER LES TROUBLES GYNÉCOLOGIQUES LES PLUS FRÉQUENTS ET LES MALADIES VÉNÉRIENNES, IL EST IMPORTANT D'AVOIR UNE BONNE HYGIÈNE GÉNITALE, DE SE LAVER RÉGULIÈREMENT LA RÉGION PELVIENNE ET DE CHANGER TOUS LES JOURS DE SOUS-VÊTEMENTS. POUR

PRÉVENIR TOUS RISQUES D'INFECTION, ÉVITER DE S'ASSEOIR SUR LES SIÈGES DES TOILETTES. Le reflet des murs rouges et du ciel bleu tremble à la surface huileuse de la crique. Des débris de plastique blancs y passent en flottant, comme une troupe de canards.

Kongzi ne tarde pas à revenir en compagnie d'un pêcheur qui le conduit jusqu'au débarcadère et lui dit :

— Vous voyez cette berge marécageuse, tout au bout de la crique ? Personne ne l'occupe pour l'instant. Il y a même un étang où vous pourrez installer vos canards.

Sur une route dans le lointain une voiture rouge passe lentement.

Meili s'assoit à l'arrière du bateau et se met à trier des feuilles d'épinards.

— Si j'allais laver des épinards dans cette eau, dit Nannan en désignant la crique marécageuse, ils seraient peut-être propres mais moi je serais très sale.

— Ah, arrête de dire des bêtises ! lui lance Meili d'un air irrité.

Kongzi saute à bord et mène le bateau jusqu'à l'endroit que leur a indiqué le pêcheur. Les berges sont tellement noires par ici à cause de la poussière et de la pollution que, en comparaison, les fumées crachées par les usines dans le lointain paraissent presque propres. Déprimée par ce décor peu engageant, Meili baisse les yeux et considère sa situation. Pour protéger l'éventuel héritier mâle de Kongzi, elle va encore devoir vivre pendant huit mois comme une recluse. Lorsqu'elle a appris qu'elle était enceinte, elle a proposé à Kongzi de rejoindre directement la Commune Céleste, où elle sait qu'ils seront en sécurité. Mais Kongzi lui a rétorqué que le voyage serait trop long et trop périlleux et qu'il préférait se cacher quelque part dans les parages. Le seul espoir de Meili à présent, c'est d'être victime d'une fausse couche avant que les autorités ne puissent lui arracher son bébé. Elle a les pieds gelés dans ses chaussettes et ses chaussures mouillées.

Le bateau se dirige vers la berge couverte de vase, parsemée de flaques boueuses et d'une végétation étique. Juste au-dessus s'étend une mare stagnante protégée par un écran de bambous et flanquée d'une petite hutte également en bambou. Kongzi saute du bateau et prend pied sur le rivage.

— C'est l'endroit idéal pour nous planquer jusqu'à la naissance de Né-sur-l'Eau, s'exclame-t-il d'un air excité. Nous serons en sécurité et nous pourrons facilement élever une centaine de canards. Sans compter qu'il y a sûrement des poissons dans cette crique. Le pêcheur m'a dit tout à l'heure que le loyer n'était que de cinq cents yuans pour l'ensemble de l'année. Regarde, nous sommes entourés de collines sur trois côtés : feng shui parfait pour établir son foyer.

Meili lève les yeux et contemple un instant les collines aux flancs asséchés et jonchés de caillasses. Les villageois ont creusé des terrasses sur les pentes et font pousser du maïs sur certaines d'entre elles mais la plupart sont envahies par la végétation. Il y a quelques bananiers, quelques papayers aux abords de l'enclos, ainsi que deux ou trois arbres à litchis derrière la hutte.

— Ce n'est pas une crique, s'écrie-t-elle, c'est un dépotoir !

Elle est de mauvaise humeur depuis qu'elle a passé ce test de grossesse, terrifiée à l'idée que le stérilet soit toujours dans son utérus et que le fœtus ait commencé de croître à côté de ce corps étranger. À peine avait-elle révélé son état à son mari qu'elle l'a aussitôt regretté. En proie depuis lors à de brusques bouffées de colère, elle a même été à deux doigts de sortir les lunettes en écaille de Weiwei de leur cachette, sous son oreiller, et de les balancer dans la rivière. Elle sait que, lorsqu'il l'a caressée ce soir-là, c'était à sa mère qu'il pensait et elle aimerait pouvoir lui pardonner ce geste. Mais une autre part d'elle-même voudrait encore aborder avec lui les sujets qui la tracassent. Kongzi n'a jamais eu la patience d'écouter toutes les choses qu'elle avait à lui dire.

— Papa, regarde ! Il y a un serpent dans l'eau ! s'exclame Nannan en montrant un bâton au fond de la crique. Il est mort. Non, il bouge !

Ils s'installent donc tous les trois sur la plage marécageuse, au pied du village de Guai, et attendent anxieusement la naissance du descendant de Confucius à la soixante-dix-septième génération.

MOTS-CLEFS : *zone de régulation des eaux, hutte de bambou, don du sang, sac de ciment, écume jaune, graves difformités.*

La route qui part du village de Guai mène à Dexian, mais seuls deux ou trois véhicules y passent chaque jour. La crique relie la rivière Xi aux usines installées le long du fleuve Huai. Toutefois, l'eau y est trop peu profonde pour que de grandes embarcations puissent l'emprunter. L'après-midi, les rayons du soleil s'attardent un moment sur la plage marécageuse mais disparaissent vite derrière la montagne qui se dresse au loin, entourée de champs de colza. Le village de Guai est situé dans une zone de régulation des eaux. En cas d'urgence, les portes de l'écluse sont levées et tout le village est inondé. Lorsque la pollution produite par les usines est trop élevée, des eaux couvertes d'une écume jaune se déversent dans la crique, charriant des cadavres de chiens et de poulets.

Les habitants de Guai utilisaient jadis l'eau de l'étang pour irriguer un peu plus loin leurs champs de paddy. Mais il y a dix ans, l'un d'eux a vendu son fils affligé d'un pied-bot à une organisation criminelle, qui l'a envoyé mendier dans la province d'Anhui. Au bout d'un an, l'enfant avait fait parvenir plus de dix mille yuans à ses parents. Jaloux de leur bonne fortune, d'autres familles du village se dirent qu'elles pourraient elles aussi s'enrichir de la sorte et entreprirent de mutiler leurs bébés à la naissance, tordant ou brisant leurs membres – sachant que plus le handicap serait lourd, plus l'enfant rapporterait d'argent. Ainsi, nombre de villageois se mirent à vendre leurs enfants estropiés à des bandes de malfaiteurs qui les envoyaient mendier dans les rues de Shanghai, Shenzhen ou Guangzhou. Au bout de quelques mois, les parents étaient en mesure de s'acheter tous les téléviseurs en couleurs, réfrigérateurs, réveils électroniques et téléphones mobiles dont ils avaient pu rêver, sans parler des cigarettes étrangères. Le village a connu un véritable boom économique grâce à ce commerce d'enfants difformes et les huttes de boue ont cédé la place à des pavillons de deux étages en brique ou en ciment. Soucieuses de profiter à leur tour de cette manne inattendue, les autorités locales ont augmenté les impôts et ferment délibérément les yeux sur les violations des règles du planning familial, afin de ne pas compromettre cette nouvelle source de revenus. Néanmoins, pour être sûr de ne pas avoir d'ennuis, Kongzi a graissé la patte aux responsables locaux et leur a donné cinq cents yuans, pour que Meili puisse mener sa grossesse à son terme. Le directeur lui a dit que si l'enfant était une fille et qu'ils décident de ne pas la garder, l'Assistance publique la recueillerait et paierait l'amende de quatre mille yuans correspondant à cette naissance illégale. Tout le monde sait que l'Assistance publique vend à l'étranger les enfants qui lui sont confiés, ce qui lui rapporte trente mille yuans à chaque transaction.

Kongzi, Meili et Nannan se sont installés dans la hutte de bambou. La famille originaire de Fujian qui vivait ici avant eux élevait des tortues dans l'étang et a gagné suffisamment d'argent pour payer un gang de trafiquants qui les a fait passer en Angleterre. La plus grande partie du plâtre boueux qui recouvrait les parois de la hutte s'est maintenant détachée. À l'aube, la lumière du soleil passe à travers les interstices et s'étire sur le sol. Tout en s'habillant, Meili pense au survêtement bleu orné de deux bandes blanches qu'elle portait à l'école primaire. C'était son oncle qui le lui avait acheté, dans la ville où il travaillait. Elle était la seule fille du village à en posséder un et cela l'aidait à se sentir différente des autres.

Le coq passe la tête à travers les barreaux de la cage de bambou et pousse un cocorico tonitruant pour saluer le lever du jour. Sur la plage marécageuse, Nannan s'amuse à lancer des brindilles et des piles usagées dans la crique. Une vague éclabousse la berge et un essaim de mouches s'envolent, abandonnant la peau de banane sur laquelle elles étaient incrustées.

— Jamais nous ne gagnerons grand-chose avec cet élevage, soupire Kongzi en regardant Meili, qui verse des débris de feuilles de chou dans le seau destiné à la nourriture des canards.

— Nous avons vendu toute la première fournée et une bonne partie de la seconde, répond-elle. Ce n'est pas si mal. Mais maintenant que l'hiver arrive et que les nuits sont plus froides, ils se reproduisent plus lentement.

— J'ai parlé à ton frère en appelant tes parents hier. Il ne peut pas nous prêter d'argent. Si nous n'arrivons pas à réunir les quatre mille yuans de l'amende d'ici à la naissance de l'enfant, je n'ose même pas imaginer ce qui risque de nous arriver.

— Nannan ! lance Meili, va porter cette nourriture aux canards !

Son ventre est si gros maintenant qu'elle ne distingue plus ses pieds. Lorsque les puces l'ont piquée et que ses orteils la démangent, elle est obligée de les frotter contre un arbre.

— Non, le seau est trop lourd, dit Nannan en se rongeant les ongles.

Kongzi ramasse le seau, le porte jusqu'à l'enclos et verse son contenu dans deux bassines. Les canards battent des ailes et se précipitent sur la nourriture en cancanant bruyamment. Des duvets blancs s'élèvent dans la lumière matinale.

— Je m'occuperai des canards aujourd'hui, dit Meili. Tu as une livraison à faire cet après midi. Ne t'inquiète pas, je suis sûre qu'en travaillant d'arrache-pied dans les deux mois qui viennent, nous arriverons à réunir ces quatre mille yuans. Et si nous n'y parvenons pas, nous n'aurons qu'à prendre la fuite pour aller trouver refuge dans la Commune Céleste.

Elle porte le pantalon en coton bleu de son mari et une chemise blanche qu'elle ne parvient plus à boutonner sur son ventre proéminent.

— Tu crois que tu pourras t'enfuir avec un ventre pareil ? rétorque Kongzi. Non, nous resterons ici jusqu'à la naissance du bébé. Un de mes cousins a voyagé pendant deux ans à travers le pays, en vendant son sang. Il vient de rentrer au village, apparemment, où il s'est fait construire une vaste demeure en brique.

— Donner son sang, cela peut s'avérer dangereux, dit Meili, assise sur un tas de vieux filets de pêche.

Le long de la crique, les branches des saules viennent frôler la surface de l'eau, comme si elles cherchaient à retenir son ombre immense.

— Pas plus dangereux que d'aller pisser, dit Kongzi. Une fois qu'on a vidé sa vessie, elle se remplit à nouveau d'urine.

— Tu as l'intention de vendre ton sang, à présent ? Tu crois qu'il t'en reste assez, après tout ce que les puces et les moustiques viennent te prendre à longueur de nuit ?

Meili a peur des aiguilles et l'idée de vendre son sang la révolte.

— Le don du sang, voilà l'avenir ! s'exclame Kongzi. Cela ne nécessite aucun investissement, il suffit de puiser dans ses ressources naturelles. Comment n'y ai-je pas songé plus tôt ?

Il ôte sa chemise, la retourne et attrape une puce qui s'était glissée dans sa manche, avant de l'écraser. Une goutte de sang éclate sur ses ongles.

— Comment peux-tu rêver de t'enrichir alors que nous allons bientôt devoir nous occuper d'un nouvel enfant ?

Meili inspire longuement, profondément. Elle a l'impression d'avoir le ventre aussi dur et aussi plein qu'un sac de ciment.

— Je veux nager, papa, dit Nannan.

Elle ramasse un morceau de polystyrène qui traînait près de l'enclos et le lance dans l'eau. Elle a les pieds nus et le bas de sa robe à manches longues est maculé de boue.

— Non, dit Meili, l'eau est trop froide. Va plutôt gratter les pommes de terre qui restent, je préparerai ensuite ton petit déjeuner.

— La brique a disparu, rétorque Nannan en caressant le gros scarabée qu'elle vient de ramasser.

— Il y en a une autre dans la boue, juste derrière toi. Tu peux t'en servir ou racler les patates contre un arbre, comme tu voudras. Si tu ne m'aides pas, ton père te fera réciter le *Classique des Trois Caractères*.

— Nannan ! Tu entends ce que te dit ta mère ? crie Kongzi en voyant sa fille s'avancer dans la crique.

Depuis qu'ils se sont installés ici en octobre, ils ont souffert tous les jours du froid et de l'humidité. Le soir, après le repas, ils se retirent dans le bateau et se blottissent autour du radiateur électrique, à moins qu'ils ne fassent un feu dans la hutte, enfouis sous leurs couvertures avec des bouteilles d'eau chaude.

— Nannan ! Veux-tu bien sortir de l'eau ! s'écrie Meili. L'écume jaune va te donner des boutons.

Craignant que la pollution ne soit nuisible pour le bébé, Meili n'a pas encore osé se baigner dans la crique.

— Pourquoi les canards n'ont-ils pas de boutons, dans ce cas ? demande Nannan en regagnant la berge.

— Leurs plumes les protègent, répond Kongzi.

Il se penche et retire de la vase une vieille chaussure en toile. Derrière lui s'élève un monticule de tringles métalliques, de bouts de bois, de tiges de bambou et de cordes graisseuses sur lesquels grouillent des centaines de mouches. Une colonne de petits scarabées rampe dans sa direction, à la recherche de la moindre nourriture.

— Tu m'as dit que Bonheur aimait l'eau, reprend Nannan.

Sa frange lui tombe sur les yeux. Elle a un sparadrap sur le nez parce que son père a dû s'en mettre un hier, après s'être coupé, et qu'elle a absolument voulu en avoir un elle aussi.

— Bonheur est mort, dit Kongzi. Peu lui importe que l'eau soit froide.

— Il te manque, papa ?

— Non ! s'écrie Kongzi, une lueur de colère dans les yeux.

— Alors, quand je mourrai, je ne te manquerai pas non plus ?

— Si tu me reparles encore une fois de Bonheur, je te tue ! hurle Kongzi, les veines du cou saillantes et le visage congestionné.

Nannan fait la moue, va retrouver Meili et lui dit :

— Quand je serai morte, je ne me réveillerai plus jamais.

— Ne t'inquiète pas, lui répond Meili. Quand on est mort, on ne voit et on n'entend plus rien. Tout est paisible et calme.

— Bonheur est mort, est-ce que Né-sur-l'Eau va mourir lui aussi ? demande Nannan en levant vers sa mère son visage dévoré par les puces.

— Va plutôt gratter les patates, nous reparlerons de cela plus tard.

Meili est inquiète. Elle redoute que les autorités ne viennent la chercher pour l'obliger une fois encore à avorter. Elle a peur que son stérilet ne se soit incrusté dans le fœtus et ne lui cause de graves difformités. Elle craint également qu'en voyant cet engin sortir en même temps que le bébé, Kongzi ne soit pris d'une rage folle.

Né-sur-l'Eau a désormais pris son rythme. À l'aube, dès que le coq chante, il étire les jambes et remue les orteils. À midi, il se tient tranquille pendant deux bonnes heures mais il se lance après le repas du soir dans une gigue effrénée, lui donnant des coups de pied dans les côtes et martelant de ses poings minuscules l'intérieur de son ventre. Depuis le début de sa grossesse, les cheveux et les ongles de Meili se sont mis à pousser plus vite qu'à l'ordinaire. Comme elle ne peut plus atteindre ses pieds, c'est Kongzi qui est obligé de lui couper les ongles.

— Tu te souviens de Kong Qing ? demande Kongzi en la regardant faire ses nattes.

Meili est assise près du foyer, à l'intérieur de la hutte. Elle ajoutera bientôt deux bûches dans le feu et préparera un gruau de pommes de terre, agrémenté d'œufs durs et de condiments.

— Non, dit-elle. Rappelle-moi de qui il s'agit.

Elle a beau avoir vécu trois ans dans le village des Kong, elle connaissait mieux les vedettes de la télévision que cette tribu de voisins plus ou moins apparentés qui portaient tous le nom de Kong.

— C'est mon second cousin, celui qui a été dans l'infanterie. Tu sais, celui qui est arrivé chez nous lors de cette fameuse soirée en portant le fœtus avorté de son fils dans une cuvette en plastique.

— Ah oui, le mari de Shasha... Eh bien, que lui est-il arrivé ?

Meili rejoint son mari à l'extérieur et s'assoit sur une chaise branlante, calée contre une caisse en bois.

— Lorsque nous avons quitté le village, sa maison a été détruite et Kong Qing envoyé en prison. Shasha allait se plaindre toutes les semaines auprès des autorités, accompagnée de ses filles, et on a fini par la déclarer folle. Une fois qu'on t'a collé sur le dos l'étiquette de « malade mental », tu pourrais aussi bien être mort. Tu perds ton permis de résidence, ton permis de travail et tous les documents qui attestent de ton existence. Aucun responsable officiel n'écoutera jamais tes plaintes. Kong Qing a été libéré le mois dernier mais Shasha est maintenant internée dans un asile et personne n'a le droit de lui rendre visite. Le pauvre Kong Qing est désespéré. Ses parents doivent s'occuper de ses filles à présent. Il m'a dit qu'il avait l'intention de venir nous voir, la semaine prochaine.

— Mais comment sait-il que nous sommes ici ?

— J'ai appelé Kong Zhaobo et c'est Kong Qing qui a décroché. Il m'a dit que je devrais sortir de ma tanière et prendre la tête du combat qu'il s'apprête à mener.

— De quoi parle-t-il ?

Voyant Nannan racler avec une lenteur désespérante sa pomme de terre contre un arbre, Meili lui lance :

— C'est bon, Nannan, je finirai.

Nannan ramène les pommes de terre et Meili entreprend de les gratter, en se servant d'un éclat de verre qu'elle a ramassé par terre.

— Je n'en ai pas la moindre idée, répond Kongzi. Mais il se trouve que le village des Kong n'est en fait pas très loin d'ici. La route qui mène à Dexian rejoint ensuite la province de Hubei. Le trajet en autocar ne lui prendra pas la journée.

— Je ne crois pas que ce soit une bonne idée qu'il vienne ici. La plupart des Kong ont été arrêtés ou emprisonnés à un moment ou à un autre, dans ton village. Tu ferais mieux de garder tes distances, ce serait plus prudent.

Meili regarde les canards qui barbotent sur l'étang et la route qui s'étire au loin, en direction des collines, comme un immense cordon ombilical.

MOTS-CLEFS : *soulèvement, lentes, torrents sauvages, perte financière, humble disciple, commandos-suicides.*

En pleine nuit, Meili se réveille en sursaut, tirée d'un rêve où elle butait contre une pompe de bicyclette. Elle entend les canards qui s'agitent et cancanent à grands bruits, comme si quelqu'un les poussait hors de l'enclos. Après s'être glissée sur le pont, elle aperçoit une ombre qui s'éloigne en courant sur le sentier, avant de disparaître. Elle se penche vers la cabine et secoue Kongzi pour le réveiller.

— Vite ! Lève-toi ! Quelqu'un est en train de voler nos canards !

Kongzi empoigne sa torche, la braque sur l'enclos et s'aperçoit que le portillon en bois a été ouvert : tous les canards ont disparu.

— Je l'entends qui les houspille pour les faire avancer ! Dépêche-toi ! Il est parti de ce côté, dit Meili qui a gagné l'avant du bateau et tend la main dans l'obscurité.

Kongzi saute sur la berge, s'empare d'un bâton, d'un grand sac, et s'élance vers la colline en direction du fuyard. Il revient dix minutes plus tard en traînant son sac rempli de canards. Puis il en sort les volatiles et les compte un par un.

— Il nous en manque huit, dit-il. Quand le voleur m'a vu, il a saisi deux canards par le cou avant de disparaître dans les collines.

Ils explorent les environs et finissent par retrouver les six autres canards. Ils les ramènent tous dans leur enclos, referment soigneusement le portillon et vont ensuite inspecter la hutte de bambou. Les deux caisses où dorment les canetons et les sacs de grains sont à leur place, mais la radio a disparu. Kongzi se précipite à l'extérieur et maudit les habitants du village :

— Ordures ! Salopards ! Les anciens avaient bien raison : « Les collines arides et les torrents sauvages n'engendrent que des créatures malfaisantes ! »

— Calme-toi, lui dit Meili. Les villageois nous ont laissés vivre « à l'ombre de leur haie ». Ne les insulte pas. Ah, mon Dieu ! On nous a également volé l'argent que nous avions caché ! Et si jamais ce type revenait nous assassiner ? Qui songerait à nous enterrer ?

— Non, il n'a pas pu le trouver... Attends, je vais creuser davantage...

Depuis qu'ils se sont installés ici, Kongzi planque leur argent au fond d'un trou qu'il a creusé derrière la hutte.

— Et ne dis pas de bêtises, personne ne va nous assassiner. Durant ses treize années d'exil, Confucius a visité les neuf provinces et n'a jamais été inquiété. Tu as raison, l'argent n'est plus là...

Kongzi essuie la boue qui recouvre ses mains, regagne le bateau et va s'asseoir à la proue, avant d'allumer une cigarette.

— Il faut que nous considérions ce revers comme une bénédiction, dit-il en regardant Meili qui remonte à son tour à bord. Comme disaient les anciens : « La perte financière d'aujourd'hui prévient la catastrophe de demain. » Notre argent a été volé afin que Né-sur-l'Eau puisse naître dans les meilleures conditions.

— Je rêve... Tu parles de visiter le pays, mais nous ne sommes pas des touristes, espèce d'idiot ! Nous sommes des fugitifs ! J'en ai ma claque de cette existence vagabonde, Kongzi ! Tu te vois comme un grand philosophe errant à travers le pays et contemplant la misère du monde, en traînant derrière toi ton humble disciple. Eh bien, je peux te dire que j'en ai assez ! Et si cet homme faisait partie du planning familial ? S'il disait à ses collègues de venir nous arrêter ?

— Mais non, c'était un simple voleur de poules. Je te l'ai déjà dit cent fois : dans la région, les responsables du planning familial se fichent comme d'une guigne des naissances illégitimes. Ils se félicitent au contraire que les villageois aient autant d'enfants qu'ils le souhaitent, du moment qu'ils paient leurs amendes. Plus il y a d'enfants difformes à vendre, plus les gens s'enrichissent. Personne ne veut tuer la poule aux œufs d'or. Cesse donc de te tracasser.

— Si nous ne pouvons pas retourner dans ton village, pourquoi ne pas aller vivre dans le mien ? J'ai envie de m'installer dans une maison digne de ce nom, à l'abri d'un toit de tuiles. Nannan devrait aller à l'école maintenant. Cette existence de déracinés ne nous fait aucun bien. Reprenons le bateau et rentrons chez nous.

Meili écrase deux moustiques posés sur son bras et essuie le sang qui a giclé avec le rideau de la cabine.

— Les policiers ont dit à tes parents de nous dénoncer si nous débarquions chez eux, rétorque Kongzi. Nous ne pouvons plus rentrer nulle part désormais.

— Mais j'en ai marre de te suivre comme un mouton, dit Meili en pliant un sac en plastique vide avant de le glisser sous la natte en bambou pour un futur usage.

— Tu en as assez de moi ? Je suis pourtant un mari modèle. Je ne joue pas au mah-jong. Sitôt levé, je prépare notre petit déjeuner. Ne disais-tu pas que tu voulais aller vivre dans la Commune Céleste ? Eh bien, lorsque le bébé sera né, nous vendrons cet élevage de canards et nous partirons dans le sud.

— Je n'accoucherai pas avant un mois. J'ai entendu dire que dans la province de Guangxi des membres du planning familial bardés de casques et de boucliers ont fait irruption dans certains villages pour pratiquer des avortements forcés. Un prêtre qui essayait de récupérer les fœtus pour les enterrer dignement a été battu et jeté en prison.

— Nous sommes dans la province de Guangdong et la situation y est moins tendue qu'à Guangxi. (Kongzi éteint sa torche et allume une cigarette.) Tu te souviens que dans le village des Kong nous entendions les grenouilles coasser jusqu'à l'aube, comme dans le poème de Han Yu ? Mais dans cette crique insalubre il règne un silence de mort.

— Tu oublies le bourdonnement des moustiques.

— Où est la poésie dans tout ça ? Tu as employé l'expression « à l'ombre de leur haie » tout à l'heure. Sais-tu de quel poème elle provient ?

— Tu me fatigues, à toujours vouloir tester mes connaissances. Retourne plutôt dormir. Il faudra que tu ailles au village demain pour identifier ce voleur. Sans doute aura-t-il déjà fait rôtir les deux canards qu'il nous a chapardés, l'odeur devrait suffire à te mener jusqu'à lui.

Meili s'allonge sur la natte de bambou, se tourne sur le côté et sent la peau de son gros ventre se détendre un peu.

— Bon sang, Kongzi ! Je viens juste de réaliser que nous avions laissé notre triporteur sur l'îlot. Comment avons-nous pu l'oublier ?

— Je ne te l'ai pas dit, mais quelqu'un l'avait volé pendant que nous emmenions Weiwei à Yinluo. À notre retour, il ne restait plus que la roue avant, enchaînée à un arbre.

« Les incendies de l'été ne détruiront pas l'herbe / Que la douceur du vent fera renaître au printemps »...

Après avoir cité son poème préféré, le Père jette le mégot de sa cigarette dans la crique. Puis il regagne la cabine, s'étend auprès de la Mère, passe une jambe autour des siennes et dégrafe son soutien-gorge.

— Je parie que les moustiques ont épargné ces deux tendres brioches...

— Lâche-moi...

— À quoi servent-elles, si je ne peux pas les caresser ?

— Il doit être 4 heures du matin, tu vas réveiller le coq.

— Jusqu'à la naissance du bébé, elles m'appartiennent en tout cas.

Le Père se penche, les lèvres tendues vers le téton de la Mère.

— Ces balances prennent trop de place, nous ferions mieux de nous en débarrasser.

— Mais je m'en sers pour peser la nourriture des canards.

La Mère repousse les balances et croise les bras sur la poitrine, tandis que le Père se colle contre elle et plonge son visage dans ses cheveux.

— Je te préviens, j'ai des lentes ! Ne me mords pas... Arrête ! Tu appuies sur mon ventre...

Nannan ouvre les yeux. La Mère pose aussitôt la main sur son visage et lui dit :

— Rendors-toi vite, Nannan !

Sautant la fin de la scène, l'esprit de l'enfant voit maintenant le Père assis quelques jours plus tard dans la cabine, en train d'écouter un individu qui lui dit :

— Nous avons grandi ensemble, Kongzi. Tu es un brillant stratège. Sans ton aide, nous n'aboutirons à rien.

Le Père pose son verre et lui répond :

— Kong Qing, tu es comme un frère pour moi. Je t'admire de vouloir te battre pour le peuple chinois et défendre la lignée des Kong. Mais la rébellion que tu fomentes est vouée à l'échec. Ce pays a changé depuis le massacre de Tienanmen. Les gens ont perdu leur esprit combatif. Où comptes-tu établir ton quartier général ?

— Dans la montagne du Sauvage. C'est un repaire facile à défendre, les soldats lourdement armés ne peuvent pas y grimper.

Les deux hommes fument, assis en tailleur sur le sol de la cabine. La lampe à pétrole éclaire le carnet bleu, le cendrier et la barquette de fèves posée sur le carton qui les sépare.

— Bien sûr, reprend le Père, si tu demandes l'arrêt immédiat de la politique de l'enfant unique, tous les paysans de Chine seront derrière toi. Mais ensuite ? Que comptes-tu faire ? Renverser le Parti communiste ? Défier l'Armée de libération du Peuple ? Tu dis que tu veux occuper tous les bureaux du planning familial du pays mais, à supposer que tu y parviennes, tu constitueras une cible facile. C'est un peu comme dans une partie d'échecs : tu réussiras peut-être à prendre un cheval à ton adversaire mais, s'il élimine ta reine au coup suivant, tu seras fichu.

— D'accord, oublions ce Parti pour la Libre Reproduction et formons plutôt des équipes de commandos-suicides, comme les musulmans. Nous investissons le siège du gouvernement, bardés d'explosifs, et nous nous faisons sauter en entraînant dans la mort toutes ces crapules corrompues.

Kong Qing ponctue sa déclaration d'un violent coup de poing sur la natte de bambou. La scène a beau s'être déroulée plusieurs années plus tôt, les vibrations du choc se répercutent encore dans la coque du bateau, dessinant des rides sur l'eau à la pâle lueur du clair de lune.

— Je n'ai pas peur de la mort, dit le Père. Et je suis sûr que nous aurions assez de couilles toi et moi pour faire sauter tous les bureaux du planning familial du pays. Mais il s'agirait d'un simple exécutoire et cela ne nous mènerait nulle part.

— Je veux me battre, Kongzi ! Je ne cherche pas seulement à venger la mort de mon fils, mais à assurer la survie du clan des Kong et des traditions familiales chinoises. Ce sont des causes pour lesquelles je suis prêt à sacrifier ma vie. Sais-tu que pendant la Révolution culturelle, après avoir détruit le tombeau de Confucius, les Gardes rouges ont déterré le corps de son descendant à la soixante-seizième génération, Kong Lingy, ainsi que celui de son épouse, et les ont découpés en morceaux. C'était une déclaration de guerre à l'encontre de toute la nation chinoise.

— Je sais. Ils ont saccagé de la sorte plus de deux mille tombes ancestrales. Les cadavres étaient exhumés, dévêtus et pendus aux arbres. Je suis d'accord avec toi pour venger l'honneur familial, mais pas en fomentant une rébellion. Les temps ne s'y prêtent pas. Historiquement, les révoltes populaires ont toujours éclaté dans des périodes de grande disette. Mais aujourd'hui, le Parti permet aux gens de s'enrichir. Qui voudrait rejoindre la révolution à présent ?

— Quel cataclysme Mao n'a-t-il pas déclenché...

— Oui, mais Mao est mort, tout comme la foi dans le communisme. Le Parti n'a plus d'idéologie qui le légitime aujourd'hui, aussi prône-t-il à nouveau les valeurs du capitalisme et du confucianisme, pour combler son propre vide. Entre dans n'importe quelle librairie, tu verras que les publications officielles ne vouent plus du tout Confucius aux gémonies... Bon, d'accord, je t'aiderai à mettre au point les statuts de ton Parti pour la Libre Reproduction. Mais je te préviens, je ne participerai pas au moindre soulèvement.

Une partie de l'alcool de riz qu'ils ont bu s'est répandue sur la natte, diffusant une odeur douceâtre dans la cabine.

— Regarde tous ceux qui ont déjà signé : Kong Guo, le Balafré, Wang Wu... Ils sont plus d'une centaine. Nous tiendrons bientôt notre première réunion et élirons le bureau politique du parti. J'avais espéré que tu accepterais le poste de secrétaire général.

— Non, ne compte pas sur moi. Meili accouchera le mois prochain – tu vois que je participe à ma manière à la survie du clan des Kong ! Mais j'ai trois remarques à te faire. Premièrement, si tu tentes vraiment de provoquer un soulèvement populaire, tu dois savoir que tu ne recevras aucun soutien de l'étranger. L'Amérique et les Nations unies défendent sans réserve la politique du contrôle des naissances de la Chine. Deuxièmement, si tu veux supprimer la politique de l'enfant unique, il faut d'abord que tu te débarrasses du Parti communiste, et cela ne pourra pas se faire sans un coup d'État militaire. Des dizaines de milliers de personnes se soulèvent chaque année à travers la Chine et l'armée finit immanquablement par les écraser. J'en arrive donc à ma troisième remarque : prends ton temps et édifie d'abord un solide réseau de relations. De la sorte, quand un soulèvement national semblable à la vague de protestations de 1989 éclatera, tu pourras profiter de cette situation chaotique et lancer ton attaque.

À cet instant, la Mère sort de la hutte de bambou, s'appuie contre un arbre au bord de la crique et pisse dans l'eau. Voyant que la lampe brille encore dans la cabine, elle s'écrie :

— Kongzi ! Va te coucher ! Le soleil ne tardera plus à se lever.

MOTS-CLEFS : *chrysalides, nid de corbeau, cardères, arbre grêle, inflammation pelvienne.*

Meili conduit les canards le long du sentier boueux qui traverse le bosquet de litchis jusqu'à la colline où s'étagent les terrasses. Elle aurait voulu qu'ils restent en bas mais le palmipède qui était en tête, attiré par une odeur quelconque, s'est engagé sur un raidillon et toute la troupe l'a suivi, en agitant leurs croupions d'une blancheur de neige. Ils sont une bonne trentaine, les dix autres couvent dans l'enclos ou sont trop mal en point pour sortir. Meili les laisse se repaître à leur guise des vers de terre et des escargots qu'ils réussissent à dénicher et part en quête du mouron qu'elle ajoute à sa soupe aux œufs brouillés.

Le soleil de juillet a ramolli le sol. Une vapeur s'élève des bosquets, des saules, des eucalyptus et des déchets éparpillés sur le champ en jachère. La chaleur s'insinue dans la chair de la jeune femme. À l'intérieur de son ventre, le fœtus étire ses jambes et excrète divers liquides dans la poche amniotique. Tandis qu'elle traverse le champ, son pouls s'accélère et la chaleur lui fait tourner la tête. Elle a l'impression que le sol la porte comme un homme puissant, solide, sur lequel on peut compter. Elle aperçoit un buisson de pivoines, plonge le nez dans une fleur rose et respire profondément. Le parfum subtil, mystérieux, la grise et la fait vaciller. Elle défait les boutons inférieurs de sa chemise et s'allonge dans l'herbe. Tandis que le rythme de son cœur revient peu à peu à la normale, un poème des Tang lui traverse l'esprit : « Immobile, je reste assise tandis que tombent les fleurs d'osmanthus / Calme est la nuit printanière sur la colline déserte / La lune se lève, éveillant les oiseaux des montagnes / Toute la nuit ils chantent dans les profondeurs du ravin. » Kongzi avait jadis recopié ce poème pour elle sur une feuille de bambou, dans le style cursif dit « de l'herbe », et elle l'avait rangé dans le coffret en bois où elle conservait les boucles d'oreilles de sa grand-mère... Pendant une fraction de seconde, le temps semble avoir perdu toute signification. Elle regarde une fleur rose qui émerge dans l'herbe un peu plus bas et essaie de se rappeler son nom, puis son regard revient vers les canards qui grattent le sol à la recherche de leur nourriture, dans les digues d'irrigation, étirant le cou et le rétractant tour à tour. Un peu plus loin, une grue mâle grimpe sur une cane avant d'éjaculer. Meili les a déjà vus s'accoupler deux jours plus tôt. Dès que la cane aura pondu son œuf, elle le récupérera et ira le placer dans l'enclos pour qu'il soit couvé. Le fait de penser aux œufs fait durcir son ventre. Elle se souvient de la manière dont Kongzi lui avait fait l'amour pendant leur nuit de noces à Beijing, en profitant de l'absence du professeur Zhou. Le lit avait un matelas à ressorts très doux et il l'avait possédée dans la fièvre et la sueur des heures durant. À la fin, elle était exsangue, inondée, son aine enflammée lui faisait mal et elle avait ressenti une brûlure douloureuse entre les cuisses pendant tout le reste de leur séjour, au point qu'elle avait parfois de la peine à marcher. La veille de leur départ, lorsqu'elle s'était rendue sur la place Tienanmen, la douleur était telle qu'elle avait dû s'accroupir et se reposer un moment sur les dalles en ciment. Lorsque Weiwei avait saisi sa main sur le bateau, le souvenir de cette douleur lui était immédiatement revenu. Elle n'aime pas repenser à Weiwei aujourd'hui et n'a toujours pas ressorti de leur cachette les lunettes à montures d'écaille qu'elle lui a dérobées... Elle lève les yeux et observe trois chrysalides de papillons grises, suspendues aux feuilles d'un arbuste. Elle espère qu'elle sera capable elle aussi de sortir un jour de sa coquille et de prendre son envol. Au cours des neuf derniers mois, elle n'a pas eu un seul instant pour penser à son avenir. Des aiguilles acérées de cardères lui piquent les chevilles. Au bord du vaste fleuve Huai, dans le lointain, des bateaux sont amarrés devant une station-service et de grands cargos livrent leur chargement. L'un d'eux arbore une voile triangulaire, signe qu'il a le droit de naviguer dans les eaux étrangères. La semaine dernière, Kongzi a transporté une cargaison de panneaux vitrés et de portes blindées. Il était payé trente-cinq yuans par jour mais, une fois le coût de l'essence déduit, il n'en restait plus que vingt. Il a dépensé deux cents yuans lors de la visite de Kong Qing, emmenant manger son cousin au restaurant du village. Meili n'a pas été associée à leurs conciliabules mais, d'après ce qu'elle a pu comprendre, ils projettent de monter une compagnie qui relaierait les informations concernant les diverses retombées de la politique du planning familial. Elle a demandé à Kong Qing si sa femme avait souffert des effets secondaires liés à son avortement forcé et il lui a répondu qu'elle avait contracté une infection pelvienne qui l'avait laissée à jamais stérile. Selon lui, la plupart des femmes qui avaient subi de tels avortements développaient cette maladie, et même si elles réussissaient par la suite à concevoir des enfants, leurs bébés arrivaient rarement à terme ou présentaient de graves carences morphologiques. Il estime que le gouvernement pratique de manière délibérée ces poses de stérilet et ces avortements forcés dans des lieux inappropriés tels que des salles de classe, afin que les femmes y contractent des maladies qui les rendront stériles. Même si elle a souffert de crampes et de saignements prolongés après son avortement, Meili se félicite que de telles complications lui aient été épargnées. Elle passe la main dans l'herbe à la recherche des feuilles un peu amères dont elle est friande et des escargots qu'elle donnera à ses canards. Pour la première fois depuis des mois, elle se sent en paix et en sécurité.

Né-sur-l'Eau, Né-sur-l'Eau…, murmure-t-elle en regardant son gros ventre. Que tu sois une fille ou un garçon, tu naîtras de ma chair et de mon sang, je te protégerai et t'aimerai tendrement. Même si je ne souhaitais pas un autre enfant, je suis bien contente que tu sois là maintenant. J'ai tout préparé : les ciseaux, les antiseptiques, les draps de mousseline, la cuvette en plastique et les couches – de la meilleure qualité possible. Tu naîtras sur notre bateau. Tu ne le sais peut-être pas, mais dans ce pays mettre un enfant au monde est parfois considéré comme un crime. C'est pour cela que nous devons nous cacher dans cet horrible endroit. Bonheur, ton frère, avait à peu près la même taille que toi quand il m'a été arraché... Un peu plus bas, au milieu d'un vaste champ, se dresse un arbre grêle auquel personne ne prêterait attention si des corbeaux n'avaient pas installé leur nid dans les hauteurs de ses branches. Meili pense à sa mère et à sa grand-mère. Lorsqu'elle vivait au village de Nuwa, elle avait constamment envie de quitter sa famille : mais maintenant qu'elle est loin de chez elle, elle regrette la compagnie de ses proches. Elle aimerait peigner les cheveux de sa mère ou lui masser le dos, installer sa chétive grand-mère au soleil, dans le jardin – ou se procurer un fauteuil roulant et la promener sur les berges de la rivière d'Eau Sombre, l'emmener même jusqu'au temple de Nuwa. Elle ne sait plus combien de fois elle est allée là-bas dans son enfance, accrochée au cou de sa grand-mère qui escaladait tant bien que mal les centaines de marches de pierre avant de prendre pied au sommet et de franchir enfin le seuil du temple.

Meili voit les canards descendre de la colline en se dandinant et se diriger vers un bosquet de grands roseaux. Elle se relève et se lance à leur poursuite, le plus vite qu'elle peut. Au pied de la colline, le sol devient meuble et spongieux. À travers un interstice au milieu des roseaux elle aperçoit un étang scintillant, au-dessus duquel plane une nuée d'insectes. Des termites..., murmure-t-elle. Cela signifie qu'une tempête se prépare. Les canards situés en tête de la troupe ont déjà plongé dans l'eau. Meili écarte les roseaux et essaie de les faire sortir de là : mais dès que son bâton se rapproche, ils s'éloignent davantage. Que se passerait-il si elle n'arrivait pas à les ramener ? Ou pire encore : si un fermier élevait des poissons dans cet étang ? Elle saisit deux canards par le cou mais le reste de la troupe est déjà dans l'eau à présent et barbote allègrement, en battant des ailes et en s'éclaboussant. Meili reste clouée sur place, paralysée par la peur. Et si le fermier surgissait et exigeait un dédommagement ? Les canards sont maintenant au centre de la mare, hors de portée de son bâton. Né-sur-l'Eau s'agite dans le liquide amniotique. Le ventre de Meili se contracte et elle transpire abondamment. Puis le sol commence à vaciller et se dérobe sous ses pieds. Bien que le ciel soit d'un bleu éclatant, tout devient brusquement noir autour d'elle. Elle sent un regard inconnu se poser sur son ventre. Elle voudrait couler, s'enfoncer, disparaître au fond de l'eau…

MOTS-CLEFS : *courant d'air chaud, cordon ombilical, graisse fœtale, marais stagnant, résidus gélifiés, câble rouge.*

La salle d'accouchement du village se trouve dans la maison de Sœur Mao. Son frère est l'un des responsables du planning familial et pour la somme de cinq cents yuans – qu'elle partage avec lui – elle accepte de mettre au monde des bébés qui n'ont pas de permis de naissance. Pour un petit supplément, si les parents le souhaitent, elle peut également leur briser un membre ou deux. La veille, à peine le fermier est-il venu dire à Kongzi que Meili s'était évanouie au bord de son étang que celui-ci s'est empressé d'aller la retrouver, avant de la conduire chez la sage-femme. Lorsque Meili a recouvré ses esprits, le travail avait commencé : elle s'est plainte en disant qu'elle voulait accoucher sur le bateau, mais Kongzi avait déjà payé Sœur Mao.

Elle a perdu les eaux et les contractions sont de plus en plus fréquentes. Tandis qu'une nouvelle vague de douleur se prépare, elle perd un instant connaissance et voit le visage de Bonheur, penché au-dessus d'elle : l'un de ses yeux est fermé, l'autre la fixe d'un air impassible. Elle soulève ensuite la tête et aperçoit son propre corps étendu sur la table métallique, les mains crispées sur les rebords. Plus bas, sous sa toison pubienne, elle voit un petit bras émerger entre ses cuisses inondées de sang. Une vie humaine lutte pour venir au monde. L'heure a sonné. Cette fois-ci, néanmoins, on ne tuera pas son bébé sitôt qu'il sera né : elle y veillera, le serrera contre elle et empêchera quiconque de s'en emparer. Tout ce qu'elle doit faire, pour l'instant, c'est serrer les dents, pousser aussi fort qu'elle le peut – et tout se passera bien. Elle se liquéfie peu à peu, comme les résidus gélifiés d'un poisson qu'on fait cuire à la vapeur. Elle a l'impression que son corps s'évapore, monte jusqu'au plafond : de là-haut, elle voit son visage se tordre et s'empourprer, ses dents se planter dans sa lèvre inférieure, et finit par entendre un bruit de succion mouillée. Un amas de chair humaine jaillit entre ses cuisses au milieu d'un flot de liquides, bientôt mêlé de poils et de mouchoirs souillés. Les voix qui résonnent autour d'elle la font lentement redescendre à l'intérieur de son corps. « Le bébé est costaud... Et même un peu dodu... » Une chaleur accablante règne à présent dans la pièce et les rides de Sœur Mao ruissellent de sueur. Un ventilateur électrique diffuse un courant d'air chaud dans l'atmosphère étouffante. Ying, l'assistante de la sage-femme, écarte les jambes du nourrisson et pousse un soupir dépité.

— Encore une fille ! Quelle malchance ! C'est la deuxième de la journée. Hum... Le placenta ne sent pas très bon...

— Coupez le cordon ombilical. Et allez vite mettre ces draps dans la machine à laver. Attention à ce torchon, il est couvert de merde : secouez-le d'abord au-dessus de la poubelle.

Après avoir retrouvé l'usage de ses sens, Meili ouvre les yeux et considère la pièce, où plane une odeur infecte. Dans les derniers instants du travail, Sœur Mao a calé une brique enveloppée d'un tissu contre l'anus de Meili, mais la dernière poussée a été si violente que la merde a giclé, éclaboussant le mur devant elle.

— Regardez, elle ouvre les yeux, dit Ying en enveloppant le bébé dans une serviette et en essuyant son petit visage empourpré. Mais elle n'a toujours pas crié...

— Donnez-lui une claque sur les fesses, dans ce cas !

Sœur Mao est la seule femme du village à souffrir d'embonpoint. Lorsqu'elle baisse la tête, son cou est tellement gras que cela lui fait un triple menton.

Meili regarde Ying déplier la serviette et envelopper le bébé dans une mousseline blanche, tout en chuchotant à son oreille. Le nourrisson finit par ouvrir la bouche et émet un faible gémissement. Tu es en vie ! songe intérieurement Meili. Nous pouvons retourner à présent au village des Kong. Elle est certaine de ne plus rêver et d'avoir bel et bien mis cet enfant au monde. Après avoir passé neuf mois dans son ventre – ce ventre qui est censé appartenir à l'État – Née-sur-l'Eau est enfin là et Meili est deux fois mère, désormais.

Au plafond de la salle d'accouchement, l'éclairage fluorescent diffuse une lueur aussi intense que celle de la pleine lune. Sur la tenture suspendue au-dessus de la porte, une oie vole à travers le ciel bleu. Un câble rouge pend du plafond, agité par l'air que brasse le ventilateur.

Meili se sent lessivée, vidée de toute énergie. Elle se souvient qu'en mettant Nannan au monde elle serrait si violemment les barreaux de son lit, au moment de la poussée finale, qu'elle les avait tordus. Mais elle oublie déjà les douleurs de l'enfantement, le déchirement de sa chair et de ses os qu'elle a ressenti lorsque Née-sur-l'eau a traversé son bassin. Plongée dans une douce léthargie, elle contemple le bébé qui faisait encore partie d'elle quelques instants plus tôt et qui lutte pour s'adapter à son nouvel environnement. Le cordon ombilical a beau avoir été tranché, un fil invisible continue de les unir, sa fille et elle. Elles ne formeront plus jamais une seule et même entité, mais rien non plus ne pourra vraiment les séparer.

— Le bras est sorti en premier, la perte des eaux a commencé très tôt, le travail a été difficile et long : tout laissait à penser qu'il s'agissait d'un garçon…

Ying pousse un soupir. Pendant l'accouchement, elle a parié que le bébé serait de sexe masculin et elle est visiblement vexée de s'être trompée.

— Ma fille ! s'exclame Meili d'une voix rauque, en faisant signe qu'on la lui amène.

Elle se demande un instant ce qu'elle ressentirait s'il s'agissait d'un garçon mais ses capacités imaginatives semblent l'avoir quittée en même temps que son liquide amniotique. Peu importe le sexe de cet enfant, se dit-elle. C'est ma fille et je m'occuperai d'elle comme je l'ai fait pour Nannan. « Née-sur-l'Eau… », murmure-t-elle en la prenant dans ses bras, tandis qu'une lueur de fierté brille sur son visage ruisselant de sueur. Les mains du nourrisson tremblent imperceptiblement et sa tête penche sur le côté. Sa fine chevelure est couverte d'une couche de graisse fœtale, crémeuse et blanche.

— Fille ou garçon, dit Sœur Mao, cela fera toujours deux bras supplémentaires pour les travaux des champs. Ying... N'oubliez pas de récupérer le placenta.

Née-sur-l'Eau remue très lentement, sur le sein de sa mère, comme si elle cherchait à retrouver la chaleur et l'humidité dont elle vient d'être chassée. Lorsque ses lèvres se referment enfin sur le téton gonflé de Meili, son petit corps se détend, brusquement soulagé.

— Bois mon lait, ma petite. Bois-le bien...

Les joues de Meili, à présent écarlates, sont sillonnées de larmes.

— Maintenant que votre enfant est né, dit Sœur Mao, vous devriez retourner dans le village de votre mari. Je connais le marais stagnant au bord duquel vous campez et qui est infesté de moustiques. Ce n'est pas l'endroit idéal pour élever des enfants.

— Mais nous n'avons nulle part où aller, répond Meili. Le planning familial a détruit notre maison. De surcroît, mon mari m'a dit que nous ne pourrions rentrer chez nous que si le bébé était un garçon.

Meili constate que son placenta a été recueilli dans une coupe, puis rangé sur la machine à laver. Des mouches bourdonnent tout autour et viennent s'y poser. Ying enroule le cordon ombilical qui a été tranché et le place à côté de la coupe.

— Alors ? C'est un garçon ? beugle Kongzi en se précipitant dans la pièce.

Il dégage une odeur d'essence, ses membres portent de nombreuses traces de coupures, dues aux panneaux vitrés qu'il a transportés la semaine dernière. Le matin même, il a livré des cartons remplis de cheveux humains à une usine qui fabrique de la fausse sauce de soja. Il tient à la main un sachet de nouilles instantanées et une boîte de jambon en conserve.

— Non, c'est une fille, dit Meili en essayant d'avoir l'air détaché et en fourrant à nouveau son sein dans la bouche de Née-sur-l'Eau.

Kongzi s'approche, soulève le lange et examine lui-même l'enfant, les traits déformés par la colère.

— J'ai donc déboursé cinq cents yuans pour que tu accouches *de ça* ! s'écrie-t-il d'un air dégoûté, avant de ressortir comme une flèche et d'allumer une cigarette à l'extérieur.

Meili pousse un soupir de soulagement. Ni le gouvernement, ni son mari n'y peuvent plus rien à présent. Son enfant vivra. Ses yeux se posent brusquement sur la main gauche de Née-sur-l'Eau et elle pousse un cri :

— Mon Dieu ! Sœur Mao, venez voir ! Elle a six doigts...

— Oui, il y en a un de trop, confirme la sage-femme. Voyons voir l'autre main... Non, tout va bien de ce côté-là. Et les orteils... Ils sont normaux eux aussi, Dieu merci. Ne vous rongez donc pas les sangs. Un doigt de plus, ce n'est pas une calamité : on dit même que c'est le signe d'un talent caché. Mais si cela vous embête, je peux le trancher dès à présent, pour le même prix.

Meili frissonne à cette idée, sentant son propre doigt l'élancer.

— Non, non, lâche-t-elle, n'y touchons pas.

— Toutefois, il me semble que votre fille a des réactions un peu lentes. D'ici à un mois, emmenez-la donc à l'hôpital du district pour la faire examiner. Et notez bien la quantité de lait qu'elle boit, ainsi que la couleur et la fréquence de ses excréments. Il y a tellement de pesticides dans les champs de nos jours, et tellement de formol à l'intérieur de nos maisons, qu'il n'est pas rare de voir des nourrissons affectés d'une carence cérébrale, d'une fente dans le palais ou d'une difformité quelconque. N'oubliez pas de nettoyer régulièrement l'enclos de vos canards. Ce sixième doigt me laisse penser que vous avez été victime d'une toxoplasmose pendant votre grossesse : et cette maladie est transmise par un parasite qui vit dans les excréments des animaux. La semaine dernière, j'ai mis au monde un bébé qui n'avait ni bras ni jambes, vous pouvez donc vous estimer heureuse.

Meili sent ses battements cardiaques revenir à la normale et une légère rougeur envahit son visage. Elle n'arrive pas à trouver l'énergie nécessaire pour resserrer les jambes. Elle a l'impression que son ventre est une cave à ciel ouvert, laissant pénétrer l'air chaud du dehors et s'écouler des caillots de sang froid.

— Sœur Mao, dit-elle. J'ai changé d'avis. Les bébés ne se souviennent pas des douleurs qu'ils ressentent, n'est-ce pas ? Dans ce cas, pouvez-vous lui trancher tout de suite ce sixième doigt ?

MOTS-CLEFS : *paralysie, liquide dans le cerveau, filet de pêche, machisme, bonté naturelle, fontanelle.*

Le soleil du soir donne des reflets d'un vert doré au papayer et aux bananiers moribonds qui se dressent derrière la hutte. Des papillons de nuit virevoltent autour de l'entrée. Kongzi est assis sur une bassine en émail fêlée, la tête entre les mains. À ses pieds, une colonne de fourmis jaunes escalade une boîte vide de litchis. Depuis que les portes de l'écluse ont été levées, la semaine dernière, les eaux écumeuses se sont déversées dans la crique dont le niveau monte à présent jusqu'à l'étang et atteint la base des saules, à quelques mètres de leur cabane. La moitié des canards sont morts. Kongzi prétend que ce sont les eaux polluées qui les ont tués mais Meili pense qu'ils ont été empoisonnés par le riz contaminé qu'il mélange à leur nourriture : ils avaient un mouvement de recul chaque fois qu'ils en avalaient un grain, comme si cela les dégoûtait. Lorsque Meili fait cuire le riz pour le repas du soir, il jaunit et dégage une odeur de racines pourries.

Nannan se tient pieds nus au milieu de la végétation aquatique qui s'amoncelle de tous les côtés et chantonne : *quatre, six, huit, le fermier contemple la nuit, trop de canards à compter, il sera en retard pour dîner...* Un filet de pêche pend à la proue du bateau, semblable à un voile de mariée. La semaine dernière, lorsque Kongzi s'est aperçu que la crique envahie par les eaux grouillait de poissons morts, il a acheté ce filet afin de les repêcher et d'aller les vendre au village. Il a entendu dire qu'une fois les poissons vidés, salés et séchés, l'odeur de produit chimique qu'ils dégagent n'est presque plus perceptible.

La puanteur qui émane de la pollution et de la pourriture ambiante dans l'atmosphère étouffante du mois d'août fait souvent pleurer Nannan. Quant à Née-sur-l'Eau, lorsqu'elle n'arrive pas à agripper l'un des mamelons gorgés de lait de sa mère, elle se met à hurler et son visage devient écarlate. Outre qu'elle a tendance à garder la bouche ouverte, Kongzi a remarqué qu'elle a les paupières gonflées, ainsi qu'une petite excroissance injectée de sang au sommet du crâne : tout cela lui laisse à penser qu'elle souffre peut-être d'un handicap mental. Il n'a pas les moyens de débourser les huit cents yuans que lui coûterait un examen de contrôle à l'hôpital du district, mais il a réussi par l'intermédiaire d'une relation commune à graisser la patte à l'un des médecins, qui s'est déplacé lui-même jusqu'à la hutte pour une centaine de yuans. Ce médecin fraîchement diplômé n'avait pas l'air d'avoir plus de vingt-deux ou vingt-trois ans. Après avoir examiné l'excroissance de Née-sur-l'Eau et palpé sa fontanelle, il leur a déclaré :

— La taille de son crâne est supérieure à la normale. Il n'est pas impossible qu'elle souffre d'une tumeur ou qu'elle ait du liquide dans le cerveau. Si sa tête grossit encore, il peut en résulter une paralysie générale et de sérieux dégâts cérébraux.

Depuis ce jour, Kongzi et Meili ne cessent de se quereller pour savoir ce qu'il conviendrait de faire. Kongzi préférerait vendre leur fille mais Meili ne veut pas en entendre parler. Il vient encore d'évoquer cette possibilité. Meili se précipite hors de la hutte, un wok graisseux à la main et Née-sur-l'Eau sur l'autre bras, et s'écrie :

— Tu devras pour cela me marcher sur le corps ! Cette enfant est la chair de ma chair. Tu ne me l'enlèveras pas, je ne te laisserai pas faire !

Occupée à manger une banane et assise sur une caisse en plastique, Nannan balance ses pieds dans le vide, faisant voltiger la boue dont ils sont couverts.

— Réfléchis un instant, Meili, dit Kongzi en essuyant avec son tee-shirt son visage trempé de sueur. À elle seule, l'opération nous coûterait au moins trente mille yuans. Et même si elle réussissait, cette enfant aurait besoin d'une surveillance et de soins constants jusqu'à la fin de ses jours.

Il sursaute brusquement : les deux abcès qui déforment ses gencives sont si douloureux qu'il n'a pas fumé une cigarette de la journée.

— Tu aimes Nannan, rétorque Meili, il n'y a aucune raison pour que tu ne finisses pas par aimer Née-sur-l'Eau. J'en ai jusque-là de ton machisme. Comment s'étonner que Confucius ait été si mal accueilli au cours de ses voyages, pérorant comme il le faisait à longueur de journée sur la supériorité masculine.

Meili tourne la tête et contemple la brume de chaleur qui plane au-dessus de l'étang, puis le grand banyan qui se dresse sur une colline dans le lointain, masquant le soleil couchant. Elle fait ensuite volte-face et va faire chauffer de l'eau sur le poêle.

— Cette opération est indispensable, reprend Kongzi. Le médecin nous a bien dit qu'elle avait sans doute une tumeur au cerveau.

Meili se demande si le stérilet ne se serait pas incrusté dans le cerveau de sa fille pendant sa grossesse, provoquant tous ces problèmes. Elle décide de lui faire radiographier le crâne, quel qu'en soit le prix.

Kongzi sort une cigarette de sa poche et la hume longuement.

— Cela n'a rien à voir avec le fait qu'elle soit une fille, dit-il. Nous n'avons tout simplement pas les moyens de nous occuper d'elle.

— Ce médecin ne m'inspire pas confiance. Nous devrions prendre un autre avis. Si elle a vraiment une tumeur, il faudra bien l'opérer.

Meili a remonté son chemisier jusqu'au cou. Lorsqu'elle se penche, ses seins nus pendent comme deux grosses gourdes.

— Ah, les femmes…, marmonne Kongzi entre ses dents. Longs cheveux et cervelles d'oiseau…

Il se tourne vers Nannan.

— Cela fait des jours que nous n'avons pas révisé le *Classique des Trois Caractères*, lui dit-il. Vas-y, récite-moi les premiers vers.

— « Les gens à la naissance. D'une bonté naturelle. La mère de Mencius. Le choix d'un bon foyer. Le fils n'étudie pas. Casse la navette du métier à tisser… »

Nannan marche vers son père en chantonnant et en se dandinant pour marquer le rythme.

— Attends ! s'exclame Kongzi. Tu as sauté au moins six vers !

Il expire longuement, en cherchant vainement un peu de fraîcheur. Les collines qui entourent cette région marécageuse empêchent le vent de passer, aussi la chaleur est-elle insupportable en été.

— Beurk… Ta bouche pue, papa ! dit Nannan que l'haleine fétide de son père n'a pas épargnée.

Elle fait volte-face et repart en courant vers les roseaux, à la recherche de cafards et de sauterelles destinés à nourrir les canards.

— Si Confucius revenait vivre à notre époque et découvrait que l'enseignement est interdit en dehors des circuits officiels, il mourrait de chagrin…

Kongzi caresse toujours l'espoir de reprendre un jour son métier d'instituteur. La sueur descend depuis son cou hâlé par le soleil et ruisselle sur sa poitrine glabre. À l'aide de bambous et de panneaux en plastique, il a construit un porche de fortune surmonté d'un auvent à l'entrée de la hutte et étalé sur le sol de grandes feuilles de bananier pour atténuer les effets de la chaleur. À midi, cela leur procure un peu d'ombre : mais lorsque le soleil descend dans le ciel en fin d'après-midi, l'endroit devient une vraie fournaise.

Née-sur-l'Eau est allongée toute nue sur les seins de sa mère et halète pour trouver un peu d'air, comme un *wawa* qu'on vient de pêcher dans la rivière. Quand les rayons du soleil frappent ses yeux rougis et gonflés, elle tourne la tête et se met à pleurer. Nannan se précipite vers elle et lui lance :

— Cesse donc de pleurer, méchante fille ! (Puis, comme Kongzi le fait souvent avec elle, elle la menace de la main et s'écrie :) Si tu ne te calmes pas, tu vas recevoir une raclée !

— Née-sur-l'Eau va avoir une insolation si nous ne la rafraîchissons pas, dit Meili. Je ne peux pas la baigner dans cette crique insalubre. Prenons le bateau et allons jusqu'à la rivière Xi.

— Il faut une autorisation spéciale pour naviguer en période d'inondation. Si la police fluviale nous épingle, nous écoperons d'une amende salée.

La vérité, c'est que Kongzi a navigué sur la rivière Xi toute la matinée et n'a nullement été inquiété. Il a tout simplement la flemme de repartir en bateau. Il regarde Meili et ajoute :

— Si nous ne payons pas rapidement les quatre mille yuans pour la naissance de Née-sur-l'Eau, nous allons avoir de sérieux ennuis…

— Mais maintenant qu'elle est née, nous ne risquons plus rien, répond Meili.

Voyant que l'eau de la casserole ne bout toujours pas, elle va s'accroupir à l'ombre d'un saule et glisse l'un de ses seins dans la bouche de sa fille.

— Les responsables du planning familial roulent sur l'or, reprend-elle. Ils ne se donneront sûrement pas la peine de venir jusqu'ici pour empocher cette malheureuse amende.

— Tu n'as donc pas entendu parler de la famille Cui, qui vit à la périphérie du village ? Comme ils ne pouvaient pas payer cette amende après la naissance illégale de leur enfant, les autorités ont noyé leur bébé de six mois dans une auge à cochons. Les choses se sont réellement passées ainsi, je t'assure.

— Cela remonte à plusieurs années. Tu redoutais moins les responsables du planning familial du temps où j'étais enceinte. Si tu as tellement peur d'eux à présent, tu n'as qu'à creuser un fossé derrière la hutte et aller t'y planquer.

— Confucius est resté caché pendant deux mille ans dans son trou mais les communistes ont fini par l'en extirper… Je te le dis, de nos jours il ne reste plus un seul endroit où se cacher.

— Tu rêvais d'avoir un deuxième enfant, et maintenant, sous prétexte qu'il s'agit d'une fille, tu ne penses plus qu'à t'en débarrasser… Un chien a-t-il donc mangé ta conscience ?

Meili retourne vers le poêle, jette une poignée de légumes secs dans l'eau bouillante et donne un coup de pied dans une boîte vide qui traîne à ses pieds.

— Tu peux bien me dire ce que tu voudras, répond Kongzi, je suis toujours fermement décidé à avoir un fils. Nous allons devoir faire profil bas la semaine prochaine. Les autorités de Dexian doivent venir inspecter la zone inondée et ils seront vraisemblablement accompagnés par les responsables du planning familial.

Ce matin, le secrétaire du Parti du village a donné trente yuans à Kongzi pour qu'il embarque le vagabond qui traîne toujours aux abords du restaurant et le conduise jusqu'au district voisin. Il lui a également recommandé de se tenir à carreau pendant la visite des autorités, car il doit leur certifier qu'il n'y a aucun travailleur itinérant en situation irrégulière dans le village.

Nannan arrive en courant et brandit une bombe d'insecticide sous le nez de son père en lui disant :

— Née-sur-l'Eau est ma sœur, tu n'as pas le droit de la vendre !

— Le sol est brûlant, Nannan, enfile donc cette paire de tongs, lui dit-il en montrant les sandales qu'il a récupérées un peu plus tôt.

Dans le lointain, le soleil décline déjà derrière la montagne et les canards sur l'étang cancanent bruyamment.

— Tu vois, tu es tout de même capable d'éprouver un peu de compassion pour ta fille ! lance Meili d'un air sarcastique.

Elle ôte sa veste mouillée et éteint le poêle. Puis elle s'assoit sous l'auvent du porche, palpe ses seins l'un après l'autre et fourre celui qui contient le plus de lait dans la bouche de Née-sur-l'Eau.

— Ne touche pas à ces tongs, Nannan, elles sont d'une saleté repoussante. Je t'en achèterai une autre paire demain, après avoir vendu les œufs au marché.

— Si nous confions Née-sur-l'Eau à l'Assistance publique, reprend Kongzi, nous récupérerons ces quatre mille yuans et pourrons du même coup payer l'amende qu'on nous réclame.

— Il ne s'agit pas de la confier, mais de la vendre ! Je te préviens, Kongzi, si tu essaies de te débarrasser d'elle, je te quitterai et tu ne me reverras plus... Regarde les éruptions que lui cause la chaleur. Tu m'avais dit que tu achèterais de la poudre pour elle à Dexian.

Meili essuie la sueur dont est inondé le visage de sa fille. Sur son crâne, l'excroissance gorgée de sang a maintenant la taille d'une échalote : une ligne pourpre en descend et traverse son front jusqu'à son œil droit. À la lueur du soleil couchant, sa peau a pris la teinte d'une mangue pourrie. Elle lève ses mains minuscules et les pose sur les seins qu'elle tète avidement.

— Nous n'avons presque plus d'argent, reprend Kongzi. Si nous ne la vendons pas, de quoi vivrons-nous ?

Il prétendait autrefois que son but dans la vie était de posséder une moto, un frigo, un autocuiseur de riz et une télévision en couleurs. Mais à présent, en regardant les eaux malsaines qui l'entourent de tous côtés, puis son nouvel enfant, cette perspective lui semble relever d'un rêve inaccessible.

Tandis que la dernière bande de lumière pâlissante disparaît à l'horizon, l'esprit de l'enfant voit Née-sur-l'Eau ouvrir les yeux. Le Père pénètre dans la hutte pour allumer l'encens destiné à chasser les moustiques.

— J'en ai marre de toutes ces saletés que tu t'obstines à ramener et qui ne servent à rien, dit la Mère en caressant la joue de Née-sur-l'Eau. Regarde-moi tous ces vieux bouts de bois, ces seaux en plastique, ces chaussures en lambeaux... Cet endroit est censé être notre maison, pas une décharge publique. Si nous vivions encore dans notre village, j'aurais passé le mois qui vient de s'écouler allongée dans mon lit, à me reposer, et on m'aurait amené sur un plateau de la nourriture apte à me redonner des forces. Mais depuis la naissance du bébé, tu n'as pas préparé un seul repas pour moi.

— Tu as raison. Tu devrais boire de la soupe de poulet pour augmenter et fortifier ton lait. Je n'ai pas assez d'argent pour en acheter un mais je vais te préparer un ragoût de canard. Lorsque nous aurons confié Née-sur-l'Eau à l'Assistance, nous pourrons manger tout ce qu'il nous plaira.

— Jamais je ne te laisserai l'emmener, même si je mourais de faim ou si je n'avais plus de lait ! dit la Mère en écrasant un moustique qui se posait sur le bras de sa fille. Sois raisonnable : prenons le bateau et allons chercher un peu de fraîcheur sur la rivière Xi. Mes couches prendront fin demain, je veux me laver dans de l'eau propre, avec du savon.

— Le médecin n'a pas dit qu'elle était mentalement attardée, dit le Père dans l'obscurité, mais qu'elle avait quelque chose dans le cerveau et qu'il fallait le lui enlever.

À l'intérieur de la hutte, la lumière de la lampe passe à travers les interstices des bambous et éclaire le visage de la Mère. Des odeurs d'oignon et de sauce de soja recouvrent un instant la puanteur des excréments de canards qui monte de l'enclos. La nuit, tout se confond dans les ténèbres et devient équivalent : la terre et l'eau, le Père et la Mère, la merde des canards et les couches que l'on jette. Au cours de cette nuit précise, voici bien des années, Née-sur-l'Eau regarde le ciel d'ébène ou l'étrange décor qui l'a vue naître : avec toute la force que lui permettent ses quatre semaines d'existence, elle émet un cri déchirant.

— Elle veut qu'on change sa couche, dit la Mère.

— Nous n'avons plus d'eau propre, répond le Père en tripotant la cigarette qu'il n'a pas allumée.

— Je veux faire un câlin à Née-sur-l'Eau, comme tu le fais à maman, lui dit Nannan en sautillant.

Au loin, le long de la route nationale, quelques lumières sont allumées dans les bâtiments en ciment. Plus près, les néons du restaurant et des boutiques ouvertes le soir dans les rues du village brillent à travers la poussière que soulève le passage des camions.

MOTS-CLEFS : *gagnant-gagnant, marchande d'œufs, acides aminés, orphelinat, cheveux fermentés, placenta.*

Dénudée jusqu'à la taille, Meili est assise sur une brique en ciment sous l'auvent du porche et regarde l'enclos. Sous le soleil de midi, l'étang et les canards aux plumes blanches brillent d'un éclat aveuglant. Un petit oiseau qui s'est élancé au-dessus de la crique défaille brusquement à cause de la chaleur et tombe dans l'eau à grand bruit. Le ciel et la terre semblent paralysés sous les rayons brûlants du soleil.

Les poissons morts que Kongzi avait repêchés et mis à sécher après l'inondation ont été emportés par les pluies torrentielles de la semaine dernière. Meili et lui ont acheté trente nouveaux canetons et les ont installés dans une zone protégée du bassin, à l'écart des autres volatiles. Avec un peu de chance, ils pourront les revendre le mois prochain et en retirer deux cents yuans. Née-sur-l'Eau a deux mois maintenant : elle ne fait que manger et dormir à longueur de journée. Meili évite de la laisser seule dans la hutte, redoutant qu'elle ne soit attaquée par un chien errant, et la porte en permanence contre elle, enveloppée dans une longue étoffe comme c'est la coutume dans la province de Guangdong. Tout ce qu'elle veut à présent, c'est trouver un travail rentable et gagner un peu plus d'argent. Il y a un marché agricole dans une bourgade située quelques kilomètres plus bas, le long de la rivière, et elle a l'intention de s'y rendre pour voir s'il ne serait pas possible d'y louer une échoppe. L'impression de vide que lui procure son ventre plat a quelque chose de rassurant. Si les responsables du planning familial débarquaient aujourd'hui pour lui placer un stérilet ou même pour la stériliser, elle ne lèverait pas le petit doigt.

Gu et Hua, les deux sœurs qui leur louent cet emplacement, font leur apparition après le déjeuner. Elles passent une fois par semaine pour récupérer l'argent du loyer, acheter des canards à Meili et cueillir quelques litchis. Gu est mince, élancée, et porte un chapeau de paille en forme de cône. Plus petite et plus trapue, Hua se protège du soleil sous un discret parasol noir.

— Nannan, amène le carton de bière par ici pour que tes tantes puissent s'asseoir, lance Meili en saisissant l'éventail en papier que lui a fabriqué Kongzi.

— C'est inutile, dit Hua en allant s'accroupir avec sa sœur à l'ombre du porche. Eh bien, la petite a poussé ! Elle a visiblement bon appétit.

— Cela ne vous ennuie pas que je reste ainsi découverte ? Il fait vraiment trop chaud aujourd'hui.

La sueur qui ruisselle entre les seins de Meili imprègne le visage de Née-sur-l'Eau et l'étoffe dans laquelle elle est enveloppée.

— Vos canards se vendent bien, au village. Ils ont le même goût que ceux que je mangeais dans mon enfance.

Rien qu'à voir la blancheur de ses mains lisses, on devine que Hua n'a jamais travaillé dans les champs.

— Nous les nourrissons exclusivement au grain et ne les laissons jamais s'approcher des poissons morts qui jonchent la berge. (Meili a toujours le cœur qui bat trop fort lorsqu'elle est obligée de mentir.) Donne donc de la limonade à l'orange à tes tantes ! ordonne-t-elle à Nannan qui est en train d'inonder une fourmilière, nue au bord de l'étang.

— Votre fille est vigoureuse, mais regardez comme elle a les pieds rentrés, dit Gu en souriant d'un air sarcastique sous son chapeau de paille. J'ai entendu votre mari dire qu'elle avait un problème…

— Pensez à votre avenir, Meili, intervient Hua. Élever un enfant handicapé, cela coûte cher. Et c'est épuisant. Sans compter qu'après avoir consenti tous ces efforts et dépensé tout cet argent, vous ne pourrez même pas la marier !

Meili croise les jambes, s'appuie d'un pied sur une boîte en fer-blanc et glisse l'un de ses seins dans la bouche de Née-sur-l'Eau.

— Que fait votre mari, Hua ? demande-t-elle.

— Il travaille à l'usine des Cheveux Éclatants. Je crois que votre mari a déjà fait quelques livraisons là-bas.

— Que font-ils de tous ces cheveux ?

— Des perruques, avec les plus longs. Quant aux autres, ils les font fermenter.

Les deux sœurs ont fini par s'asseoir sur le carton de bière et s'éventent avec les éventails en papier que Nannan vient de leur fabriquer.

— Fermenter ? s'étonne Meili. Pour faire du shampoing ?

Elle ferme les yeux et imagine un instant qu'elle remonte en bateau jusqu'à un méandre de la rivière Xi épargné par la pollution, puis qu'elle saute dans l'eau et se savonne abondamment. Même si elle a le droit de se baigner désormais, après son premier mois de couches, il est hors de question qu'elle le fasse dans les eaux sales de la crique. Kongzi lui ramène des bouteilles d'eau propre qu'il remplit dans la rivière lors de ses déplacements, mais il y a juste de quoi se laver le visage et les mains.

— Vous voyez cette sauce de soja ? dit Hua en désignant la bouteille avec son éventail. Eh bien, elle est fabriquée à partir de cheveux fermentés. Les cheveux humains ont des vertus incroyables, ils sont remplis de protéines et d'acides aminés. De plus, ils ne pourrissent jamais. On a retrouvé des chevelures intactes, plusieurs milliers d'années après la mort de leur propriétaire.

Née-sur-l'Eau fronce les sourcils avec nervosité. Elle a très peu de cheveux sur le crâne, ses paupières et son front sont sillonnés de petites égratignures. Bien qu'elle soit à l'ombre, elle évite d'ouvrir les yeux. Son visage trempé de sueur brille comme la chair d'un litchi qu'on vient d'éplucher.

— J'ai entendu dire qu'au village, certains parents mutilaient volontairement leurs enfants et louaient ensuite leurs services à des entreprises illégales, reprend Meili, incapable de réfréner sa curiosité.

— C'est absurde ! s'exclame Hua. (Une bague en or brille sur son doigt boudiné.) Seules deux ou trois familles se sont livrées à de telles abominations. Elles possèdent peut-être de belles maisons aujourd'hui, mais personne ne leur adresse plus la parole. Elles ont ruiné la réputation du village.

— Je vois que votre fille a hérité de vos oreilles, dit Gu. Ainsi que de vos paupières en amande.

— Dieu merci, les responsables du planning familial sont tolérants par ici, dit Meili. Sinon je risquais de sérieux ennuis.

— Cela n'a pas toujours été le cas, répond Hua. Ils étaient beaucoup plus sévères autrefois. Quand la troisième fille du couple originaire du Fujian est née, ils sont venus ici et l'ont noyée dans l'étang.

— Non ! s'exclame Meili.

Elle tourne les yeux vers la surface immobile de l'étang. La grue trône au milieu, le bec levé vers le ciel, au milieu de la troupe des canards qui naviguent lentement autour d'elle.

— Ce n'est pas tout à fait exact, intervient Gu. Ils ne l'ont pas noyée, ils l'ont battue à mort, à cet endroit précis, ajoute-t-elle en désignant la colline où s'étagent les terrasses.

La queue noire d'un chien se profile sur un sentier qui traverse les champs à l'abandon.

— J'ai entendu dire que quelqu'un vous avait déjà proposé sept mille yuans pour cette enfant, murmure Hua.

— Si vous attendez trop, le prix risque de baisser, ajoute Gu.

— Vous jouez donc les entremetteuses ? leur lance Meili.

La grue s'est posée au bord de la crique, à l'endroit où Meili va jeter ses détritus pour éloigner les mouches de la hutte.

— Élever des canards, cela coûte cher. Et ce n'est pas comme si vous demandiez à Sœur Mao de lui briser les jambes. Vous pouvez la vendre à un orphelinat qui l'enverra dans un pays étranger où il n'y a pas de moustiques en été ni de mouches en hiver, et où les soins médicaux sont gratuits. Ce sera le paradis pour elle !

— Votre enfant est attardée, aucun doute là-dessus. Faites-le dans son intérêt. Ou du moins, dans celui de votre mari et de votre fille aînée.

— Mais j'ai entendu dire que s'ils ne parvenaient pas à les faire adopter à l'étranger, les orphelinats revendaient les enfants qui leur étaient confiés à des trafiquants qui leur brisaient les membres et les obligeaient à mendier dans les rues.

— Non, non, c'est une rumeur sans fondement, dit Gu en chassant une mouche qui s'est posée sur sa bouteille de limonade à l'orange.

— Vous pouvez nous faire confiance, madame la marchande d'œufs, dit Hua. Nous ne vous racontons pas des histoires.

Sur l'étang, la grue bombe le poitrail et pousse un long chuintement.

— Mon nom est Meili, ne m'appelez pas « marchande d'œufs » ! dit Meili en regardant d'un air furibond les feuilles de bananier étalées sur le sol.

— Mais c'est ainsi que nous désignons les femmes qui vivent sur des bateaux… Peut-être utilisez-vous une autre expression dans le nord.

— Nous ne sommes pas originaires du nord – ni du sud, d'ailleurs. Nous venons très précisément du centre. Nous sommes comme tout le monde, nous sortons d'ici, dit Meili en désignant son entrejambe avec un petit rire narquois.

Les deux sœurs ouvrent de grands yeux et ne savent plus où se mettre.

— Oui, reprend Meili, je viens du village natal de Nuwa, la déesse de la fertilité, mère de la race chinoise. Ne me regardez donc pas de haut.

Gu sort une boîte de son sac.

— Goûtez donc un de ces gâteaux, ma chère. Je les ai préparés moi-même. Vous venez de finir vos couches et vous avez besoin de reprendre des forces.

Meili prend la boîte et soulève le couvercle.

— Comme ils sont beaux ! Nannan, viens voir ! Je n'ai jamais vu de gâteaux au riz gluant d'un aussi joli vert !

— C'est une spécialité locale, dit Hua. Nous mélangeons le riz gluant avec du placenta, puis en faisons de petites boules que nous cuisons à la vapeur avant de les rouler dans la poudre de noix de coco.

— Voulez-vous m'acheter les œufs du jour ? demande Meili qui cherche à détourner la conversation. Je vous les cède pour trois mao pièce, vous les revendrez aisément le double. Vous pouvez me payer plus tard, si vous n'avez pas d'argent sur vous.

— D'accord, acquiesce Gu. Je vais vous en prendre quelques-uns et je verrai ce que ça donne. Si je n'arrive pas à les vendre, je les conserverai dans du sel et je les mangerai moi-même. Ces bananes m'ont l'air mûres, ajoute-t-elle en les désignant d'un geste. Vous pouvez les cueillir, ne vous gênez surtout pas !

La plupart des bananiers ont dépéri, seuls deux d'entre eux produisent encore des fruits. Une nuée de mouches entoure à présent les deux sœurs, peut-être attirée par l'odeur de riz chaud qui émane de leurs vêtements. Elles se lèvent et s'apprêtent à partir.

— Vous êtes des petits futés, vous tous qui enfreignez les lois du planning familial, dit Hua avec un air de conspiratrice. Vous avez compris que vous gagneriez bien plus d'argent en faisant des bébés qu'en élevant des cochons ! Combien d'enfants comptez-vous avoir ?

— C'est terminé, en ce qui me concerne ! dit Meili en se levant et en chassant la poudre de noix de coco qui lui colle à la poitrine. Mon mari rêverait d'avoir un fils, mais je ne veux pas entendre parler d'une nouvelle grossesse.

— Je ne voulais qu'un enfant au début, dit Gu. J'avais lu quelque part qu'en mangeant régulièrement des têtards on ne risquait pas de tomber enceinte. Et donc, après la naissance du premier, j'en pêchais tous les jours dans un étang voisin et je les avalais sans broncher. Résultat : au bout de deux mois, j'étais à nouveau enceinte !

Elle éclate bruyamment de rire, révélant de longues dents jaunes.

— Mais qui peut se permettre d'avoir plus d'un enfant de nos jours ? intervient Hua. Avec les frais de scolarité et les soins médicaux qui ne cessent d'augmenter...

— Combien d'enfants avez-vous donc, Hua ? lui demande Meili en surveillant du coin de l'œil le canard braisé qui cuit lentement sur le poêle.

— Quatre. Mais seuls deux d'entre eux sont officiellement déclarés.

— Tu ferais bien de te dépêcher pour obtenir les permis des deux autres, sinon ils ne pourront pas aller à l'école, lui dit sa sœur.

— Si jamais vous vous décidiez, pour cette vente, dit Hua à Meili, venez donc nous voir. Et surtout, ne vous adressez pas au ferrailleur, c'est un escroc sans scrupules. Lorsque les bébés qu'on lui confie sont en vie, il les vend à des trafiquants. Et s'ils sont morts, il les refile à des restaurants.

— Jamais je ne vendrai ma fille, dit Meili en berçant Née-sur-l'Eau qui s'est remise à pleurer. Si elle souffre réellement d'un handicap mental, cela m'est égal : je serai heureuse de m'occuper d'elle jusqu'à la fin de mes jours.

— Nous aimerions simplement que vous puissiez assurer un bon avenir à votre fille, ainsi qu'au reste de votre famille, dit Gu. Si vous la vendiez, tout le monde y trouverait son intérêt.

— Oui, ajoute Hua, ce serait gagnant-gagnant, comme l'a dit le président Jiang Zemin la semaine dernière aux États-Unis, lors de ces négociations internationales. Bon, allons choisir nos œufs à présent.

Lorsque les deux sœurs passent devant Meili, elles dégagent plus de chaleur que la marmite brûlante qui chauffe sur le poêle.

MOTS-CLEFS : *infestés de puces, aimant, bouseux, taxe pour l'embellissement, bandits, centre de détention et de rapatriement.*

En revenant du village, voyant que Nannan est seule sur le porche et que le bateau n'est plus là, Meili comprend aussitôt que Kongzi est parti avec Née-sur-l'Eau.

— Nannan ! s'écrie-t-elle. Où est papa ?

— Il a dit qu'il emmenait Née-sur-l'Eau et qu'il n'en aurait pas pour longtemps. Mais à son retour, je serai sa fille unique et il n'aimera plus que moi.

— Ah, le salaud ! Il est allé la vendre à l'Assistance publique ! Kongzi, tu es un monstre ! Tu m'obliges à être enceinte et tu m'arraches ensuite mon enfant ! Tu es encore pire que le Parti communiste. Je te méprise et je ne veux plus jamais te revoir !

Tout en continuant à le maudire, tremblante de rage, Meili donne de grands coups de pied au wok et aux bols qui traînent sur le sol. Elle piétine ensuite les baguettes d'encens destinées à chasser les moustiques qu'elle vient d'acheter au village, avant de faire demi-tour et de repartir à toute allure en direction des champs. Sur l'étang, les canards battent des ailes et prennent leur envol.

— Maman ! lui crie Nannan. Reviens ! J'ai peur !

Mais Meili est tellement en colère qu'elle ne l'entend pas. Elle file à travers champs et rejoint la route nationale, fait signe à un minibus qui passe à ce moment-là et grimpe à l'intérieur. Elle n'a qu'une idée en tête : partir – peu importe où, le plus loin possible d'ici... Non, ce qu'elle voudrait en fait c'est retourner au village de Nuwa, son lieu de naissance. Elle va s'asseoir sur un siège libre au fond du véhicule, plonge son visage dans son écharpe et se met à pleurer. Que la foudre te frappe, Kongzi ! murmure-t-elle. Tu n'as pas cessé pendant toutes ces années de parler de bienveillance, de droiture, de sagesse – tout cela pour aller vendre ta propre fille ! Comment ai-je pu épouser un monstre pareil ?... Lorsqu'elle l'a rencontré, âgée de dix-sept ans, elle croyait qu'on se mariait pour la vie et que le gouvernement protégeait le peuple, comme les hommes protégeaient leurs épouses. Mais sitôt le mariage consommé, ces naïves croyances ont volé en éclats. Elle a découvert que les femmes ne sont pas maîtresses de leur propre corps, dont leurs maris et l'État se disputent la possession : les maris pour satisfaire leurs besoins sexuels et engendrer des héritiers mâles – et l'État pour affermir son pouvoir et faire régner la terreur, en les contrôlant sans arrêt. Ces intrusions constantes dans les régions les plus intimes de son corps l'ont coupée de son identité profonde. Tout ce qu'elle sait, c'est qu'elle est légalement mariée et mère d'une fille illégitime. Mieux vaudrait encore être morte, songe-t-elle. Je n'ai plus qu'à me jeter dans les eaux du Yangtze et à rejoindre Bonheur sur le lit du fleuve. Mais elle se souvient brusquement de Nannan et regrette de n'avoir pas eu la présence d'esprit de l'emmener avec elle. Elle décide alors de passer la nuit dans la ville où la conduira le minibus et de revenir discrètement la chercher le lendemain.

Mais le soir, lorsque le minibus s'immobilise à son terminus et qu'elle en émerge, contemplant avec appréhension la route qui part dans les ténèbres à flanc de colline, elle se sent soudain seule et démunie. Sur un étal chichement éclairé, des ananas épluchés brillent comme des canards qu'on vient de plumer. Les trottoirs sont jonchés de débris de canne à sucre mâchés. Se disant que la route devrait la conduire au centre-ville, elle s'y engage et marche un long moment à travers une étendue déserte plongée dans l'obscurité. Elle finit par apercevoir au loin la lumière des néons qui éclairent de grands bâtiments et se hâte dans leur direction, comme attirée par un aimant.

À la sortie d'un virage, la route s'éclaire et s'élargit. Des voitures et des autobus y défilent. Après avoir franchi deux carrefours, attendant sagement que s'allume le signal vert des piétons, elle se rend compte qu'elle ne se trouve pas dans une simple bourgade mais dans une grosse agglomération. Il faut qu'elle demande à quelqu'un où se trouve la gare : elle a envie de rentrer chez elle à présent et de retrouver ses parents. L'idée d'être arrêtée ne l'effraie plus. S'il n'y a pas de train pour Nuwa, elle retournera le lendemain au village de Guai, rassemblera quelques affaires, prendra Nannan avec elle et rejoindra la Commune Céleste, en laissant Kongzi se débrouiller de son côté. Elle s'approche d'un petit kiosque pour demander son chemin. En apercevant le téléphone rouge posé sur le comptoir, elle a brusquement envie d'appeler Weiwei, mais elle n'a pas son numéro sur elle. Elle pourrait téléphoner aux parents de Kongzi, mais redoute que la ligne ne soit sur écoutes. D'ailleurs, elle n'a pas très envie de leur parler. Pied-Bot a le téléphone lui aussi, ainsi qu'un ordinateur portable et la télévision par satellite, mais elle a oublié son numéro. La seule personne du village qu'elle puisse contacter, c'est Kong Zhaobo. Il a monté une laiterie et vend sa production à une compagnie de lait instantané pour enfants. Elle l'a appelé à deux ou trois reprises depuis le village de Guai pour lui demander s'il ne pouvait pas embaucher son frère.

— Vous voulez téléphoner ? demande l'employé en se penchant par-dessus le comptoir. Les appels nationaux coûtent quatre jiao par minute. Composez d'abord le code de la zone concernée. La liste est affichée ici.

— J'appelle dans le Hubei, dit Meili en composant le numéro.

À peine la sonnerie a-t-elle retenti à l'autre bout du fil qu'elle regrette d'avoir passé cet appel. Kong Zhaobo répond, avec son lourd accent campagnard.

— C'est Meili, dit-elle en sentant des gouttes de lait s'échapper de ses seins gonflés. Ne dis à personne que je t'ai téléphoné.

— Je serai muet comme une carpe, je te le promets. D'où appelles-tu ?

— Je ne sais pas. Je viens de descendre du bus.

— Que se passe-t-il ?

— Rien. Je voulais juste avoir des nouvelles du village.

— Oh, il y a eu du changement ces derniers temps ! Tu te souviens de Kong Dufa, qui a repris le poste d'instituteur de ton mari ? Ce petit enfoiré est maintenant le chef du village. Son fils a eu son diplôme à l'université l'été dernier et obtenu un emploi à l'Office des transports du district. Tu ne vas pas me croire, mais notre village est devenu une destination touristique ! Six autocars remplis de voyageurs débarquent ici tous les matins. Mon voisin a agrandi sa maison et ouvert un restaurant à l'enseigne du « Joyeux Fermier ». Le fils du vieux Cao ne s'est pas mal débrouillé, de son côté. C'est à présent un artiste reconnu et il vit à Beijing. Il y a quelques mois, il est revenu au village et a racheté l'hôtel du « Ciel au-delà du Ciel », qu'il a transformé en un vaste atelier. Une centaine de peintres y fabriquent des copies des chefs-d'œuvre étrangers qu'il revend ensuite à Beijing... Tu as peut-être entendu dire que la femme de Kong Qing avait été arrêtée parce qu'elle se plaignait sans arrêt de son avortement forcé ? Oui, elle est toujours enfermée dans cet asile d'aliénés... Cinq des villageois interpellés au cours des émeutes sont encore en prison. L'un de ces malheureux en a pris pour quatorze ans. Kong Guo a été libéré le mois dernier, heureusement.

— Et celui qui est si gentil... ?

— Kong Fanhua ? Il va bien. Il a abattu l'arbre gigantesque qui se dressait dans son jardin et a vendu le bois pour payer son amende. Sa femme est partie travailler à Guangzhou. Il fait toujours le tour du village à vélo chaque matin pour collecter des œufs... Écoute, si jamais tu mettais un fils au monde et que vous ayez assez d'argent pour payer l'amende, ne revenez pas ici. Allez plutôt vous installer en ville, les écoles y sont bien meilleures.

— Comment va Li Peisong ? Et son fils, Petit Gros ?

— Ah, Petit Gros est enfermé pour l'instant dans un centre de détention pour mineurs. Sa grand-mère lui avait fait une remarque à propos de je ne sais quoi et il a fini par prendre un bâton et la rouer de coups. Mais je ne suis pas surpris qu'il ait mal tourné. Ses parents n'avaient plus un sou après avoir payé leur amende, ils ne pouvaient même pas l'envoyer à l'école...

Tandis que Meili pose un billet de dix yuans sur le comptoir pour régler la communication, un homme lance dans son dos :

— Vous n'êtes pas d'ici, n'est-ce pas ? D'où venez-vous ?

— De la province de Hubei, répond-elle en vérifiant sa monnaie avant de la glisser dans sa poche.

— Vous avez un permis de résidence temporaire ?

— Non, je n'ai aucun papier sur moi.

— Dans ce cas, aucun hôtel n'acceptera de vous loger. Suivez-moi, je connais un endroit où vous pourrez manger et dormir gratuitement.

Meili suit l'homme qui se dirige vers la route principale. De plus en plus méfiante, elle lui demande :

— Comment se fait-il que le logement et la nourriture soient gratuits ?

— Ce sont les autorités municipales qui prennent cela en charge. Elles savent que les hôtels ne veulent pas accueillir les paysans pouilleux et infestés de puces. Et elles ne veulent pas davantage les voir dormir dans les rues, ce qui ternirait l'image de la ville. Aussi ont-elles fait construire une auberge où les gens de votre espèce sont hébergés gratuitement.

— Vous n'allez pas me faire croire que personne n'a de puces, dans cette ville ! rétorque Meili d'un air indigné.

Ils arrivent devant l'entrée d'un bâtiment peu engageant. Meili lève les yeux et lit au-dessus du portail : CENTRE DE DÉTENTION ET DE RAPATRIEMENT DE LA VILLE DE CHANGSHA. Elle fait aussitôt demi-tour et tente de s'enfuir, mais l'homme la rattrape et la traîne de force à l'intérieur.

— C'est la quatrième que je vous amène aujourd'hui, dit-il au policier en civil assis dans l'entrée derrière un bureau. Vous me devez cent vingt yuans.

— L'enfant de cet après-midi ne compte pas. Il avait à peine dix ans et il était muet. Nous n'aurions jamais pu le vendre et nous l'avons relâché.

— Vous ne m'aviez pas dit que vous n'acceptiez pas les enfants, dit l'homme en tripotant sa chemise auquel manque le bouton du haut.

— Vous n'aviez qu'à relire la liste des critères de détention.

— Celle-ci vient de la campagne. Elle n'a pas de papiers.

— Laissez-moi repartir, camarade, dit Meili au policier. Je me débrouillerai pour rejoindre la gare, ne vous donnez pas la peine de m'escorter.

— Vous croyez pouvoir vous en tirer aussi facilement ? Nous vous libérerons uniquement si quelqu'un vient payer votre caution. Le vieux Wu va d'abord vous fouiller. Quand êtes-vous arrivée à Changsha ? ajoute le policier en saisissant un stylo et un formulaire d'enregistrement.

— Il y a environ une heure.

— Pourquoi êtes-vous venue ici ? Où comptiez-vous loger ?

— Je suis seulement de passage, je m'apprêtais à me rendre à la gare.

— Niveau d'études ?

— École primaire.

— D'où venez-vous ? Enlevez votre ceinture.

— Je n'en ai pas, dit Meili en repoussant les mains du vieux Wu qui courent le long de ses jambes.

— Déposez sur cette table l'argent et les objets de valeur que vous avez sur vous, lui lance ce dernier d'un air mauvais. Et si vous essayez de dissimuler quoi que ce soit, je vous étranglerai de mes propres mains.

— Tout ce que j'ai, ce sont les trente yuans que m'a rapportés la vente de mes œufs ce matin, dit Meili. Camarade, puis-je vous poser une question ?

— Oui ? dit le policier en relevant les yeux.

— La pancarte à l'entrée annonce : centre de détention et de rapatriement. Cela signifie-t-il que je suis en prison ? Et quel crime ai-je commis ?

— Non, vous n'êtes pas en prison.

— Où suis-je alors ? demande Meili d'une voix tremblante.

— Dans un endroit où l'on regroupe les créatures indésirables de votre espèce. On nous a ordonné d'expulser hors de la ville trois cent mille vagabonds, avant les célébrations de la Fête nationale la semaine prochaine. Et je crains que vous ne soyez tombée dans nos filets.

Il lui tend le formulaire d'enregistrement et lui demande de le signer, puis lui passe une éponge imbibée d'encre rouge ainsi que deux feuilles blanches et lui ordonne d'y apposer son empreinte.

— Mais il n'y a rien d'écrit sur ces feuilles... Que suis-je censée signer ?

— Peu importe. Faites ce que je vous dis.

Meili lui obéit.

— Et maintenant, conduisez-la à l'entrepôt ! lance le policier en rangeant ses formulaires et en repoussant les écorces d'orange qui traînent sur son bureau, avant de boire une gorgée de thé.

Meili suit une femme policier jusqu'à un entrepôt situé dans l'arrière-cour. L'intérieur du bâtiment est d'une obscurité caverneuse. Une seule ampoule pend dans les hauteurs du plafond. Il n'y a pas de lits, mais de simples espaces numérotés et délimités par des bandes de peinture jaune sur le sol en ciment. Meili est conduite jusqu'au n° 15. Entre ces rectangles, une étroite allée mène au fond de la salle vers un grand seau en plastique qui tient apparemment lieu de toilettes pour les détenues.

— Où peut-on aller pour téléphoner, camarade ? demande Meili à une jeune fille portant des lunettes, étendue sur le rectangle voisin du sien.

— Il faut attendre le matin.

— D'où venez-vous ?

En regardant autour d'elle, Meili s'aperçoit que toutes les autres détenues sont des femmes. Certaines pleurent, d'autres mangent et parlent entre elles, mais la plupart sont recroquevillées comme des crevettes sur leur rectangle bordé de jaune.

— Moi ? dit la fille, un peu mal à l'aise. Je suis diplômée de l'université et je suis venue à Changsha dans l'espoir de trouver du travail.

— Ah, vous savez sûrement beaucoup de choses, dans ce cas. Dites-moi : cet endroit est-il une prison, oui ou non ?

— Regardez l'article n° 8, dans le Règlement qui est affiché sur le mur : « Confessez volontairement vos crimes et dénoncez ceux des autres ». Il est évident qu'on nous considère ici comme des criminelles.

— Je n'ai qu'un enfant en plus du quota légal, dit Meili. Est-ce une raison suffisante pour être emprisonnée ?

— Non, vous n'y êtes pas… cet endroit n'a rien à voir avec le planning familial. Vous êtes ici parce que vous êtes une paysanne et que les paysans sont désormais chassés des villes, à moins de posséder un permis de résidence temporaire. Vous en avez sûrement entendu parler ?

Une gardienne passe la tête dans l'ouverture de la porte et lance :

— Taisez-vous maintenant et tenez-vous tranquilles, bandes de bouseux ! La lumière s'éteindra dans cinq minutes.

— Je vous en supplie, madame la surveillante, laissez-moi rentrer chez moi ! lance une voix. Mon fils est seul dans notre appartement. Imaginez qu'il sorte sur le balcon et tombe dans le vide...

— Vous ne pouvez pas arrêter ainsi les gens en plein jour et les enfermer sans raison, dit une autre. Vous vous comportez comme des bandits.

— Je ne suis pas une paysanne. Je mangeais dans un restaurant à la sortie du travail. Est-ce un crime à présent ? Laissez-moi partir. Regardez, j'ai un billet pour Guangzhou, mon train part dans deux heures. Mon oncle doit venir m'attendre à la gare.

La jeune femme qui vient de parler est habillée avec élégance et passerait aisément pour une citadine si elle n'était pas affligée d'un fort accent campagnard.

— C'est étrange qu'ils vous aient arrêtée, dit Meili à l'étudiante, vous n'avez vraiment rien d'une paysanne.

Elle parcourt ensuite la salle des yeux, avant l'extinction des feux, et perçoit l'odeur âcre et inhabituelle pour elle du parfum qui se mélange à la puanteur des corps entassés. L'étudiante détourne les yeux.

— Eh bien, reprend Meili, quand avez-vous été arrêtée ?

— Il y a trois jours, répond-elle. Et personne dans cette ville ne peut me venir en aide. Je vous préviens, si vous n'avez pas de la famille ou des amis susceptibles de payer votre caution, on vous enverra passer trois mois dans un camp de travail. Il faut que vous appeliez quelqu'un qui vienne vous tirer d'ici.

— C'est impossible, dit Meili, je suis en fuite et j'essaie d'échapper au planning familial. Si quelqu'un de ma famille se présentait ici, mon identité serait dévoilée et je serais renvoyée dans mon village, où j'aurais une énorme amende à payer.

— Tout de même... Être considéré comme un résident illégal dans son propre pays ! dit l'étudiante en s'asseyant et en rejetant ses cheveux en arrière. Quelle puanteur ! ajoute-t-elle. On se croirait dans une fosse d'aisances.

— C'est toujours mieux que la hutte où je vivais ces derniers temps, dit Meili en grattant la peinture de son rectangle. Cela ne sent pas plus mauvais que notre enclos à canards et il y a moins de moustiques. Cela ne me dérangerait pas de passer quelques jours ici, mais je me fais du souci pour ma fille. Mon mari passe ses soirées à boire de la bière, comment vont-ils se débrouiller pour les repas ?

— Comme vous êtes vieux jeu ! Ne vous souciez donc pas d'eux, occupez-vous de vous !

— Ma foi, Confucius a bien dit : « Les hommes sont liés au ciel, les femmes à la terre. »

— Absurdités d'un autre temps ! Vous verrez que votre mari finira par vous quitter pour une autre.

— Ce sont les hommes des villes qui se comportent ainsi. Nous autres, paysans, nous sommes restés plus proches de la tradition. Jamais mon mari ne me quittera.

— Qu'en savez-vous ? On n'est jamais sûr de rien, dans l'existence. Jamais je n'aurais imaginé que mon petit ami allait m'abandonner ni que j'en serais réduite à vendre mon corps.

— Vous vous prostituez ? demande Meili, incrédule.

— Oui. On m'a arrêtée au moment où j'entrais dans un hôtel avec un client. Regardez l'article n° 10 : « Les femmes pratiquant le racolage et la prostitution subiront une période de rééducation de six mois à deux ans dans un camp de travail. » Voilà ce qui m'attend.

— Mais c'est impossible ! Vous portez des lunettes, vous êtes diplômée de l'université… Comment vous êtes-vous retrouvée dans une telle situation ?

La lumière s'éteint brusquement. Meili perçoit une odeur de chaussettes sales qui lui fait penser à Kongzi. Elle lui en veut toujours d'avoir vendu Née-sur-l'Eau, tout en sachant pourquoi il l'a fait. Si on la libérait maintenant, elle se hâterait de regagner la hutte et exigerait qu'il aille rechercher leur fille.

— Je suis venue à Changsha l'an dernier pour rejoindre mon petit ami et lui dire que j'étais enceinte de lui, explique l'étudiante. Mais en arrivant ici, j'ai découvert qu'il vivait avec une autre femme. Cela m'a causé un tel choc que je suis aussitôt allée me faire avorter dans une clinique. On ne tombe pas amoureux tous les jours : et quand l'amour n'est plus là, on est comme un mort-vivant. Après cet avortement, j'avais bien trop honte pour retourner chez moi. Je n'avais plus d'argent et il fallait que je gagne ma vie, peu importe comment.

— Quelle horreur ! s'exclame Meili, ne sachant pas comment lui manifester sa compassion.

Son regard s'est accoutumé à l'obscurité et elle distingue les petites fleurs qui sont brodées sur le col du chemisier de sa voisine.

— Ces centres de détention sont de simples entreprises de racket, reprend l'étudiante. Si personne ne se présente pour payer ta caution, des escrocs locaux la paient à ta place – pour une moindre somme – et te revendent deux fois plus cher à la police du village qui gère les camps de travail, plus haut dans les montagnes. Tu devras travailler là-bas pendant trois mois sans toucher un centime. On appelle ça le « commerce des cautions » : les autorités municipales récupèrent l'argent de la caution, les escrocs empochent de quoi se faire construire de belles villas à la campagne et les policiers du village n'ont plus qu'à prendre leur retraite anticipée, en encaissant les bénéfices de ces camps de travail. De la sorte, tout le monde est content.

— Pourquoi la caution est-elle si élevée ? demande Meili en songeant brusquement à l'argent que la police lui a confisqué.

— Ils te font payer trente yuans par nuit – ce qui est plus cher que l'hôtel ! Il y a également la taxe pour l'embellissement urbain, sans parler de l'entretien et des repas. Si tu ne peux pas payer la caution, tu vas devoir venir avec moi dans ce camp de travail.

— Comment ma fille et mon mari vont-ils se débrouiller pendant tout ce temps ? dit Meili en regrettant d'être ainsi partie sur un coup de tête.

— Si ton mari paie la caution pour te sortir d'ici, cela lui coûtera au moins mille yuans, dit l'étudiante.

Elle se pousse sur le côté, afin que Meili puisse partager sa natte. Puis elle ouvre son sac à main et en sort un téléphone portable.

— Tu ne peux vraiment appeler personne dans cette ville ? demande Meili, les yeux rivés sur le téléphone.

C'est la première fois qu'elle en découvre un en vrai. Jusqu'ici, elle en a seulement vu à la télévision.

— Cela ne servirait à rien. J'ai déjà été arrêtée pour racolage. J'ai pu payer une caution la première fois, mais cette fois-ci on n'acceptera plus mon argent. Les prostituées n'ont pas droit à une seconde chance.

— Jamais mes parents ne pourraient réunir un millier de yuans. Je ne sais même pas s'ils arriveraient à payer leur billet de train… Et je ne veux pas faire appel à mon mari. Je suis partie très en colère contre lui, ce serait humiliant de devoir le supplier pour qu'il vienne me tirer de ce mauvais pas. Au fait, comment t'appelles-tu ?

— Wang Suya.

— Moi, c'est Meili. C'est la première fois que je parle avec une diplômée de l'université. C'est un téléphone mobile que tu as là ?

— Oui. Il m'a coûté quatre mille yuans. Mais la batterie n'a qu'une autonomie de deux heures. Tu peux le regarder, si tu veux.

Meili prend l'appareil, le porte à son oreille et le manipule un moment avant de le rendre à sa propriétaire. Malgré l'obscurité, elle remarque soudain que la femme qui se trouve à sa droite est pliée en deux de douleur.

— Que lui arrive-t-il ? demande-t-elle à Suya.

— Cela fait trois jours qu'elle a des diarrhées. Et les gardiennes ont le culot de lui dire qu'elle fait des simagrées.

Meili se penche et secoue le bras de la femme.

— Grande sœur, vous devriez aller vous faire soigner à l'hôpital.

— La pauvre, dit Suya. Les policiers l'ont battue avant même qu'elle n'ait signé le formulaire d'enregistrement.

La femme ouvre les yeux et dit à Meili :

— Vous êtes mère, n'est-ce pas ? Je peux vous parler, dans ce cas. Je suis enceinte de six mois. Quand je suis arrivée, les policiers m'ont demandé de leur donner les numéros de téléphone de mes proches. Je leur ai dit qu'il n'y avait pas d'électricité dans mon village, et encore moins de lignes téléphoniques. Ils m'ont alors frappée et jetée au sol, en me bourrant de coups de pied. Je crois bien qu'ils ont tué mon bébé, je ne le sens plus bouger.

— Ils vous ont battue, uniquement parce que vous ne pouviez pas leur donner le moindre numéro de téléphone ?

Meili se demande ce qu'elle aurait fait, confrontée à la même situation. Si elle s'était souvenue du numéro de Weiwei, elle lui aurait téléphoné sur-le-champ en lui demandant de venir la tirer de là. Elle n'a pas les coordonnées du moindre habitant dans le village de Guai et serait dans l'incapacité de contacter Kongzi, même si elle le souhaitait. Le seul numéro dont elle se souvienne, c'est celui de Kong Zhaobo : mais si elle le confiait à la police, toute son histoire serait révélée au grand jour et ils la renverraient dans le village des Kong. Elle se félicite de n'avoir pas mentionné l'adresse de ses parents sur le formulaire d'enregistrement. En fermant les yeux, elle se dit que c'est l'heure à laquelle elle donnerait normalement sa dernière tétée à Née-sur-l'Eau. Ses seins sont tendus, gonflés, aussi durs que de la pierre. Le lait qui s'échappe de ses tétons a taché le devant de sa chemise. Elle se tourne sur le côté et presse ses mamelons en faisant gicler son lait sur le sol en ciment, afin de calmer sa douleur.

MOTS-CLEFS : *froideur de pierre, poule mouillée, permis de résidence urbain, écharpe blanche en coton, effluves végétaux, rééducation par le travail.*

Lorsque le bus quitte l'enceinte en ciment du centre de détention et de rapatriement, Meili éprouve une brusque sensation de liberté. Elle se rappelle son voyage en compagnie de Weiwei le long de la rivière Xi, le vent qui soulevait ses cheveux et sa robe sans manches tandis que le soleil chauffait ses bras... Par la vitre du véhicule, elle aperçoit la foule qui se presse sur les trottoirs, longeant les parterres de chrysanthèmes. Une mère arborant une courte jupe en jean passe avec sa poussette devant un studio de photos. Un jeune couple vêtu de blanc attend main dans la main que le feu des piétons passe au vert. Le soleil s'étend sur les arbres, l'asphalte des rues et les parasols des marchands de glaces : ses rayons se reflètent sur les carrosseries des voitures qui vont et viennent et sur les portes à tambour d'un grand magasin. Tout le monde a l'air heureux et fait ses courses en prévision de la Fête nationale qui débutera ce soir.

À l'arrière du bus, un homme s'écrie :

— Vous voyez ce grand immeuble en verre, là-bas ? C'est notre équipe d'ouvriers du Henan qui l'a construit.

— Et voilà la grue orange sur laquelle je travaillais. Regardez : on distingue encore mon casque sur le tableau de bord !

— Je travaille dans ce bureau, à côté du Starbucks, dit une femme assise derrière Meili.

Apercevant soudain une collègue qui traverse la rue, elle se met à marteler la vitre en criant :

— Li Na ! C'est moi ! Dis au patron qu'on m'a arrêtée !

— Bouclez-la ! lance le grand gaillard assis à l'avant, en se levant d'un bond.

— Ce quartier n'a pourtant rien d'extraordinaire, dit Suya en remarquant l'expression ébahie de Meili. Tu vois la grande antenne de télé, là-bas au loin ? C'est de ce côté que se trouvent les grands hôtels et les immeubles de bureau. Un jour, un client de passage m'a proposé trois mille yuans pour rester toute la nuit avec lui.

— Tais-toi, je ne veux rien savoir de ces histoires ! lance Meili, que cette révélation met mal à l'aise. Cette ville est gigantesque… Je suis sûre qu'il faudrait deux jours pour la traverser de part en part.

Elle regarde l'enfilade des vitrines des magasins, fascinée par la prolifération des téléviseurs, des canapés en cuir, des vestes en jean, des talons aiguilles, des chaussures de luxe et des mules en satin…

— J'aimerais déambuler dans cette rue, dit-elle. Pour le simple plaisir de regarder les vitrines.

— Si tu suis mon exemple, tu auras assez d'argent d'ici à un an pour ouvrir un salon de coiffure comme celui-ci, dit Suya en désignant une vitrine où trône une affiche représentant une femme aux longs cheveux blonds, allongée dans une baignoire débordante de mousse.

— Je suis mariée, dit Meili. Et même si ce n'était pas le cas, jamais je ne pourrais faire ce que tu fais.

— Si ce type compte tellement à tes yeux, pourquoi es-tu partie, dans ce cas ? À quoi bon gâcher ta jeunesse pour un homme que tu n'aimes pas ?

Meili reste silencieuse. La veille, elle a dit à Suya : « Jamais je ne divorcerai. Comme dit le proverbe : même si l'on a épousé une poule mouillée, il faut la suivre jusqu'au bout. » Suya a éclaté de rire et lui a répondu qu'elle était bien bête.

Une fois que le bus a quitté la ville, une brise chargée d'effluves végétaux s'insinue à travers les fenêtres. Meili ne s'est pas lavée depuis des jours et emplit ses poumons de cet air revigorant. Sur sa chemise, les taches de lait commencent à sécher. En bus, il ne faut que quelques minutes pour se retrouver en pleine campagne, au sortir de la ville, mais pour une paysanne la distance paraît immense. Meili enrage d'être considérée comme une criminelle pour le simple fait d'avoir osé mettre les pieds en ville. Son rêve de vie urbaine dans un cadre moderne lui paraît tout à coup hors de portée.

Au crépuscule, le bus atteint un village situé dans les hauteurs des collines et s'arrête devant un ensemble de bâtiments en brique. Deux pancartes en bois se dressent devant le portail et proclament : POSTE DE POLICE DU VILLAGE DE YANG et CAMP DE TRAVAIL DU VILLAGE DE YANG. La lueur du soleil couchant leur donne des reflets de bronze.

Après le repas du soir, le secrétaire du Parti du village fait son apparition. Après avoir craché son cure-dent et retiré du bout de l'ongle un peu de cire de son oreille, il prend la parole en ces termes :

— Camarades, bienvenue dans notre camp de travail ! C'est aujourd'hui la Fête nationale, aussi avez-vous eu droit à une spécialité locale : le poulet à l'étouffée. Délicieux, n'est-ce pas ? (Il se fend d'un grand sourire mais les quarante détenus assis en cercle autour de lui restent de marbre.) Pendant votre séjour ici, vous allez devoir respecter les règles et travailler dur. Si vos familles peuvent payer la caution de mille yuans, vous serez immédiatement libérés. Sinon, vous allez séjourner quelque temps parmi nous…

— Je suis soudeur sur le chantier des Villas de la Compassion, l'interrompt un homme d'âge mûr, aux vêtements sales et fripés. Les fondations seront terminées cette semaine, comment vont-ils se débrouiller sans moi ?

— Vous auriez dû vous poser la question avant de vous aventurer en dehors du chantier, lui rétorque un policier du village en pointant vers lui un index accusateur. Maintenant que vous êtes ici, vous ferez ce que l'on vous dit.

Il y a seulement trois authentiques policiers dans la salle. Les quatre autres sont des paysans du coin, engoncés dans des uniformes d'origine douteuse, sans doute achetés à bas prix sur un marché local. Si ces imposteurs se hasardaient en ville, nul doute qu'ils seraient à leur tour arrêtés.

— Vous allez suivre un programme de rééducation par le travail, ainsi que quelques cours de droit et de politique, poursuit le secrétaire du Parti. Nous espérons que vous mettrez ce séjour à profit et participerez activement à la modernisation du village.

— Je ne comprends pas pourquoi nous nous retrouvons dans ce camp, lance une femme au fond de la salle. Nous étions dans un centre de détention et de rapatriement. Pourquoi ne nous a-t-on pas renvoyés chez nous ?

— En quoi est-ce un crime de quitter la campagne pour chercher du travail en ville ? À travers toute la Chine, les villes ne se sont-elles pas développées grâce aux travailleurs itinérants ? À Guangdong, toutes les usines fonctionnent en faisant appel à eux. Les autorités ont-elles l'intention d'arrêter l'ensemble de cette population ouvrière ?

— Oui, nous les travailleurs itinérants, nous sommes le moteur du miracle économique chinois : tous les journaux le disent. Aucun parmi vous ne sait-il donc lire ?

— Les capitalistes étrangers envahissent la Chine pour profiter de notre main-d'œuvre à bas prix. Pourquoi nous considérer dans ce cas comme des criminels ?

— On m'avait affirmé qu'on nous renverrait dans nos villages. Pourquoi nous a-t-on amenés ici pour travailler comme des esclaves ?

— Comme je vous l'ai dit, vous serez libérés sur-le-champ dès lors que votre caution aura été payée, répète le secrétaire du Parti d'un air furibond, retrouvant du même coup son accent régional.

— Vous nous avez achetés pour cinq cents yuans à des intermédiaires sans scrupules et vous voulez à présent soutirer mille yuans à nos proches pour nous libérer ? On nous traite comme du bétail. S'il nous est interdit de vivre dans notre propre pays, qu'attendez-vous de nous ? Que nous passions illégalement à Hong Kong ?

Tous les détenus sont debout à présent, braillant et gesticulant.

— Ça suffit ! aboie le secrétaire du Parti. La séance est levée pour ce soir. Remplissez les formulaires d'enregistrement, prenez une brochure et je vous reverrai demain matin pour l'appel...

Au bout de cinq journées de dur labeur, Meili a gagné le respect de ses coreligionnaires. Alors que la plupart des femmes sont affectées à la plantation de canne à sucre, elle travaille avec les hommes qui creusent les canaux d'irrigation, ce qui est beaucoup plus éprouvant. Au crépuscule, Suya s'écroule, épuisée : Meili la hisse sur son dos et la ramène jusqu'au camp. L'étudiante rêve de s'évader mais la route nationale la plus proche se trouve à une trentaine de kilomètres. Deux détenus originaires du Sichuan ont essayé de prendre la fuite, trois semaines plus tôt, mais ont été rattrapés avant de l'avoir atteinte. Ils ont été battus avec une telle violence qu'ils ne sont toujours pas en état de marcher.

— Le surveillant Zheng a jeté son dévolu sur moi, dit Suya à Meili. Je redoute de sortir la nuit, il fait si sombre à l'extérieur qu'on n'y voit strictement rien.

Meili et elle ont regagné les bâtiments et sont assises sur une couette en lambeaux, adossées au mur. Le sol est jonché de débris divers ainsi que d'écharpes, de sous-vêtements et de tongs déchirés, abandonnés par de précédents occupants.

— Tout cela à cause de ce fichu Parti communiste ! reprend Suya. Comment osent-ils nous enfermer dans un taudis pareil ? Dès que j'aurai amassé assez d'argent, j'irai poursuivre mes études à l'étranger et je ne remettrai plus les pieds dans ce pays, ajoute-t-elle en remontant sa couverture sur ses jambes.

— Cela fait des années que je n'ai pas dormi dans un bâtiment en brique tel que celui-ci, dit Meili. Tu parles de l'obscurité, mais qu'est-ce que tu dirais si tu devais passer la nuit dans un bateau… Non seulement il fait noir comme dans un four mais il y a un roulis constant. On a l'impression de flotter au-dessus du sol, sans savoir où l'on se posera… (Elle essuie la boue qui colle à ses mains et ajoute :) Le surveillant Zheng en a donc après toi ?

— Il m'a prise à part aujourd'hui et m'a dit que si je passais la nuit avec lui je pourrais quitter le camp la semaine prochaine. Mais je préfère mourir plutôt que de laisser ce porc poser les mains sur moi. De surcroît, c'est un simple sous-fifre et il n'a pas l'autorité suffisante pour obtenir la libération d'un prisonnier.

— Je t'accompagnerai quand tu iras aux toilettes. Et s'il ose s'approcher de toi, je lui mordrai l'épaule jusqu'au sang !

— Tu es courageuse… Tu n'as donc peur de rien ?

— Si : de la terre. Dès que mes pieds touchent la terre ferme, mon cœur se met à battre parce que j'ai à nouveau conscience d'être une pauvre paysanne, une moins que rien que les autorités peuvent arrêter à tout moment… Je me sens plus en sécurité sur l'eau.

— *La terre, c'est l'homme ; la femme, l'eau*, comme dit le proverbe, commente Suya.

Meili peigne les cheveux de son amie avant de lui faire des nattes. Maintenant que son lait commence à se tarir, son instinct maternel s'affirme davantage. Elle aimerait pouvoir tenir ses deux filles dans ses bras et refuse de se demander où se trouve à présent Née-sur-l'Eau.

— Comme tu es belle, dit-elle en caressant le visage de Suya. Avec tes grands yeux, on te prendrait presque pour une étrangère.

— Pour tout te dire, j'appartiens à la minorité Wei et je me considère donc un peu comme une étrangère. La beauté peut faire la fortune des femmes, mais tant qu'elles s'en remettront à leur seule apparence elles resteront toujours dépendantes des hommes. J'estime que toutes les femmes devraient s'efforcer d'atteindre un but, de réaliser quelque chose. Le respect de soi ne peut résulter que d'un travail acharné.

— Ma foi, il se trouve que je ne suis pas une pure Chinoise moi non plus, dit Meili. Ma mère m'a dit que mon grand-père avait un grand nez et les cheveux châtains. La rumeur prétend qu'après l'avoir mis au monde, et sitôt le cordon ombilical coupé, sa mère a brisé une coupe en verre en la jetant au sol et ramassé l'un des éclats, avant de se trancher la gorge. Apparemment, elle avait été violée par un missionnaire étranger et était terrifiée à l'idée que ses parents ne la battent pour avoir déshonoré leur famille. Je n'ai jamais raconté cette histoire à personne – pas même à mon mari.

— Inutile de le lui dire. Maintenant que je te regarde de près, il y a en effet quelque chose d'étranger dans tes traits… Dans l'ensemble, tu ressembles bien à une paysanne, mais il y a une sorte de sauvagerie dans ton regard : et tes pupilles sont si noires et brillent d'un tel éclat qu'elles ont l'air presque bleues. Si tu complétais ton éducation en lisant quelques livres, tu deviendrais vite une femme extraordinaire. Et avec un peu d'entraînement, tu verrais que tu aurais tous les hommes à tes pieds.

Sentant ses joues s'empourprer, Meili baisse les yeux et dit :

— Comment arrives-tu à faire l'amour avec des inconnus ?

— Ne sois pas aussi puérile, grande sœur ! De mon point de vue, je me contente de louer une partie de mon corps qui ne m'appartient même pas. Je ne fais pas l'amour avec ces hommes, je leur permets juste d'éjaculer en moi. Le seul que j'aie jamais aimé, c'est mon petit ami. Lorsque j'aurai mis un peu d'ordre dans ma vie, j'irai le voir et je ferai en sorte qu'il regrette de m'avoir quittée. Je resterai son amante jusqu'au jour de ma mort.

— Amante ? dit Meili. En dehors des feuilletons à l'eau de rose, je n'ai jamais entendu personne utiliser ce mot...

Meili pense à Kongzi et sent son cœur se serrer. C'est un calligraphe de talent et il sait se servir des mots. Tous les villageois venaient lui demander de choisir le prénom de leurs enfants. S'il n'avait pas cette vision réactionnaire et confucianiste de l'existence, ce serait un mari parfait.

— Dans cette époque impitoyable, dit Suya, les femmes sont dans une phase ascendante et les hommes se retrouvent souvent sur la touche. Néanmoins, nous sommes condamnées à choisir entre trois rôles : celui de la petite amie, de l'épouse ou de la célibataire. Lequel te conviendrait le mieux ?

— Tout ce que je veux, répond Meili, c'est être une bonne épouse. Et que ma famille soit heureuse, à l'abri du danger.

L'image de Weiwei lui vient brusquement à l'esprit. Cherchant à la chasser, elle parcourt le bâtiment des yeux. Devant la porte, une femme implore qu'on la laisse sortir pour aller aux toilettes.

— Une bonne épouse, dis-tu ? rétorque Suya avec un sourire. Est-ce qu'une bonne épouse est censée s'enfuir de chez elle ? Pour ma part, avant d'avoir trente ans j'aurai d'abord été une amante, puis une célibataire – et j'aurai gagné beaucoup d'argent. Après ça je me marierai et je deviendrai une bonne épouse. Au fil de ma vie, j'aurai ainsi expérimenté tous les rôles.

Meili reste sans voix. Jamais elle n'aurait imaginé qu'une femme puisse mener une existence d'une telle diversité. Elle a vingt-quatre ans à présent mais elle a honte de sa naïveté et de sa maigre expérience. Elle s'interroge : si elle avait eu le numéro de Weiwei à Changsha et qu'elle l'ait appelé, seraient-ils devenus amants ? Son estomac se met à gargouiller, comme il n'a cessé de le faire depuis qu'elle a mangé la soupe de navets qu'on leur a servie au déjeuner.

Une femme vêtue d'un gilet matelassé s'approche et lui demande :

— Grande sœur, pouvez-vous me prêter une serviette périodique ? Je n'en ai plus une seule.

— Allez aux toilettes et demandez qu'on vous donne un rouleau de papier hygiénique, répond Meili.

— Je sais que cette femme là-bas vient d'avoir ses règles, intervient Suya. Peut-être pourra-t-elle vous dépanner.

— Non, dit la femme, ses règles sont terminées et elle m'a donné sa dernière serviette ce matin. Elle l'avait encore sur elle et l'a sortie de sa culotte. Heureusement, il n'y avait pas trop de sang dessus.

Suya s'enveloppe dans la couverture. Elle a tellement froid dans les champs avec sa jupe étroite et son mince chemisier en coton qu'elle a racheté une veste à manches longues à une détenue libérée deux jours plus tôt. Mais elle est toujours frigorifiée le soir. Elle ouvre son sac et sort une fois de plus son cahier rouge.

— Qu'écris-tu donc dans ton journal ? lui demande Meili.

— Tout ce qui m'arrive. Plus tard, je le donnerai à mon petit ami, il verra ainsi ce que j'ai enduré à cause de lui. Quand tu ne notes rien le passé s'efface, ce n'est plus qu'une page blanche. Tous les gens importants ont tenu un journal. S'il m'arrive quelque chose, peux-tu me promettre que tu donneras ce cahier à mon petit ami ? Je te promets pour ma part que j'irai trouver ton mari, s'il t'arrivait quoi que ce soit. Je ne sais pas comment je me débrouillerai, mais je ferai tout ce qui est en mon pouvoir pour dénicher ta petite hutte en bambou.

— Ne parle pas de malheur ! s'exclame Meili. Lorsque nous aurons été libérées, tu m'accompagneras là-bas et je te préparerai du ragoût de canard.

— C'est hors de question ! Jamais je ne mettrai les pieds dans ce marécage infesté de moustiques ! Lorsque nous serons libres, c'est toi qui viendras avec moi. J'ouvrirai une boutique et tu seras derrière le comptoir. Nous suivrons des cours du soir pour apprendre l'anglais et lorsque j'aurai un enfant, c'est toi qui seras sa nounou.

— Je ne sais pas si j'aurais la patience de m'occuper de l'enfant d'une autre… En revanche, je me sens tout à fait capable de tenir un magasin. Je peux vendre des légumes, du lait en poudre pour les nourrissons, tout ce que tu voudras…

— Affaire conclue, dans ce cas ! Tiens, je t'offre ce dictionnaire d'anglais, apprends donc un nouveau mot tous les jours : plus on sait de choses, plus les portes s'ouvrent devant nous.

— Dès qu'on nous aura relâchées, je t'emmènerai avec mon bateau jusqu'à un endroit où la rivière a la limpidité du cristal. Lorsque tu t'y seras baignée, tous tes soucis s'envoleront.

— Je n'ai aucune envie de me baigner dans un cours d'eau. Je préfère aller dans un spa, où je barboterai pendant des heures dans un bassin d'eau bouillonnante en buvant du thé vert dans une tasse en porcelaine. Après quoi, j'irai me faire masser le dos et les pieds, coiffer et manucurer, avant de terminer la journée dans un restaurant raffiné…

— Mais cela te coûtera une fortune ! s'exclame Meili.

À Changsha, elle a remarqué avec émerveillement les ongles longs et manucurés de Suya. Mais ils n'ont évidemment pas résisté à ses premières heures de travaux forcés dans les champs. N'ayant jamais mis les pieds dans un salon de coiffure, Meili se sent un peu embarrassée.

— Quelle importance ? rétorque Suya. À quoi sert l'argent, sinon à se faire plaisir et à payer des gens pour qu'ils s'occupent de vous ?

Meili n'a pas l'impression d'avoir connu ce genre de détente, ni qu'on se soit beaucoup occupé d'elle. Il lui arrive souvent de laver les pieds de Kongzi, mais l'inverse ne s'est jamais produit. Elle a pris un bain autrefois, à l'hôtel de « l'Âge d'Or », à l'époque où elle se produisait avec l'éphémère troupe artistique de Nuwa. Après s'être prélassée dans la baignoire pendant une demi-heure, elle s'était vue dans la glace et avait trouvé qu'elle ressemblait à une nymphe comme il y en a dans les peintures de l'époque des Tang, émergeant d'un bassin d'où montent des vapeurs. Mais elle n'a pas envie d'évoquer le passé. Ce qu'elle veut, c'est être libre. Elle doit encore passer quatre-vingt-six journées dans ce camp de travail. Suya lui a dit que lorsqu'elles en seraient au soixantième jour, elle achèterait de la bière et des biscuits pour fêter l'événement.

— Mais même lorsqu'on m'aura relâchée, serai-je jamais libre de mener ma vie comme je l'entends ? se demande-t-elle à voix haute. Le gouvernement m'a obligée à avorter de mon deuxième enfant, mon mari s'est débarrassé du troisième. Je ne veux plus vivre à la campagne et les villes me sont interdites. Où puis-je aller désormais ? Et que puis-je bien faire ?

— Si tu veux être libre, lui répond Suya, il faut que tu sois indépendante financièrement. Divorce de Kongzi et épouse un citadin, cela te permettra d'obtenir un permis de résidence urbain. Ou bien, monte ta propre affaire et achète ce permis toi-même. Va à Shenzhen, on y croise à tous les coins de rue des femmes d'affaires qui roulent dans leur voiture privée et règlent leurs transactions sur leur téléphone portable. Si tu arrives à acheter une maison en ville, tu auras trois permis de résidence pour le prix d'un et tu vivras en paix jusqu'à la fin de tes jours.

Meili se rend bien compte que la cause de tous ses ennuis, c'est la pauvreté. Si elle avait de l'argent, elle n'aurait pas peur de tomber enceinte : il lui suffirait de payer l'amende. Une chose est néanmoins certaine : elle ne divorcera pas. Même si Kongzi s'est comporté de manière odieuse, elle continue de croire que le mariage doit durer toute la vie.

— Qu'est-il arrivé à la femme enceinte que le garde a tabassée hier ? reprend Suya. Crois-tu qu'elle se soit évadée ?

La femme en question est une adepte du mouvement spirituel du Falun Gong. Comme elle répondait la veille sur un ton peu amène à l'ordre d'un surveillant dans le champ de canne à sucre, l'homme l'a jetée au sol et rouée de coups, au point que son visage était en sang. Meili et Suya l'ont supplié d'arrêter mais il leur a répondu : « Ne vous inquiétez pas, elle ne risque rien : le Falun veillera sur elle et la sauvera ! »

— Je me demande où elle est passée, répond Meili. Elle peut difficilement envisager de s'enfuir avec un ventre pareil. Et comme le type de Jiangxi a été enfermé dans la cabane qui tient lieu de prison, elle ne peut pas s'y trouver non plus.

Meili pense à la chemise jaune qui pend toujours sur la corde à linge et que personne n'est venu récupérer : quand le vent souffle, elle s'agite comme un drapeau en loques. La rumeur a couru que la chemise appartenait à une détenue originaire de Shandong qui s'est pendue dans les latrines.

Après le repas du soir, au moment de l'appel, Suya a disparu. Meili va jeter un coup d'œil aux toilettes, puis dans les champs et le chantier de construction qui se dresse juste à côté, mais son amie reste introuvable. Elle regagne le camp en pleurant à chaudes larmes. La nuit dernière, lorsqu'elle lui a dit que c'était son anniversaire, Suya a ôté ses boucles d'oreilles et les lui a données, en guise de cadeau.

Deux sœurs qui savent combien Meili et Suya étaient devenues proches viennent s'asseoir auprès d'elle. Un individu a débarqué dans leur village le mois dernier et les a convaincues de l'accompagner à Changsha, en leur promettant un emploi dans une compagnie pharmaceutique d'origine étrangère pour un salaire mensuel de mille yuans, la nourriture et divers avantages en sus. Mais lorsqu'elles sont arrivées, elles ont découvert qu'il les avait vendues pour travailler comme hôtesses dans un night-club. Le lendemain matin, elles se sont échappées de l'établissement par la fenêtre de la cuisine et sont aussitôt allées trouver la police, qui s'est empressée de leur passer les menottes et de les envoyer au centre de détention et de rapatriement.

Environ une heure plus tard, alors qu'elle écoute le vent qui agite les branches des arbres, allongée sur sa couche, elle se souvient que les prostituées sont parfois transférées du camp de travail dans des pénitenciers spécialisés, où on les examine afin de détecter d'éventuelles maladies vénériennes. Mais dans ce cas, on aurait sûrement permis à Suya d'emporter son sac à main… Meili l'attrape et en sort le cahier rouge, qu'elle glisse sous sa propre couverture. Les lumières sont éteintes mais elle est trop agitée pour dormir. Elle reste éveillée toute la nuit, en se tournant dans tous les sens, et ne parvient à fermer l'œil que quelques minutes avant l'aube.

Dans son rêve, elle nage pour rejoindre son propre utérus dans un tunnel obscur, poursuivie par des milliers de bébés. Lorsqu'elle arrive enfin au bout, elle tâtonne en cherchant une issue dans la paroi, mais n'en trouve pas. Les bébés se rapprochent, ouvrant des bouches gigantesques… Elle se réveille en sursaut, roule sur le côté et remarque que le sac de Suya a disparu. Elle se souvient vaguement d'un rai de lampe torche balayant son visage quelques instants plus tôt, avant que des pas ne s'éloignent. Elle referme les yeux mais elle est incapable de se rendormir. Elle se demande si le surveillant Zheng n'aurait pas entraîné Suya dans les bois. En étreignant le cahier rouge, elle se souvient du jour où sa grand-mère l'avait emmenée devant une échoppe du marché installée au pied d'un grand arbre, au beau milieu du village de Nuwa. Parmi des coupons de feutre et des bobines de fil noir, elle avait remarqué une écharpe blanche en coton et un clip pour les cheveux, qui avaient quelque chose de surnaturel tant leur blancheur était éclatante. À compter de ce jour, le blanc était devenu sa couleur préférée. Elle revoit encore la première camionnette blanche qu'elle avait vue débarquer au village, surmontée du haut-parleur qui déversait des slogans révolutionnaires, et dont les vitres étaient recouvertes d'affiches représentant le président Mao et le premier ministre Hua Guofeng. Elle se souvient aussi d'avoir vu à l'âge de cinq ans un homme qui barbouillait des consignes sur les murs du village : METTEZ EN ROUTE LES QUATRE MODERNISATIONS ! APPLIQUEZ LA POLITIQUE DE L'ENFANT UNIQUE ! À peine avait-il fini que sa copine avait poussé Meili contre le mur : le lait de chaux dont il s'était servi pour écrire ces slogans avait fait de grosses taches sur ses vêtements. Sa grand-mère l'avait grondée et obligée à rentrer sur-le-champ à la maison.

Meili pense à Née-sur-l'Eau et se demande si sa fille a survécu, étant donné qu'elle ne l'allaite plus depuis deux semaines. Elle pense à Nannan, qui s'agite et rejette toujours sa couverture au milieu de la nuit : si on ne la recouvre pas, ses bras et ses jambes sont d'une froideur de pierre au matin. Elle pense à Kongzi et à cette obsession qu'il a d'avoir un fils : une bouffée de colère l'envahit mais elle se console en se disant qu'au moins il n'a jamais volé personne ni couché avec une prostituée. Il a bien été voir quelques films pornos et l'a ensuite obligée à reproduire certaines de leurs postures obscènes, mais comparé aux individus dépravés dont lui a parlé Suya, il est relativement respectable. S'il se montrait un peu plus enclin à lui parler et s'il l'écoutait davantage, tout irait pour le mieux.

Lorsque le vent s'est calmé, elle entend la bétonneuse qui se met en marche dans le chantier voisin, derrière les latrines : les prisonniers y construisent une petite usine. L'année prochaine, le camp recevra l'autorisation officielle lui permettant d'accueillir quatre cents détenus. Pour profiter de ce supplément de main-d'œuvre gratuite, le secrétaire du Parti a décidé de se lancer dans la fabrication de gâteaux de Noël, destinés à l'exportation. Suya a expliqué à Meili que Noël est l'équivalent de la Fête du Printemps, pour les étrangers, et qu'à cette occasion un vieillard barbu descend dans les cheminées avec un sac rempli de cadeaux que les gens découvrent au réveil. Meili touche à nouveau le journal de Suya et se demande où elle pourrait le cacher pour qu'il soit en sécurité.

MOTS-CLEFS : *odeur d'égout, seconde épouse, branlette, la Dame du 5,* cheongsam *gris, minuscule crevette.*

Dès que Meili sort de l'étroit ascenseur, agressée par les effluves d'un parfum bon marché, elle comprend qu'on l'a dupée et ses jambes se mettent à trembler. Le matin même, une femme d'allure avenante s'est présentée au camp et a proposé aux détenues des emplois de femmes de chambre. Meili a sauté sur l'occasion et est montée à bord de son minibus, en compagnie des deux sœurs. Même si elle a signé un contrat d'un an, elle a bien l'intention d'abandonner cet emploi d'ici à quelques semaines, le temps d'avoir gagné assez d'argent pour payer son billet de retour au village de Guai.

Ce coup-ci, je suis prise au piège, se dit-elle en s'engageant dans le couloir tapissé de rouge. En jetant un coup d'œil dans son dos, elle voit le visage de leur accompagnatrice se durcir. « Entrez ici et attendez qu'on vienne vous chercher », leur lance-t-elle sans ménagement, après les avoir poussées dans des pièces séparées et refermé les portes à double tour. Meili plaint les deux sœurs, qui n'ont échappé à un bordel que pour échouer dans un autre. Si jamais on l'oblige à coucher avec un homme, se dit-elle, elle suivra le client dans la chambre et l'étranglera avant de prendre la fuite. Et si elle parvient à échapper à la police, elle se débrouillera pour rejoindre sa hutte de bambou, quitte à faire le trajet à pied.

La porte s'ouvre et une femme un peu boulotte vêtue d'un *cheongsam* gris lui dit qu'il est l'heure de manger. Meili la suit, traversant une salle de bains sans fenêtre où plane une infecte odeur d'égout, avant de déboucher dans une pièce où elle aperçoit son contrat de travail, posé sur une table ronde.

— Assieds-toi, lui dit un homme en chemise bleu ciel assis près de la fenêtre. Je suis le patron de ce night-club. Je me fiche de savoir d'où tu viens et ne te demanderai pas tes papiers. Mais j'ai déboursé huit cents yuans pour te faire venir ici, je veux donc que les choses soient claires. Si tu travailles bien et fais ce que nous te demandons, je te laisserai partir dans trois mois – et j'irai même jusqu'à payer ton billet d'autocar pour que tu puisses rentrer chez toi. Mais si tu ne coopères pas ou que tu tentes de t'échapper et que les choses tournent mal… ma foi, tu n'auras à t'en prendre qu'à toi. Personne ne sait que tu es ici et si tu disparais, nul ne s'en souciera. Est-ce que je me suis bien fait comprendre ?

— J'ai signé un contrat pour un emploi de femme de chambre. Je refuse de faire quoi que ce soit d'autre et vous feriez mieux de me laisser partir immédiatement.

— Ton travail consiste à accueillir nos clients et à t'occuper d'eux. Les hommes qui viennent dans cet établissement sont pleins aux as et si tu sais t'y prendre, tu ne tarderas pas à rouler sur l'or. Si tu fais ce qu'on te dit, tu pourras te doucher tous les jours et tu auras droit à deux repas chauds. Pour une paysanne comme toi, ce devrait être le paradis ! Et nous t'apprendrons tout ce que tu auras besoin de savoir.

— Je veux bien nettoyer les chambres, faire la vaisselle et tout ce que vous voudrez. Le travail ne me rebute pas. Mais je refuse de vendre mon corps. Je suis une femme simple, je n'ai aucune éducation, je ne suis pas faite pour ce genre de choses.

— Au contraire… Les paysannes dans ton genre sont très recherchées par nos clients. Nul doute qu'ils apprécieront ta simplicité, ton visage sans apprêt, et qu'ils n'hésiteront pas à débourser beaucoup d'argent pour toi. Mais je te préviens : tous les pourboires doivent nous être reversés. À partir de maintenant, tu t'appelles Ah-Fang et tu viens d'avoir vingt ans.

Une fille dégageant une horrible odeur de musc pénètre dans la pièce. Elle porte des talons hauts et un *cheongsam* rouge fendu sur le côté qui la moule étroitement. Elle pose un bol de soupe de nouilles devant Meili. Lorsqu'elle s'assoit, sa robe fendue laisse apparaître sa cuisse nue.

— Voici Ah-Fang, lui dit le patron qui s'est levé et s'apprête à partir. Elle vient d'arriver, mets-la un peu au courant.

— Comment pouvez-vous vous habiller ainsi ? lui dit Meili sitôt le patron sorti. Que diraient vos parents s'ils vous voyaient ? Vous seriez la honte de votre village...

— Je n'ai nullement l'intention de remettre les pieds dans ce trou perdu ! rétorque la fille avec un sourire dédaigneux. Je m'appelle Xu, au fait. Quand tu auras fini de manger, tu iras prendre une douche. Je te passerai ensuite une robe neuve et te couperai les cheveux : tu perdras vite ton air de sainte-nitouche et rayonneras comme un vrai phénix !

— Ne me parle pas sur ce ton, petite sœur ! lui rétorque sèchement Meili en posant un regard condescendant sur le corps frêle et encore adolescent de Xu. J'ai mis deux enfants au monde.

— Eh bien moi, grande sœur, je te préviens : si tu ne te montres pas conciliante tu seras plus durement traitée que ne l'ont été les martyrs communistes dans les prisons du Guomindang ! Le patron a dépensé une grosse somme pour s'assurer tes services et il a bien l'intention de rentrer dans ses frais. J'étais moi-même un peu rebelle quand je suis arrivée ici. Tu vois cette grosse cicatrice sur ma cuisse ? C'est le patron qui me l'a faite. Mais il ne s'en prend jamais au visage ni au con, qui sont nos outils de travail.

— Pourquoi n'as-tu pas essayé de t'enfuir ? demande Meili en regardant sa soupe de nouilles.

— M'enfuir ? Mais c'est justement parce que je me suis enfuie de mon village que je me suis retrouvée ici. Où irais-je me réfugier à présent ? De surcroît, je ne serais pas allée bien loin. Le frère du patron est à la tête de la Sécurité municipale et a lancé une campagne de lutte contre la prostitution la semaine dernière. La police a fait des descentes dans tous les night-clubs et bordels de la ville mais a soigneusement évité cet établissement. Si je m'étais échappée, ils n'auraient pas manqué de m'arrêter et de me reconduire ici.

— Mais c'est un travail tellement honteux, tellement... répugnant. Tu es une jolie fille, comment supportes-tu de te laisser toucher par tous ces hommes ? Tu n'as pas peur de perdre la face ?

— Qu'est-ce que la face vient faire là-dedans ? Tout ce qui m'intéresse, c'est l'argent. Et être hôtesse dans un night-club, c'est moins fatigant que de travailler dans un salon de coiffure où il faut laver les cheveux des clients et masser leurs pieds sales avant de coucher avec eux.

— Tu ne manques pas de caractère ! As-tu un petit ami ?

Meili considère les longs cheveux de Xu, qui lui arrivent aux épaules, et se souvient que Suya lui a dit qu'un brushing dans un salon de coiffure coûtait une centaine de yuans.

— Non, je suis célibataire. J'attends qu'un homme riche fasse de moi sa seconde épouse et m'achète une voiture et un bel appartement. Beaucoup d'hommes d'affaires coréens fréquentent cet établissement. Si tu acceptes ce statut de seconde épouse, tu peux ramasser en deux ans assez d'argent pour vivre jusqu'à la fin de tes jours. Mais je me débrouille déjà pas si mal. Je gagne environ cent mille yuans par an et mes parents ont pu construire une maison avec l'argent que je leur ai envoyé. Tu as deux enfants, je n'ai donc pas besoin de te faire un dessin concernant l'aspect purement sexuel de notre travail. Sache simplement que même si tu n'atteins pas l'orgasme tu dois feindre de gémir comme si c'était le cas. Il y a aussi quelques termes plus techniques que tu dois apprendre. Le « fast-food », c'est l'acte sexuel sans préliminaires ni fioritures particulières, qui coûte cent yuans. Le « jeu de la flûte », c'est la fellation, qui en coûte cinquante. La « Dame du 5 », c'est la branlette, mais tu dois laisser le type te caresser les seins...

— Tais-toi ! Je suis mariée, tu sembles l'oublier...

— Crois-tu que ton mari diffère beaucoup des hommes qui viennent ici ? Je les ai tous vus défiler, depuis les différents responsables de l'administration municipale jusqu'aux entrepreneurs étrangers. J'ai beau avoir une poitrine un peu plate et un visage ordinaire, j'ai couché ce mois-ci avec deux ingénieurs anglais et trois touristes américains. Tous ces hommes ont bien sûr des femmes et des enfants. De nos jours, un mari qui reste fidèle à sa femme est un connard ou un crétin.

— Ah, nous vivons dans des mondes bien différents, toi et moi ! s'exclame Meili en se souvenant de ce que Suya lui a dit : une prostituée doit se considérer comme un simple objet de consommation et non comme un être humain.

— Tu crois ça ? Si ton mari débarquait ici, il te quitterait au bout de trois jours. Jamais je ne commettrai l'erreur de me marier.

— Comment tes parents croient-ils que tu gagnes tout cet argent ? Ne seraient-ils pas horrifiés s'ils savaient la vérité ?

Le rouge à lèvres aux reflets roses de Xu et son fard à paupières turquoise rappellent à Meili les photos des belles étrangères qu'elle a vues dans des magazines.

— Mes parents sont des cadres de village qui doivent se débrouiller pour vivre avec soixante yuans par mois. Je leur ai dit que j'étais responsable d'un magasin. Quand je retourne les voir pour la Fête du Printemps et que je leur tends une enveloppe bourrée de billets, ils rayonnent de fierté.

— Il faut que je parte d'ici...

Meili regarde par la fenêtre et aperçoit une grande affiche, de l'autre côté de la rue : une fillette vêtue d'une robe rose et portant des sandales en cuir lui adresse un sourire radieux. Les fumées des gaz d'échappement montent juste en dessous et s'insinuent à travers les barreaux de la fenêtre ouverte.

— Tu veux t'enfuir ? Le patron te pourchassera, te traînera jusqu'ici et te battra à mort. Tu ne pourras pas dire que je ne t'aurai pas prévenue.

Meili baisse à nouveau les yeux, saisit ses baguettes et engloutit sa soupe de nouilles.

— Tu vois, nous ne sommes pas si mal traitées, lui dit Xu avec un sourire. Je te donnerai un certificat médical, au cas où le service de l'hygiène pointerait le bout de son nez. Je te promets que d'ici à trois mois tu te plairas tellement chez nous que tu ne voudras plus repartir. Le patron t'a attribué la chambre 303 pour ce soir. Tu n'as pas à t'inquiéter. Quand tu auras fini de te doucher, passe-toi un peu d'huile lubrifiante entre les cuisses. Quand le client arrive, éteins les lumières, aide-le à se déshabiller et enfile-lui tout de suite un préservatif, avant qu'il ne débande. La plupart des clients sont saouls, ne perds donc pas de temps à leur faire la causette. S'ils deviennent violents, tu cognes à la porte…

— Tais-toi donc ! lâche Meili en regardant la minuscule crevette qui flotte encore au fond de son bol de soupe.

MOTS-CLEFS : *paradis sur terre, nuage de fumée, source de la vie, oreiller sans taie, brasier.*

Meili se faufile dans le sombre couloir et s'enferme dans les toilettes. Elle aperçoit en tout et pour tout un seau, une serpillière, un miroir, un clou rouillé qui dépasse du mur en brique... rien qui puisse lui servir d'arme. La fenêtre est ouverte mais elle a des barreaux elle aussi, impossible donc de s'enfuir par là. La seule issue, c'est la porte d'acier blindée : mais elle est fermée à double tour. Elle n'a pas le choix et doit regagner sa chambre. Lorsqu'elle y pénètre, elle découvre le patron allongé sur le lit à une place, une bouteille d'alcool dans une main, une cigarette dans l'autre. Il exhale un épais nuage de fumée et lui dit de refermer la porte.

— Non, dit-elle d'une voix hésitante. Il fait trop chaud ici, je préfère la laisser ouverte.

Elle se dit que s'il essaie de la toucher, elle lui résistera de toutes ses forces. En prenant sa douche après le déjeuner, elle a éliminé toute la sueur et la boue qu'elle avait ramenées du camp, puis s'est savonné les cheveux à grande eau pour en chasser les lentes et les divers insectes qui s'y étaient nichés. Elle s'est ensuite assise sur le lit, a sorti le journal de Suya et s'est mise à lire la troisième page : « *... il a relevé mes cuisses et plongé sa tête entre mes jambes. Je lui ai dit qu'il n'avait pas le droit de faire ça et j'ai gigoté pour me dégager* *mais il m'a lancé : "Qu'est-ce qui te prend ? Je te paie suffisamment cher, tu ne crois pas ?" Je lui ai tiré les cheveux en essayant de le repousser mais il m'a pénétrée d'un coup, sans préservatif, avant de me pilonner sans répit, d'abord par-devant, puis par-derrière...* » Meili n'a pas pu en lire davantage. Son corps qui s'était détendu dans la chaleur de la douche s'est à nouveau raidi.

Après avoir jeté son mégot sur le sol, le patron saisit Meili par la manche de sa chemise et lui dit :

— Viens par ici... Je vais t'essayer avant l'arrivée des clients.

Meili se défend en lui donnant des coups de poing et plante ses ongles dans la cuisse du patron mais il ne la lâche pas, tout en lui ôtant de l'autre main son pantalon. Meili lui mord alors violemment le bras. Furieux, l'homme se lève d'un bond, l'attrape par les cheveux et la jette sur le lit.

— Tu veux que j'emploie la manière forte, c'est ça, salope ? hurle-t-il.

Il ôte sa ceinture et l'enroule autour du cou de Meili, avant de la fixer au montant du lit. Puis, à l'aide d'une taie qu'il a retirée de son oreiller, il attache également aux barreaux la main droite de la jeune femme, qui bat des jambes comme un chien en train de se noyer. Son pantalon et sa culotte ont été arrachés. La ceinture l'étrangle tellement qu'elle peut à peine respirer. Son cœur bat follement et la terreur l'envahit. Le patron se penche et la gifle avec une telle violence qu'elle manque de perdre connaissance. Elle lève le bras gauche et l'agite faiblement pour se protéger. L'homme lui écarte les jambes et les replie de force sur sa poitrine avant de la frapper à nouveau, aux épaules et au visage. Elle a l'impression de voler en éclats et de sombrer comme un bateau qui vient d'emboutir un rocher. Il lui fourre l'oreiller sans taie dans la bouche, crache sur son vagin et y plonge les doigts. Un cri monte des tréfonds de son ventre mais il est étouffé par la chair de l'homme qui la pénètre. Elle suffoque à présent, tout son corps se met à trembler. Sa poitrine se soulève, cherchant de l'air. Des liquides refluent de son estomac jusque dans sa gorge. Elle voudrait ouvrir les mâchoires et se mettre à hurler pour appeler sa mère. Dévastée, déchirée au plus profond de sa chair, elle ferme les yeux et se rétracte à l'intérieur d'elle-même.

— Ah ! Tu es à moi maintenant ! grommelle le patron en se penchant sur elle avec un sourire vicieux.

Il va et vient de plus en plus vite en elle, puis la retourne sur le ventre et la pénètre par-derrière, s'agitant comme un chien enragé et lui donnant de grandes claques sur les fesses. Après un dernier coup de boutoir, il s'exclame : « Tiens ! Prends ça, salope ! » en lâchant un flot de sperme sur les parois enflammées de son utérus. Meili a le cou tordu et la tête de traviole, écrasée contre les barreaux. Après en avoir fini avec elle, il la repousse sans ménagement sur le lit. Elle serre les jambes aussi fort qu'elle le peut, tout en frottant son cou endolori et en essayant de retrouver son souffle.

— Maintenant que tu es calmée et que tu as le con trempé, lui lance le patron, il y a dix clients qui t'attendent, dont un professeur français.

Le corps de Meili est agité de spasmes. Elle aimerait pouvoir se réfugier dans un monde inférieur où les hommes n'existeraient pas. Que son corps soit jeté dans un brasier et n'en ressorte qu'une fois réduit en cendres. Je suis désolée, Nannan, murmure-t-elle doucement. Cet homme m'a vaincue et je suis trop faible pour me venger. Tout ce que je peux faire, c'est mourir et revenir sous la forme d'un spectre pour l'entraîner avec moi dans les enfers.

Le patron allume la lampe sur la table de chevet et dénoue sa ceinture, libérant du même coup le cou de Meili.

— Heureusement que tu es plutôt mignonne, dit-il. Je n'arrive jamais à bander avec celles qui sont trop moches. Et tu as un joli petit cul. Si tu travailles bien, tu auras ramassé d'ici à quelques années assez d'argent pour être tranquille jusqu'à la fin de tes jours.

Il allume une autre cigarette et s'étire. Tant bien que mal, Meili s'extirpe du lit, ramasse son pantalon et l'enfile.

Accroupie sur le sol, elle a l'impression que des milliers d'insectes rampent sous sa peau et qu'on a creusé une cavité béante entre ses jambes, avant de la remplir de résidus répugnants. Elle arrache quelques feuilles de papier hygiénique à un rouleau et se nettoie du mieux possible. Le patron est plus petit et moins baraqué que Kongzi. Comment a-t-il réussi à me maîtriser ? Ça n'a plus d'importance à présent, je suis déjà morte. Il est temps pour moi d'aller retrouver mon petit Bonheur… Elle se souvient que la première fois qu'elle avait eu ses règles, sa grand-mère lui avait donné un petit sachet rempli de suie en lui disant de le glisser dans sa culotte, avant d'ajouter : « Tu es une femme à présent. Ce sang provient de la source de la vie. Tu dois la protéger et ne jamais laisser un homme la toucher. Quand tu seras plus grande, tu te marieras et une vie nouvelle commencera pour toi grâce à elle. » Meili fixe le papier peint et voit le visage de sa grand-mère qui s'écrie : « Meili ! Aide-moi ! Un grand feu, un brasier me dévore ! Je brûle, je brûle… »

La Mère voit que l'homme s'est endormi. Elle enfile ses chaussures et saisit son sac sous le lit. Les yeux vides, le regard fixe, elle s'empare du briquet qui traîne sur la table de nuit et met le feu aux draps. Puis elle attrape la bouteille d'alcool à moitié vide et frappe l'homme à la tête, faisant voler le verre en éclats. Au bout de quelques secondes, l'homme est la proie des flammes. Il se redresse un instant en agitant frénétiquement les bras mais retombe aussitôt avec un bruit sourd. La Mère se replie dans le couloir et voit le lit qui prend feu, les flammes qui gagnent le tapis puis le papier peint des murs. Une fumée noire envahit le couloir. Toussant et crachant, la Mère reprend enfin ses esprits, s'accroupit et rampe jusqu'à la porte blindée. Quelqu'un l'ouvre au même instant de l'extérieur, jette un coup d'œil dans le couloir et s'enfuit en courant, l'air épouvanté. La Mère repousse le battant de la porte, dégringole l'escalier et jaillit dans la rue. Les flammes s'échappent à présent de la fenêtre du deuxième étage et lèchent l'enseigne au néon du NIGHT-CLUB – PARADIS SUR TERRE. Paniqués, des hommes et des femmes à moitié nus sortent en titubant du bâtiment et se cognent les uns aux autres, comme des insectes fuyant une galerie incendiée. Les gens poussent des cris perçants et courent dans tous les sens. La Mère s'écarte de la foule, se dirige vers le grand panneau d'affichage, de l'autre côté de la route, et disparaît dans les ténèbres.

MOTS-CLEFS : *couvent, chrysanthèmes blancs, sandales mauves, cahier rouge, collants en nylon, chien fou.*

La Mère court aussi vite qu'elle le peut à travers la ville, la peur atténue et annihile presque les terribles douleurs qu'elle ressent. Elle dépasse à toute allure le marché aux fleurs, la statue du président Mao érigée devant le siège des services municipaux et la fontaine musicale de la place centrale, puis s'engage sans ralentir le pas dans des avenues flanquées d'immenses tours avant d'atteindre enfin une route asphaltée qui longe les berges d'une rivière d'eau sombre. Elle poursuit son chemin, courant et marchant tour à tour. Lorsqu'elle entend une voiture approcher, elle s'accroupit derrière un arbre et attend qu'elle soit passée. Tandis que le ciel commence à s'éclaircir, elle s'arrête et regarde les maisons dont les fenêtres s'allument déjà, étagées sur la colline devant elle… Meili a beau être sortie de la ville, elle se sent toujours nerveuse. Elle franchit un pan de mur dans un chantier de démolition désert. Enfin seule, à l'abri des regards, elle tombe à genoux et éclate en sanglots, le corps agité de soubresauts. Elle veut retrouver sa petite hutte de bambou, qui n'est certes qu'un taudis – mais c'est là qu'est son foyer, l'endroit où elle peut tenir son rôle de mère et d'épouse. La perspective du suicide l'effraie, elle sait qu'il lui faudrait rassembler tout son courage pour commettre un acte pareil. D'ici là, il lui faut trouver un véhicule qui la ramène à Dexian, d'où elle pourra rejoindre le village de Guai. Elle entend un camion qui s'approche dans le lointain et se dirige tant bien que mal dans cette direction, à travers le décor jonché de feuilles de maïs et de ballons crevés, coincés sous des débris de brique. Dans le brouillard de l'aube elle perçoit une odeur fétide, masculine : après avoir franchi un nouveau mur effondré, elle se retrouve au bord d'une immense décharge. Une lumière brille un peu plus loin et elle se met en route dans sa direction. Le camion qu'elle a entendu tout à l'heure vient de déverser sa cargaison d'ordures citadines. Des ouvriers font cercle autour des déchets et les retournent avec des pelles. Une odeur infecte imprègne l'atmosphère. Meili évite les monceaux de sacs en plastique que les ouvriers ont éventrés et vidés de leurs détritus. Une femme l'aperçoit soudain et lui crie :

— Interdit de venir farfouiller par ici ! C'est nous qui sommes en charge de ce secteur !

— Je cherche juste un véhicule qui puisse m'emmener, répond Meili.

En se rapprochant, elle voit la femme harponner un sac-poubelle à l'aide d'un crochet, le secouer pour en faire tomber les pelures d'orange, les serviettes périodiques et les débris de nourriture qu'il contient, avant de le fourrer dans un énorme bac en plastique.

Meili s'approche du camion. Une autre femme remarque sa présence et lui dit :

— Vous cherchez du travail par ici ?

— C'est bien payé ? demande Meili en essayant de prendre un air détaché.

— Quinze yuans par jour, plus la nourriture et l'hébergement. Si ça vous intéresse, allez donc en parler là-haut avec M. Deng.

La femme désigne la colline qui se dresse derrière elles. Des baraques instables s'étagent à ses pieds et des hordes de corbeaux tournoient à son sommet. La perspective d'un toit et de quelques repas gratuits n'est pas sans attrait pour Meili. Elle décide de s'installer quelques jours ici, le temps d'avoir gagné de quoi payer son voyage de retour au village de Guai.

Les ouvriers ont construit ces baraques à l'aide de planches et de panneaux en plastique, sous les ruines d'un village qui a été rasé pour laisser place à la décharge. Leurs familles y travaillent, triant les débris qu'ils ramènent du site et les répartissant selon leur nature – verre, papier, plastique ou métal – en divers monticules qu'ils vont ensuite faire peser dans l'entrepôt. Des magnétophones cabossés, des mobylettes à moitié tordues, des coussins de canapés dépareillés et d'autres objets refusés par l'entrepôt s'empilent devant l'entrée des maisons. Ces abris de fortune où les familles s'entassent avec leurs jeunes enfants sont entourés de landaus déglingués et de jouets en plastique crasseux. Des fils d'étendage ont été tendus entre les toits des baraques : les soutiens-gorge et les collants fatigués qui y pendent paraissent presque blancs, comparés aux ordures qui constituent l'essentiel du décor. Le long du sentier, des cochons fouillent de leur groin les monceaux de rebuts, à la recherche de la moindre nourriture, et des canards barbotent dans des étendues d'eaux usées, agitant leurs plumes mouillées. Sur le flanc de la colline, il s'élève de la communauté des vivants et de la pourriture qui constitue son décor quotidien la même puanteur fétide.

Trois jours plus tard, par une matinée ensoleillée, Meili enfile ses gants de toile, s'assied sur un pneu et contemple la pile de chaussures qui se dresse devant elle. Ayant appris autrefois à vider des poissons, elle a obtenu qu'on lui confie le démontage de ces vieilles godasses, ce qui lui permet de travailler assise. Pour les bottes, elle fait glisser son couteau de bas en haut, retire la semelle intérieure, arrache les clous un par un, démonte le talon, ôte la semelle en caoutchouc et place le cuir ou le revêtement synthétique dans la pile correspondante. Qu'ils proviennent des chaussures, des gants ou des canapés, ces lambeaux de cuir sont ensuite découpés ; puis on les fait bouillir pour en extraire la protéine qui entre dans la composition du lait en poudre de substitution. Les chaussures de sport sont plus faciles à démonter, car leurs semelles se décollent d'un simple coup de couteau. Lorsque Meili tombe sur une chaussure qui lui paraît encore en bon état, elle la met de côté, dans l'espoir de trouver celle qui lui correspond. Hier, elle a cru que le miracle s'était produit, en repérant au sommet de la pile une sandale mauve à talon plat identique à celle qu'elle tenait à la main. Mais elle n'a pas tardé à comprendre qu'elle se retrouvait avec deux pieds gauches…

Liu Di, la femme qui occupe la baraque voisine de la sienne, est quant à elle en charge des bouteilles de verre. C'est elle qui a passé à Meili le sparadrap dont ses mains sont désormais couvertes. Liu Di a eu quatre enfants, en plus du quota légal. Les trois plus âgés sont en train de sauter sur une pile de sacs en plastique. La petite dernière, un bébé de six mois, dort dans un carton infesté de mouches, calée entre des bouteilles de Coca-Cola vides et des flasques d'alcool en céramique.

— Descendez de là, garnements ! lance Liu Di en brisant une autre bouteille dont les éclats giclent sur le sol et scintillent au soleil.

— Attention, les enfants, il pourrait vous mordre ! ajoute Meili en désignant un chien galeux qui erre à travers la décharge, recouvert d'un gilet en loques d'où pendent trois ressorts métalliques.

Depuis la disparition de son propriétaire, l'année dernière, l'animal est devenu hargneux et nul ne se risque à l'approcher.

— Comment se fait-il qu'elle soit blonde ? demande Meili en regardant la tête de la fillette nichée dans son carton.

Elle se souvient de l'énergie avec laquelle Née-sur-l'Eau tétait son lait et cela ne fait que raviver sa tristesse. Le bébé a une tête énorme et ses joues sont tellement rebondies que ses mains et ses pieds paraissent minuscules, par comparaison. Le jour où elle est née, son père a trouvé une montre dans la décharge : du coup, il l'a appelée « Petite Montre ».

— Ses cheveux étaient d'un noir de jais lorsqu'elle est venue au monde, répond Liu Di en éclatant de rire. Mais lorsque mon lait s'est tari, je lui ai fait boire du lait en poudre de la marque des « Trois Daims » et ses cheveux ont jauni du jour au lendemain.

Liu Di porte trois paires de collants en nylon pour se prémunir du froid. Elle se cale dans le fauteuil en plastique où elle s'installe pour manger et faire une petite sieste l'après-midi.

Les débris de cuir triés par Meili s'élèvent maintenant suffisamment haut pour la protéger du vent mais ne peuvent pas grand-chose contre la puanteur qui émane de la décharge. Entre les parois branlantes de son abri, elle perçoit la lumière froide du soleil qui se reflète un peu plus loin sur une pile de boîtes en plastique bleu, le long du sentier.

Une semaine passe. Les bleus qu'elle avait autour du cou se sont peu à peu estompés et elle essaie de chasser de son esprit le souvenir du viol qu'elle a subi. Mais ce matin elle a été tirée de sa léthargie en apercevant au sommet d'une montagne de déchets le cadavre d'un nourrisson. Elle s'est reculée, horrifiée, avant d'aller s'asseoir au pied d'un arbre, le plus loin possible de cette macabre découverte. La douleur qu'elle éprouve lorsqu'elle pense à Née-sur-l'Eau et sa colère contre Kongzi ont brusquement refait surface. Elle a décidé de travailler encore une semaine ici, puis de retourner au village de Guai en essayant de ne pas se faire alpaguer en cours de route. Le mari de Liu Di lui a dit que le seul moyen d'éviter une interpellation, c'était de s'habiller comme une citadine. Meili se sent relativement en sécurité dans le périmètre de la décharge. Même si tous les ouvriers qui travaillent ici sont des paysans en situation irrégulière, aucun représentant des autorités n'oserait braver la puanteur ambiante pour venir contrôler leurs papiers. Meili peut travailler en paix et feuilleter à ses moments perdus les magazines qu'elle récupère au milieu des ordures, pour voir comment s'habillent les citadines. La veille, elle a trouvé un imperméable de marque auquel manquait une poche : elle l'a échangé auprès d'une autre ouvrière contre un bracelet imitant le jade et un poudrier dans le couvercle duquel était encastré un miroir et où traînait encore un peu de fond de teint. Elle a également déniché plusieurs sacs à main, probablement abandonnés par des voleurs à la tire après avoir été vidés de leurs porte-monnaie : la plupart sont quasiment neufs et contiennent des clefs, des peignes, des préservatifs, des pilules, des paquets de kleenex et des carnets d'adresses en cuir.

— C'est forcément compliqué d'élever quatre enfants, Liu Di, lui dit Meili en chassant d'un geste les mouches qui virevoltent autour d'elle.

Ce matin elle a mis du rouge à lèvres, déniché au fond d'un sac, et depuis lors les mouches n'arrêtent pas de lui tourner autour. Liu Di lui a expliqué que ce rouge à lèvres devait être parfumé au miel.

— Cela représente juste quelques bouches de plus à nourrir, répond Liu Di. Le bœuf à la citrouille amère qu'on nous a servi hier était délicieux, n'est-ce pas ?

Quand on leur distribue à midi les boîtes contenant leur repas,

Liu Di donne généralement la sienne à ses enfants. Mais hier elle n'a pas pu résister et a tout englouti. Jamais elle ne pourrait se permettre de manger de la viande, dans son village. Mais depuis qu'elle a fui les foudres du planning familial, son horizon s'est élargi : elle a même goûté des hamburgers et bu du Coca-Cola. Lorsqu'elle tombe sur une bouteille de Coca qui n'est pas tout à fait vide, elle renifle le liquide qui reste au fond : s'il ne sent pas trop mauvais, elle la met de côté pour ses enfants.

— J'aimerais pouvoir prendre une douche et me débarrasser de la puanteur qui me colle à la peau, soupire Meili.

Elle découpe une grosse godasse avec son couteau, arrache le cuir de la partie supérieure et retire la semelle, où l'on distingue encore l'empreinte de cinq orteils.

— Pourquoi n'êtes-vous pas venue avec nous au sauna du Soleil Levant l'autre jour ? lui demande Liu Di. Ce n'est qu'à deux kilomètres d'ici.

— Cela fait tout de même une trotte. Et je craignais que la police ne remarque ma présence.

Dans le sac posé à ses pieds, Meili a glissé quatre paires de chaussures, en espérant que Kongzi et Nannan pourront les enfiler.

— Aspergez-vous donc d'un peu d'eau de Cologne diluée dans une cuvette, vous sentirez aussi bon qu'après vous être lavée au savon. Mais attention : l'odeur ne manquera pas d'attirer les mouches !

Liu Di ponctue toujours ses déclarations d'un bref éclat de rire. La seule fois où elle s'en est abstenue, c'est lorsqu'elle a raconté à Meili que son troisième enfant avait été tué par les responsables du planning familial quelques secondes à peine après sa naissance.

Au crépuscule, lorsque le ciel doré se remplit de hordes tourbillonnantes de corbeaux et de moineaux, les ouvriers dont la journée de travail se termine grimpent le long du sentier pour aller chercher un peu d'air frais. Au sommet de la colline, derrière le village rasé, se dressent les ruines d'un ancien monastère, détruit pendant la Révolution culturelle. À l'intérieur de ses murs effondrés, les villageois ont construit des enclos à cochons en se servant des pierres tombales et des chevrons brisés. Vue d'ici, la décharge ressemble à un lac asséché, niché dans la verdure d'une forêt. D'ici à quelques années, les autorités locales comptent recouvrir le site d'une dalle de béton et édifier par-dessus un vaste complexe sportif, pour commémorer les Jeux olympiques de Beijing. De l'autre côté du monastère en ruine s'étend un champ de chrysanthèmes blancs que le responsable de la décharge fait pousser pour son profit personnel. Tandis que les ouvriers regagnent leurs bicoques, Meili continue d'escalader la pente, couverte par endroits de vieux matelas et de plateaux de table, placés là pour éviter que le sentier ne se transforme en un torrent de boue lors des pluies diluviennes. Elle porte les sandales mauves dont elle n'a que les pieds gauches et avec lesquelles elle s'entraîne à marcher depuis trois jours. Des vêtements de toutes les couleurs se balancent sur les étendages de fortune installés entre les lampadaires et les diverses machines qui bordent le sentier.

Au sommet de la colline, elle s'assied sur une ancienne dalle du couvent et pense à Suya, qui l'a traitée comme une sœur aînée. Meili a lu son journal du début à la fin, en sautant les mots qu'elle ne comprenait pas. Il n'y a aucune adresse à l'intérieur, aussi est-elle dans l'incapacité de retrouver la jeune femme ou de confier le cahier rouge à son petit ami, comme elle le lui a promis. Même si Suya est encore en vie aujourd'hui, elle ne la reverra probablement jamais. Elle sait toutefois qu'elle-même serait probablement morte à l'heure qu'il est, si elle n'avait pas croisé sa route… Quand j'ai voulu me suicider après avoir été violée, je me suis dit que tu aurais été furieuse contre moi, Suya, toi qui as été violée tous les jours pendant plus d'un an, jusqu'à vingt fois de suite certains soirs… Qu'espérais-tu retirer d'une vie pareille ? L'indépendance ? Une forme de revanche ? J'ai l'impression que tu me regardes en ce moment : même sans lever la tête, je devine ta présence parmi les nuages roses qui s'étendent au-dessus de moi…

Tandis que le vent d'automne commence à siffler, Meili entonne une chanson pour son amie : *Ma tendre sœur ! Tu as franchi seule le Pont et t'es arrêtée dans le Pavillon d'où les morts peuvent jeter un dernier regard sur le monde des vivants. Après avoir bu le Brouet d'Amnésie aux cinq parfums de la vieille Meng, tourne-toi et contemple-moi une dernière fois…* Des plumes de lumière dorée scintillent comme des lambeaux de satin à travers les nuages qui rosissent. Puis, quelques instants plus tard, le ciel s'assombrit et devient aussi gris que la décharge qui s'étend à ses pieds. **Dans l'obscurité, au pied de la colline, le chien fou se débat pour**

s'extraire d'une mare de boue et remonte le sentier, traînant derrière lui un soutien-gorge et un filet en plastique accrochés à ses ressorts. Plus bas, dans les ruines du couvent, la complainte de la Mère résonne contre les pierres tombales et se dilue dans la douceur fétide de l'atmosphère.

À l'aube, une semaine plus tard, Meili sent qu'elle émerge enfin de l'état de léthargie où elle s'est trouvée plongée. Son corps est toujours douloureux mais elle a l'esprit plus clair. Elle sait à présent qu'elle ne se suicidera pas. Elle ne dira pas à Kongzi qu'elle a été violée et continuera de se battre, jusqu'à ce qu'elle ait enfin trouvé le bonheur. Comme Suya l'a écrit dans son cahier rouge : « Pour survivre dans ce monde, il faut savoir faire face à toutes les situations. » Elle apprendra à devenir forte et se servira du journal de son amie comme d'une balise qui la guidera, sur le chemin qui l'attend… Je serai aussi forte et résistante que toi, Suya : je continuerai de vivre en suivant ton exemple.

Elle glisse un couteau aiguisé dans son sac à main et se prépare au dangereux voyage qui l'attend. Elle s'accroupit devant sa cuvette emplie d'eau, se lave soigneusement le visage et le cou, peigne ses cheveux avant de se faire un chignon qu'elle retient avec un fermoir argenté. Elle enjambe ensuite un petit congélateur hors d'usage et s'approche du miroir pour appliquer son rouge à lèvres et son fard à paupières, à l'image des modèles qu'elle a vues dans les magazines. Elle se met aussi un peu de mascara mais le produit est tellement coagulé que ses cils restent collés. Réalisant tout à coup qu'elle a oublié le fond de teint, elle trempe à la hâte une éponge humidifiée dans son poudrier et la passe sur son visage en ayant soin de ne pas effacer le reste du maquillage. Du coup, ses oreilles et son cou semblent trop foncés, par comparaison : mais elle n'a plus de poudre pour y remédier. Elle pousse un soupir et résout partiellement le problème en nouant une écharpe rouge autour de son cou. Elle a glissé dans son sac à main plusieurs cartes de visite qu'elle a récupérées sur le site, dont celles du directeur de l'Office régional du commerce et de l'industrie, du chef des ventes d'une importante marque de tabac et du président de l'hôpital municipal. Elle espère que ces cartes pourront éventuellement lui tenir lieu de sauf-conduit. Elle a appris par cœur toutes les données qu'elles contiennent et pourra les réciter sans l'ombre d'une hésitation, si jamais la police l'arrête et l'interroge. Elle enfile ensuite la longue robe marron que lui a donnée Liu Di, une paire de collants noirs intacts et les sandales mauves dont elle n'a que les pieds gauches. Elle aperçoit une tache d'encre sur son chemisier blanc et passe un peu de craie par-dessus pour la dissimuler tant bien que mal. Liu Di, qui débarque à cet instant, n'en croit pas ses yeux et pousse un petit cri de surprise.

— Mon Dieu ! s'exclame-t-elle. On dirait une prostituée ! Non, je suis désolée… Je voulais dire : une secrétaire de direction… Qui aurait cru qu'une telle beauté puisse fleurir au milieu de cette décharge publique ! Vous pourrez monter dans n'importe quel autocar à présent, personne ne se souciera de vous demander vos papiers.

— Je retourne au village de Guai, lui répond Meili.

La veille, elle a expliqué à Liu Di les raisons qui l'avaient poussée à partir.

— C'est une sage décision ! Comme dit le proverbe : « Aussi loin qu'une poule puisse aller, elle finit toujours par regagner la basse-cour ».

De son côté, Liu Di a révélé à Meili que son mari la battait régulièrement, avant de le maudire et de donner libre cours à sa colère.

— Je crains seulement que mon odeur ne me trahisse, dit Meili.

Elle s'est tellement habituée à la puanteur qui règne dans la décharge qu'elle n'en distingue plus les relents sur son propre corps. Elle a pourtant accompagné Liu Di au sauna du Soleil Levant hier et elle est restée une heure sous la douche. Mais il émane de ses vêtements une odeur de pourriture qu'aucune lessive ne serait en mesure d'éliminer. Il ne lui reste plus qu'à les asperger du parfum capiteux dont elle compte également humecter son cou.

Le chien fou vient s'asseoir au pied de Meili. Elle se demande ce qu'elle va faire de lui. Depuis qu'il l'a entendue pousser sa complainte funèbre la semaine dernière, du haut de la colline, l'animal ne la lâche plus d'un pouce et avale le moindre rogaton qu'elle jette sur le sol. Elle a déjà tranché avec son couteau le gilet rapiécé qui enserrait son corps. Avant de partir aujourd'hui, elle compte lui donner un bon bain et le voir enfin débarrassé de sa crasse, tel un lotus émergeant à la surface d'un étang boueux.

MOTS-CLEFS : *crématorium d'État, portes de l'enfer, mutilé et carbonisé, pot en terre, brute insensible.*

Incrédule, Kongzi ouvre de grands yeux, puis son regard se fige comme une étendue d'eau morte. Nannan reste assise sur son lit et se ronge les ongles, sans oser la regarder.

— Viens ici, Nannan ! tente d'articuler Meili, mais les mots s'étranglent dans sa gorge.

Elle va s'asseoir à côté de sa fille et la prend dans ses bras.

— Tu es morte, maman, lui dit Nannan, les yeux remplis de larmes.

— Mais non, je ne suis pas morte.

La veille, Meili a manqué l'autocar et a dû passer la nuit dans la gare de Dexian, recroquevillée sur un banc.

— Tu es sale et tu sens mauvais, lui dit Nannan en reniflant son cou.

Avant de quitter la décharge, Meili a emmené le chien fou dans une station-service et l'a savonné à grande eau. Une fois sa toilette terminée, son pelage était redevenu blanc comme neige mais elle était elle-même constellée de boue. Le chien a attendu pendant des heures à ses côtés, sur le bord de la route. Quand un camion s'est enfin arrêté et l'a embarquée, le chien a couru derrière le véhicule aussi longtemps qu'il le pouvait avant d'abandonner la partie, petite tache blanche disparaissant peu à peu à l'horizon.

Incapable de se retenir plus longtemps, Kongzi se lève soudain, gifle violemment Meili et lui crie :

— Où diable étais-tu donc passée, depuis quatre semaines ? Nous nous sommes fait un sang d'encre. Quand ta grand-mère a appris que tu avais disparu, elle a eu une attaque et elle en est morte.

Meili se laisse tomber au sol, plonge sa tête dans ses mains et se met à pleurer.

— J'ai été arrêtée, s'écrie-t-elle. Puis enfermée dans un centre de détention. C'est un miracle que j'aie pu m'en sortir et revenir ici.

— Et que fais-tu, habillée de la sorte ? On dirait une prostituée ! aboie Kongzi.

Ses veines saillent sur son cou, tant il est furieux.

— Espèce de brute insensible ! J'ai vécu un véritable calvaire pour venir jusqu'ici et c'est ainsi que tu m'accueilles...

— J'ai demandé aux gens de se renseigner auprès de tous les centres de détention du district, mais tu étais introuvable. Ton frère est venu nous rejoindre il y a deux semaines et n'a pas cessé de te chercher depuis lors.

Kongzi s'assied sur un carton de bière et sa colère décroît peu à peu.

— Quand ma grand-mère est-elle morte ? demande Meili en essuyant sa morve et son rouge à lèvres avec le drap du lit.

— Le 9 octobre, le jour de ton anniversaire, lui répond Kongzi en prenant une cigarette.

Meili fond à nouveau en larmes. Nannan se lève, vient se blottir dans les bras de sa mère et se met à son tour à pleurer. Tout cela provoque une telle agitation dans la hutte de bambou que des plaques de boue séchée se détachent des parois.

Kongzi sort sur le porche. L'ultime pan du soleil se reflète à la surface de l'étang. Une voiture roule dans le lointain au pied des collines noires, laissant derrière elle une infime traînée de lumière. De retour du village, le frère de Meili émerge au milieu des roseaux et le salue de la main. Ils regagnent ensemble l'intérieur de la hutte où Meili est étendue sur le sol comme un animal blessé, gémissant à cause de toutes les souffrances qu'elle a dû endurer : le bruit de ses sanglots se répercute à travers le marécage, portés par la froideur du vent d'automne.

Quelques heures plus tard, le calme finit par revenir. La lampe à pétrole accrochée à la paroi éclaire les visages des quatre occupants de la hutte, plongeant dans l'obscurité le reste du décor. Le frère de Meili lui ressemble comme deux gouttes d'eau, à ceci près que ses sourcils sont inclinés vers le bas, ce qui lui donne un air penaud.

— Je repartirai demain, dit-il. Il n'a déjà pas été facile de m'absenter de la mine.

Nannan s'est endormie à l'extrémité du lit. Meili a les paupières gonflées à force d'avoir pleuré. Elle grignote un épi de maïs dont elle mâche lentement la chair. Quand Kongzi se tourne du côté de la lampe, il paraît soudain beaucoup plus vieux. La fumée qui s'élève de sa cigarette vient encore souligner l'immobilité des ténèbres ambiantes.

— Il y a une usine de détergent plus bas sur la rivière, dit Kongzi au frère de Meili. Et d'autres encore, dans les environs, qui fabriquent du vinyle ou de la mousse carbonique pour les extincteurs. Toutes cherchent à embaucher des ouvriers en ce moment. Pourquoi ne t'installerais-tu pas dans le coin ? J'ai rencontré l'autre jour un type qui a été mineur. Il m'a dit qu'il y a eu une explosion dans sa mine l'année dernière. Le directeur ne voulait pas que la nouvelle se répande, aussi a-t-il aussitôt fait sceller l'entrée de la mine, empêchant les équipes de secours de dégager les ouvriers qui étaient restés bloqués à l'intérieur.

— Oui, dit Meili, travailler dans une mine présente des risques, il y a sans arrêt des accidents.

Maintenant qu'elle s'est débarrassée de son maquillage, elle paraît plus éveillée que les deux hommes qui sont déjà dans un état d'ébriété avancé.

— Non, dit son frère, jamais je ne pourrais vivre par ici, la puanteur est insupportable. Sans parler de ces éruptions, ajoute-t-il en grattant les plaques rouges qui sont apparues sur ses mains.

La conversation languit. Nannan se tourne sur le côté, ce qui fait craquer les parois de la hutte.

— Papa, dit-elle en se frottant les yeux, j'ai envie de faire pipi.

— Eh bien vas-y, lui dit Kongzi. Débrouille-toi.

Meili la prend par la main et l'accompagne jusqu'au seuil.

— Va faire tes besoins au pied de cet arbre, lui dit-elle. Je suis là, tu ne crains rien.

— Elle a pissé au lit presque toutes les nuits quand tu n'étais pas là, lui murmure Kongzi. Le matelas empeste l'urine.

Nannan revient en remontant son pantalon et va se blottir sur les genoux de son père.

— Retourne te coucher à présent, lui lance celui-ci d'un air excédé.

— Raconte-moi d'abord un « il était une fois »...

— Non, il est trop tard. Va dormir. Si tu es gentille, j'attraperai une grenouille pour toi demain et je la ferai griller sur le feu.

— Tu sais bien que je ne mange pas de viande, dit Nannan en se blottissant contre sa poitrine. J'aime trop le rose.

— Allez, maman va te mettre au lit, lui dit Kongzi.

— Non, dit Nannan en se mettant à pleurer. Je ne veux pas maman, elle sent mauvais. Je veux ma grand-mère.

— Tu n'avais que deux ans et demi la dernière fois que tu l'as vue, tu ne dois même pas te souvenir d'elle.

— Grand-mère me donnait des cacahuètes. Elle avait les cheveux blancs.

— Je n'ai pas cessé de penser à toi pendant mon absence, Nannan, mais je ne t'ai visiblement pas beaucoup manqué, lui dit Meili en frottant son oreille encore douloureuse après la gifle de Kongzi.

Nannan enlace le cou de son père et plonge son visage dans le creux de son épaule.

— Je t'aime, papa... Tu es encore plus chaud que le soleil.

Meili la soulève de force et va la mettre au lit, avant de rabattre la couverture sur elle.

— Tu ne m'as pas manqué un seul instant, lui dit Nannan en fermant les yeux d'un air furibond. Donne-moi ma poupée.

— Quelle année funeste ! dit Kongzi en tapotant son paquet de cigarettes. D'abord ta grand-mère qui meurt – et maintenant mon père qui est tombé malade, je viens de l'apprendre...

— Ma famille me manque, à moi aussi, dit Meili. J'ai envie d'aller voir mes parents. Tant pis si les autorités m'arrêtent et m'obligent à mettre un stérilet.

Elle se rappelle avoir aperçu ce matin par la fenêtre de l'autocar la lueur grise du soleil qui éclairait un abri de toile goudronnée, au beau milieu d'un champ vide. Ce paysage désolé a ravivé la nostalgie que lui inspirent le village de Nuwa, sa famille, la maison de ses parents et l'osmanthus érigé au milieu de leur jardin.

— Les autorités du village ne se contentent plus d'arrêter ceux qui ont enfreint les lois du planning familial, dit son frère en croquant une graine de tournesol. Ils confisquent l'argent qu'ils ont sur eux, vident leurs comptes en banque – et tout cela va remplir les poches des dirigeants du district. Il y a un marché maintenant près du temple de Nuwa, qui attire de nombreux visiteurs. Les autorités ont installé un poste de contrôle à chaque entrée du village et ceux qui veulent passer doivent montrer leur certificat.

— Ce genre de contrôle ne m'effraie plus, dit Meili. Ce sont les centres de détention que je redoute. Ils arrêtent tous les paysans et les chassent des centres urbains, en prétendant qu'ils détériorent l'image de leurs villes. Mais il n'y a pas que des riches ni que des gens bien habillés, en ville.

Elle revoit soudain l'image de la femme enceinte qu'on rouait de coups dans le camp de travail, parce qu'elle avait osé répondre à un policier.

— Ma foi, dit son frère en buvant une nouvelle rasade d'alcool de riz, j'ai aperçu un avis aujourd'hui dans le village de Guai interdisant aux propriétaires de louer leur maison à ceux qui enfreindraient les règles du planning familial. Vous ne serez donc peut-être plus très longtemps en sécurité ici.

— Tu as raison, dit Kongzi. D'ailleurs, l'endroit est trop insalubre. Je ne tiens pas à ce que Meili mette au monde un autre enfant handicapé.

Meili cesse aussitôt de croquer sa graine de tournesol et le fixe droit dans les yeux. Dès qu'elle pense à Née-sur-l'Eau, la colère l'envahit. Elle aimerait bien savoir ce que Kongzi a fait de leur fille mais n'ose pas le lui demander. Elle se sent coupable d'avoir pris la fuite et ne peut s'empêcher de penser que la mort de sa grand-mère est une punition du ciel, en réponse à son attitude irresponsable.

— Et cette Commune Céleste dont tu me parlais ? dit son frère en crachant par terre. Combien de temps vous faudrait-il pour vous y rendre en bateau ?

— Deux ou trois semaines, au moins. Et Dieu sait combien de postes de contrôle il faudra franchir en cours de route, sans parler des amendes à débourser.

Kongzi crache à son tour sur le sol, avant de s'essuyer la bouche.

— Où grand-mère a-t-elle été enterrée ? demande Meili à son frère, le regardant avec l'air apeuré d'une souris qui vient de tomber dans un pot en terre.

— Ne lui pose pas cette question, intervient Kongzi. Il est tellement furieux de la manière dont les choses se sont passées qu'il veut mettre le feu au crématorium du district. Les autorités de Nuwa ont décrété que tous les cadavres devaient désormais être incinérés. Du coup, après chaque décès, les familles doivent payer deux cents yuans pour le corbillard qui conduit le défunt au crématorium, mille yuans pour l'incinération et cinq cents yuans pour l'urne funéraire. Les autorités cherchent à se faire le plus d'argent possible sur le dos des morts avant d'autoriser les funérailles.

Le frère de Meili baisse les yeux.

— Oui, dit-il, nous savions que nous n'avions pas les moyens de payer l'incinération de grand-mère, aussi papa a-t-il discrètement enterré son corps dans le jardin, sous l'abri où nous remisons la paille. Nous avons essayé de ne pas faire de bruit pour ne pas alerter les voisins, mais maman n'a pu retenir ses larmes. Un curieux nous a aperçus et dénoncés à la police. Les délateurs touchent maintenant cent yuans pour chaque nouvelle dénonciation... Le lendemain, des policiers municipaux ont débarqué chez nous et ont fouillé le jardin. Ils ont fini par découvrir la tombe de grand-mère et ont déterré son cadavre. Ils ne se sont même pas donné la peine de l'emmener au crématorium : ils l'ont arrosé d'essence et brûlé sous nos yeux. Et pour couronner le tout, nous avons dû payer une amende pour enterrement illégal. Comme nous n'avions pas cet argent sur nous, ils ont embarqué deux de nos cochons.

— Ces fascistes n'ont-ils donc pas la moindre conscience ? s'écrie la Mère en grimaçant à cause de l'abcès qui s'est formé à l'intérieur de sa joue.

— De nos jours, il faut payer neuf mille yuans au gouvernement pour avoir le droit de naître et deux mille pour celui de mourir, dit le Père en ôtant ses lunettes avant de frotter ses yeux

fatigués. Les portes de l'enfer ne s'élèvent plus dans les profondeurs du sol : elles se dressent désormais sur terre.

— Après le départ des policiers, nous voulions donner à grand-mère une sépulture digne de ce nom. Son corps était tellement mutilé et carbonisé que nous ne pouvions pas lui mettre sa robe funéraire : nous nous sommes contentés de l'étaler sur ses restes, avant de l'envelopper dans un grand linceul et de l'enterrer sous un pêcher.

Son frère écrase une larme et crache à nouveau par terre, avant de racler la salive du bout de sa chaussure.

— Quel jour sont-ils venus la brûler ? demande la Mère.

— Le 12 octobre, trois jours après son décès. Je n'étais pas encore reparti à la mine.

La Mère sent ses cheveux se dresser sur sa tête. Trois jours après mon anniversaire ? songe-t-elle intérieurement. C'est le jour où j'ai mis le feu au night-club et où le visage de grand-mère m'est apparu en s'écriant : « Je brûle, je brûle... » Après une longue pause, elle relève les yeux et dit à son frère :

— Il y a chez nous une photographie de grand-mère prise à l'entrée du temple de Nuwa quand elle avait douze ans, une fleur dans les cheveux. Mets-la de côté pour moi, s'il te plaît...

Le frère se verse du thé et change de sujet.

— Les autorités du district de Nuwa font tout pour encourager le tourisme, dit-il au Père. Le réservoir du village des Kong a été transformé en lac de plaisance : il y a trois embarcations, une petite jetée et une guérite à l'entrée qui vend les billets. C'est Cao Niuniu qui en a fait les plans. C'est bien le fils du vieux Cao, qui a réalisé jadis cette fresque pour toi ? En tout cas, ce Niuniu est un peintre reconnu à présent. Il a un atelier à Beijing et une petite amie américaine. Il est revenu l'an dernier au village des Kong à bord de son énorme Jeep, suivie par une horde de journalistes et une équipe de télévision. Il a racheté l'hôtel où tu travaillais autrefois et embauché une centaine de jeunes artistes qui exécutent pour lui des copies des chefs-d'œuvre de la peinture occidentale : *Le Déjeuner sur l'herbe, La Dernière Cène* – ou est-ce *Le Festin nu* ? Je ne me souviens plus... Le village des Kong abrite à présent toute une colonie d'artistes !

— Le vieux Cao vit-il toujours dans l'appartement de son fils ? demande le Père.

— Je n'en sais rien. Mais il s'est encore passé autre chose, dans ton village. La police locale a découvert l'existence d'un complot visant à renverser le pouvoir central. La presse en a même parlé. Le chef de la bande est un certain Kong Qing. Ce type ne manque pas de cran, mais il est derrière les barreaux à présent, et pour longtemps… Il avait constitué une cellule secrète de trois cents paysans, baptisée Parti pour la Liberté des Naissances en Chine. Chaque membre portait un fil jaune noué autour du bras gauche. Leur but était de s'emparer du Bureau du planning familial du district, le jour de la Fête nationale, et de proclamer une loi accordant à chaque citoyen le droit de décider du nombre d'enfants qu'il souhaitait avoir.

— Kong Qing ? dit le Père en jetant un regard inquiet vers la Mère. Je ne le connais pas très bien. Il a fait son service dans l'artillerie, si ma mémoire est bonne. Sa femme a subi un avortement forcé juste avant notre départ et ne s'en est jamais remise. Qui sait… Si nous n'avions pas pris la fuite, peut-être aurais-je fomenté un soulèvement de ce genre, moi aussi…

MOTS-CLEFS : *route obscure, canal d'évacuation, périmètre d'eau, dragon de la rivière, Commune Céleste.*

— Nous y sommes ? lance Meili depuis la proue du bateau.

Elle inspire profondément et sent l'air amer et acide de la nuit descendre dans sa gorge comme une infecte potion. Oui, songe-t-elle, c'est bien le genre d'atmosphère susceptible de rendre les hommes inféconds.

— Nous avons donc atteint cette fameuse Commune Céleste, où les femmes n'ont plus à redouter de tomber enceintes, dit-elle à voix haute.

Craignant que Kongzi ne l'ait entendue, elle se tient à nouveau coite et continue d'inspirer à pleins poumons l'air gorgé de toxines qui vient irriguer son sang. Brusquement excitée, elle contemple la sinistre rivière qui les conduit vers leur nouveau foyer.

— Attention à cette épave ! s'écrie-t-elle soudain.

La silhouette du bateau penché sur le côté et échoué sur la berge au milieu des roseaux évoque le squelette du mythique dragon de la rivière. Un peu plus haut se dressent des maisons en ruine dont le toit a disparu. Kongzi avance avec précaution au fil du courant, la main plaquée sur la bouche afin d'atténuer la puanteur des émanations chimiques. La rivière s'est notablement rétrécie et des maisons aux toits de tuiles récemment construites se dressent à présent de part et d'autre, disséminées sur les rives entre d'anciens bâtiments aux murs gris. Quelques grands conifères se découpent tels les mâts d'un navire sur le ciel nocturne.

— Non, dit Kongzi, nous avons dû faire erreur. Nous ne sommes plus sur la rivière mais sur un canal d'évacuation. Il faudrait que nous demandions notre chemin avant d'aller plus loin. Je vais essayer d'accoster de ce côté.

Il coupe le moteur, se penche et balaie la berge du faisceau de sa torche. Une jeune fille est accroupie dans la boue, frottant du linge sur une dalle de pierre, un seau en plastique rouge à ses côtés. Elle a écarté devant elle les ordures qui flottent à la surface, dégageant un petit périmètre d'eau claire.

— Sommes-nous dans la Commune Céleste ? lui demande Kongzi en braquant le faisceau de sa lampe sur ses gants en caoutchouc jaune.

La jeune fille lève les yeux et les rebaisse aussitôt. Elle continue de plonger les vêtements dans l'eau sombre, puis de les frotter sur la pierre de ses mains gantées.

— Nous devons être arrivés, dit Meili. Regarde comme tout est calme par ici : on se croirait presque dans un autre monde.

Elle prend la torche des mains de Kongzi et promène son faisceau sur les bâtiments environnants avant de l'immobiliser sur un mur passé à la chaux où se détache en lettres bleues l'assertion suivante : NOS APPAREILS QUI UTILISENT LA TECHNOLOGIE LA PLUS RÉCENTE RÉDUIRONT VOTRE CONSOMMATION D'ÉNERGIE.

— Je ne peux pas m'amarrer ici, dit Kongzi, il y a trop de déchets qui bloquent le passage.

Il remet le moteur en route et poursuit sa route, penché pardessus le flanc du bateau pour s'assurer que la coque ne racle pas le fond de la rivière.

Un pont de pierre apparaît devant eux. Deux bateaux sont amarrés sous son arche et un petit kiosque éclairé par une ampoule nue se dresse à l'une de ses extrémités. Meili pousse un soupir de soulagement. Nous sommes sur la Rivière de l'Oubli, rêve-t-elle, et voici le Pont de l'Impermanence : la vieille Meng nous attend juste derrière avec son Brouet d'Amnésie…

Une fois qu'ils ont passé le pont, un grand lac s'étend devant eux. Des lumières scintillent dans les immeubles qui se reflètent sur l'eau. Elle est d'un calme mortel. En respirant les effluves sulfureux qui en émanent, Meili et Kongzi ont l'impression d'avoir été bannis du ciel et de la terre et d'être passés dans un univers souterrain, un havre de paix dans lequel ils vont enfin pouvoir se poser, mettant ainsi un terme à cette vie errante au fil de l'eau. Le visage de Meili s'illumine de joie. Elle tousse dans sa manche et pince la cuisse de Kongzi.

— Nous y sommes enfin ! s'écrie-t-elle. Nous avons trouvé la Commune Céleste ! Le seul endroit en Chine où les femmes ne peuvent pas tomber enceintes !

À peine a-t-elle prononcé ces mots qu'elle se mord les lèvres, regrettant amèrement de s'être laissé emporter par son élan.

— Qu'est-ce que tu racontes ? lui dit Kongzi. Les femmes ne tomberaient pas enceintes par ici ? Quelle absurdité ! Viens, nous allons tout de suite prouver le contraire…

Il lâche la barre et empoigne les seins de Meili. Le bateau se met à dessiner des cercles sur l'eau stagnante. Mais ils n'ont pas besoin de jeter l'ancre pour l'instant : ils ne sont plus sur une rivière dont le courant les emporterait inexorablement. Ils ont atteint leur but : Meili va pouvoir se reposer, reprendre des forces et vivre le cœur léger.

— Veux-tu bien me lâcher ! dit-elle à Kongzi. J'ai envie de regarder ce lac. Il est immense, tu ne trouves pas ? On pourrait y mettre tous les canards que compte la Chine, il y aurait encore de la place…

Kongzi et elle n'ont fait l'amour qu'une seule fois depuis son retour au village de Guai le mois dernier : elle était tellement tendue qu'elle n'a strictement rien ressenti, repoussant son mari avant qu'il n'ait terminé sa besogne.

— Le devoir d'une femme, c'est de mettre des enfants au monde, dit Kongzi. Voyons si je ne pourrais pas planter une nouvelle graine dans ton ventre…

Il l'étreint au beau milieu du pont, faisant du même coup vaciller leur bateau.

— Nous allons chavirer si tu n'y prends pas garde, lui lance Meili en se libérant et en regagnant la cabine.

Kongzi la suit et la saisit à nouveau, l'immobilisant sur le sol.

— Lâche-moi ! Tu vas réveiller Nannan. Il est plus de minuit. Ne sois pas donc pas si brutal !

— Cela fait des semaines que tu me repousses. Allez, laisse-moi m'occuper un peu de toi...

À l'extérieur, la noirceur de la nuit et les ténèbres du lac oscillent et se fondent, depuis les hauteurs invisibles des cieux jusqu'au plus profond des eaux.

— Un peu de douceur, Kongzi, dit Meili qui se détend enfin et sent son corps dériver comme une fleur de pêcher au fil de l'eau. Tu peux lâcher ton sperme en moi, je n'ai plus peur.

Elle inspire profondément l'air de la nuit et une larme s'échappe de ses yeux.

L'esprit de l'enfant regarde la Mère qui dérive sur l'étroit cours d'eau et atteint l'immense lac, puis se voit lui-même traverser les ténèbres et remonter la route obscure qui chemine entre ses cuisses pour rejoindre le lointain lac de son utérus. Il sait qu'ici commence son ultime incarnation. L'heure a sonné de la troisième gestation, de la troisième naissance, du troisième destin.

Plus tard cette nuit-là, incapable de dormir, la Mère est assise à la proue du bateau et grignote des fèves grillées en contemplant la multitude des étoiles et des lumières qui brillent dans le ciel et sur les rives du lac. L'esprit de l'enfant se voit lui-même franchir le col de l'utérus, à travers des vapeurs qui dégagent une odeur de plastique brûlé. Puis il remonte un pli utérin d'aspect peu engageant et bascule de l'autre côté, tandis que des eaux usées aux relents métalliques envahissent son nouveau foyer, mélangées à un vague parfum de soupe de navets. La Mère n'a pas encore conscience de son arrivée. Elle est en train de rêvasser et se dit : mon utérus est comme un bocal à poisson que ces produits chimiques feront voler en éclats. Plus jamais je n'aurai à porter un enfant dans mon ventre. Je serai libre... Dans le lointain, près du pont sous lequel ils sont passés quelques heures plus tôt, on vient de mettre le feu à un tas de vieux circuits imprimés et de tuyaux en plastique : une fumée aussi noire que la nuit s'élève au-dessus des flammes orangées, secouant les bandes de toile goudronnée qui pendent des branches et s'agitent comme des

chiens enragés. Les déchets de plastique et de métal se mélangent en fondant et s'écoulent jusqu'aux berges du lac. Lorsqu'ils les atteignent, des étincelles rouges giclent en grésillant au-dessus de l'eau ténébreuse.

MOTS-CLEFS : *saules ombragés, tigre descendant la montagne, divinités locales, déchets électroniques, semis, granules de plastique.*

Ils logent à présent de l'autre côté de la rivière, en face de l'ancienne résidence d'un lettré de la dynastie des Qing. Par-dessus ses hauts murs d'enceinte, ils distinguent de très vieux arbres et des toits de tuiles jaunes. Kongzi a loué une minuscule cabane sur pilotis aux parois de tôle, surplombant une rivière qui s'écoule du lac. Abrités par un saule, ils peuvent surveiller leur bateau depuis la fenêtre et le loyer mensuel n'est que de trente yuans. Malheureusement, l'eau de la rivière est aussi rouge et rance que du thé de Oulong. Après y avoir lavé leurs vêtements ou leurs légumes, ils sont obligés de les rincer à nouveau avec de l'eau claire.

La rivière coule en direction de l'est pour rejoindre la mer, mais son débit est entravé par les déchets électroniques et ménagers qui y sont déversés tous les jours. Le long de ses berges se dressent des saules ombragés et des vieilles demeures agrémentées de cours intérieures, qui appartenaient un siècle plus tôt à de riches négociants. Ces propriétés rectangulaires sont construites dans le style traditionnel baptisé dans la région de « tigre descendant la montagne », la partie arrière des bâtiments étant plus haute que celle de devant. Aujourd'hui ruinées et rongées par l'humidité, elles ont pour la plupart été louées à des travailleurs itinérants, leurs propriétaires préférant s'installer dans de nouvelles demeures, loin de l'insalubrité du lac. Le saule qui se dresse à côté de leur cabane a plus de deux cents ans. À ses pieds se trouvent deux statues, représentant deux divinités locales. Ces statues dénuées de jambes terrifient Nannan. La semaine dernière, des villageois sont venus jusqu'ici et ont solennellement abattu un cochon, qu'ils ont ensuite disposé devant les statues avec d'autres offrandes de fruits, de poulet et de poisson. De grandes bougies rouges ont ensuite été allumées : tandis que leur fumée odoriférante s'élevait dans les branches du saule, les villageois se sont agenouillés en priant pour obtenir de bonnes récoltes, la naissance d'un fils ou la réussite de leurs enfants aux examens.

Meili travaille dans un atelier de recyclage, au rez-de-chaussée d'une maison située juste à côté de la résidence du lettré de la dynastie Qing. Elle doit chaque jour démonter un nouveau lot de transformateurs et fondre des emballages en plastique. La plupart du temps, Nannan l'accompagne et joue toute seule à cache-cache au milieu des paniers remplis de fils de cuivre et de câbles électriques.

Le matin, après les avoir déposées sur la rive opposée, Kongzi se rend en bateau dans une bourgade voisine où il charge une cargaison d'eau potable qu'il revend ensuite aux habitants de la Commune Céleste. Il ne gagne que quarante yuans par jour – un peu moins même que Meili – mais il est heureux de n'avoir personne sur le dos et de pouvoir naviguer à son gré dans les environs. Lorsqu'il revient l'après-midi, le bateau chargé de bidons et convoyant parfois un ou deux passagers qu'il a recueillis en cours de route, il se sent heureux d'habiter cet endroit en dépit des effluves acides et de la puanteur qui y règnent.

— D'où êtes-vous donc, capitaine ? lui demande un ouvrier itinérant en montant à bord un beau matin.

— De la province de Hubei, répond Kongzi en remettant le moteur en route et en regardant un cargo déverser un lot de téléviseurs et de scanners hors d'usage un peu plus haut sur la berge boueuse. Nous sommes arrivés il y a quelques mois. Et vous ?

— Oh, cela fait huit ans que je suis ici. Vous voyez ces petites maisons blanches, là-haut ? C'est notre équipe qui les a construites l'an dernier, en moins de six mois. Mais il devient plus difficile de trouver du travail à présent, avec ce nouvel afflux de travailleurs itinérants.

Kongzi considère les maisons en question, qui font penser à des toilettes publiques avec leurs toits de tuiles blanches. Elles sont construites sur une colline élevée qui surplombe le lac, non loin du siège de l'administration municipale. La route en ciment qui les longe rejoint un ancien temple de Confucius, aujourd'hui abandonné, où les gens de la région venaient faire des offrandes au vieux sage et à ses dix-huit disciples à l'époque du Guomindang. Il y a encore peu de temps, la Commune Céleste était une petite cité lacustre sans histoires et plutôt endormie. Pendant la saison des pluies, le lac débordait et inondait le théâtre édifié sur ses rives du temps des Ming : les eaux s'étendaient même parfois et recouvraient l'ensemble de la ville. Au cours des années 1960 la moitié des habitants ont quitté les lieux, la plupart du temps à pied, portant leurs affaires en travers des épaules au bout de grandes perches, pour aller trouver du travail et vivre misérablement à Guangzhou. Mais depuis une dizaine d'années, après l'arrivée dans le port de Foshan, non loin d'ici, du premier navire britannique venu décharger une montagne de déchets électroniques, l'essor économique de la Commune Céleste n'a cessé de croître. Une famille qui avait le sens des affaires a ramené une partie de ces rebuts dans sa maison et les a triés, avant de revendre le plastique et le métal ainsi récupérés à une usine de jouets locale. Comme des quantités de plus en plus imposantes de déchets européens étaient déversées à Foshan, d'autres familles de la Commune ont suivi cet exemple, ouvrant des ateliers au rez-de-chaussée de leurs maisons et engageant des ouvriers itinérants pour les seconder dans cette tâche. Aujourd'hui, les porches de toutes les maisons sont encombrés non pas par des sacs de farine mais par des piles de câbles électriques, de transformateurs et de circuits imprimés. En à peine une décennie, de paisible cité côtière qu'elle était, la Commune Céleste est devenue une agglomération prospère, vouée au recyclage des débris.

— Je pourrais facilement trouver du travail dans le démantèlement de toutes ces carcasses électroniques, dit l'homme à Kongzi, mais ce n'est pas sans danger. Le pire, c'est l'extraction des éléments en plomb et en argent : il faut recourir à l'acide sulfurique, qui dégage des vapeurs susceptibles de rendre les hommes impuissants. Je préfère de loin travailler sur un chantier de démolition.

— La plupart des travailleurs itinérants installés dans la région semblent avoir fui la répression du planning familial, dit Kongzi. Je vois de toutes parts des enfants jouer devant les usines et les ateliers.

En dépit de ce qu'il a entendu dire, Kongzi a la certitude que la pollution de la Commune Céleste n'empêchera pas Meili de tomber à nouveau enceinte.

— Ces enfants ont eu de la chance, lui dit l'homme. Ils ont survécu, eux au moins. Vous ne voyez pas les autres, ceux qui souffraient à la naissance de handicaps ou de malformations et que leurs parents ont abandonnés à leur triste sort. J'ai aperçu un jour le cadavre d'un bébé à deux têtes qui flottait un peu plus bas, dans le canal.

— Tout cela, c'est la faute de cette politique de l'enfant unique, dit Kongzi. On ne peut pas reprocher aux parents de préférer des enfants en bonne santé, qui s'occuperont d'eux dans leurs vieux jours. Sinon, qui aurait le cœur d'abandonner sa propre progéniture ?

Kongzi détourne les yeux, conscient de chercher à justifier son attitude concernant le sort de Née-sur-l'Eau.

— Mais dites-moi, reprend-il, où voulez-vous que je vous dépose ?

— Laissez-moi devant la boutique de Chen, dit l'homme. Je vais acheter des semences de riz. L'un des responsables du district doit visiter la Commune la semaine prochaine et il faut que nous plantions du riz dans les champs en jachère, le long de la route qu'il va emprunter. Ce n'est qu'un travail temporaire mais le salaire est de cinquante yuans par jour.

— Mais le riz ne pousse que dans les champs de paddy. Comment allez-vous irriguer ces champs à l'abandon ?

— Il s'agit d'une simple mise en scène, voyons ! Nous planterons les semences la veille de son passage en espérant qu'elles tiendront le coup jusqu'au lendemain. Le soir suivant, il sera déjà reparti.

— Cela fait donc huit ans que vous êtes arrivé ici ? Vous devez avoir fait fortune à présent...

Depuis trois mois à peine qu'ils sont arrivés dans la Commune Céleste, Kongzi et Meili ont déjà mis quatre mille yuans de côté. La semaine dernière, ils ont envoyé mille yuans chacun à leurs familles respectives. Après leur départ du village des Kong, les parents de Kongzi et ses proches voisins ont eu de lourdes amendes à payer. L'une de ses voisines en a même eu deux : incapable de les régler, elle a vu sa maison détruite. Elle a quitté le village, apparemment, et mendie à présent dans les rues de Kashgar.

— À notre époque, rétorque son passager, on considère qu'un homme est riche s'il possède une belle maison, une voiture, et s'il entretient une maîtresse. Je suis loin d'avoir atteint un tel statut... J'ai gagné beaucoup d'argent, il est vrai, mais je me suis empressé de le dépenser dans les salons de coiffure.

Il éclate de rire en montrant ses dents, ce qui le fait ressembler à un singe.

Kongzi sourit et appuie sur l'accélérateur. Le long des berges, un peu plus haut, des travailleurs itinérants étalent des granules de plastique de toutes les couleurs sur de grandes nattes de bambou, à la manière des paysans qui font sécher le riz au soleil.

— C'est une bonne idée, votre commerce d'eau potable, reprend l'homme. L'eau courante dans la Commune est absolument infecte. Quelqu'un a creusé un puits un jour, dans l'espoir de trouver de l'eau propre, mais elle était aussi rouge que du thé de Oulong. J'ai entendu dire que les produits chimiques ont pollué les nappes phréatiques jusqu'à dix mètres de profondeur.

Kongzi remonte un cours d'eau bordé de poteaux télégraphiques et de champs à l'abandon. En jetant un regard en arrière, dans le sillage du bateau, il voit la Commune Céleste se refléter dans les eaux vertes du lac, miroitante comme une cité de jade, plus séduisante et irréelle à mesure qu'on s'en éloigne...

MOTS-CLEFS : *poème des Tang, plat de service, feng shui, aisselle, pétales, clameur du vent.*

L'esprit de l'enfant voit le Père juché sur un tabouret en plastique, buvant du thé vert et écoutant Nannan chanter un poème des Tang de sa voix haut perchée.

— C'est affreux ! s'écrie le Père en roulant des yeux furibonds. Récite-le encore une fois. Et gare à toi si tu oublies encore un mot !

— Papa est méchant, dit Nannan en se tournant vers la Mère.

— Tu sais ce qu'on dit, Nannan, répond la Mère : frapper, c'est haïr ; menacer, c'est aimer.

Le Père se penche vers sa fille et lui dit :

— Bon. Dans ce cas, redis-moi juste les deux derniers vers.

— « Qui sait combien de… pétales sont tombés ? »

— Et celui d'avant ?

— Tu m'as dit, juste les deux derniers ! proteste Nannan en tapant du pied.

— Mais tu n'as récité que le dernier… Peu importe : reprends tout depuis le début.

Le Père boit du thé de Oulong, qu'il prépare à la mode de Guangdong et verse ensuite dans une tasse en porcelaine à peine plus grosse qu'un dé à coudre, avant de le boire à petites gorgées.

— « Aube de printemps », de Meng Haoran, annonce Nannan en rejetant ses épaules en arrière et en prenant une profonde inspiration. « Dormant au printemps, je n'ai pas vu arriver l'aube / De toutes parts les oiseaux chantent / La nuit dernière dans la clameur du vent et de la pluie / Qui sait combien de pétales sont tombés ? »

— Magnifique ! s'exclame la Mère en disposant les moineaux qu'elle vient de préparer dans un plat de service. Viens ici maintenant et finis ton dîner.

Meili a acheté ces oiseaux le soir même dans une petite échoppe dont le propriétaire fermait boutique et baissait ses prix de moitié. Lorsqu'elle les a découpés, avant de les faire cuire, elle a trouvé des granules de plastique, des boulons et des capsules métalliques dans leurs estomacs.

Les deux premiers pilotis de la cabane en tôle sont plantés dans le lit de la rivière : dès qu'un bateau passe, la bicoque est secouée de part en part et les bouteilles basculent, avant de rouler hors de la table. L'intérieur est bien aménagé à présent. Meili a étendu sur le sol un tapis en plastique blanc qu'elle a récupéré sur les berges et qu'elle entretient avec soin. Elle a décoré trois des murs avec des photos découpées dans des magazines et punaisé sur le quatrième une grande affiche représentant les chutes du Niagara. La seule partie un peu négligée de la pièce est le coin où elle fait la cuisine et où s'entassent ses ingrédients. À la lueur de l'ampoule nue qui pend du plafond, les divers objets en plastique aux couleurs vives brillent avec éclat.

Le Père boit une lampée de bière. Sentant qu'un morceau d'os est resté coincé entre ses dents, il parvient à l'extraire et le crache par terre. La Mère le ramasse du bout de ses baguettes et le pose sur la table.

— Et les bonnes manières, alors ? lui dit-elle. Nous ne sommes plus à la campagne à présent. Quand je pense que tu étais jadis un respectable instituteur !

— Cesse donc de prendre de grands airs ! Malgré son petit côté citadin, la Commune Céleste n'en est pas moins située dans une zone rurale.

— Non, dit la Mère, il s'agit d'une zone en voie de développement. J'ai déjà aperçu des étrangers dans les rues. Et d'ailleurs, tu devrais mettre des chaussures quand tu sors : marcher ainsi pieds nus, ce n'est pas très civilisé.

Nannan regarde la télévision dans son coin : trois enfants suivent un extraterrestre à la peau bleue dans une soucoupe volante.

— Je voudrais y monter moi aussi ! s'exclame-t-elle en montrant l'écran.

— Je n'ai pas eu une seule fois mes règles depuis que nous sommes arrivés ici, Kongzi, reprend la Mère d'une voix calme. C'est-à-dire depuis bientôt quatre mois. D'un autre côté je ne peux pas être enceinte, puisque je n'ai pas ressenti la moindre nausée.

— Quatre mois ? Évidemment, que tu es enceinte ! Je te l'avais bien dit : mon obstination a fini par porter ses fruits ! Fais en sorte de me donner un héritier mâle, cette fois-ci. Ah, la lignée des Kong est décidément indestructible ! Cela est dû au feng shui du temple de Confucius à Qufu : la tombe du vieux sage est au centre, celles de ses fils à sa gauche et celles de ses petits-fils à sa droite. Exactement comme dans le proverbe : « Entouré de part et d'autre par vos descendants, votre lignée connaîtra une prospérité constante ». Pas étonnant qu'il y ait à présent trois millions de Kong disséminés à travers le monde…

Souriant avec fierté, il montre du bout de ses baguettes les traités d'astrologie qui s'empilent à côté de lui.

— Quelles superstitions ridicules ! Si son feng shui était si remarquable, comment se fait-il que le temple ait été détruit par les Gardes rouges ? Par ailleurs, tu as beau être un Kong, on ne peut pas dire que ta prospérité soit remarquable… S'il s'avérait que j'étais effectivement enceinte, tu ne serais même pas en mesure d'assurer la sécurité de notre enfant.

— Qu'est-ce que tu racontes ? La Commune Céleste est l'endroit le plus sûr de tout le pays ! Quatre-vingt mille travailleurs itinérants y ont trouvé refuge. Les responsables du planning familial ne sauraient même pas où donner de la tête s'ils débarquaient ici.

— Ne te réjouis pas trop vite. Il m'est déjà arrivé de ne pas avoir mes règles pendant près de six mois. Peut-être les produits chimiques dont l'eau est saturée dans la région ont-ils affecté mes hormones ?

— Comment tu as fait pour devenir enceinte, maman ? demande Nannan en se retournant pour la dévisager.

— J'ai mangé des graines de la famille Kong et l'une d'elles a germé dans mon ventre.

— Elle va devenir de plus en plus grosse ? Jusqu'à ce que tu éclates ?

— Non, quand elle aura atteint la taille voulue elle sortira, comme cela a été le cas avec Née-sur-l'Eau.

— Eh bien, à partir de maintenant je ne mangerai plus de graines de tournesol ! Papa, Née-sur-l'Eau me manque… J'aimerais bien lui prêter ma poupée.

Nannan ramasse sa poupée en plastique à la robe rouge et la berce dans ses bras.

— Née-sur-l'Eau ne reviendra pas, dit le Père en se grattant la plante du pied, sa tong suspendue au bout de son orteil.

— C'est à cause de moi que tu l'as emmenée ? demande Nannan.

— Il est temps d'aller dormir, Nannan. Papa et maman vont se coucher eux aussi.

— Mais vous allez toujours dormir ensemble dans le bateau en me laissant toute seule ici.

— Le lit est trop petit pour nous trois. D'accord, je dormirai avec toi ce soir. Allez, enfile vite ta chemise de nuit !

La Mère verse un peu d'eau dans une cuvette en plastique, y plonge un gant et reprend :

— Viens, Nannan. Je vais te laver les pieds.

— Quand les gens sont morts, maman, est-ce que leur cerveau continue de penser ? demande Nannan, juchée sur le bord du lit.

— Elle n'a rien noté dans son journal aujourd'hui, dit le Père en ouvrant le cahier marron. Et hier, comme elle ne se rappelait pas les idéogrammes correspondant à « écrasée » et à « voiture », elle les a écrits en caractères romains…

La Mère lui prend le cahier des mains et lit le passage à voix haute :

— « Aujourd'hui j'ai ouvert le parapluie et je suis partie en courant dans la rue. Je ne voyais pas où j'allais et j'avais peur d'être écrasée par une voiture. Papa me tenait la main et maman marchait très vite derrière moi… » Ce n'est pas mal, Nannan.

À ton âge, je ne savais même pas écrire mon nom – et encore moins réciter le *Classique des Trois Caractères*. Si tu allais à l'école, je suis sûre que tu serais la première de ta classe.

— Je veux aller à l'école, maman.

— Je t'ai déjà expliqué que c'était impossible, puisque nous n'avons pas de permis de résidence local. Mais comme ton père te donne des leçons quotidiennes, tu apprendras bien plus de choses que si tu étais scolarisée. Maintenant, sois gentille et couche-toi.

La Mère caresse la tête de Nannan, remonte sa couverture et lui donne une petite saucisse à mâcher.

— Quand tu l'auras finie, ajoute-t-elle, ferme les yeux et endors-toi.

— Nannan, lance le Père, tu as toute la vie devant toi : cesse donc de parler de la mort à tout bout de champ.

Des feuilles de saule et des débris de polystyrène sont balayés par le vent sous la cabane en tôle. L'esprit de l'enfant plonge dans les eaux béantes de la rivière et perd momentanément le fil des événements.

— Même après m'être lavée, je sens encore le plastique brûlé, dit la Mère en passant la main dans ses cheveux mouillés.

Elle noue une serviette autour de sa taille et soulève le bras pour renifler sa peau, exposant la touffe de poils noirs de son aisselle.

— Tu t'es servie de la bouteille d'eau du robinet que t'a donnée ta collègue ? demande Kongzi en laissant son regard s'attarder sur les seins dénudés de la Mère. Je t'ai déjà dit que cela ne servait à rien : toute l'eau de cette ville est imprégnée de la même odeur.

— En tout cas, l'odeur du soufre me donne envie de dormir ce soir.

La Mère enfile une chemise de nuit sans manches et boit une gorgée de bière à la bouteille du Père. Nannan est endormie à présent, la bouche grande ouverte et les doigts repliés sur la saucisse.

— Viens donc dormir avec moi sur le bateau, dit le Père. Nous nous donnerons un peu de bon temps.

— Pourquoi veux-tu que nous fassions l'amour tous les soirs ? demande la Mère en passant une couche de vernis à ongles sur ses orteils. Tu ne peux pas me laisser tranquille de temps en temps ?

— Très bien, si cela ne te dit rien j'irai dans un salon de coiffure. Les filles ne demandent que dix yuans pour un service complet.

— Il ne manquerait plus que ça ! Tu m'as sous la main et tu me mets à contribution tous les soirs – cela ne te suffit donc pas ? À quoi bon vouloir une autre femme, d'ailleurs ? Une fois que nous avons ôté notre culotte, nous sommes toutes les mêmes.

— Non, chaque femme a son charme, son parfum particulier... Et je me suis toujours demandé quel effet ça faisait, de se retrouver entre deux femmes...

— Quoi ? Je te préviens, Kongzi ! J'ai accepté que tu regardes des films pornos dans ce vidéoclub miteux, que tu jouisses sur ma poitrine et que tu me pénètres sous toutes les coutures : mais jamais – tu m'entends : jamais – je ne tolérerai que tu couches avec une prostituée. Essaie de le faire ne serait-ce qu'une fois et tu ne me reverras plus...

Un nouveau paquet de feuilles mortes est emporté le long de la rivière à la lueur du clair de lune. Dans la cabine du bateau, le Père chevauche la Mère sur la natte de bambou et la pénètre, allant et venant avec fougue en elle. Le bateau oscille doucement, provoquant des vagues qui s'éloignent en cercles concentriques et vont lentement heurter les roseaux noirs sur la berge.

MOTS-CLEFS : *ongles des orteils, gagnant-gagnant, vin du terroir, bouillie rouge, potage de fœtus, cheveux blonds, huile de ricin.*

Dès que Kongzi est parti en compagnie de Nannan à bord du bateau, Meili ressort le cahier rouge. Elle a beaucoup moins de mal à déchiffrer l'écriture de Suya à présent. Elle l'ouvre au hasard et lit un passage à voix haute, en essayant d'y mettre un peu d'intonation : « Les femmes devraient recevoir une véritable éducation et même faire preuve d'érudition, en se montrant capables de parler de la science et des arts avec autant d'autorité que de grâce. Quel homme se lasserait d'une femme possédant de telles qualités ? Son visage ne serait peut-être pas le mieux apprêté mais il y aurait quelque chose de plus séduisant en elle, tant pour la vue que pour l'esprit. Elle serait ignorante en matière de mode mais ses intuitions et son jugement seraient sûrs. Et elle dégagerait quelque chose d'enivrant, comme un vin du terroir au bouquet velouté… » Meili regarde dans le dictionnaire le sens des mots qu'elle ne connaît pas : « érudition », « enivrant », « velouté »… Je me souviens que Kongzi m'a complimentée un jour, en me disant que j'avais une voix veloutée, se souvient-elle intérieurement. Enivrant : qui saoule, monte à la tête… Saoule ? Mon visage devient tout rouge quand je bois de l'alcool : cela est-il considéré comme séduisant ? Le cœur de Meili se met à battre plus vite. Oui, voilà le genre de femme que je voudrais être : unique, indépendante, digne d'admiration. Elle s'imagine sous les traits d'une directrice de société, arpentant un long couloir dans un tailleur blanc, un sac à main Louis Vuitton en bandoulière et un bracelet d'or au poignet...

Quand je pense qu'on m'avait dit qu'il était impossible de tomber enceinte dans cette région... Quels bobards ! Cela a dû se produire le soir même de notre arrivée, ce qui signifie que ce petit Kong doit avoir quatre mois à l'heure qu'il est. La pensée que l'esprit de l'enfant ait pu de nouveau pénétrer en elle la terrifie. Maintenant qu'elle y pense, elle se souvient qu'elle a dû desserrer sa ceinture de deux crans le mois dernier. Elle ferme les yeux et s'interroge sur ce qu'il conviendrait de faire. Elle aimerait pouvoir arracher son utérus et s'en débarrasser en le jetant au loin. Elle a vingt-quatre ans. Elle voudrait travailler dur, gagner beaucoup d'argent et profiter de la vie tant qu'elle est jeune, mais elle va devoir mettre une fois encore tout cela de côté pour élever un nouvel enfant. Cette perspective n'a rien de très exaltant. Cet enfant ne doit pas naître. Il faut qu'elle s'endurcisse et mette immédiatement un terme à cette grossesse. Sans en souffler mot à Kongzi, cela va de soi.

Elle met son chapeau de paille, boucle ses sandales et s'asperge le cou avec le parfum qu'elle a ramené de la décharge. Puis elle sort de la cabane en tôle, ferme la porte derrière elle et se dirige vers la clinique qu'elle a repérée l'autre jour, dans une ruelle à l'écart. La voie est jonchée d'ordinateurs, de téléphones et de téléviseurs brisés qui s'entassent de partout. Des hommes torse nu, assis en plein air, s'affairent à trier, débiter, tronçonner et fondre tous ces débris. Au bout de la ruelle elle aperçoit une enfilade de trois portes, devant lesquelles trône une petite table couverte de boîtes de médicaments vides – signe officieux indiquant qu'il s'agit d'une clinique échappant au contrôle des autorités. Meili opte pour l'une des trois portes et entre.

La pièce est nue, imprégnée d'une amère odeur de potions médicales. Aucun matériel chirurgical n'est en vue. Une femme entre deux âges remballe le jeu de mah-jong étalé sur sa table et sort un paquet de pilules abortives qu'elle montre à Meili.

— Ces comprimés sont fabriqués par une société sino-américaine, sous le nom de Dynotrex, et provoquent au bout de trois jours l'expulsion du fœtus. Le traitement vous coûtera deux cent cinquante yuans. Mais avant que vous ne preniez la première dose, il faut que je vous fasse une prise de sang pour m'assurer que vous êtes bien enceinte. Relevez votre manche.

— Au bout de trois jours ? dit Meili en faisant une grimace, tandis que l'aiguille pénètre dans son bras. Ne vaudrait-il pas mieux faire une opération ?

— Puisque vous me dites que vous êtes enceinte de quatre mois, je pourrais pratiquer une extraction au forceps sans qu'il soit nécessaire de dilater le col de l'utérus.

Une fois la fiole remplie de sang, la femme y appose une étiquette. Puis elle extrait du bout de son index une peau de maïs restée coincée entre ses dents.

— Combien cela me coûtera-t-il ? demande Meili.

— Cinq cents yuans, ce qui comprend les deux curetages postopératoires. Dans un hôpital gouvernemental, cela vous coûterait mille cinq cents yuans, plus quatre-vingt-dix yuans par jour pour la chambre.

— En quoi consiste un curetage ?

Meili saisit la boîte de comprimés. Elle se dit qu'il doit s'agir d'une contrefaçon mais comme les mots imprimés sur l'emballage sont en caractères étrangers, il est difficile de s'en assurer.

— Il s'agit de nettoyer l'utérus de tous les résidus qui peuvent y avoir adhéré après l'extraction du fœtus. Ne vous inquiétez pas, je connais mon métier : j'ai longtemps travaillé dans un hôpital officiel. Je vois à votre accent que vous êtes originaire du sud. Comment vous appelez-vous ? Je suis le Dr Wu.

— Oui, je viens du sud, ment Meili. Et je m'appelle Lu Fang.

— Comme vous n'avez pas l'air d'une fille qui travaille dans un salon de coiffure, vous n'avez probablement pas entendu parler du commerce des fœtus. Autant vous le dire sans détours : il y a quelques restaurants dans les parages qui achètent des fœtus avortés. Lorsque les filles des salons découvrent à l'échographie que leur bébé est une fille, elles attendent le sixième mois pour se faire avorter et vendent le fœtus à l'un de ces établissements. Elles en retirent facilement trois mille yuans. Cela peut aller jusqu'à quatre mille, si les ongles des orteils sont déjà formés. Bref, si vous attendez encore deux mois, je pratiquerai l'avortement gratuitement et prendrai ma commission sur la somme que vous donnera le restaurant.

— Vous êtes folle ? Comment pourrais-je laisser un étranger manger le fruit de mes entrailles ?

Meili se souvient d'avoir vu une enseigne au-dessus d'un restaurant en venant jusqu'ici et montrant des chats, des chiens, des fourmiliers, des serpents et des civettes plongés dans une énorme marmite. Elle se demande s'il existe une créature sur cette planète que les habitants du Guangdong refuseraient de manger…

— Je comprends votre répugnance, ma chère. Je suis une femme moi aussi, après tout. Il m'arrive de manger du placenta humain de temps à autre, mais jamais je ne pourrais avaler un fœtus dont on distingue déjà les narines et les yeux. Toutefois, certaines cliniques des environs n'ont pas ce genre de scrupules. Si une femme met au monde une fille et dit qu'elle ne veut pas la garder, on lui proposera de s'occuper de son adoption : mais à peine la mère a-t-elle tourné les talons qu'on enveloppe dans un drap la malheureuse créature pour aller la vendre au restaurant le plus proche. Personnellement, je n'ai jamais fait une chose pareille. Mais nous vivons à l'ère de l'Argent. Si un individu quelconque peut se le permettre, il y aura toujours quelqu'un pour lui vendre ce qu'il recherche. Ces restaurants font mijoter les fœtus avortés pendant six heures dans un bouillon parfumé au ginseng et à l'angélique. Ce potage de fœtus est censé renforcer l'énergie masculine et favoriser les prouesses sexuelles. Vous ne me croyez pas ? Je vous assure, il s'agit d'un mets raffiné et très recherché de nos jours. On le sert parfois à la fin des banquets pour impressionner d'importants visiteurs étrangers.

— Ce que je crois, c'est qu'un bébé a une âme, qu'il soit encore dans le ventre de sa mère ou qu'il en soit déjà sorti. Et si on lui ôte ainsi la vie sans une raison valable, cette âme se réincarnera et viendra exercer sa vengeance. Ces gens sont des cannibales ! Ils ne redoutent donc pas le châtiment céleste ?

— Tous ces richards s'en moquent ! Tant que le potage de fœtus figurera sur le menu, ils continueront de le commander. (Le Dr Wu ouvre son frigo.) Regardez, j'ai ici un fœtus qui attend d'être vendu. Mais quand ils sont congelés, ils n'atteignent pas des sommes aussi élevées.

Meili se penche et examine le minuscule cadavre. Sa tête est bien formée, son crâne parsemé de cheveux blonds et son nez recouvert d'une fine pellicule de glace.

— Comment se fait-il qu'elle soit blonde ?

— Sa mère est une prostituée de Guangzhou. Et le père est un Anglais qui compte parmi ses clients. Elle n'a pas voulu avorter à Guangzhou, pour éviter que le planning familial ne lui réclame une amende, aussi est-elle venue me trouver. Elle m'a dit que son Anglais refusait systématiquement de mettre un préservatif.

— Je vais d'abord essayer les comprimés, dit Meili. Si ça ne marche pas, j'envisagerai un avortement chirurgical.

À peine a-t-elle prononcé le mot d'avortement qu'elle ressent un urgent besoin d'uriner.

— L'intervention chirurgicale vous paraît trop coûteuse ? Je conçois que vous soyez aux abois, financièrement parlant. En ce qui me concerne, je ne vois rien de honteux à gagner ma vie de cette façon. Le gouvernement empoche des fortunes grâce à sa politique de planning familial. Au moins un million d'avortements sont officiellement pratiqués chaque année : imaginez la somme que cela représente ! Le peuple ne peut-il pas profiter un peu de cette richesse, selon le principe du gagnant-gagnant ? Un couple aisé de Guangzhou est venu me voir il y a quelque temps pour me demander de l'aider à trouver une mère porteuse. Je les ai mis en relation avec une fille de Chongqing qui travaille dans un salon de coiffure à deux pas d'ici et qui porte maintenant leur enfant. Elle est venue passer une échographie l'autre jour et je lui ai appris qu'il s'agissait d'une fille. Le couple lui a promis vingt mille yuans si l'enfant était un garçon. Mais s'il s'agit d'une fille, ils préfèrent qu'elle avorte et se contenteront de prendre les frais à leur charge. La fille sait que si elle avortait maintenant, elle ne récupérerait que trois mille yuans en revendant le fœtus à un restaurant du quartier. Aussi m'a-t-elle demandé d'inscrire « genre incertain » sur mon compte rendu d'échographie. Elle a l'intention de mener la grossesse à son terme. Si le couple ne veut vraiment pas de l'enfant à la naissance, elle le vendra à l'Assistance publique pour cinq mille yuans. Comme vous le voyez, elle a le sens des affaires !

— Mais votre clinique serait sûrement fermée si l'on s'apercevait que vous falsifiez de la sorte vos rapports d'échographie ?

— Je n'ai pas de licence et n'ai donc aucun engagement à respecter.

Le Dr Wu a un visage empâté, vaguement masculin, et doit approcher de la soixantaine.

Meili se demande si elle ne pourrait pas passer à l'hôpital gouvernemental pour voir si certains médecins en retard dans leurs quotas n'accepteraient pas de pratiquer un avortement gratuit. Mais elle a peur que cela ne finisse par revenir aux oreilles de Kongzi.

— Bon, je dois y aller, dit-elle. Je vais réfléchir.

— Nous vendons également de l'huile de ricin, ajoute le Dr Wu dont le visage s'est couvert de sueur. Cela facilite la dilatation du col de l'utérus et ne coûte que trente yuans le flacon. Mais n'en prenez pas plus de deux cuillerées à soupe, sinon vous risquez d'avoir des vomissements. Revenez demain après-midi pour les résultats de votre analyse de sang. Si tout va bien, vous pourrez alors prendre votre première dose de Dynotrex.

Tandis que Meili quitte la clinique, les nuages noirs qui ont envahi le ciel libèrent brusquement une pluie diluvienne qui se met à crépiter sur l'asphalte de la ruelle, les monceaux de déchets électriques et les abris couverts de toile goudronnée sous lesquels les ouvriers sont allés se réfugier. Meili pense à l'esprit de l'enfant recroquevillé au fond de son utérus, à l'abri de l'orage lui aussi, alors qu'elle ne dispose elle-même d'aucun refuge. Elle se demande si elle ne risque pas de se retrouver une fois de plus ligotée à une table d'opération, à plus ou moins brève échéance. La Commune Céleste a beau être l'endroit le plus sûr du pays, elle n'en demeure pas moins sous le contrôle du Parti et les slogans en lettres rouges du planning familial s'affichent dans toutes les rues. La pluie qui ruisselle sur son visage lui fait l'effet d'un bouillon tiède.

Dans la soirée, incapable de réfréner son impatience, Meili s'agenouille pour se cacher derrière la table et avale discrètement un comprimé de Dynotrex, avant de glisser une serviette périodique dans sa culotte. Elle sert ensuite à Kongzi une grande tasse d'alcool de riz et va s'asseoir à côté de Nannan, qui s'applique à tracer des idéogrammes dans son cahier de calligraphie : montagne, rocher, soleil, lune... Meili tourne la page et dit :

— Regarde, tu dois réunir ces caractères par affinités : femme, bouche, naissance, grain, oiseau, hache, feu, dix, cheval, fils, bois, mouton, milieu. Voyons lesquels tu peux associer.

— Femme et fils forment une bonne paire, dit Nannan tout en surveillant du coin de l'œil l'écran de télévision.

Meili s'empresse d'éteindre l'appareil. Après que Kongzi a sombré en travers du lit dans un sommeil aviné, Meili examine son ventre pour voir si le comprimé a produit quelque effet. D'après la notice, elle devrait ressentir des crampes ainsi que des premiers signes de saignement. Au bout de quelques heures, « le fruit de la conception apparaîtra sur la serviette périodique sous la forme d'un aplat de bouillie rouge ». Elle est certaine de ne pas vouloir cet enfant. À la vérité, elle est venue dans cette Commune justement parce qu'elle désirait ne plus en avoir. Elle veut mener sa propre vie, réaliser son objectif et devenir financièrement indépendante. Avant d'avoir trente ans, elle voudrait avoir ouvert sa propre boutique et gagné assez d'argent pour manger au restaurant de temps en temps, vivre dans une maison en brique, dormir sur un matelas confortable et envoyer Nannan à l'université. Étant une femme moderne, elle devrait avoir le droit de ne pas se voir réduite à son rôle de mère et de profiter pleinement des plaisirs de la vie. Les chaleurs ne tarderont pas et la cabane en tôle ne sera bientôt plus qu'une fournaise infestée de moustiques. Ce n'est pas un endroit approprié pour mettre un enfant au monde. Assise sur un tabouret en plastique, elle voit Nannan qui se cache sous la table et joue avec un ballon de Mickey.

— Reviens t'asseoir et termine tes devoirs, lui dit Meili, les nerfs à fleur de peau.

Se souvenant brusquement qu'elle a ramené des prises électriques de son travail, elle les pose dans le wok, les recouvre d'eau et met le tout à chauffer sur le poêle.

— Je me suis cassé un ongle avec ce ballon, marmonne Nannan en traçant un nouvel idéogramme dans son cahier.

Je ferais aussi bien de m'occuper en attendant que ce comprimé agisse, songe Meili en avalant quelques baies de cenelle, dans l'espoir que cela aidera également à provoquer une fausse couche. Le travail n'est pas trop difficile : il faut attendre que les prises aient fondu, puis recueillir au milieu de ce magma noirâtre les fiches de cuivre que son patron revendra le lendemain pour trois yuans le *jin*. Une fois Nannan endormie et son travail terminé, elle nettoie le wok et y verse la moitié du flacon d'huile de ricin, avant d'y faire frire un œuf et d'éponger le reste de l'huile avec un vieux croûton de pain. À minuit, elle est tellement fatiguée qu'elle arrive à peine à garder les yeux ouverts. Elle allume la télévision et tombe sur l'impératrice Cixi de la dynastie des Qing, attablée devant un copieux banquet. Elle ramasse ensuite le journal de Nannan et lit ce que sa fille a noté le jour même : « Maman m'a dit de me brosser les dents. Je lui ai répondu que j'avais mal aux gencives mais elle m'a regardé avec de gros yeux, il a donc bien fallu que je les brosse. La Poupée à la Robe Rouge a été très méchante aujourd'hui mais je lui ai fait les gros yeux : du coup elle est restée sagement assise à mes pieds pendant que je la giflais… »

MOTS-CLEFS : *en serrant les dents, matelas à ressorts, toit de tuiles, couverts de gloire, avortement, défilé du 1er mai.*

Les deux premières doses de comprimés n'ayant pas provoqué de fausse couche, Meili commence à s'inquiéter : si jamais elle changeait d'avis et décidait de poursuivre sa grossesse, les médicaments ne risquent-ils pas d'endommager le cerveau de l'enfant ? Du coup, elle n'ose plus les prendre. Depuis que son ventre s'est mis à grossir, Kongzi est tellement heureux qu'il ne va plus jouer au mah-jong avec les voisins et passe ses soirées à la maison, lui servant des plats chauds et des tasses de thé. Meili est un peu oppressée par ces marques d'affection, surtout maintenant qu'ils ont emménagé dans une nouvelle maison et disposent d'un lit à deux places. Du coup, Kongzi insiste pour qu'ils fassent l'amour tous les soirs : elle endure cette épreuve nocturne en serrant les dents et en espérant que cela finira par déclencher une fausse couche. Vas-y donc, se dit-elle intérieurement chaque fois qu'il la pénètre : si au moins cela pouvait nous débarrasser du fœtus... Comme Suya l'écrivait dans son journal : « le tunnel de chair que les femmes ont entre les cuisses ne leur appartient pas... ». Mais lorsqu'elle sent Kongzi peser de tout son poids et s'agiter sur son ventre, elle l'interrompt souvent en disant :

— Arrête... Sors, maintenant ! Ça suffit...

— Pourquoi me repousses-tu chaque fois que je suis sur le point de jouir ? lui demande Kongzi. Tu es enceinte, tu ne risques donc rien.

Meili frissonne et essuie la sueur qui coule de son visage, tandis que les images qu'elle ne pourra jamais effacer de sa mémoire lui traversent à nouveau l'esprit. Elle est surprise que Kongzi ne se soit pas aperçu du changement qui s'est opéré en elle. La vérité, c'est qu'elle est incapable d'éprouver le moindre plaisir depuis qu'elle a été violée. Lorsque Kongzi s'apprête à jouir, elle le regarde et lui déclare d'une voix neutre : « Le manuel prénatal recommande au mari de ne pas pénétrer trop profondément son épouse lorsque celle-ci est enceinte. » Puis elle s'écarte de lui, les bras croisés sur la poitrine.

— C'est encore une fille, dit-elle en fixant le plafond. Je l'ai vue en rêve la nuit dernière.

Kongzi est allongé sur le dos, ruisselant de sueur. Interrompu dans son élan, son pénis s'est ratatiné comme un escargot privé de sa coquille.

— Ce n'est pas possible ! dit-il. J'ai consulté un spécialiste du feng shui qui a étudié les dates et m'a certifié qu'il s'agissait d'un garçon. Je l'appellerai Kong le Céleste et le ferai enregistrer plus tard sous le nom de Kong Detian, descendant de Confucius à la soixante-dix-septième génération.

— M'est-il déjà arrivé de faire un rêve qui se soit avéré inexact ? rétorque-t-elle.

Kongzi ignore que, le matin même, elle a pris son courage à deux mains et s'est rendue dans un hôpital d'État. Un médecin du département de gynécologie et d'obstétrique lui a dit qu'elle pouvait bénéficier sur-le-champ d'un avortement gratuit. Meili a fait les cent pas dans le couloir en se demandant quelle décision prendre. Si jamais il s'avérait que le fœtus soit un garçon et que Kongzi l'apprenne, il serait bien capable de la battre à mort. Elle pourrait toujours lui dire qu'il s'agit d'une fausse couche, mais quel motif invoquer ? Une erreur de dosage dans les médicaments ? De trop fréquents rapports sexuels ? Une anomalie du fœtus ? Elle est convaincue que la vérité finira par éclater. Et puis elle s'est dit qu'ils sont en sécurité à présent dans la Commune Céleste, que ce bébé a le droit de voir le jour et de découvrir le monde, que Nannan sera ravie d'avoir un petit frère ou une petite sœur... Elle a ensuite pensé à Bonheur dont le corps gît au fond du fleuve, puis à Née-sur-l'Eau qui doit être en train de mendier dans les rues de Shenzhen – à moins qu'elle ne se bourre de gâteaux dans une luxueuse résidence californienne... Elle s'est brusquement dit que la naissance de ce quatrième enfant atténuerait peut-être la douleur que lui a causée la perte des deux précédents. Toujours indécise, elle a fini par quitter l'hôpital et par rentrer chez elle.

Kongzi allume une cigarette et regarde le ventre de Meili. Cette maison composée d'une pièce unique ne dispose pas seulement d'un vrai lit équipé d'un matelas à ressorts : elle comporte également une armoire, une table, deux chaises et un ventilateur électrique. Et le loyer n'est que de deux cents yuans par mois. L'endroit est humide, infesté de moustiques, mais les murs en brique et le toit de tuiles les protègent contre la violence des intempéries.

— Va donc passer une échographie, dit Kongzi. S'il s'agit d'une fille, tu pourras toujours avorter. Mon frère et sa femme viennent d'avoir une deuxième fille et ils ont renoncé à faire un autre enfant. L'avenir de la lignée familiale repose désormais sur mes seules épaules.

— Non, je n'avorterai pas.

Meili se rend compte qu'elle a eu tort ne serait-ce que de considérer cette hypothèse. Elle regarde Nannan, endormie sur le lit étroit que Kongzi a fabriqué pour elle avec des planches de récupération. Une onde d'amour maternel la traverse soudain.

— Fille ou garçon, reprend-elle, cet enfant est là de par la volonté du ciel. Regarde Nannan : regrettes-tu que je l'ai mise au monde ?

— Tu n'es pas obligée de prendre ta décision sur-le-champ. Passe cette échographie, tu verras bien comment tu te sens après ça.

Kongzi écrase sa cigarette et l'abandonne au fond d'un bol. Meili se lève, enfile une culotte et jette un coup d'œil à l'extérieur. La cour en ciment est éclairée par la lumière qui tombe des fenêtres avoisinantes. Les tabourets pliants ont été empilés sur le sol, des mouches et des asticots rampent dans un coin sur des débris de pastèque. Les trois autres maisons identiques à la leur qui donnent sur cette cour sont occupées elles aussi par des travailleurs itinérants.

Le soir, les adultes font la queue pour prendre leur douche à tour de rôle et laver les légumes à l'aide du tuyau d'arrosage branché à l'extérieur, tandis que les enfants jouent et se bagarrent parfois. Aujourd'hui, un gamin plus âgé a lancé sur Nannan un camion miniature qui lui a entaillé le front. Meili était furieuse mais comme elle ne pouvait pas frapper le coupable, elle a giflé sa fille à la place pour se défouler.

— Je reconnais que le moment n'est pas très bien choisi, dit-elle. Après quatre années d'errances, nous avons finalement mis un peu d'ordre dans notre vie et emménagé dans une véritable maison. Je comptais ouvrir ma propre boutique et je suis sûre que cela aurait marché : au bout de quelques années, nous aurions acheté une voiture et nous serions rentrés chez nous couverts de gloire. Mais lorsque cet enfant sera né, tout cela s'avérera impossible. Je rêvais d'être une femme moderne possédant un attaché-case bourré de documents et l'une de ces cartes de crédit qu'on glisse dans les machines...

Meili est retournée s'étendre sur le lit et considère ses pieds enflés.

— Aurais-tu oublié que nous sommes en fuite ? lui dit Kongzi. Et que nos permis de résidence ont été résiliés ? Lorsque l'ensemble du pays sera relié par ordinateurs, tous les organismes auront accès aux archives et pourront consulter nos dossiers : personne n'acceptera de te fournir la moindre licence commerciale ni une quelconque carte de crédit. Tu ferais mieux de renoncer à tes rêves chimériques.

— Dans ce cas, je me procurerai de faux documents. On trouve de tout dans Hong Kong Road : des cartes d'identité, des permis de naissance, des attestations de diplôme, des licences commerciales...

— Tu crois peut-être que je ne rêve pas d'accomplir quelque chose de grand, moi aussi, et de rentrer au pays la tête haute ? Je veux depuis toujours ouvrir une chaîne d'écoles primaires confucianistes dans toutes les provinces de Chine. Mais aucune ambition ne surpasse pour moi le fait d'engendrer un héritier mâle. Une fois que notre fils sera né, nous serons libres d'agir comme bon nous semblera.

— As-tu perdu la tête ? Non content de braver les lois du planning familial, tu veux maintenant diffuser la pensée confucianiste à travers le pays ! (Meili jette un coup d'œil pour s'assurer que Nannan est toujours endormie.) D'accord, j'irai passer cette échographie. Toutefois, qu'il s'agisse d'une fille ou d'un garçon, cet enfant est le fruit de mes entrailles et je le mettrai au monde. Mais je te préviens : ce sera le dernier, ce coup-ci.

Elle se redresse et se cale contre l'oreiller, recouvre ses jambes avec sa chemise de nuit et regarde Kongzi droit dans les yeux.

— Il faut que je te pose cette question, dit-elle enfin. Qu'as-tu fait de Née-sur-l'Eau ? Je suis sa mère, j'ai le droit de savoir.

Kongzi lève les bras au ciel.

— Ah, Confucius avait bien raison de dire que de toutes les créatures qui vivent sur terre, les femmes sont les plus fatigantes ! Tu as « le droit de savoir », dis-tu ? Tu te sers une fois encore d'expressions dont tu ignores le sens, telle une souris grignotant un dictionnaire... D'accord, je vais te dire la vérité : je l'ai confiée à l'Assistance publique de Dexian. Lorsque j'y suis repassé une semaine plus tard, on m'a dit qu'un individu originaire du Hunan l'avait emmenée.

— Elle est donc toujours en Chine... Dès que cette politique de l'enfant unique aura été abolie, il faudra que tu te rendes dans le Hunan pour aller la chercher.

La pluie crépite sur le toit de tuiles et les moustiques virevoltent au plafond. L'esprit de l'enfant perçoit les échos de la dispute qui émanent de la maison et font trembler les gouttes de pluie en suspens sur les toiles d'araignée du jardin.

— Félicitations, Kongzi ! s'écrie la Mère avec violence. Pour quelques malheureux billets, tu as condamné notre fille à mener une vie de mendiante ! Tu sais très bien comment procèdent tous ces trafiquants d'enfants : ils leur brisent les membres avant de les lâcher dans les rues. Tu n'es qu'un monstre sans cœur ! Mais un jour, je te le dis, tu vas devoir partir à sa recherche et me la ramener.

La Mère enfile une chemise de nuit et tire un cahier rouge de sous son oreiller.

— Note ici l'adresse et le téléphone de l'Assistance publique, dit Meili en tendant le cahier à son mari.

— Tu crois donc que le gouvernement renoncera bientôt à sa politique de l'enfant unique ? Tu comptes peut-être fomenter une révolution aux côtés de Kong Qing ? Pour l'instant, il est toujours en prison, ainsi que trois autres Kong de notre village. Nous avons eu de la chance de prendre la fuite comme nous l'avons fait.

— Tu as eu des nouvelles récentes du village ? demande Meili en regardant un gecko ramper lentement en travers du plafond.

Quelques mois plus tôt, Kongzi a appris que sa sœur avait épousé un commerçant pakistanais qu'elle avait rencontré au Tibet. Il était tellement furieux qu'il a juré de ne plus jamais lui adresser la parole. Il ne lui a même pas envoyé d'argent à l'occasion du mariage. Depuis lors, Meili ne s'est pas risquée à l'interroger sur sa famille.

— Kong Wen a été virée de l'équipe du planning familial et est repartie monter sa propre affaire à Guangzhou. Quant à la femme qui était toute fluette – tu sais, la mère de Xiang, mon ancienne élève –, elle a apparemment contracté une grave maladie. Son mari a dû vendre tous leurs biens pour payer les soins médicaux. La dot de Xiang n'y a pas suffi.

— Quoi ? Xiang s'est mariée ? Mais elle n'a que douze ans… Non, bien sûr, cela fait si longtemps que nous sommes partis, elle doit avoir seize ans à présent. N'empêche, c'est tout de même bien jeune…

— Tu n'avais que seize ans quand tu m'as épousé, rétorque Kongzi, non sans une certaine fierté.

— Dix-sept, rectifie Meili.

Elle revoit la photo en couleurs qui la montre à seize ans, bras dessus bras dessous avec ses amies Qiu et Yang dans un parc municipal. Elles avaient toutes les trois une queue de cheval et elle portait une veste crème agrémentée d'une écharpe rouge. Qiu arborait quant à elle une chasuble bleue et Yang un long manteau jaune. Meili ne faisait pas encore partie de la Troupe artistique internationale de Nuwa à cette époque, mais elle rêvait déjà d'être une chanteuse célèbre. Ses amies et elle s'étaient rendues avec un groupe d'autres villageois dans le chef-lieu du district pour participer au défilé du 1er mai, à l'occasion de la Fête du Travail. Le soir, elles avaient mis du rouge à lèvres pour la première fois de leur vie et s'étaient rendues dans une salle de karaoké avec le secrétaire du Parti de leur village. Meili n'avait plus jamais revu Qiu après cette soirée : officiellement, elle était restée en ville et avait trouvé un emploi de choriste dans un autre karaoké. Un an plus tard, elle était revenue à Nuwa avec dix mille yuans en poche : elle avait acheté une maison et une cinquantaine de cochons. Mais Meili était déjà partie à l'époque et travaillait à l'hôtel du « Ciel au-delà du Ciel ».

La pluie continue de tomber. Elle ruisselle sur le crâne des oiseaux repliés dans leur nid au sommet du toit, coule le long des tuiles, déborde des gouttières. Dans les quatre maisons édifiées autour de la cour, tout le monde s'est endormi. L'esprit de l'enfant regarde la Mère allongée sur le lit, les mains croisées sur son ventre, et Céleste qui flotte à l'intérieur dans le liquide amniotique. Le silence est un instant rompu par le jouet électronique de Nannan qui se met à chanter : « je suis un ange, je suis un ange… » Puis le calme revient et l'on n'entend bientôt plus que le crépitement de la pluie qui continue de tomber.

MOTS-CLEFS : *démanteler, malade de peur, douce-amère, échographie, jumeaux, gel, attendrisseurs.*

Après avoir glissé une enveloppe remplie d'argent liquide dans son petit sac à dos, Meili quitte l'atelier et emprunte sur le chemin du retour la ruelle qui abrite les cliniques illégales. Vêtue d'un chemisier blanc, d'un bermuda en jean et d'une paire de sandales, elle se fraie un chemin au milieu des abris de fortune entre les piles d'appareils et d'ordinateurs hors d'usage. Le torse nu, maculés de poussière, les ouvriers contemplent ses seins, ses cuisses et son ventre d'un regard dénué d'expression. Derrière un camion rempli d'imprimantes éventrées, elle aperçoit la petite bicoque dont sa collègue lui a parlé. Elle contourne une montagne de cartons de sodas et pénètre à l'intérieur. La femme assise derrière le bureau porte un masque chirurgical et ressemble étrangement à Suya.

— Vous êtes bien le Dr Wang ? lui demande Meili avant de s'asseoir.

— Je m'appelle Wang, en effet.

— Vous ressemblez à une amie à moi : vous avez le même front bombé et les mêmes grands yeux. Elle est originaire de Chengdu, dans le Sichuan. Et elle s'appelle Wang, elle aussi.

— Je suis également du Sichuan, mais je viens de Fengjie, sur le Yangtze.

— J'ai traversé cette région il y a quelques années, dit Meili. La plupart des cités fluviales doivent avoir été détruites à présent.

— Oui, elles ont toutes été rasées. On voyait le Yangtze depuis le jardin de notre maison, autrefois. On nous a maintenant relogés dans un petit village au sommet des montagnes. Un trou perdu où il n'y a strictement rien à faire... Vous êtes donc venue passer une échographie ? Depuis combien de temps êtes-vous enceinte ?

— Environ six mois. Mais je n'ai pas eu le moindre symptôme au cours des trois premiers mois.

Le Dr Wang ouvre une armoire et en sort un ordinateur, une sonde et un tube de gel. Elle soulève le chemisier de Meili et étale le gel sur son ventre avant d'y promener la sonde.

— Regardez, dit-elle en montrant l'écran de l'ordinateur. Voici la tête... les yeux... la colonne vertébrale. S'il y a un point à cet endroit, il s'agit d'une fille. S'il y en a deux, c'est un garçon.

— Pourquoi ? demande Meili dont le regard va de l'image brouillée qui se découpe sur l'écran à son gros ventre luisant.

— Parce que les garçons ont deux testicules, pardi ! Ah, le bébé est en train de rire...

Au même instant, une femme enceinte ouvre la porte et pénètre à son tour dans la pièce. Le Dr Wang se retourne et lui lance, par-dessus son épaule :

— Vous allez devoir attendre un peu, j'en ai peur. Asseyez-vous à côté du ventilateur.

Meili considère un instant l'énorme ventre de la femme et ses chaussures constellées de boue, avant de reporter son regard sur l'écran.

— Mais ce n'est qu'un minuscule squelette : comment pouvez-vous savoir qu'il rit ?

Elle approche son visage de l'écran et reprend :

— Vous vous moquez de moi, n'est-ce pas ? Ce n'est pas mon bébé, mais une image stockée dans votre ordinateur. Je passe mes journées à démonter des machines de ce genre. Lorsque j'ouvre leur carte mémoire, des quantités d'images apparaissent.

— Mais regardez donc : lorsque votre ventre bouge, l'image bouge aussi. Êtes-vous bornée à ce point ?

— Je n'ai peut-être pas été longtemps à l'école, mais mon mari est instituteur, proteste Meili d'un air indigné, en essuyant son visage baigné de sueur.

— Tenez, prenez la sonde et manipulez-la vous-même : vous voyez bien que l'image change en fonction de vos mouvements ?

— D'accord, dit Meili, rassurée. Dites-moi juste s'il s'agit d'une fille ou d'un garçon.

— C'est une fille ! Aucun doute là-dessus. Mais je peux indiquer sur le formulaire qu'il s'agit d'un garçon, si vous préférez. Évitez simplement de dire que c'est moi qui l'ai rempli.

Elle se tourne vers l'autre patiente et lui dit :

— Si vous êtes décidée à avorter, je peux m'en occuper immédiatement. (Elle abaisse son masque et murmure à Meili :) Cette femme porte des jumeaux. Elle est censée accoucher la semaine prochaine.

— Vous attendez des filles ou des garçons ? demande Meili à la femme, en se redressant.

— Les deux, répond fièrement la femme. C'est votre première grossesse ?

— Non, la quatrième. Et vous ?

— La troisième. J'ai déjà eu deux filles et je suis tombée enceinte de ces jumeaux à peine arrivée dans la Commune Céleste.

— Et vos filles, que sont-elles devenues ? demande Meili sur le ton un peu condescendant qu'elle adopte avec les paysannes moins raffinées qu'elle.

— L'aînée vit avec mes parents. Et le Dr Wang m'a aidée à faire adopter l'autre. Nous ne pouvons pas nous permettre d'élever des filles.

Le Dr Wang considère Meili et lui dit :

— Si vous ne souhaitez pas garder votre enfant, je peux également m'arranger pour le faire adopter. Cela vous rapportera quatre mille yuans.

— Combien vous dois-je pour l'échographie ? répond Meili, brusquement pressée de partir. Et s'il vous plaît, écrivez sur le formulaire qu'il s'agit d'un garçon.

Sur le chemin du retour, Meili sent son ventre s'alourdir et le bas de son dos commence à l'élancer. Quand je mettrai cette petite au monde, songe-t-elle, Kongzi risque de la vendre elle aussi à l'Assistance publique. Et si je lui avoue dès à présent qu'il s'agit d'une fille, il va m'obliger à avorter. La seule solution, c'est de ne rien lui dire afin que le bébé reste tranquillement où il est. Elle se souvient encore du frisson qu'elle a ressenti quand l'aiguille a transpercé son ventre et pénétré dans le crâne de Bonheur. Et elle revoit son visage souriant lorsqu'il gisait dans le sac en plastique. Elle revoit également le regard de Née-sur-l'Eau fixé sur ses cheveux quand elle tétait son sein. Mon ventre est ton refuge, petite Céleste, murmure-t-elle doucement. Tant que je serai en vie, je te protégerai. En approchant du portail, elle entend un concert de gloussements et d'aboiements : le labrador des voisins doit encore être en train d'attaquer l'enclos des canards. Des éphémères virevoltent au-dessus de leur porte d'entrée. Quelques-uns gisent sur le sol, dévorés par des scarabées. Kongzi élève une demi-douzaine de canards mais ne les laisse jamais aller dans la rivière : il n'y a rien à manger pour eux dans ces eaux polluées, hormis des débris de plastique et de feuilles pourries.

— C'est un garçon, lance-t-elle, surprise de son audace.

Elle imagine la colère de Kongzi lorsque le bébé naîtra et qu'il découvrira qu'il s'agit d'une fille.

— Un garçon ! s'exclame-t-il, tout joyeux. Quelle merveilleuse nouvelle ! Ma femme adorée, tout est en ordre à présent… C'est le bon endroit et le bon moment. L'espoir est en vue. Ce soir, je préparerai le dîner pour fêter ça.

Il saisit les résultats de l'échographie et prend Meili dans ses bras. Les produits chimiques dont les cours d'eau sont saturés autour de la Commune Céleste ont eu raison de leur bateau : il est tellement endommagé que Kongzi a dû renoncer à ses livraisons et travaille lui aussi dans un atelier, comme Meili, à démanteler des machines et des appareils. Aussi sa transpiration dégage-t-elle la même odeur de plastique brûlé.

— À partir d'aujourd'hui, je ne m'occuperai plus des tâches ménagères, dit Meili en s'allongeant sur le lit et en étendant les jambes.

Sentant le bébé peser sur son artère, elle se tourne sur le côté, se débarrasse de ses sandales et regarde Kongzi qui débite un morceau de viande.

— Je n'ai pas faim, Kongzi, lui dit-elle. De surcroît, je ne devrais pas manger du bœuf. Les conservateurs et les attendrisseurs ne sont pas bons pour le bébé.

— Dans ce pays, dit Kongzi, tout le monde cherche à empoisonner son voisin. C'est une sorte de jeu : le premier qui meurt a perdu... Ce morceau de bœuf m'a coûté une fortune, tu pourrais au moins en manger un peu.

Il remonte ses lunettes sur son front, verse les lamelles de bœuf dans un bol et les arrose de sauce de soja.

— Les femmes doivent manger certains aliments spécifiques aux différents stades de leur grossesse. Si tu te souciais un peu plus de tout ça, tu te renseignerais et me préparerais des plats appropriés. Tu étais beaucoup plus réfléchi avant notre mariage.

Meili repense à l'époque où Kongzi lui avait acheté son premier paquet de serviettes périodiques. Jusqu'alors, elle se contentait de fourrer quelques feuilles de papier hygiénique dans une culotte spéciale qui avait appartenue à sa mère.

— Papa, pourquoi as-tu encore fait grossir le ventre de maman ? demande Nannan. Rongrong me dit que c'est parce que tu pisses toutes les nuits dans son derrière.

— Quelle idiote ! Ne l'écoute donc pas. Dépêche-toi maintenant d'écrire ton journal. Si tu veux vivre dans une maison bien aménagée quand tu seras grande, et non dans un taudis comme celui-ci, tu as intérêt à t'appliquer dans tes études.

— Maman, tu peux faire un petit garçon pour papa et une petite fille pour moi ?

— Que ce soit une fille ou un garçon, tu seras toujours sa grande sœur, lui dit Meili. Et c'est la seule chose qui compte.

L'accolade amoureuse de Kongzi lui a laissé une impression douce-amère.

— Je devrais boire des potions prénatales pour atténuer mon mal de dos et faire désenfler mes chevilles, dit-elle du ton un peu geignard dont elle a évité de se servir depuis son retour. Je ne crois pas que j'irai travailler demain. Achète-moi des rognons de porc au marché. J'ai besoin de reprendre des forces.

— Tout ce que tu voudras, ma tendre épouse. Je vais prendre soin de toi. Et je me tuerai au travail pour que le petit Céleste et toi ne manquiez de rien.

Meili a l'impression que ce futur enfant a donné une nouvelle perspective à leur existence. Quelles misères n'avons-nous pas endurées dans notre quête du bonheur, se dit-elle intérieurement. Elle a brusquement envie de prendre Kongzi dans ses bras et de fondre en larmes. Au lieu de ça, elle regarde la photo qu'elle a punaisée au mur et qui montre une femme élancée aux cheveux blonds impeccablement laqués, portant un sac à main en travers de l'épaule et de grosses boucles d'oreilles en or qui brillent sur la peau mate de son cou. Elle regarde ensuite celle qu'elle a placée juste à côté et qui les représente, Kongzi, Nannan et elle, devant le théâtre de la dynastie Ming avec le lac en arrière-plan. Cela ravive en elle des souvenirs liés à ces années passées au fil de l'eau. Leur bateau désormais rouillé gît à l'abandon sur la berge boueuse. Elle se rappelle comme elle était inquiète et apeurée, les premiers jours : mais au bout d'un mois à peine, elle sautait dans l'eau avec assurance et faisait même quelques brasses autour de l'embarcation. Durant toutes ces années, le bateau oscillait de droite à gauche et Kongzi allait et venait en elle en empoignant ses flancs, jusqu'à ce que son corps coule et ruisselle lui aussi, à l'image de la rivière. Si elle n'avait pas eu constamment peur de tomber enceinte, elle aurait pu se détendre davantage et apprécier les bons côtés de cette vie flottante, entre terre et ciel. Elle repense à Weiwei, à sa main caressant son corps. Après son départ, dans l'espoir que cela l'aiderait à le chasser de sa mémoire, elle avait laissé Kongzi lui faire l'amour si souvent et si violemment qu'elle arrivait à peine à marcher certains jours. Mais depuis qu'elle a réussi à prendre la fuite après son viol et qu'elle a rejoint la Commune Céleste, elle est parvenue à se défaire de la soumission qui caractérisait son moi antérieur : et elle est déterminée désormais à devenir la femme moderne et indépendante que Suya pressentait en elle. Elle apprendra à se servir d'un clavier et d'un ordinateur, pour pénétrer dans le monde complexe des circuits imprimés qui donne accès à tout ce qu'on peut désirer – et à chaque composante de l'univers dans son entier.

— Arrête de te ronger les ongles, Nannan. Tu es une grande fille à présent. (Meili se tourne ensuite vers Kongzi et ajoute :) Après la naissance de Céleste, il faudra que nous travaillions d'arrache-pied et que nous achetions au marché noir des permis de résidence pour le Foshan, afin que nos enfants puissent aller à l'école et à l'université. Nous retournerons ensuite au village des Kong et construirons une maison, là où nos enfants auraient dû naître. Tu entends ça, Céleste ? Ta mère s'occupe de toi et tout se passera bien. Nannan, chante-moi une chanson, s'il te plaît.

— Non, dit Nannan, la joue posée sur une page de son cahier. J'ai faim…

— S'il te plaît… Chante-moi la chanson du rossignol que je t'ai apprise hier soir.

— Bon, d'accord… *Petit rossignol, tu reviens tous les printemps avec ta robe de couleurs. Nous avons construit une grande usine avec des machines flambant neuves et ce printemps sera encore plus enchanteur…* Maman, je veux apprendre la danse du Xinjiang, comme Rongrong.

— Lis-moi ce que tu as noté dans ton journal aujourd'hui.

— Pour l'instant, je n'ai écrit que ça : « J'avais peur que le gecko soit empoisonné, mais je me suis quand même approchée pour l'observer. Il a les yeux jaunes et des rayures sur le corps, comme un tigre. Lorsqu'il se met à ramper, on dirait qu'il pédale à toute allure sur une bicyclette pour échapper à un horrible ennemi… »

MOTS-CLEFS : *agréable brise, culottes fendues, plumer un canard, salle à part, « bâton de vie », chauffage manuel.*

— Si je ne bois pas du ginseng américain à longueur de journée, ces émanations me donnent d'horribles migraines, dit Ah-Fei, la collègue de Meili. Le thé amer n'est pas assez fort pour éliminer toutes les saletés qui se répandent dans mon organisme.

Ah-Fei a été défigurée par le vitiligo. Elle porte un masque chirurgical, à la fois pour se protéger des vapeurs toxiques et pour dissimuler les plaques blanches qui enlaidissent son visage.

Cela fait trois semaines que Meili travaille ici. Elle a dû renoncer à son précédent emploi parce que les machines qui fabriquaient des granules en plastique dans la cour faisaient un tel boucan qu'elle était complètement sourde en rentrant le soir chez elle et ne comprenait plus rien à ce que Kongzi et Nannan lui disaient. Le salaire ici n'est que de trente yuans par jour et les vapeurs la font pleurer, mais quand les portes de l'atelier restent ouvertes une agréable brise souffle à l'intérieur.

Au début, Meili était assise avec huit autres femmes devant une longue table en métal afin de fondre et de démanteler des circuits imprimés. Mais la constante inhalation de ces émanations toxiques la rendait malade, aussi a-t-elle changé de poste avec une dénommée Xiu, elle-même enceinte de cinq mois. Elle est désormais assise sur un tabouret en bambou et s'occupe des câbles – ce qui consiste à les prendre un par un dans la pile qui s'élève à côté d'elle, à les clouer au mur et à les entailler à l'aide d'un couteau effilé sur toute leur longueur, avant de retirer les précieux fils de cuivre de leur gangue de plastique.

— L'hôpital Céleste est encore le meilleur endroit pour accoucher, dit Xiu en interrompant son travail pour se frotter le ventre. À l'hôpital de la Compassion, les infirmières t'arrachent ton bébé sitôt sorti de ton ventre, l'installent dans une salle à part et le nourrissent pendant une semaine avec du lait en poudre. Elles prétendent que le lait maternel n'est pas assez nourrissant, mais la vérité c'est qu'elles conditionnent les bébés pour qu'ils s'habituent au biberon – tout cela pour toucher une commission de la part des compagnies qui fabriquent le lait infantile.

Xiu est toujours au courant des derniers potins concernant les hôpitaux et la protection des enfants.

— Les arnaques de ce genre, on s'en tamponne, intervient Cha Na à l'autre bout de la table. Mais si les responsables du planning familial décidaient de s'intéresser à tous les gens qui sont comme nous en situation irrégulière, nous aurions du souci à nous faire.

Cha Na a une fille du même âge que Nannan et un bébé de trois mois qu'elle retourne allaiter chez elle pendant la pause du déjeuner. Elle a de l'humour, un bon naturel, et Meili s'entend bien avec elle.

— Une femme m'a dit un jour qu'il était impossible de tomber enceinte dans cette région, dit Meili. Apparemment, aucune d'entre nous n'a eu trop de difficultés de ce côté-là...

Elle repense à la femme au rouge à lèvres mauve qu'elle avait rencontrée à bord du bateau, en se rendant à Sanxia, et se demande si elle doit lui être reconnaissante ou non de lui avoir révélé l'existence de la Commune Céleste.

Nannan se précipite dans l'atelier en compagnie de Lulu pour boire un grand verre d'eau. Elles sont allées jouer dans l'arrière-cour, escaladant les carcasses d'ordinateurs et d'appareils vidéo. Devant l'atelier, des ouvriers éventrent les téléviseurs et les moniteurs à l'aide de hachoirs de cuisine, avant d'en retirer les circuits imprimés. Les coques qui ne servent plus à rien sont entassées dans un coin.

— Dans cette ville, les responsables du planning familial se contentent d'empocher les pots-de-vin et ne cherchent nullement à faire respecter la loi, dit Cha Na. Nous serions bêtes de ne pas en profiter pour faire autant d'enfants qu'il nous plaît.

Remarquant que du lait s'écoule de ses mamelons engorgés, elle se tourne sur le côté, sort ses seins de son chemisier et les presse pour en extraire le lait qui gicle sur le sol.

— Mon mari ne touchait jamais de pots-de-vin quand il était à la tête du planning familial de notre village, dit Pang, une femme d'une quarantaine d'années arborant deux nattes serrées. Lorsqu'il rentrait à la maison le soir, il débouchait une bouteille de bière en chantant : *Armés de nos mandats nous fouillons tous les villages, quand nous tombons sur une femme enceinte qui n'a pas de permis nous lui arrachons son enfant...*

Pang a une très mauvaise vue et on l'entend souvent pousser un cri strident lorsqu'elle se brûle les doigts avec le métal fondu.

— Le simple fait d'évoquer le planning familial me fait froid dans le dos, dit Meili en sentant les bras de Céleste remuer dans son ventre. Ces ordures ont les mains couvertes de sang. Et ils finiront bien par récolter le châtiment qu'ils méritent.

Meili ne supporte pas Pang. Son mari est passé quelques fois à l'atelier. L'an dernier, il a été viré du planning familial après s'être fracturé le bassin dans un accident de voiture. C'est à la suite de ça qu'il est venu dans la région avec Pang et leur fille, à la recherche d'un nouvel emploi.

— Tu as raison, Meili. Le mari de Pang a sûrement récolté ce qu'il méritait, pas vrai ? Et depuis cet accident, son « bâton de vie » ne lui sert plus à grand-chose. Ah, ah !

— Tu peux bien te moquer, Cha Na, mais la queue de ton mari perdra un jour de sa vigueur, elle aussi ! lance Pang avant de se mettre à tousser. Pour ma part, je ne regrette pas l'époque où il me plantait tous les soirs sa saucisse dans le ventre. Je n'en ai jamais retiré beaucoup de plaisir...

— Eh bien, tu peux au moins dormir sur tes deux oreilles à présent, rétorque Cha Na en attrapant un nouveau circuit imprimé.

— Vous croyez vraiment que son mari est devenu impuissant ? demande Ah-Fei avec un sourire entendu. Je suis sûre que quand il débarque dans un salon de coiffure, sa queue est tellement raide qu'elle passe la porte avant lui !

— Surveille ton langage, je t'en prie, il y a une jeune fille parmi nous ! dit Xiu en désignant une gamine de quinze ans à la peau mate et au regard inquiet, qui devait encore jouer à cache-cache voici peu, comme Nannan et Lulu sont en train de le faire.

Oui, un jour tous ces responsables du planning familial seront punis pour les crimes et les exactions qu'ils ont commis, songe Meili en dévisageant les huit femmes qui passent leurs appareils de chauffage manuel au-dessus des circuits imprimés. Les lumières fluorescentes du plafond se reflètent sur leurs mains, mêlées aux vapeurs bleutées qui montent des réceptacles. Une fois que les soudures ont fondu, elles saisissent du bout de leurs pinces un fil de cuivre, une microplaquette, un condensateur ou une électrode et les détachent délicatement de leur socle, avant de les déposer dans l'une des tasses à thé qui s'alignent devant elles. Quand tous les composants ont été retirés, elles jettent les réceptacles vides dans les seaux en plastique prévus à cet effet. Oui, les médecins et les infirmières qui ont tué le petit Bonheur recevront un jour leur digne châtiment, se dit-elle en donnant un coup de pied dans un carton vide qui traîne à ses pieds.

Le vieux Shao, le responsable des achats et de la distribution, a ôté sa chemise, exposant son gros ventre et ses petits seins flasques. Accroupi devant la porte, il récupère les fils de cuivre que Meili a retirés des câbles. Il relève ensuite les yeux et lui dit :

— Si vous n'achetez pas très vite un faux permis de naissance, Meili, votre bébé n'aura pas de permis de résidence. J'ai entendu dire qu'on en trouvait pour cinq mille yuans dans Hong Kong Road.

Meili aime bien le vieux Shao. Elle s'assoit toujours à côté de lui au moment du déjeuner. Il est le seul dans l'atelier à savoir qu'elle est désormais enceinte de douze mois. Six semaines après le terme prévu, elle s'est rendue dans une clinique retirée afin de se faire examiner. Le médecin lui a dit qu'elle s'était probablement trompée dans les dates mais qu'elle ne devait pas s'inquiéter : le bébé se déciderait à sortir le moment venu. Meili est certaine de ne pas avoir fait erreur. Quand elle est venue postuler à ce nouvel emploi, elle a eu peur que le patron ne s'inquiète en apprenant que sa grossesse s'éternisait de la sorte, aussi lui a-t-elle dit qu'elle était enceinte de six mois. Le vieux Shao travaille depuis des années dans les déchets électroniques. Il sait exactement quelle quantité de plomb contient chaque modèle d'ordinateur, ainsi que la fonction exacte de tous les composants d'un circuit imprimé. Il a dit à Meili qu'il y avait plus de sept cents éléments chimiques différents dans la plupart des appareils électroniques et que près de la moitié d'entre eux étaient nuisibles à la santé. Il ne manque jamais de lui rappeler de bien se protéger le visage.

— Tu ferais mieux de filer dix mille yuans à un intermédiaire qui te ferait passer à Hong Kong, intervient Xiu en se frottant le ventre. Outre que l'hôpital est gratuit, si tu accouchais là-bas le bébé aurait automatiquement un permis de résidence hongkongais. Et toi, étant sa mère, tu n'aurais aucun mal à en obtenir un.

— Tu pourrais également aller à Macao, suggère Cha Na en arrachant l'ultime composant d'un réceptacle. La ville est à nouveau sous le contrôle de la Chine et la vie y est moins chère qu'à Hong Kong.

— Si j'avais dix mille yuans, dit Meili, je pourrais payer l'amende correspondant à cette naissance illégale et je n'aurais pas tous ces problèmes…

Céleste se retourne et lui donne un coup de pied dans la vessie. Meili a déjà tout préparé pour sa naissance : barboteuses, couches, socquettes, biberons – et même une médaille de longévité que Kongzi a ramenée du marché. Mais Céleste ne manifeste toujours pas la moindre velléité d'apparaître au grand jour. Et Meili se demande si elle ne se serait pas trompée dans les dates, finalement – ou si la pollution à laquelle elle est exposée n'aurait pas retardé la croissance du bébé.

— À Guangzhou, l'amende pour une naissance illégale s'élève maintenant à vingt mille yuans, dit Ah-Fei en se reversant une tasse de ginseng américain. Le tarif ne tardera pas à monter ici aussi.

— Tous les prix ont flambé, ces derniers temps, dit Cha Na. Vous avez vu combien coûtent les couches à présent ? Je vais bientôt devoir y renoncer et faire porter des culottes fendues à mon bébé.

— Va donc au marché de la rue du Temple de Confucius, lui conseille Xiu. On y trouve des packs de trente-deux couches de qualité supérieure pour seulement quarante yuans.

— J'en ai acheté pour une amie et elles ne valent rien, dit Pang. Ce sont des contrefaçons, elles sont bourrées de vieux chiffons.

— Vous vous rappelez la fille du planning familial qui est passée ici le mois dernier ? reprend Ah-Fei, les narines dilatées au-dessus de son masque. Je suis tombée sur elle l'autre jour dans la rue : elle a été nommée à la tête de l'Association des femmes de la Commune Céleste.

— Il y a donc une Association de ce genre par ici ? dit le vieux Shao. Cela veut dire que la région aura bientôt le statut de district autonome. Tout cela est le fruit du labeur que nous avons accompli, nous autres travailleurs itinérants.

Le vieux Shao longe la table en vidant les tasses remplies des différents composants dans des paniers qu'il transporte ensuite à l'extérieur de l'atelier, avant de déverser leur contenu dans des caisses en bambou.

— Tu veux parler de cette femme au long cou qui est venue nous distribuer des préservatifs avant les vacances ? dit Xiu. Elle n'est pas trop vache. Quand elle m'a demandé la date de mes dernières règles, je lui ai dit que cela remontait à plusieurs mois et elle n'a pas fait d'histoires.

— La Fête du Printemps approche... Plus que quatre semaines à présent. Irez-vous dans votre famille à cette occasion, vieux Shao ? Et si tel est le cas, pourrez-vous me ramener des légumes salés en conserve ?

Yazhen, la femme qui vient de parler, est originaire de la même région que le vieux Shao, dans la province de Jiangxi.

— Non, dit-il, les trains seront bondés et j'aurai sans doute du mal à trouver une place. Je me contenterai probablement de rester ici.

Entendant les fillettes hurler dans l'arrière-cour, il va ouvrir la porte et s'écrie :

— Nannan ! Lulu ! Laissez ces cartons tranquilles ! Si vous les renversez, le patron sera furieux.

— Avouez donc que vous avez une maîtresse dans les environs, vieux Shao, rétorque Yazhen avec un regard entendu. Les hommes sont bien tous les mêmes : dès qu'ils ont mis les pieds hors de chez eux, leur femme n'existe plus.

— Et lorsqu'ils sont à la maison, dit Ah-Fei, ils mettent les pieds sous la table et repartent la dernière bouchée avalée pour courir les saunas et les night-clubs.

— Aïe ! hurle Pang en se brûlant à nouveau les doigts.

Un ouvrier pénètre dans la pièce, emporte dans la cour les réceptacles vides et les plonge dans des bassines d'acide sulfurique pour ôter les ultimes débris d'or qui pourraient encore y adhérer. Des vapeurs âcres s'élèvent aussitôt et pénètrent dans l'atelier, brûlant les yeux et la gorge des travailleuses. Tandis que le crépuscule approche, tous les appareils et les caisses de bambou contenant les différents composants sont rentrés et empilés les uns sur les autres dans l'atelier. Meili répartit les casiers en plastique de diverses couleurs dans plusieurs sacs en toile de chanvre, avant d'aider le vieux Shao à étiqueter une série de boîtes blanches.

À cette heure, tous les soirs, avant d'aller pointer et de rentrer chez elles, les femmes installées devant la longue table de métal cessent de papoter et se concentrent sur leur travail : leurs mains vont et viennent à vive allure, arrachant de leurs carcasses de minuscules composants de formes diverses, carrés ou ronds, à deux ou à trois dents, avec autant d'application que si elles étaient en train de plumer un canard. À travers le halo bleuté des émanations toxiques, les carapaces brûlantes des appareils et des circuits qu'elles démantèlent ressemblent à des chantiers de démolition miniatures.

MOTS-CLEFS : *porte blindée, assassiner, temps difficile, ovaires, complètement dilaté, blocage psychologique.*

— Kongzi ! Je crois que j'ai des contractions ! Mon Dieu, je saigne ! Vite, emmène-moi à la clinique du Dr Tao...

Meili brandit sa main couverte de sang, avant de s'extraire du lit. La clinique se trouve dans un village voisin, à quelques kilomètres d'ici. Xiu y a accouché d'un garçon et l'a recommandée à Meili, qui s'y est rendue deux mois plus tôt. À ce moment-là, Céleste était dans son ventre depuis plus d'un an et demi. Le Dr Tao l'a examinée et lui a dit que le fœtus en était au huitième mois et devrait sans doute rester encore quelque temps dans son ventre. Depuis ce jour-là, il lui est arrivé de souffrir de crampes occasionnelles, mais c'est la première fois que Céleste manifeste le désir de sortir.

— Très bien, allons-y ! dit Kongzi en se redressant d'un air endormi.

En surfant sur le Web la veille au soir, dans un cybercafé, il a découvert avec une profonde satisfaction que l'Institut chinois des Études confucéennes avait récemment organisé un colloque à Beijing pour célébrer son sixième anniversaire. Il a appris à se servir d'un clavier et compte mettre en ligne un article préconisant l'usage dans le cursus scolaire d'un manuel d'inspiration confucianiste de la dynastie des Qing, dans lequel se trouvent énumérés les différents critères qui définissent le bon fils et le bon élève.

Le jour n'est pas encore levé. Kongzi ouvre la porte d'entrée. Il fait frais à l'extérieur et l'air est chargé de relents nauséabonds.

— Nous allons devoir laisser Nannan ici, dit Meili. Va prendre cinq cents yuans dans mon sac à main. Regarde, mon ventre durcit à nouveau…

— Nous sommes le 18 août – le jour où le président Mao s'est adressé à un million de Gardes rouges sur la place Tienanmen. Comment Céleste peut-il avoir choisi une date aussi néfaste pour venir au monde ?

— Cesse de dire des bêtises. Y a-t-il assez d'essence dans ta camionnette ?

Meili s'adosse au mur en attendant que les contractions s'atténuent. Puis elle enfile une robe à manches courtes et prend la sacoche en plastique qu'elle a préparée en prévision de la naissance. Quelques mois plus tôt, Kongzi a démonté le moteur de leur vieux bateau et l'a revendu pour quatre-vingts yuans. En y ajoutant les huit cents yuans qu'il avait mis de côté, il s'est acheté une petite camionnette – ou plus exactement une épave déglinguée et couverte de rouille qui traînait au fond d'un garage. Le véhicule n'a plus de pare-brise, ni de capot, ni de pare-chocs et fait penser au manteau dépenaillé d'un mendiant avec son pot d'échappement et ses câbles qui pendouillent derrière lui, soulevés par le vent.

L'esprit de l'enfant observe le Père dans les ténèbres précédant cette aube d'il y a quatre ans : il conduit sa camionnette à travers des ruelles étroites, une cigarette aux lèvres et les yeux exorbités. La Mère est assise à côté de lui et gémit de douleur. Tandis que sa température monte, elle déboutonne sa chemise et le fœtus frémit dans son ventre brûlant. La fumée de la cigarette du Père s'insinue dans les poumons et les vaisseaux sanguins de la Mère, remontant à travers le cordon ombilical jusqu'au cerveau du fœtus. Ils arrivent enfin à la clinique. Le Père se précipite hors du véhicule et cogne à la porte blindée du Dr Tao.

— Qui est là ? finit par répondre une voix. Vous ne pouvez pas utiliser la sonnette ?

La Mère est allongée sur le lit du cabinet médical, pliée en deux de douleur tandis que les contractions s'intensifient. Lorsque

le col de l'utérus est complètement dilaté, le fœtus entreprend sa descente mais reste coincé dans le bassin de la Mère.

— Je vois ses cheveux ! s'exclame le Dr Tao. Encore une poussée et il sortira…

La Mère serre les dents et pousse de toutes ses forces. Le fœtus se débat mais son cou est tellement serré que pendant un instant l'oxygène ne parvient plus à son cerveau.

— Ah, j'ai mal !… s'écrie la Mère.

Luttant pour sa survie, le fœtus agrippe l'os pelvien et se propulse lui-même hors de l'utérus. Le Dr Tao braque une lampe dans le vagin de la Mère et aperçoit une petite main, à peine plus grosse qu'un pétale de fleur, qui pointe hors du col de l'utérus. Il s'en empare mais alors qu'il essaie de la tirer vers lui, il perçoit un petit craquement à l'intérieur du bras.

— Qin ! crie-t-il à son assistant. Apportez-moi vite des forceps et du coton hydrophile.

Les jambes de la Mère sont parcourues de tremblements incontrôlables. Pour ne plus penser à la douleur qui la traverse, elle se mord jusqu'au sang la lèvre inférieure.

— Détendez-vous, lui dit le Dr Tao.

— Je ne peux pas ! hurle la Mère dont le corps est pris de trépidations. Je revois mon fils qui agitait les jambes en sortant de mon ventre et que les médecins ont étranglé, quelques secondes à peine après sa naissance. Je n'arrive pas à chasser cette image…

— Je suis ici pour mettre votre enfant au monde, pas pour l'assassiner… Allons, recommencez à pousser, sinon je vais être obligé de faire appel à votre mari.

— Non, cela porte malheur qu'un mari assiste à l'accouchement de sa femme, dit la Mère, traversée par une nouvelle vague de contractions.

— Dans les pays étrangers, les hommes restent auprès de leurs femmes pendant qu'elles accouchent, pour les soutenir et les encourager, dit Qin en maintenant les jambes de la Mère à plat sur le lit.

— Eh bien, nous ne sommes pas comme ces connards d'étrangers ! lance la Mère. Sors donc, Céleste… N'aie pas peur, personne ne va te tuer, je te le promets.

L'esprit de l'enfant voit le fœtus se recroqueviller sous l'effet de la peur. Lorsqu'il a été expulsé de l'ovaire de la Mère et qu'il a descendu la trompe de Fallope, au tout début de sa troisième incarnation, il se souvenait parfaitement de ses deux précédents passages au même endroit. Il se rappelait aussi les cris de la Mère : « Reviens-moi vite… Assassins, assassins… » Puis, une fois dans l'utérus et pénétré par le sperme du Père, les souvenirs de ses vies antérieures lui sont revenus avec plus de clarté. Il se souvient de la colère du Père découvrant que Née-sur-l'Eau était une fille et la perspective de sa propre naissance commence à l'alarmer. À mesure que ses sens se développent, il a davantage conscience de son environnement. Il s'est rétracté quand la Mère a poussé un soupir de déception, apprenant qu'elle était encore enceinte d'une fille, et s'agite quand des substances polluantes viennent se mêler à son sang. Il se rend compte qu'il va devoir choisir entre cet utérus contaminé et l'hostilité du monde extérieur. Le fœtus ne sait pas ce qui l'attend au juste une fois qu'il sera sorti, mais il a désormais la certitude que ce n'est pas le bon endroit pour venir au monde. Il n'aperçoit pas au milieu du jardin le dattier qui a été béni jadis dans la grotte de Nuwa. Il décide donc de rester dans le ventre de la Mère, comme un poisson dans son bocal, et d'attendre qu'elle l'emmène au village des Kong.

La Mère crie à nouveau, les jambes écartées comme un arbre fourchu.

— Faites que je ne sois plus une femme dans ma prochaine existence ! s'exclame-t-elle. Je préfère encore être un rat ou un chien, plutôt que d'endurer à nouveau ces souffrances !

— Je vous ai donné deux doses d'ocytocine mais le bébé refuse toujours de sortir, dit le Dr Tao en bataillant vainement avec ses forceps. Je n'ai jamais vu un fœtus chinois résister avec une telle énergie. Vous êtes sûre qu'il n'a pas du sang étranger ?

Abandonnant la partie, il relâche le pied du fœtus qui disparaît à nouveau dans les profondeurs de l'utérus.

— Je renonce, dit-il. Si je tire plus fort, je risque de lui briser la colonne vertébrale.

— Du sang étranger ? s'insurge la Mère. Quelle insulte ! Je descends de la déesse Nuwa et mon bébé est cent pour cent chinois ! Attendez, je vais m'accroupir sur le sol et pousser à nouveau…

La Mère se tourne sur le côté pour s'extraire du lit.

— C'est inutile, dit le Dr Tao. J'ai mis des centaines de bébés au monde mais celui-ci fait clairement un blocage psychologique : il refuse tout bonnement de sortir. Je ne peux rien faire de plus. Je ne vous demanderai aucuns honoraires. Il faut que vous alliez immédiatement dans un hôpital gouvernemental pour qu'on vous fasse une césarienne.

— Vous croyez peut-être que je vais accepter qu'on me charcute le ventre ? Jamais de la vie ! Donnez-moi d'autres serviettes.

La Mère s'est accroupie, le dos calé contre le lit, et pousse comme si elle essayait de chier. Mais elle a beau faire, rien ne sort.

— Je vous assure que je ne pouvais pas tirer plus fort, dit le Dr Tao. Ce fœtus a une force incroyable.

— Pas étonnant qu'il soit fort, dit la Mère en épongeant la sueur qui coule de son visage. Cela fait vingt mois qu'il est dans mon ventre.

— Vingt mois ? Quand il se décidera à sortir, il sautera sur le lit et gambadera dans la pièce...

Les contractions décroissent peu à peu, le col de l'utérus se referme et son ventre se détend. La Mère s'effondre sur le sol, épuisée. L'air qui s'échappe du climatiseur brasse des relents de sang et de poisson frit.

— Il n'est pas encore sorti ? dit le Père en pénétrant dans la pièce, un bidon de jus d'orange à la main.

— Le fœtus s'accroche au ventre de votre épouse. Je suis incapable de l'extraire.

— Quand je suis venue vous voir il y a deux mois, dit la Mère, vous m'avez dit qu'il en était au huitième mois. Comment pourrais-je encore vous croire ?

— Écoutez, ça suffit comme ça ! lance le Dr Tao. Je ne veux pas de votre argent. Allez plutôt trouver un chirurgien.

— Pour qu'il l'étrangle sitôt né ? s'exclame la Mère. C'est hors de question.

Voyant que le Père s'apprête à allumer une cigarette, le Dr Tao secoue la tête.

— Désolé, dit-il, l'air est conditionné, il est interdit de fumer dans cette pièce.

Le Père remet la cigarette dans sa poche et dit :

— Je m'y connais un peu en astrologie chinoise, docteur Tao. Peut-être devrions-nous demander à un prêtre de déterminer un jour propice pour la naissance ?

— Ne perdez pas votre temps avec ces âneries, répond le médecin. Suivez plutôt mon conseil : conduisez-la immédiatement dans un hôpital et demandez qu'on lui fasse une césarienne.

— D'accord, d'accord, dit le Père. Nous allons d'abord repasser à la maison pour prendre un peu plus d'argent, Meili.

— Non, je refuse qu'on m'ouvre le ventre. Tu sais que je ne supporte pas la vue des couteaux, ni du sang…

Meili est déterminée. Elle est terrifiée à l'idée non seulement que les médecins assassinent son bébé, mais que Kongzi éclate dans une rage folle en découvrant qu'il a dépensé une fortune pour cette césarienne alors que son enfant s'avère être une fille… Étant donné que le bébé refuse de sortir, Meili décide de passer une nouvelle échographie pour confirmer le sexe de l'enfant. Peut-être s'agit-il d'un garçon, au bout du compte ? Comment cette femme pouvait-elle être sûre de son coup, en regardant une image noirâtre et floue sur un écran ? Elle laissera le fœtus rester dans son ventre aussi longtemps qu'il le souhaitera et ils se tireront de cette épreuve ensemble. Si Kongzi ou les autorités veulent l'obliger à agir autrement, elle leur résistera avec toute l'énergie dont elle dispose.

MOTS-CLEFS : *lettré respecté, ballons roses et rouges, robe de grossesse, aller au boxon, faucille et marteau, lueur des bougies.*

— Voyons si tu as tout ce qu'il te faut.

Kongzi ouvre le cartable de Nannan et vérifie qu'elle a bien emporté ses livres de première année, ainsi que sa règle et sa trousse. Elle a huit ans aujourd'hui et il l'accompagnera le lendemain pour son premier jour de classe dans un établissement non officiel, fréquenté par les enfants des travailleurs itinérants. L'école se trouve dans un entrepôt en tôle, à la lisière sud de la ville, et les frais d'inscription sont raisonnables. En tant que descendant de Confucius, Kongzi regrette de ne pas avoir pensé à en ouvrir une lui-même.

Après le petit-déjeuner, il écoute Nannan lui lire le quatrième chapitre de son manuel de lecture. Il a récemment accepté un emploi temporaire à mi-temps à l'école primaire du Drapeau Rouge – un établissement gouvernemental situé juste à côté du temple de Confucius – en remplacement d'une enseignante partie en congé de maternité. Nannan et lui sont assis dans la cour devant une petite table, éclairés par le soleil du matin. Le propriétaire utilise à présent les trois autres maisons pour stocker ses téléviseurs hors d'usage, aussi l'ambiance est-elle beaucoup plus calme qu'avant. La camionnette de Kongzi a fini par rendre l'âme et gît dans un coin de la cour, recouverte de tôles rouillées et de vieux cadres de bicyclette. Les canards déambulent hors de leur enclos et picorent les nouilles que Meili répand sur le sol à leur intention.

Nannan déchiffre lentement les mots que son père souligne avec son index.

— Le drapeau rouge flotte au vent. La faucille et le marteau représentent le Parti communiste chinois, guidant le peuple pour l'éternité...

— Première question : quel nom porte ce drapeau ? lui demande son père d'une voix autoritaire.

Il n'enseigne que trois après-midi par semaine mais n'en est pas moins enchanté d'avoir renoué avec sa véritable vocation. Sitôt levé, il enfile son costume gris et nettoie ses lunettes, qu'il travaille ou non ce jour-là.

Dans le lointain, des haut-parleurs proclament à travers la ville le programme du dimanche : « Dans le cadre de notre campagne visant à améliorer la politique de contrôle démographique national, le responsable de l'Association provinciale du planning familial, Jie Ailing, visitera aujourd'hui la Commune Céleste et supervisera une inspection détaillée concernant... »

— Tu as entendu ça, Kongzi ? dit Meili tout en rectifiant son rouge à lèvres devant le miroir accroché à la porte d'entrée. Peut-être ferions-nous mieux de nous tenir à carreau aujourd'hui.

Elle porte son manteau préféré, de couleur crème, et une robe de grossesse qu'elle a commandée à une couturière en lui demandant de reproduire un modèle découpé dans un magazine de mode.

— Non, ne t'inquiète pas, répond Kongzi. Selon toute vraisemblance, monsieur le directeur Jie n'inspectera rien du tout. Les responsables municipaux le promèneront rapidement à travers la ville avant de l'emmener déjeuner et de le faire boire jusqu'à ce qu'il ne tienne plus debout.

— Papa, quand cette politique familiale sera abandonnée, est-ce que nous pourrons rentrer chez nous ? demande Nannan.

— La politique du planning familial est une guerre d'usure que le gouvernement a engagée contre les femmes et les enfants de ce pays, lui répond Kongzi. Nul ne sait quand elle prendra fin. C'est pour cela que ton petit frère est toujours dans le ventre de ta mère. Il a trop peur de sortir.

— Pourquoi y ai-je échappé, alors ?

— Parce que tu étais notre premier enfant et que ta naissance était légale. Quand tu seras grande, tu pourras obtenir un permis de résidence et aller à l'université.

— Maman a un permis de résidence, comment se fait-il qu'on l'ait arrêtée quand elle était dans cette grande ville ?

— Parce qu'elle n'avait qu'un permis rural, qui ne l'autorisait pas à séjourner en ville. Et parce qu'elle n'avait pas d'argent sur elle.

— Nous avons de l'argent maintenant ?

— Un peu. Pas beaucoup. Quand nous en aurons davantage, nous serons libres et nous pourrons aller où bon nous semble.

— Je ne veux pas aller à l'université. Je veux gagner de l'argent pour vous le donner, à maman et à toi.

— Nannan, souviens-toi du proverbe que je t'ai appris : « Les enfants qui n'étudient pas ignorent le trésor que recèlent les livres. S'ils savaient combien il est précieux, ils passeraient leurs nuits à lire à la lueur des bougies. » La conclusion est simple : c'est en étudiant que tu deviendras riche.

— Mais toi, papa, tu as étudié et tu n'es pas riche.

— C'est parce que j'ai dû concentrer mes efforts sur autre chose, afin que tu aies un petit frère. Une fois qu'il sera né, je gagnerai beaucoup d'argent, je te le promets.

— Pourquoi grand-père ne t'a-t-il pas donné de l'argent ?

— Tu veux parler de mon père ? Il ne roule pas sur l'or aujourd'hui mais autrefois, avant que les communistes ne prennent le pouvoir, son propre père – mon grand-père – était très riche. C'était un puissant propriétaire terrien et un lettré respecté. Tout le monde dans le village venait lui demander conseil. En 1951, quand Mao a ordonné aux paysans de faire la guerre aux forces contre-révolutionnaires, tous les propriétaires terriens du district de Nuwa ont été enterrés vivants. Mais personne n'a touché à un cheveu de mon grand-père. Il a pourtant fini par être arrêté, dix ans plus tard, et il est mort en prison.

— Qu'est-il arrivé à sa femme ?

— Tu es trop jeune pour que je te raconte ce genre d'histoire, Nannan. Tout ce que je peux te dire, c'est qu'elle est morte quelques années plus tard, pendant la Révolution culturelle.

— Et les autres membres de ta famille ? Que leur est-il arrivé ?

Depuis une semaine, Nannan refuse de prendre son petit-déjeuner. Elle n'a pas touché aux œufs sur le plat ni au lait de soja que lui a préparés Meili et se contente de grignoter un reste de beignet à la noix de coco.

— Il y a longtemps qu'ils sont morts. Assez de questions, maintenant ! Remets-toi au travail et regarde un peu la leçon n° 5, intitulée « Quelle bonne idée ! ».

Nannan tourne la page et se met à lire :

— « Un jour, alors âgé de sept ans, le président Mao était parti dans la montagne avec des camarades pour conduire un troupeau dans les verts pâturages. Le problème qui se posait à eux était le suivant : comment pouvaient-ils à la fois surveiller les animaux, cueillir des fruits sauvages et ramasser du bois pour le feu ? Mao eut une idée. Il répartit ses amis en trois équipes : la première surveillerait le bétail, la deuxième cueillerait des fruits et la troisième irait ramasser du bois... »

— Parfait, la classe est terminée ! l'interrompt Meili. Nannan, tu viens avec moi aujourd'hui, ajoute-t-elle en lui nouant une écharpe autour du cou et en s'apprêtant à partir au travail.

— Papa, n'oublie pas de tuer le rat qui se promène dans les toilettes ! lance Nannan à son père tandis qu'elles franchissent le portail.

Une fois qu'elles sont parties, Kongzi se demande quelle somme il va retirer de la vente de sa vieille camionnette. Trois cents yuans, tout au plus... Le propriétaire du garage doit venir la reprendre ce matin. Une fois la transaction faite, Kongzi ouvrira un nouveau compte en banque. Depuis qu'ils sont arrivés dans la Commune Céleste, ils planquent sous leur lit tout l'argent qu'ils gagnent, en dehors des petites sommes qu'ils envoient à leurs parents ou qu'ils dépensent pour la nourriture et le loyer. Ils ont déjà mis seize mille yuans de côté. S'ils pouvaient placer cet argent, ils feraient rapidement fortune. L'autre jour, Kongzi s'est rendu dans une salle de jeux. L'entrée est gratuite, le repas de midi est offert et, si les clients sont à court d'argent, l'établissement leur en prête à volonté. Il y a passé la journée et perdu quatre-vingts yuans. Aujourd'hui, il compte tenter à nouveau sa chance. Si les dieux lui sont propices, il ramassera un bon pactole et pourra envisager d'ouvrir sa propre école confucianiste. Le temple de Confucius serait l'endroit rêvé pour un tel projet. Lorsqu'il aura économisé assez d'argent, il ira en parler aux responsables de l'enseignement local et leur demandera une autorisation officielle. Oui, c'est une bonne idée d'aller retenter sa chance dans cette maison de jeux. Même s'il perd quelques centaines de yuans, Meili ne s'en apercevra pas. En prévision du repas d'anniversaire de Nannan le soir même, il a gonflé quelques ballons roses et rouges et les a accrochés devant la porte d'entrée. Meili lui a dit qu'elle achèterait un gâteau à la crème en rentrant du travail. Avant qu'il ait fini de boire son thé, le propriétaire du garage arrête sa voiture devant le portail et donne un grand coup de klaxon.

À midi, Kongzi franchit le seuil de la salle de jeux située en sous-sol, ses trois cents yuans en poche. Mais à peine a-t-il pénétré dans la pièce que quatre hommes assis à une table et faisant mine de jouer aux cartes se lèvent brusquement, sortent des pistolets de leurs poches et s'écrient : « Que personne ne bouge ! » Après avoir passé des menottes à tous les individus présents, y compris Kongzi, ils les embarquent dans une estafette et les conduisent au poste de police le plus proche où ils sont fouillés et interrogés un à un, dans une arrière-cour. La plupart n'étaient venus que pour profiter du repas de midi gratuit et n'ont pas d'argent sur eux. Après un bon passage à tabac, les policiers les relâchent et les jettent à la rue, couverts de bleus et maculés de poussière.

Kongzi passe en dernier. Il doit d'abord remplir un formulaire et vider ses poches.

— Je venais à peine d'entrer, proteste-t-il d'un air furibond. Je n'avais pas l'intention de jouer, vous n'avez pas le droit de m'arrêter !

— Dans ce cas, que comptais-tu faire avec tout ce pognon ? Aller au boxon ? lui lance ironiquement un jeune policier en comptant la liasse de billets.

— Rendez-moi cet argent, espèce de bandits ! Je n'ai commis aucun crime !

Un officier chauve lui donne un violent coup de pied dans les tibias.

— Tu oses nous insulter, connard ? hurle-t-il.

Kongzi s'effondre sur le sol mais se relève aussitôt. Il s'apprête à balancer son poing sur le menton du chauve mais un autre policier le frappe et l'envoie à nouveau au tapis. Le chauve sort une matraque électrique et l'abat sur le crâne de Kongzi. Tandis que celui-ci cherche à se relever, le policier le saisit par les cheveux et lui assène un grand coup de genou dans la mâchoire.

— Venez donc vous battre, fils de putes, si vous croyez avoir des couilles ! lance Kongzi qui gît sur le dos.

— Ferme ta gueule, sale vagabond ! crie le jeune policier en le frappant plusieurs fois au visage.

Les lèvres en sang, Kongzi lâche une nouvelle bordée d'injures et les trois policiers le maintiennent au sol tandis que le chauve se penche et lui fourre sa matraque électrique dans la bouche.

— Goûte un peu ça, bouseux ! Ça te fera passer l'envie de nous insulter.

Et il appuie sur le bouton qui active la décharge.

Alors que Meili, rentrée du travail, dispose sur une grande assiette le gâteau d'anniversaire de Nannan, le propriétaire surgit affolé et lui annonce que Kongzi a été arrêté. Meili lui confie Nannan, se précipite au poste de police et découvre Kongzi à moitié inconscient dans le hall du commissariat. Tandis qu'elle paie les mille yuans d'amende et s'apprête à l'emmener à l'hôpital, le sergent derrière le comptoir lui apprend que Kongzi leur a avoué qu'il couchait avec une prostituée d'un salon de coiffure voisin.

— Vous croyez peut-être que nous l'avons battu sans raison ? C'est lui qui s'en est pris à nous et nous avons bien dû réagir. Il peut s'estimer heureux d'être relâché aussi vite. Mais lorsqu'il aura repris connaissance, dites-lui bien que si nous le croisons encore une fois dans un tripot, il en prendra pour dix ans.

Lorsque Kongzi rentre de l'hôpital, deux semaines plus tard, les blessures à la langue et aux lèvres que lui a faites la matraque électrique sont à peu près cicatrisées, mais il n'est toujours pas en mesure de parler. Cet épisode leur a coûté plus de onze mille yuans. Meili a dû prendre sur son temps de travail pour aller le voir à l'hôpital et Nannan a été obligée de loger chez Lulu. Tous ces événements ont fortement perturbé la fillette, qui était introuvable la veille. Meili l'a cherchée pendant des heures avant de la trouver, assise seule dans un coin sur la berge de la rivière.

Bien que Kongzi soit en voie de rétablissement, Meili est à deux doigts de craquer. Le jour de son anniversaire, elle a ressorti le CD qu'elle lui avait offert lorsqu'ils vivaient sur l'îlot de sable et l'a brisé à coups de hachoir. Elle avait plus ou moins toléré qu'il regarde des films pornos mais l'idée qu'il ait pu coucher avec une prostituée lui est insupportable. Elle déplore la brutalité de la police mais le comportement indigne de Kongzi la révolte encore plus. L'instituteur qu'elle vénérait autrefois est devenu un individu méprisable, qui la remplit de dégoût. Elle le regarde et lui lance :

— Quand je pense aux proverbes que tu me serinais jadis... « Si l'ordre règne dans votre famille, le pays sera en paix... Le sage choisit la voie de la vertu et approuve la sanction de la loi... » Espèce d'hypocrite !

Elle le regarde droit dans les yeux et lui demande s'il a effectivement couché avec une prostituée. Il lui retourne son regard et hoche négativement la tête. Meili sait bien que le sergent a pu lui raconter des histoires mais le soupçonne tout de même d'avoir dit la vérité. Lorsque Kongzi est revenu de l'hôpital, la vue de son visage enflé et déformé a éveillé un peu de pitié en elle, mais dès qu'il a été en mesure d'avaler une gorgée de lait, elle a eu envie de prendre un couteau et de l'égorger.

Tandis que le soir tombe, la Mère continue de maudire le Père, le visage inondé de larmes.

— Espèce de lâche ! Bâtard sans cœur et sans cervelle ! Tu bois, tu joues, tu couches avec des prostituées ! Où trouves-tu toute cette énergie ? Tu crois vraiment que cela n'aura aucune conséquence ?

Le Père entrouvre les yeux et les referme aussitôt, incapable de répondre.

— Larve infecte ! Salopard ! Non content de manger à ta propre table, il faut encore que tu ailles saucer l'assiette du voisin ! Le lac est à deux pas, si au moins tu avais le courage de t'y jeter... Tu es bien le digne descendant de Confucius... Rappelle-toi ce que chantaient les Gardes rouges pendant la Révolution culturelle : ***Kong le Cadet était le mal incarné. Il prêchait la droiture mais son cœur était fourbe.*** **Comme ils avaient raison !**

La Mère se met à danser dans la pièce, en chantant des slogans révolutionnaires et en tenant à deux mains son ventre rebondi.

Nannan l'épie, cachée sous sa couverture. Le Père reste immobile, les paupières serrées. Des heures plus tard, les lumières ont enfin été éteintes. Dehors, dans les ténèbres, le vent agite les piments qui sèchent sur leur fil ainsi que les ballons roses et rouges accrochés à la porte, puis s'engouffre à travers le portail, soulève les débris de canne à sucre qui jonchent les trottoirs et se précipite en tournoyant jusqu'à la berge, éparpillant des lambeaux de toile goudronnée dans la rivière.

MOTS-CLEFS : *chants funèbres, cercueil noir, spectre déraciné, lunettes cerclées d'or, bassin de lotus, objets funéraires, canards mandarins.*

Une fois sa journée de travail terminée, Meili décide de passer au marché et d'acheter de la ciboulette pour les plats à la vapeur qu'elle compte préparer ce soir. La Fête du Printemps aura lieu dans quelques jours mais elle n'a toujours pas installé les décorations ni les offrandes appropriées. Elle a acheté les gâteaux au riz gluant du Nouvel An ainsi que les dattes destinées aux pâtisseries traditionnelles censées « donner naissance à un noble fils ». Cela fait maintenant deux ans que la petite Céleste est dans son ventre, mais elle s'est tellement recroquevillée que cela se voit à peine. Lorsque Kongzi a été hospitalisé, Meili a eu de longues conversations avec l'esprit de l'enfant et cette pratique n'a pas cessé depuis que son mari a retrouvé l'usage de la parole.

Pour se rendre au marché, elle longe la Rue Splendide : les vêtements de luxe et les bijoux qui scintillent dans les vitrines – sans parler des panneaux d'affichage rutilants – font qu'on remarque à peine les paysans qui vendent des oranges sur des tapis élimés ou les relents de mouton grillé qui s'échappent des éventaires installés dans la rue. Entre l'imprimerie de la Montagne Brumeuse et l'hôtel de l'Amitié se trouve une ruelle que Meili a empruntée la semaine dernière pour aller visiter l'échoppe d'un marchand de nouilles qui était à louer. Le magasin lui-même lui convenait mais Meili a été rebutée par la présence à deux pas d'une clinique spécialisée dans les maladies sexuellement transmissibles, ainsi que par le panneau dressé devant l'entrée : NOUS TRAITONS PARTICULIÈREMENT LES MALADIES DE LA PEAU. Depuis que l'arrestation puis l'hospitalisation de Kongzi ont englouti l'essentiel de leurs économies, Meili souhaite plus que jamais laisser tomber son emploi et ouvrir sa propre boutique. Sachant que la ruelle la mènera plus rapidement au marché, elle s'y engage et perçoit aussitôt les échos d'une complainte funèbre, avant de remarquer la présence d'une tente blanche érigée un peu plus loin. Un fil électrique qui descend d'une maison voisine alimente l'ampoule placée au sommet de la tente. La complainte émane d'une cassette que diffuse un magnétophone. Meili pense à sa grand-mère et sent ses yeux se remplir de larmes. Sans hésiter, elle pénètre sous la tente et s'approche d'un vieil homme vêtu de blanc qui se tient à côté d'un cercueil grand ouvert.

— Je peux chanter des complaintes funèbres, si vous le souhaitez, lui dit-elle en jetant un coup d'œil sur le cercueil.

Le cadavre est celui d'une femme en robe blanche d'une cinquantaine d'années. Un sourire illumine son visage. Les têtes d'un poulet et d'un canard rôtis ont été placées sur sa poitrine. Huit tables ont été dressées pour le banquet funèbre et tous les invités sont habillés en blanc. Le vacarme des couverts et des assiettes se mélange aux éclats de voix des conversations.

— Remplissez vos verres ! lance quelqu'un. Buvez, buvez !

— Combien prenez-vous pour une heure ? demande à Meili un homme qui se tient devant un grand portrait de la défunte et qui doit être son mari.

— Deux cents yuans, répond-elle.

Le mari va consulter son beau-père qui demande à Meili, avec un fort accent du sud :

— Pouvez-vous chanter les sutras de « L'Autel du souvenir » et de « L'Âme qui s'échappe du cercueil » ?

L'homme a les cheveux blancs et s'appuie sur une canne dont la paume sculptée représente une tête de dragon.

— Oui, dit Meili. Je connais tout le répertoire des chants funèbres, qu'il s'agisse de pleurer un père, une mère ou un mari... Combien d'enfants votre fille avait-elle ? Si vous me confiez quelques données relatives à son existence, je pourrai les intégrer à ma complainte.

— Notre famille est originaire de Chaozhou, répond-il. Nous ne comprenons pas votre dialecte du nord, vous pouvez donc chanter ce que vous voudrez et improviser au fur et à mesure.

Il se met à tousser bruyamment. Une femme s'approche et le ramène vers l'une des tables.

— L'orchestre que nous avions engagé pour la cérémonie a été retardé, reprend le mari. Si vous pouvez chanter pendant une heure ou deux, vous êtes la bienvenue. Je vais vous chercher un micro.

Tandis qu'il s'éloigne, Meili regrette d'avoir fait cette proposition : mais il est à présent trop tard pour reculer. Elle a souvent vu sa grand-mère chanter jadis lors de multiples funérailles, mais ne s'est jamais livrée elle-même à un tel exercice.

Elle ôte sa veste et enveloppe ses épaules dans une cape blanche. Se souvenant du turban blanc que portait sa grand-mère, elle noue une large serviette autour de sa tête et se dirige vers l'estrade, un peu tendue. Après avoir pris une profonde inspiration, elle s'approche du micro et entonne : *Ma chère mère, quelle n'est pas notre douleur ! Tu as quitté ce monde avant d'avoir pu profiter d'un seul instant de joie*... De vraies larmes se mettent à couler sur ses joues. Elle ferme les yeux et perçoit sa voix haut perchée, relayée par les haut-parleurs et diffusée hors de la tente, jusque dans la ruelle. Elle se laisse emporter par cette mélopée lancinante... *Les moineaux cherchent leur mère sous les avant-toits, les faisans cherchent leur mère au milieu des buissons, les carpes cherchent leur mère dans les herbes des cours d'eau – mais moi, où pourrais-je te retrouver ?* Après avoir terminé la « Complainte pour ma mère, décédée dans le douzième mois lunaire », elle s'assoit sur un tabouret, essuie ses larmes et regarde les invités assis devant elle. Certains sont toujours occupés à s'empiffrer, penchés sur leurs assiettes, et d'autres sont plongés dans leurs conversations, mais la plupart ont levé les yeux et la considèrent en silence. Elle n'a aucune idée de l'effet qu'elle a pu produire sur cette assemblée de sudistes et n'a jamais chanté avec une telle conviction. Sentant une nouvelle vague de tristesse l'envahir, elle plonge la tête dans ses mains. Quelqu'un lui tapote l'épaule et lui tend une bouteille d'eau minérale. Elle la prend sans relever les yeux mais n'a pas la force de dévisser le bouchon. Elle pense à la manière dont Kongzi, la seule personne en qui elle avait confiance, a vendu leur bébé et probablement couché avec une prostituée. À la façon dont le patron du night-club l'a violée sur ce lit étroit et dont les représentants de l'État l'ont ligotée sur cette table d'opération, avant d'étrangler son nouveau-né. Incapable de se contrôler, elle s'agenouille auprès du cercueil et reprend sa complainte : *Mon épouse bien-aimée, il y a cinq cents ans que notre mariage était prédestiné. Au cours de cette vie nous nous sommes enfin rencontrés et sommes devenus aussi inséparables que des canards mandarins. Mais aujourd'hui tu as lâché ma main pour retourner au Paradis de l'Ouest. Qui nourrira désormais les poules et les oies dans notre cour ?...* J'espère que ce bâtard maudit brûlera pour l'éternité... Des images oppressantes lui traversent l'esprit. Elle pleure en pensant au cadavre de sa grand-mère, qu'on a déterré et brûlé, à Bonheur qui gît au fond du fleuve, au destin inconnu de Née-sur-l'Eau, au refus de Céleste et à la peur qu'elle éprouve elle-même à l'idée de la mettre au monde... Secouée de sanglots, elle pleure jusqu'à en être hébétée.

— Faites une pause, lui dit le mari en lui tendant une assiette garnie de riz et de poisson. Et mangez donc un morceau.

— Merci, lui répond-elle, le nez dégoulinant de morve.

Elle regarde le poisson mais ne se sent aucun appétit. À travers l'ouverture de la tente elle voit les lumières s'allumer aux fenêtres, dans la ruelle envahie par la pénombre, et chuchote à l'esprit de l'enfant : « Il est temps de partir, ton père et ta sœur doivent commencer à avoir faim. Je vais leur préparer un potage avec les navets et les calmars que m'a donnés Cha Na. » Elle considère à nouveau le poisson et ajoute : « D'accord, je vais en manger un peu pour toi, petite Céleste... » Elle prend un morceau de poisson avec ses baguettes et le grignote du bout des lèvres, tout en observant les objets funéraires en papier disposés sous le portrait de la défunte : voitures, frigidaires et maisons miniatures, ainsi que des liasses de faux dollars américains – tout ce qu'elle rêve elle aussi de posséder un jour. En parcourant des yeux les étuis de baguettes et les mégots qui jonchent le sol, elle sent brusquement que quelqu'un l'observe : elle se retourne et aperçoit un jeune homme de grande taille, chaussé de lunettes cerclées d'or, arborant un costume et une cravate noirs.

— Comme vous avez bien chanté ! lui dit-il. J'aurais voulu vous enregistrer.

— Ce n'était pas une chanson, mais une lamentation funèbre, répond Meili.

Elle regarde le cercueil et s'imagine que la femme qui y est allongée écoute leur conversation. Elle a vu de nombreux cadavres jadis en accompagnant sa grand-mère et leur vue ne l'effraie pas.

— Vous vous êtes bien lamentée, dans ce cas ! Où avez-vous appris ces airs ?

Les cheveux du jeune homme sentent la laque. L'odeur est désormais familière à Meili, qui se fait faire un brushing tous les mois : quand elle ressort du salon de coiffure, elle a l'impression d'être une star de cinéma.

— On les chantait dans ma famille, répond-elle.

Elle frissonne soudain à l'idée que sa grand-mère est maintenant aussi inanimée que la femme couchée dans le cercueil.

— J'avais l'impression d'entendre Anita Mui, la chanteuse de Hong Kong. Je suis heureux de faire votre connaissance. Mon nom est Zhang Tang, mais vous pouvez m'appeler Tang.

— Anita Mui est une superstar ! Comment pouvez-vous me comparer à elle ?

— C'était ma tante, dit Tang en montrant le cadavre. Elle est morte d'un cancer du pancréas. Je suis sûr que c'est à cause de la pollution.

Ayant fini de manger, Meili s'essuie la bouche avec une serviette.

— Vous n'avez pas un accent très prononcé, dit-elle. D'où êtes-vous ?

— J'ai grandi dans cette région, mais je suis allé faire mes études supérieures en Europe. J'ai eu mon diplôme l'an dernier.

— En Europe ? J'ai démonté des quantités de téléphones et d'ordinateurs en provenance de ce pays.

— Ce n'est pas un pays, c'est un continent ! La France, l'Italie, l'Allemagne font partie de l'Europe. J'ai fait mes études en Angleterre.

— Tous ces pays sont sûrement plus avancés que la Chine : nous traitons comme des objets précieux les rebuts qu'ils déversent chez nous. Quelle chance vous avez eue d'aller là-bas ! Pourquoi êtes-vous revenu ?

— J'aime cet endroit. Quand j'étais enfant, c'était un véritable paradis. Il y avait un magnifique bassin de lotus près du port et chaque maison avait son propre puits. Après l'école, j'allais pêcher des carpes et des crevettes dans le lac avec mes camarades.

— J'habite juste à côté du lac, mais l'environnement est sordide. Les cours d'eau sont tellement pollués que six mois à peine après notre arrivée, notre bateau tombait déjà en ruine.

Meili n'a pas envie de prolonger cette conversation. Elle descend de l'estrade et fait mine de lire les messages qui accompagnent les couronnes de fleurs.

— J'aimerais vous offrir un CD d'Anita Mui, reprend Tang en la suivant.

— Ne vous donnez pas cette peine. J'ai vingt-six ans à présent et je ne rêve plus d'être une pop star.

Elle pose son assiette par terre et dit au jeune homme, dans l'espoir de se débarrasser de lui :

— Pouvez-vous vous pousser un peu ? Je crois que je vais chanter un dernier air.

— Je ne peux pas, lui dit Tang en remontant ses lunettes cerclées sur son nez. C'est à mon tour de veiller auprès du cercueil.

Le mari les rejoint et tend à Meili un gobelet en carton rempli de thé. Cherchant à s'éclipser, elle le vide d'un trait et lui dit :

— J'ai la gorge irritée. Je crois que je ne suis plus en état de chanter.

Quelques instants plus tard, elle sort de la tente et murmure à l'esprit de l'enfant : « Je suis sûre que tu as encore moins envie de sortir, maintenant que tu as entendu maman se lamenter de la sorte. » Elle se dit que la défunte recevra le lendemain des funérailles appropriées et que son esprit pourra ainsi reposer en paix jusqu'à sa prochaine incarnation. Personne n'a chanté de complainte funèbre lorsque sa grand-mère est morte et ses restes profanés ont été enterrés, de sorte que son esprit est condamné à errer pour l'éternité comme un spectre déraciné. Meili glisse dans sa poche l'argent qu'elle a gagné et considère la carte de visite que Tang lui a donnée avant son départ. Tandis qu'ils se séparaient, le jeune homme lui a appris que sa belle-sœur cherchait une nounou pour sa fille et demandé si ce travail l'intéressait. Elle pense à Nannan et espère qu'elle est à la maison à l'heure qu'il est. Depuis quelques jours, elle passe à la gare au sortir de l'école pour ramasser des billets de train usagés que Kongzi revend ensuite à des gens qui voyagent pour affaires et se les font rembourser sur leur note de frais.

La Mère se perd dans la ruelle sinueuse dénuée d'éclairage. Elle dépasse un tricycle enveloppé d'un tissu jaune qui, dans l'aura lumineuse d'une fenêtre voisine, ressemble à un gros gâteau à la crème saupoudré de poussière. Elle aperçoit enfin devant elle une artère vivement éclairée et accélère le pas. Au loin, derrière elle, elle entend une chanson pop résonner dans la tente qu'elle vient de quitter : *Les gens t'ont-ils dit qu'ils t'aimaient, ont-ils pleuré sur les poèmes que tu écrivais ?* Après avoir traversé la rue, elle tourne deux fois de suite à gauche, puis à droite, et débouche sur le bassin de lotus, à côté du port. Les débris de plastique qui s'empilent de toutes parts sur ses bords dégagent une lueur froide et funèbre. Elle descend vers le lac et suit le sentier de pierre qui mène directement à leur portail.

Lorsqu'elle ouvre la porte, elle aperçoit Kongzi en train de fourrer des vêtements dans un sac et lui demande où il va.

— Mon père est mort, répond Kongzi à voix basse pour que Nannan ne l'entende pas.

— Quand donc ?

— Il y a trois mois. Le jour de son anniversaire.

— Qu'est-ce qui lui est arrivé ? Une maladie ? Un accident ?

— Il a bu du vin trafiqué qui lui a perforé l'estomac.

— Mais si tu retournes dans ton village, la police te jettera en prison. Mon frère m'a dit qu'ils avaient désormais la preuve que tu as bien participé à ces émeutes. Ta famille t'a toujours supplié de ne pas revenir. S'ils ne t'ont pas contacté quand ton père est mort, c'est sans doute parce qu'ils redoutaient que tu ne veuilles assister aux funérailles. Et d'ailleurs, puisqu'il est enterré depuis des mois, à quoi bon aller là-bas ?

Elle le prend par les épaules et l'oblige à s'asseoir sur le lit, brusquement attendrie.

— Ne prends pas les choses à cœur à ce point, Kongzi… Je sais que tu aurais aimé être présent à ses funérailles, mais ton père n'aurait sûrement pas voulu que tu t'exposes de la sorte.

Elle pose la tête sur son épaule. C'est la première fois qu'ils se touchent depuis son arrestation. Kongzi pousse un soupir et réplique d'une voix étranglée :

— Quel fils indigne je fais ! Je mériterais de recevoir dix mille coups de bâton…

Nannan se précipite dans la cour et va s'asseoir dans un coin, les yeux fermés.

— Après la mort de ma grand-mère, dit Meili, ma mère est tombée malade et il a fallu l'opérer, mais je ne suis pas allée la voir. Ne pars pas ce soir… N'agis pas sur un coup de tête. Tu verras bien comment tu te sentiras demain.

— Assez ! dit Kongzi en se bouchant les oreilles.

— Reste tranquillement assis, je vais préparer le dîner.

Meili essuie la table et dispose sur une assiette des cacahuètes marinées, des petites tomates et des crevettes sautées.

— Qui t'a appris sa mort ? reprend-elle. Et qui s'est chargé des funérailles ?

Elle essaie de se représenter le père de Kongzi mais la seule chose qui surgit dans son esprit, c'est l'image de la femme étendue dans son cercueil noir.

— J'ai téléphoné à la maison pour savoir s'ils avaient reçu le jambon et le poisson séché que je leur avais envoyés pour la Fête du Printemps. Et ma mère m'a appris la nouvelle. Il y a eu une cérémonie appropriée. Le secrétaire du Parti du district a envoyé une couronne et on a enveloppé le drapeau du Parti communiste autour du cercueil.

— Quel honneur ! J'espère que tu es fier ?

Meili sent dans sa poche l'argent qu'elle vient de gagner et se dit qu'il est tout de même étrange qu'elle apprenne la mort d'un proche juste après avoir chanté aux funérailles d'une étrangère. Elle se promet de ne plus jamais interpréter de complaintes funèbres.

— Mon père était un cadre du douzième échelon, il est normal qu'on ait mis le drapeau du Parti sur son cercueil.

Kongzi boit une gorgée du verre de vin chaud que vient de lui tendre Meili, avant de le vider d'un trait. Nannan revient en courant dans la pièce, en compagnie de Lulu.

— Allez jouer dehors, les filles ! lance Meili en remarquant que des larmes se sont mises à couler sur le visage de Kongzi. (Elle leur donne deux biscuits aux dattes et ajoute :) Allez, fichez-moi le camp !

— Mais je suis fatiguée, dit Nannan d'un air boudeur.

Elle a son clip rouge dans les cheveux et porte un blue-jean et un sweater couvert d'autocollants représentant des héros de dessins animés. Meili se tourne vers Lulu :

— Tu peux emmener Nannan chez toi ? Dis à ta mère que je viendrai la chercher dans une heure.

MOTS-CLEFS : *tumeur, alchimistes en haillons, tendre comme du tofu, messages électroniques, remis à neuf, d'occasion.*

L'entendant pleurer bruyamment, Meili quitte la cuisine et se rend dans la chambre de la petite Hong, qu'elle extirpe de son lit.

— Ne pleure pas, ma petite… Tiens, bois ton lait.

Elle lui fourre la tétine dans la bouche. Le ventre de la fillette se soulève et s'abaisse au rythme avide de ses succions, tandis que quelques gouttes de lait coulent sur son menton. Meili sait parfaitement reconnaître le véritable lait infantile des grossières contrefaçons locales. Lorsqu'elle tenait une échoppe au marché de Xijiang, elle a appris que le lait en poudre d'importation est doux au toucher, tandis que les contrefaçons sont rêches, granuleuses, et ont si mauvais goût qu'il faut y adjoindre du colorant à la fraise pour que les bébés acceptent de les boire. Elle travaille au service de Jun, la belle-sœur de Tang, depuis que celle-ci a mis au monde la petite Hong, sept mois plus tôt. Elle s'imagine souvent que Hong a pris la place de Céleste, qui s'obstine à rester dans son ventre. Les fins cheveux noirs de Hong ont tellement poussé qu'ils lui tombent à présent sur les yeux. Lorsque Meili les brosse en arrière pour lui faire une houppette, les petites marques blanches de la varicelle qu'elle a contractée le mois dernier sont bien visibles sur son front. À côté du lit se trouvent une table à langer et une commode couverte de peluches – oursons, singes, chiens, éléphants... – qui mettent un peu de vie dans cette chambre nue.

— Ne lui faites pas boire tout le biberon, Meili ! lance Jun depuis le salon du premier étage où elle est en train de jouer au mah-jong. Je vais l'allaiter un peu.

Meili n'aime pas ce salon. Les canapés beiges en imitation cuir et les murs couverts de carreaux bleus lui font mal aux yeux. Les séries hongkongaises qui passent à la télévision et le vacarme constant des plaques de mah-jong lui tapent sur les nerfs. La famille de Tang a acheté voilà quatre ans cette maison de deux étages, de style occidental. La plupart des habitants de la Commune Céleste qui se sont enrichis dans le recyclage des déchets électroniques vivent dans des demeures de ce genre. Le rez-de-chaussée tient lieu d'entrepôt ou d'atelier, le premier et le second étage étant réservés à l'habitation. La terrasse située sur le toit sert à l'étendage du linge et au farniente en été. Meili confie le bébé à sa mère et repart laver les biberons et les tétines à la cuisine, tout en écoutant Tang parler de l'Angleterre avec son frère.

— Et ils ont renoncé à construire de nouvelles autoroutes pour que les enfants puissent continuer de jouer en toute sécurité dans les champs, dit-il en regardant la petite Hong happer goulûment le sein de sa mère.

— Ils font passer leurs enfants avant le développement économique du pays ? Pas étonnant que leur empire soit sur le déclin...

Le frère de Tang avance une plaque de mah-jong tout en exhalant un épais nuage de fumée. Il a les mêmes dents de lapin que son frère.

— La vie humaine compte davantage pour eux que l'argent, répond Tang. La Commune Céleste est tellement envahie par les détritus que même en étant riche, on ne dispose d'aucune qualité de vie.

— Comment peux-tu dire une chose pareille ? rétorque son frère. Tu habites dans cette maison magnifique, tu manges du poisson frais tous les jours, tu dors sur un matelas moelleux importé de l'étranger et tu peux passer la frontière quand tu le souhaites pour te rendre à Hong Kong ou à Macao. Que peux-tu désirer de plus ?

— C'est vrai, intervient Jun. Si le développement économique de la Chine n'avait pas été aussi rapide, tu n'aurais jamais été en mesure d'aller faire tes études à l'étranger. Veux-tu bien redescendre, sale chien ! ajoute-t-elle à l'intention du petit manchon noir qui vient d'apparaître au sommet de l'escalier.

Depuis la naissance de Hong, le chien a été banni du premier étage et doit se contenter du rez-de-chaussée encombré de câbles et de cartons.

— Que ce poisson vous apporte l'abondance ! dit Meili en émergeant de la cuisine, chargée de la carpe à la cantonaise qu'elle vient de préparer.

L'odeur du gingembre, de l'oignon et de l'huile de sésame couvre un bref instant les relents sulfureux qui montent de l'atelier. Meili s'assoit entre Tang et son frère. Une fois que Jun a fini d'allaiter Hong, elle sert à la mère de Tang une part de cochon de lait et change de chaîne pour suivre un feuilleton intitulé *Le Dieu de la médecine de la dynastie Qing*. La cour d'une ancienne propriété est en feu et des hommes arborant de longues nattes courent paniqués dans tous les sens, en lançant des ordres avec l'accent de Beijing. Le père de Tang surgit à cet instant et vient s'asseoir avec eux. Il n'aime pas le mah-jong et passe la plupart de son temps en bas avec les ouvriers, à moins qu'il n'aille s'occuper de ses plantations sur la terrasse.

Meili prend la petite Hong des bras de sa mère et considère les plats qu'elle a déposés sur la table : les pieds de porc braisés à la citrouille amère et les aubergines sautées à l'ail ont l'air appétissants, mais lorsqu'elle plante une baguette dans la chair de la carpe elle voit du sang apparaître près de l'arête centrale et se dit qu'elle aurait dû la laisser deux minutes de plus sur le feu.

— Merci, Meili. Quel festin ! s'exclame Tang.

Le jeune homme est tombé amoureux de Meili dès qu'il l'a entendue chanter, lors des funérailles de sa tante, et maintenant qu'elle est employée par sa famille il trouve constamment de nouveaux prétextes pour passer un moment avec elle ou lui glisser un petit pourboire. Pendant que Hong fait sa sieste, l'après-midi, il lui apprend à se servir d'un clavier et à naviguer sur Internet. Meili peut ainsi regarder les défilés de mode et les concerts de pop music dont elle raffole. La première fois qu'elle a vu Madonna, elle a définitivement renoncé à son rêve de devenir chanteuse. Quelle star ! s'est-elle dit en la voyant se déhancher sur scène dans un corset doré. Tous les matins, Tang met un masque chirurgical et va faire du jogging au bord du lac. Il a dit à Meili qu'en Angleterre il courait ainsi tous les jours dans la forêt, aux abords du campus universitaire. Lorsqu'il revient, elle lui sert un bol de bouillie de riz au poisson, accompagné d'un petit pain ou d'une tarte à la crème. Il n'est pas difficile, concernant la nourriture.

Meili apprécie la gentillesse dont il fait preuve à son égard, notamment quand sa mère ou Jun lui reprochent de ne pas avoir nettoyé correctement les biberons ou d'avoir fait cuire le riz trop longtemps. En de telles occasions, Tang lève les yeux de son ordinateur, demande à Meili de lui verser une autre tasse de thé et lui chuchote à l'oreille que sa mère a la langue plus aiguisée qu'une vipère mais le cœur tendre comme du tofu. Ses paroles la rassurent mais elle ne voudrait pas non plus qu'il soit trop épris d'elle. Elle a peur des hommes et redoute ses propres sentiments. Néanmoins lorsqu'elle l'entend parler avec des amies au téléphone, elle se sent triste et se demande si elle réagirait de la même manière si Kongzi tenait de tels propos devant elle.

Le soir, après avoir débarrassé la table et fait la vaisselle, Meili monte au deuxième étage pour dire au revoir à Tang. Celui-ci lui montre l'écran de son ordinateur et lui dit :

— Un étudiant vient de mettre en ligne un article sur la pollution dans la Commune Céleste, intitulé « Des techniques du XIXe siècle appliquées à la destruction des déchets du XXIe ». Regardez, il écrit notamment : « Les travailleurs itinérants s'activent dans les ateliers familiaux comme des alchimistes en haillons, nettoyant les circuits imprimés avec de l'acide sulfurique pour en récupérer d'infimes paillettes d'or. » Et la légende de cette photo : « Des ouvrières découpant à mains nues le revêtement plastifié des câbles électriques, avec pour seuls outils une table pliante et un clou rouillé »...

— Mais... cette femme, là ! s'exclame Meili. C'est moi !

— Bon sang, vous avez raison ! Je reconnais votre chemisier à fleurs. Je vais agrandir la photo... Oui, aucun doute : c'est bien vous !

— J'ai le visage noir de crasse ! Quelle honte ! Vite, cachez-moi ça ! dit Meili en couvrant l'écran de ses mains. Il doit s'agir de cet étudiant de Guangzhou qui s'est introduit dans notre atelier l'année dernière. Il a débarqué comme s'il était chez lui et nous a photographiées sans nous avoir demandé notre accord.

— Je vais télécharger cette photo. C'est incroyable ! Ma petite chanteuse de village qui se trouve projetée dans l'univers du Web… Regardez cet article que j'ai trouvé sur un site britannique : « Le plus grand porte-conteneurs du monde, le *Emma Mærsk*, est en route pour le Royaume-Uni afin de livrer 45 000 tonnes de jouets de Noël fabriqués en Chine. Il regagnera le sud de la Chine d'ici à quelques semaines, chargé de déchets électroniques. La Commune Céleste est désormais la plus grande poubelle de la planète concernant ce genre de rebuts. Environ 70 % des détritus électroniques mondiaux sont acheminés par bateau dans cette région de la Chine, où ils sont retraités dans des ateliers de fortune par des travailleurs itinérants payés 1,50 $ par jour… »

— Est-ce que ma photo va circuler dans le monde entier ? s'inquiète Meili.

— Bien sûr. Une fois qu'un texte ou une image a été mis en ligne, on ne peut plus le retirer. Nous sommes à l'ère d'Internet.

— Si j'enregistrais une chanson dans mon ordinateur, le monde entier pourrait donc l'entendre ?

— Oui, on peut télécharger tout ce qu'on veut sur le Net. Mais regardez, voici le passage le plus important : « 88 % des habitants de la Commune Céleste souffrent de maladies de la peau ou de troubles respiratoires, digestifs ou neurologiques. Les cas de leucémie chez les jeunes enfants sont six fois supérieurs à la moyenne nationale. En moins de dix ans, la Commune Céleste, qui regroupait quelques villages voués à la culture du riz, est devenue un véritable enfer, un cimetière toxique où s'accumulent tous les déchets électroniques dont la planète ne veut pas. L'air est envahi de cendres chargées de dioxine, le sol saturé de mercure, de plomb et d'aluminium, les rivières et les nappes phréatiques tellement polluées que l'eau potable doit être amenée par camions-citernes des districts environnants… »

Tang regarde par-dessus ses lunettes, guettant la réaction de Meili.

— Je n'aimerais pas contracter une maladie de la peau, dit-elle. Puisque vous savez que les ordinateurs sont à ce point nocifs, pourquoi restez-vous planté toute la journée devant le vôtre ?

— Ils ne sont dangereux que quand on les démonte… Regardez ce passage : « Des taux élevés d'infertilité ont été détectés chez les femmes ayant résidé plus de trois ans dans la Commune. »

— Elles ont de la chance ! Aucune maladie n'est comparable aux douleurs de l'enfantement.

— Meili, vous n'êtes pas enceinte, n'est-ce pas ? demande Tang d'un air hésitant. Pardonnez mon indiscrétion…

— Vous voulez dire que je suis grosse ?

Meili a l'habitude qu'on lui pose cette question, depuis deux ans et demi.

— Non, non, vous n'êtes pas grosse… C'est juste que votre ventre a l'air un peu gonflé. J'avais peur que vous n'ayez développé une tumeur, ou quelque chose de ce genre, à force de travailler au milieu de ces déchets toxiques.

— Vous avez raison, je dois avoir un cancer de l'utérus. Le mieux serait de me le faire enlever et de le rendre à l'État.

Elle fait volte-face et s'apprête à partir, mais Tang la saisit par la main.

— Vous n'êtes absolument pas grosse, dit-il. C'est juste que… vous me plaisez tellement que je vous dis tout ce qui me passe par la tête.

— Je ferais mieux d'aller rincer ces biberons avant de partir, dit Meili en cherchant à se dégager.

Tang essaie souvent de l'embrasser sur la joue quand elle s'en va, en lui disant que les étrangers ont l'habitude de procéder ainsi, mais elle se recule aussitôt. Elle se frotte le ventre et se dit intérieurement : oui, la petite Céleste est une tumeur qui croît à l'intérieur de moi. Quand quelqu'un me demandera à nouveau si je suis enceinte, je lui répondrai que j'ai une tumeur et que je suis trop pauvre pour me la faire enlever…

— Depuis combien de temps êtes-vous mariée ? demande Tang sans avoir relâché sa main.

— Dix ans, dit-elle en rougissant un peu. Le mariage a été célébré dans mon village, puis nous sommes allés à Beijing pour notre voyage de noces.

Elle a envie qu'il sache qu'elle a visité la capitale. Depuis que Kongzi a été arrêté dans ce tripot, elle n'éprouve plus la moindre fierté à être sa femme. Et depuis qu'elle est revenue vivre avec lui après s'être échappée du bordel, elle a compris que la Meili d'autrefois était morte au cours de ce voyage, qu'elle avait laissé sa dépouille sur le bord du chemin. Elle veut être une femme forte, aventureuse, et ne pas dépendre d'un homme pour trouver son bonheur. Elle est contente de traiter Tang comme un petit frère ou un ami, mais s'il lui demandait d'être son amant ou son mari, elle romprait aussitôt tout contact avec lui. Comme Suya l'avait écrit dans son cahier rouge : « L'amour est le début de toutes les douleurs. »

— Alors, comment avez-vous trouvé Beijing ? demande Tang.

— La Cité interdite est tellement vaste que cela m'a effrayée. Il fallait être un empereur pour avoir envie de vivre dans un endroit pareil.

Meili s'interrompt. Elle n'a pas l'habitude qu'on lui demande son avis.

— Je suis entrée dans un supermarché pour acheter de quoi boire. Il y avait une montagne de bouteilles de limonade dans les rayons mais quand j'ai voulu en prendre une, une employée m'a dit que c'était impossible et qu'on les vendait uniquement le jour de la Fête du Travail.

— Regardez ces photos que j'ai prises en Angleterre, poursuit Tang. Voici ma salle de classe. Et le jardin de l'université sous la neige.

— L'une de ces filles était-elle votre petite amie ?

— Celle-ci est espagnole – elle danse merveilleusement bien. L'autre est française. Je suis allé en Suisse avec elles.

— Je préfère ne rien savoir de tout ça, dit Meili d'un air désapprobateur.

La photo montre Tang assis entre deux étrangères qu'il tient toutes les deux par les épaules, un grand sourire aux lèvres. Devant eux, sur la table, on aperçoit des verres de vin et un gros gâteau d'anniversaire.

— Là, c'est au cours d'une manifestation à Paris... Ici, sur la place Saint-Pierre à Rome...

— Je me demande si les pays que vous avez visités ont eux aussi une politique de contrôle des naissances, dit Meili en tapant quelques mots-clefs dans le cadre réservé à cet effet.

— L'Angleterre n'en a pas, en tout cas. Les femmes enceintes y sont traitées avec le plus grand respect. Elles ont droit à des sièges spéciaux dans les trains ou les autobus et peuvent accoucher à l'hôpital sans débourser un centime. Le gouvernement verse même une allocation hebdomadaire aux parents pour les aider à acheter des couches et du lait en poudre.

— Vous me faites marcher ! Comment un tel paradis pourrait-il exister ?

— C'est pourtant la stricte vérité. Beaucoup de femmes enceintes s'arrangent pour quitter la Chine afin d'accoucher en Europe ou à Hong Kong. Si vous comptez avoir un autre enfant, vous devriez faire de même. Maintenant que la Chine a rejoint l'Organisation mondiale du commerce, les pays étrangers se montrent nettement plus accueillants envers nos ressortissants.

— Il faudrait d'abord que vous m'appreniez l'anglais, dit Meili.

Elle se souvient soudain que Suya lui avait dit un jour qu'il fallait se servir des hommes, plutôt que les aimer. Elle s'agenouille et regarde Tang avec un grand sourire.

— Et ne me dites pas que je suis trop bête, ajoute-t-elle. Je suis tout de même allée à l'école pendant trois ans.

Tang passe le bras autour de son épaule.

— Vous êtes tout sauf bête... Vous êtes pure, entière, et... Écoutez : me permettez-vous de vous inviter à dîner demain soir au restaurant du Pavillon chinois ?

— En quel honneur ? Non, non...

— C'est votre anniversaire, vous l'avez oublié ? dit-il en lui caressant les cheveux et en la regardant avec tendresse. Vous devriez avoir davantage confiance en vous – et dans vos capacités. En Angleterre, la première chose que notre professeur nous a dite, c'est que nous devrions tous être capables de le surpasser un jour...

— Vous êtes toujours là, Meili ? lance Jun depuis le rez-de-chaussée. Pouvez-vous changer la couche de Hong avant de partir ?

Tang fronce les sourcils et murmure :

— Mieux vaut lui obéir.

Dehors, il fait déjà nuit. Le tube de néon au plafond du salon et la lueur bleue que diffuse dans un coin l'écran de télévision jettent une lumière froide dans la pièce. **L'esprit de l'enfant voit la Mère changer la couche du bébé qui s'est mis à hurler, avant de le déposer dans son lit et de descendre l'escalier. Au rez-de-**

chaussée, les ouvriers continuent de démanteler et de fondre les vieux appareils. L'odeur de bakélite brûlée suit la Mère jusque dans le jardin entouré de fils barbelés et de grilles rouillées. Elle ouvre la porte d'acier et la referme derrière elle. Dans une vitrine, au bout de la rue plongée dans la pénombre, elle aperçoit un tableau représentant une marine, au-dessus d'une coupe garnie de tulipes roses en plastique. Elle regarde son ventre en souriant et murmure : Tu ne veux toujours pas sortir ? En tout cas, il a remarqué ta présence, ma petite tumeur adorée... Regarde ces beaux blue-jeans dans cette vitrine. Si tu n'étais pas dans mon ventre, je pourrais les mettre... La Mère pose la main sur sa hanche et lève l'autre bras, mimant l'attitude du mannequin dans la vitrine... De retour à la maison, elle trouve le Père en train de remplir des formulaires. Vêtue d'une robe bleue, Nannan écrit dans un cahier d'exercices. Un badge représentant un panda est épinglé sur sa poitrine.

— Tu sais qu'on peut explorer le monde entier grâce à Internet ? dit la Mère en pénétrant dans la pièce. Nous devrions acheter un ordinateur, c'est beaucoup plus intéressant que ce qu'on voit à la télévision.

— Tu sais à peine lire, dit le Père. À quoi te servirait un ordinateur ? Contente-toi de les démonter.

— Je sais me servir d'un clavier en utilisant l'alphabet romain. Lorsque j'aurai mémorisé les vingt-six lettres, je pourrai aller toute seule sur le Net et voyager dans le monde entier. Nous pourrions aussi envoyer à nos proches des messages électroniques et des photos qu'ils recevraient en quelques secondes... Je démonte des ordinateurs depuis deux ans mais je viens seulement de comprendre à quoi ils servent.

La Mère voit le Père barbouiller d'encre et de thé vert les cahiers d'exercices que Nannan vient apparemment de remplir, avant de froisser les bords de sa pile de formulaires. Le sol est jonché de crayons et de bouts de coton usagés.

— Que se passe-t-il au juste ici ? demande-t-elle.

— Des inspecteurs doivent visiter la semaine prochaine l'école primaire du Drapeau Rouge. Nous avons deux cents élèves mais, pour obtenir une subvention plus substantielle du gouvernement, il faudrait que nous en ayons deux cent cinquante. Je dois donc fabriquer les dossiers d'une cinquantaine d'élèves supplémentaires. Aide-moi à remplir ces cahiers d'exercices. S'ils sont tous rédigés de la main de Nannan, cela va finir par paraître suspect.

— J'ai rempli douze cahiers de rédaction, dit Nannan. Papa m'a dit qu'il m'achèterait de la barbe à papa pour me récompenser.

— Tu arrives à faire des rédactions de troisième année, Nannan ? dit la Mère. Tu es vraiment douée !

— Elle connaît désormais plus de caractères que toi, dit le Père. Et elle peut réciter par cœur n'importe quel poème de l'anthologie des Tang. Ce sera une digne descendante de Confucius !

— Papa, dit Nannan, Confucius était un vaurien. Je préférerais ne pas porter son nom.

— Qui t'a dit une chose pareille ? s'insurge le Père. Confucius était un grand sage. Tu devrais être fière de l'avoir pour ancêtre.

— S'il était si grand, pourquoi n'est-il même pas mentionné dans nos manuels ? Lulu n'arrête pas de chanter : « À bas Kong le Cadet ! » mais je fais comme si je n'entendais rien.

— Je t'assure, Nannan : Confucius était un grand philosophe. Il nous a appris à respecter l'étude, à honorer nos parents et à nous soucier de nos enfants, ainsi qu'à mener une vie vertueuse, même dans des temps troublés. Il disait que le peuple doit obéir à ceux qui le dirigent, mais seulement si ceux-ci gouvernent avec compassion. Pendant deux mille ans, ses paroles ont formé le socle de la culture chinoise. Le Parti communiste peut bien l'avoir maudit, insulté et déterré de sa tombe, ses idées n'en poursuivent pas moins leur chemin. Tu as presque neuf ans maintenant, Nannan. Tu dois étudier d'arrache-pied si tu veux te frayer un chemin dans ce monde impitoyable. Rappelle-moi ce que dit le proverbe...

— « Les enfants qui n'étudient pas ignorent le trésor que recèlent les livres. S'ils savaient... » Bla-bla-bla...

— C'est cela. Mais écoute-moi bien, Nannan : le vent est en train de tourner. On mentionne à nouveau le nom de Confucius dans les journaux. Il finira par être réhabilité et les cadres maudits qui ont craché sur sa dépouille il y a trente ans viendront faire brûler de l'encens dans son temple et implorer son pardon.

— Ne répète pas ces propos à tes camarades, Nannan, intervient la Mère. On ne parle peut-être pas de Confucius dans ton école mais on y apprend les poèmes des Tang et je suis sûre que tu seras bientôt la première de ta classe. Souviens-toi que l'étude n'est pas un fardeau, mais une joie.

La Mère branche le ventilateur électrique et enlève sa robe.

— Kongzi, dit-elle, je veux ouvrir ma propre boutique. Il me suffirait de vingt mille yuans pour démarrer.

— Je suis trop occupé pour parler de ça aujourd'hui, dit le Père. Remplis plutôt ce cahier d'exercices, en te servant de la main gauche. Non, à bien y réfléchir, tu as une écriture tellement enfantine que tu peux utiliser la main droite.

— Je veux ouvrir un magasin d'articles pour les nouveau-nés : lits, jouets, lait en poudre... Quand les mères me verront derrière le comptoir avec mon ventre de femme enceinte, elles se précipiteront comme des mouches dans mon magasin. Je pourrais aussi vendre des ordinateurs remis à neuf. Il y a dans cette ville des montagnes de composants usagés mais personne ne songe à les utiliser. Je suis sûr qu'on gagnerait plus d'argent en remettant tous ces appareils en état de marche, plutôt qu'en les démontant. On pourrait les vendre à la population des campagnes. Je suis convaincue qu'il y a un immense marché potentiel pour de tels ordinateurs d'occasion.

Nannan vient de finir un nouveau cahier d'exercices et en entame un autre. Ses longs cheveux pendent au-dessus du bureau.

Meili marche pieds nus sur le tapis de vinyle blanc. Une grosse araignée noire rampe derrière elle. Kongzi est devenu très proche de Nannan, se dit-elle. Peut-être qu'à la naissance du bébé, il se sera fait à l'idée d'avoir une autre fille et que tout ira pour le mieux. Je prendrai une nounou pour garder la petite Céleste, je monterai mon affaire, puis je retournerai au village de Nuwa et je lancerai une chaîne de magasins spécialisés dans les ordinateurs d'occasion.

Trois heures plus tard, Kongzi est toujours accroupi au sol, à remplir des cahiers d'exercices. Meili s'est endormie sur sa chaise, ses doigts maculés d'encre repliés sur son ventre. Dans son rêve elle se voit telle qu'elle s'imagine à l'avenir, courant jusqu'au sommet d'une colline, les cheveux soulevés par le vent. Une fois en haut, elle s'élance brusquement et s'envole. À ses pieds, juché sur une montagne d'ordinateurs, l'esprit de l'enfant lui crie : « Ne t'arrête pas ! Continue de voler ! Tu franchiras bientôt la frontière. Et fais attention aux soldats : s'ils t'aperçoivent, ils ne t'épargneront pas... »

MOTS-CLEFS : *danse de la palourde, aucune protéine, riz gluant, bananier, tour d'acier, arc-en-ciel.*

Quand Meili ouvre la porte, le matin, elle doit d'abord sortir les tricycles et les poussettes sur le trottoir avant d'accéder au comptoir. La boutique est aussi étroite qu'exiguë, mais lui a permis d'accéder à un nouveau statut social. Avec un air de calme détermination, elle branche le chargeur de son téléphone portable et regarde à travers la vitrine. Le local appartient à la famille de Tang. Elle leur verse un loyer mensuel de deux cents yuans et gère elle-même son stock. À ses moments perdus, elle surfe sur Internet grâce à l'ordinateur que Tang lui a prêté. Il lui a appris à contourner les pare-feu et à accéder au site des émissions en langue chinoise de la BBC : elle sait donc à présent que les Chinois qui ont émigré illégalement en Amérique peuvent récolter en un an ce que leurs familles demeurées au pays ne gagneraient même pas en une vie entière. Elle a également fait des recherches concernant le marché local des composants électroniques et évalué le coût de remise en état d'un ordinateur. Tang lui a dit qu'elle avait le sens du commerce.

C'était hier le premier anniversaire de Hong. Meili appelle Tang pour lui demander comment s'est passée la réception. Elle a perdu son emploi parce que, un jour, elle avait couché la fillette sur une table de repassage pour la changer : mais Hong avait voulu toucher le fer à repasser et s'était brûlé la main. Folle de rage, Jun a chassé Meili en lui disant de ne plus remettre les pieds chez elle. Meili se sent toujours coupable à cause de cet accident. Il y a deux jours, elle a choisi le modèle le plus onéreux de trotteur pour bébé et a demandé à Tang de l'offrir à Hong pour son anniversaire.

— Votre cadeau a eu du succès, lui dit Tang au téléphone. Hong n'a pas arrêté de gambader dans le salon avec son trotteur. Elle adore la musique et les lumières qui clignotent.

— Veillez à ce qu'elle ne s'approche pas de l'escalier. Et rappelez à Jun de ne pas laisser de fils électriques à sa portée. À un an, les bébés ont envie de mâchouiller tout ce qui leur tombe sous la main.

— Aucun danger de ce côté : Hong a en permanence une tétine dans la bouche.

— Vraiment ? Je devrais en vendre dans mon magasin. Mais ne la laissez tout de même pas sucer sa tétine à longueur de journée, cela finit par donner des dents de lapin aux enfants.

Elle se mord les lèvres en espérant que Tang n'aura pas été vexé par cette allusion.

— J'ai quelques emails à envoyer, dit Tang. Je passerai vous voir à l'heure du déjeuner.

— Mais je croyais que l'échéance du loyer n'était que mardi prochain… Enfin, si vous venez vous pourrez toujours m'aider à fixer le compteur électrique : il n'arrête pas de dégringoler. D'accord, à tout à l'heure.

Meili raccroche et se connecte sur le Web. Le mois dernier, elle a commencé ses recherches en tapant le nom de Wang Suya et obtenu quatre millions de résultats. En ajoutant le mot « université », elle a réduit ce nombre à six mille cinq cents. Se souvenant que Suya avait étudié l'anglais et était originaire de Chengdu, elle a fini par isoler une douzaine de Wang Suya, à qui elle a personnellement écrit. Elle n'a toujours pas retrouvé celle qu'elle avait rencontrée mais s'est liée d'amitié via Internet avec deux de celles qui lui ont répondu. Elle a également visité des forums de discussion où des femmes ayant subi le même sort qu'elle se lamentent sur les bébés qu'elles ont perdus à la suite d'avortements forcés. Les spectres de ces enfants hantent leurs conversations, ce qui donne à ce site l'allure d'un cimetière. Ces femmes projettent d'ailleurs d'édifier une sorte de mémorial virtuel, afin que tous ces fœtus avortés bénéficient d'un lieu où le repos leur soit enfin accordé. Meili a appris que plus de dix millions d'avortements sont pratiqués chaque année en Chine.

Par la fenêtre latérale, elle aperçoit à l'extrémité de la ruelle une troupe qui s'apprête à exécuter la danse du Dragon. Les processions sont fréquentes dans la Commune Céleste, non seulement à l'occasion du 1er Mai ou de la Fête nationale, mais lors des mariages ou de l'ouverture d'un magasin. Derrière le Dragon, quatre hommes brandissent la statue de l'Empereur Noir, la divinité taoïste. Meili a visité il y a quelque temps en compagnie de Tang un temple taoïste et a prié l'Empereur Noir de protéger le bébé qui est dans son ventre. Lorsqu'elle a dit à Tang qu'elle était enceinte mais que le fœtus refusait de sortir, il lui a dit qu'il l'emmènerait dans un temple de Foshan où elle pourrait prier devant une immense statue de la Mère de la Fleur d'Or, la déesse des naissances et de la fertilité. Selon lui, toutes les statues représentant cette déesse que l'on peut voir dans la Commune Céleste sont des répliques de celle de Foshan. Meili voit la procession s'arrêter sous une bannière rouge qui proclame : L'IMPORTATION DES DÉCHETS ÉLECTRONIQUES EST ILLÉGALE. Un jeune couple sort des rangs pour interpréter la danse dite « de la palourde ». L'homme, habillé en pêcheur, a un panier accroché à la taille, il se déhanche en claquant des mains. La femme qui tient le rôle de la fée-palourde agite les bras, ouvrant et refermant la coquille qui est attachée dans son dos. Lorsque le pêcheur s'approche pour l'attraper, la coquille se ferme avec un claquement sec, emprisonnant les mains de l'homme. À chaque nouvelle tentative, la fée les capture de la sorte : mais comme elle est de plus en plus éprise de lui, elle resserre son emprise au point qu'il finit par ne plus pouvoir se dégager. Meili repense brusquement à une vidéo que Tang avait téléchargée sur un site étranger, dans laquelle une femme se faisait pénétrer par deux hommes. Elle a détourné les yeux dès qu'il la lui a montrée mais les images sont restées gravées dans son esprit. Chaque fois qu'elle passe devant la boutique d'un conseiller conjugal, elle jette un coup d'œil aux produits exposés dans la vitrine. Elle s'habille désormais d'une manière plus séduisante et a récemment adopté une nouvelle coupe de cheveux.

Bien que Meili ait tenu Tang à distance, le jeune homme est toujours épris d'elle et le fait de savoir qu'elle est enceinte ne l'a pas rebuté. Il lui a même prêté dix mille yuans pour lui permettre de régler les frais d'hôpital que sa mère n'a pas pu payer. Sa boutique lui rapporte environ trois mille yuans par mois. Mais le kyste dont sa mère a été opérée s'est avéré d'origine cancéreuse et, s'il y a une rechute, les factures vont à nouveau s'accumuler. Son père et son frère ont déjà englouti toutes leurs économies et vendu le cochon qu'ils gardaient pour la Fête du Printemps. Elle imagine dans quel état doit se trouver la maison familiale, maintenant que ses parents n'ont plus les moyens de chauffer le lit en briques ni d'acheter les affiches du Nouvel An ou les graines de tournesol dont sa mère raffole. Tang est devenu son protecteur et son bienfaiteur : elle lui est reconnaissante de l'aide qu'il lui apporte mais veille à ce qu'il n'abuse pas de la situation. Elle se dit que ses propres émotions doivent s'être émoussées. Kongzi la possède tous les soirs mais, dès qu'il a terminé, elle court se laver, anxieuse d'effacer au plus vite jusqu'à la dernière trace de ces étreintes sans joie. Elle sait qu'elle ne le quittera pas. Il lui a juré qu'il n'avait jamais couché avec une prostituée et comme elle ne détient pas la moindre preuve, elle est prête à lui accorder le bénéfice du doute. Tant qu'ils resteront loyaux l'un envers l'autre, elle estime que leur ménage peut perdurer – tout en sachant qu'il s'agit là d'une certitude stupide, aussi puérile à ses yeux que l'esprit de l'enfant qui sourit niaisement en jouant avec un serpent en bambou dans l'entrée du magasin… Elle a toutefois conscience d'avoir des élans plus profonds. Elle voudrait être aussi indépendante que Suya, aussi entreprenante que Tang. Elle sait qu'une simple paysanne comme elle n'a pas le droit de mener sa vie comme elle l'entend, mais comprend également que l'argent peut ouvrir bien des portes : aussi est-elle décidée à en gagner le plus possible. Sans argent, aucun mariage, aucune famille ne sont viables. Elle a le sentiment que pendant des années sa véritable personnalité a été étouffée, enfouie dans les profondeurs de son être : mais depuis qu'elle a rencontré Tang, elle remonte peu à peu à la surface. Elle voudrait arriver à démanteler la Meili que les hommes et l'État ont endommagée afin de la reconstruire, tel un ordinateur qui ne sera sans doute pas aussi performant que le tout dernier modèle, mais tout de même en mesure de fonctionner. Elle continuera de se battre : comme Suya le lui a conseillé, elle s'appuiera sur ses souffrances passées pour rebondir et atteindre enfin le bonheur.

Après le passage de la procession, Kongzi lui téléphone pour lui dire que sa sœur et son mari pakistanais viennent d'avoir un fils.

— Ils sont allés passer la Fête du Printemps chez ma mère avec leur petit bébé noiraud. Quelle humiliation, pour le clan des Kong !

— Tu as vraiment une mentalité féodale ! lui répond Meili. Qui se soucie de la couleur de peau de ce bébé ? Les poupées noires se vendent aussi bien que les blanches dans mon magasin. De surcroît, un peu de sang neuf ne fera pas de mal à la lignée des Kong. Au bout de deux mille ans, aucun de ses descendants n'est arrivé à la cheville de Confucius

— Nous reparlerons de cela plus tard, dit Kongzi avant de raccrocher sèchement.

Depuis que Meili lui a appris qu'on avait obligé sa mère à mettre un stérilet, il s'emporte facilement dès qu'il est question de procréation. Meili est tout aussi contrariée que leurs mères respectives aient dû subir une telle humiliation en guise de représailles lorsqu'ils ont pris la fuite, pour tenter d'avoir un nouvel enfant. Elle sait avec quel sérieux Kongzi envisage ses devoirs de fils. Jadis, chaque fois qu'ils préparaient des spécialités à la vapeur, il ne manquait jamais de servir sa mère en premier. Maintenant que son frère est revenu vivre au village, après la mort de leur père, elle sait que Kongzi se sent coupable de ne pas être à ses côtés pour prendre soin de leur mère.

Un jeune homme pénètre soudain dans la boutique et lance :

— Nous sommes ici au nom du Tribunal de commerce et d'industrie. Ouvrez immédiatement tous les sachets de lait en poudre que contient ce carton !

Il paraît tellement jeune qu'on le prendrait aisément pour un lycéen. Quatre autres officiers se tiennent derrière lui, coiffés de casquettes où sont épinglés des badges dorés. Une grosse estafette est garée à l'extérieur.

Meili remarque que parmi eux figure une femme qui est passée dans son magasin la semaine dernière. Elle lui glisse discrètement un billet de cent yuans dans le creux de la main.

— Je ne peux pas l'accepter, murmure la femme en jetant un coup d'œil inquiet derrière elle. Quelqu'un vous a dénoncée et on nous a ordonné de fouiller votre magasin afin d'y saisir tous les articles de contrefaçon.

— Cette marque est tristement célèbre, dit le jeune homme en brandissant un sachet qu'il a sorti du carton. Il y a eu un long rapport à son sujet récemment : elle ne contient aucune protéine. Et celles-ci, voyons voir… Lait en poudre pour les enfants des écoles, Lait enrichi en calcium… Il s'agit également de contrefaçons.

— Non, s'insurge Meili. Le gouvernement a décerné un prix à cette marque l'année dernière. Je choisis avec soin mes articles, je vous assure.

— Sortez tous ces cartons sur le trottoir, lance un officier d'âge mûr, planté devant la porte.

— Je les ai achetés à un grossiste officiel, dit Meili. Comment pouvais-je savoir qu'il s'agissait de contrefaçons ?

La vérité, c'est que Meili est parfaitement au courant de la situation. Si elle achetait de véritables marques, cela lui coûterait quatre fois plus cher et elle ne ferait aucun bénéfice.

— Si vous aviez un enfant, vous refuseriez de le nourrir avec du lait en poudre qui n'en est pas, rétorque le jeune homme.

— J'ai un enfant. Et si j'en avais les moyens, je lui ferais assurément boire de ce lait. Les femmes qui l'achètent sont des travailleuses itinérantes, certaines ont déjà eu plusieurs enfants et m'en ont acheté des quantités : aucune ne s'est jamais plainte.

— Le véritable lait en poudre est de couleur crème, dit le jeune homme. Mais regardez celui-ci, ajoute-t-il en le versant dans le creux de sa main : il est blanc comme de la neige. C'est un simple mélange de brisure de riz et de thé en poudre instantané, auquel on ajoute un peu de mélamine pour remplacer les protéines et lui permettre de passer les tests de détection. La mélamine, c'est le plastique avec lequel on fabrique ces armoires de cuisine. Tous les bébés qui boivent ce lait en poudre risquent d'avoir des calculs rénaux susceptibles d'entraîner leur mort.

— Vous allez écoper d'une amende et nous allons embarquer ces cartons, dit l'officier d'âge mûr. Mais considérez que vous avez de la chance. Et si jamais vous vous risquez encore à vendre de telles contrefaçons, nous vous retirerons votre licence.

Le cœur de Meili se serre quand elle voit qu'on charge dans l'estafette ses onze cartons de lait en poudre. C'est un millier de yuans qui partent ainsi en fumée.

L'un des officiers remarque le ventre rebondi de Meili et dit à son collègue :

— Cet endroit est vraiment un paradis sur terre pour tous ces émigrés qui fuient les foudres du planning familial.

Il s'est exprimé dans un dialecte local en pensant – à tort – que Meili ne le comprendrait pas.

Des passants se sont attroupés devant la vitrine et murmurent entre eux : « Il faudrait faire attention à tout ce qu'on mange, de nos jours… Le tofu fermente dans des eaux usées, la sauce de soja est faite à partir de cheveux humains, les champignons sont blanchis au chlore… Et voici maintenant qu'on nous vend du faux lait en poudre ! Qui sait ce qu'on nous prépare encore… Apparemment, après trois jours d'un tel traitement, les bébés perdent du poids et leur tête se met à enfler… J'ai entendu dire que treize nourrissons sont déjà morts à cause de ces calculs rénaux… Les paysans qui fabriquent toutes ces saletés n'ont-ils pas la moindre conscience ?... »

Effondrée, Meili regarde l'amende de cinq mille yuans que viennent de lui remettre les officiers. Elle songe d'abord à appeler Kongzi mais redoute qu'il ne sorte de ses gonds en apprenant la nouvelle. Elle téléphone donc à Tang et lui demande de venir au plus vite.

— J'ai envie de me jeter dans le lac, lui dit-elle les larmes aux yeux lorsqu'il débarque au magasin.

— On a beaucoup parlé de ce faux lait en poudre aux informations, ces derniers temps. Le gouvernement a annoncé qu'il lançait une campagne à l'échelle nationale : apparemment, des centaines de bébés ont eu le crâne qui enflait et quelques-uns en sont morts. L'un des fabricants augmentait artificiellement le taux de protéines de son prétendu lait infantile en y ajoutant du cuir finement broyé, qu'il découpait dans de vieilles chaussures. C'est invraisemblable !

— Pourquoi ne m'avez-vous pas prévenue ? demande Meili, qui a l'impression de tomber des nues.

— Je ne pensais pas que vous vendiez de telles contrefaçons.

— Mais on ne trouve que des contrefaçons, dans cette ville ! Les Clark que vous avez aux pieds sont aussi peu authentiques que les Nike pour enfants qui trônent sur cette étagère. Cet ours en peluche qui porte l'étiquette « Made in France », cette tétine américaine, ce trotteur de Hong Kong et même l'autobiographie du président Clinton que j'ai mise en vitrine ne sont que des copies piratées, fabriquées à Shenzhen… Je possède un sac entier d'étiquettes de célèbres marques étrangères que je peux coller à ma guise sur n'importe quel article. Si je ne vendais pas de telles contrefaçons, comment pourrais-je payer les charges que me réclame le gouvernement ? Regardez ! (Elle ouvre un tiroir rempli de factures.) Taxe pour l'amélioration des infrastructures urbaines, taxe pour l'intégration des travailleurs itinérants, taxe pour le renforcement de la sécurité publique, taxe administrative sur les produits destinés aux enfants, taxe pour la prévention des incendies…

— N'en jetez plus, j'ai compris ! rétorque Tang. Allons, laissez-moi vous inviter à déjeuner, ne serait-ce que pour vous changer les idées.

Le restaurant du Hunan où il l'emmène se trouve à cinq minutes de la boutique. À midi, la salle est pleine à craquer et plongée dans un brouhaha où se mêlent le bruit de la vaisselle entrechoquée, le vacarme de la télévision qui marche à fond et les éclats de voix des clients. Meili grignote la croquette de taro qu'elle a commandée avant de s'essuyer la bouche avec soin, afin que son rouge à lèvres ne se mélange pas à la nourriture.

— J'ai quelque chose d'important à vous proposer, Meili, lui dit Tang. Je compte monter une société spécialisée dans la revente des composants d'ordinateurs d'occasion. Accepteriez-vous d'en être la responsable ? Le salaire serait modeste au départ, mais vous aurez un pourcentage sur les ventes et les actions de la compagnie.

— Oui, cela me plairait beaucoup ! Mais que deviendrait ma boutique, dans ce cas ? Et les affaires de votre famille ?

— Vous trouverez facilement quelqu'un pour s'occuper du magasin. Et j'en ai assez de travailler pour ma famille. J'ai envie d'être seul maître à bord, d'être mon propre patron. J'ai étudié le marché des ordinateurs. Des grossistes de Beijing se fournissent déjà dans la Commune en composants usagés. Il y a une grosse demande concernant les unités de disques et les cartes mères dans les ateliers de la région. Un de mes anciens condisciples a monté une société de ce genre à Guangzhou. Nous pourrions commencer par lui fournir les pièces dont il a besoin, avant d'étendre petit à petit notre réseau à travers le reste du pays.

— Avez-vous pensé à vendre également des téléviseurs d'occasion ? J'en ai acheté un pour deux cents yuans l'autre jour. Il a été nettoyé et réparé de fond en comble et fonctionne parfaitement. Neuf, un modèle du même genre coûte dans les cinq mille yuans. En vendant ce genre d'articles bon marché à une clientèle modeste, vous feriez rapidement fortune. Après tout, la plupart des habitants de ce pays sont encore des paysans.

— Nous y songerons par la suite. Pour l'instant, il faut trouver un nom pour cette société. Que diriez-vous de « Fang Fang Electronics » ? Non, cela sonne mal en anglais...

— Pourquoi ne pas utiliser Hugo, votre prénom anglais ? En chinois, cela évoque « la voie de la vertu ».

— Ma foi, entendu pour « Hugo Electronics » ! Au fait, j'ai parlé avec le directeur de l'école primaire du Drapeau Rouge. Il m'a dit qu'il ne pouvait pas accepter Nannan dans son établissement, même si vous lui graissiez la patte. Les consignes officielles sont très strictes : tous les élèves doivent avoir un permis de résidence local. Je crains donc qu'elle ne doive rester dans cette école pour enfants de travailleurs itinérants.

— Elle a déjà de la chance d'avoir été acceptée dans cette école, qui n'accueille qu'une cinquantaine d'élèves – alors qu'il y a des dizaines de milliers d'enfants d'émigrés dans la Commune Céleste. Et songez aux millions d'autres dans ce pays qui n'ont pas droit à la moindre éducation. C'est une tragédie nationale.

— Attendez que je sois élu au Congrès du Peuple et que je m'attaque à ce dossier, dit Tang en se resservant du thé.

— Vous avez étudié à l'étranger, vous devriez faire carrière dans l'enseignement plutôt que de vous lancer dans la politique.

Tandis que Meili mange un morceau de canard laqué, Céleste lui donne un coup de pied si violent qu'elle manque défaillir. Maman a eu de gros ennuis aujourd'hui, ma chérie, murmure-t-elle. Sois gentille et tiens-toi tranquille...

— Je passerai au Tribunal de commerce cet après-midi pour voir s'ils ne peuvent pas réduire le montant de cette amende, dit

Tang. Après tout, la licence du magasin est à mon nom. Mais ne vous inquiétez pas : quel qu'en soit le montant, je la paierai.

Meili lui adresse un sourire reconnaissant.

— Mais c'est moi la fautive, je ne peux pas vous laisser...

— Ah, vous êtes trop jolie quand vous souriez ! Vous n'avez qu'à me remercier avec un baiser.

Tang ferme les yeux et lui tend sa joue. Évitant de se pencher à cause de son ventre, Meili se lève et va déposer un baiser sur son front.

— Vous êtes une femme formidable, dit-il en lui prenant la main. Si jamais vous décidiez de divorcer, je tiens à être le premier sur la liste...

— Et vous êtes un homme formidable, Tang. La femme qui vous épousera aura de la chance. Peut-être nous retrouverons-nous dans une autre vie.

Elle dégage sa main et retourne s'asseoir, en songeant que ce serait merveilleux de pouvoir tout recommencer à zéro.

Tang lui tend un morceau de porc braisé du bout de ses baguettes et le glisse entre ses lèvres.

— Savez-vous qui m'a permis d'envisager une autre vie ? lui demande-t-elle.

— Moi ?

— Oui, bien sûr, je n'en serais pas où j'en suis aujourd'hui si je ne vous avais pas rencontré. Mais celle qui m'a ouvert les yeux la première était une étudiante diplômée du nom de Suya, dont j'ai fait la connaissance dans un centre de détention. Je n'ai passé que deux semaines en sa compagnie mais elle a changé ma façon de voir le monde. Jamais je n'avais rencontré quelqu'un comme elle auparavant.

— Que lui est-il arrivé ?

— Nous avons été transférées dans un camp de travail et elle a disparu juste avant que je n'en sorte. J'ai réussi à emporter son journal et je l'ai précieusement conservé depuis lors. Mais je n'ai pas la moindre idée de l'endroit où elle se trouve à présent, à supposer qu'elle soit encore en vie.

— Ces centres de détention constituent un véritable scandale. La police ratisse les rues des villes, arrête les paysans et les place en détention, avant de les revendre à des responsables villageois qui les exploitent. C'est une forme d'esclavage moderne. D'où Suya était-elle originaire ?

— De Chengdu. Mais j'ignore son adresse. J'aimerais pouvoir m'y rendre et tenter de retrouver sa famille. Si l'on m'apprenait qu'elle est morte, je saurais au moins à quoi m'en tenir. Mais s'ils n'ont pas eu de ses nouvelles…

Meili songe à Weiwei, parti à la recherche de sa mère sur la rivière Xi, et se dit que cela fait longtemps qu'elle n'a pas pensé à lui. Elle relève les yeux et dévisage l'un après l'autre les clients du restaurant.

— Qui cherchez-vous ? lui demande Tang.

— Je pensais à quelqu'un… à un homme que j'ai rencontré. Sa mère s'est noyée pour qu'il n'ait pas à la soigner et puisse envoyer son fils à l'université. Il a navigué pendant des semaines à sa recherche. J'ignore s'il a fini par la retrouver.

— Les gens se suicident généralement pour échapper à la douleur. Mais celle-ci se transmet aux proches qu'ils laissent derrière eux.

Lorsque Meili rentre chez elle, une heure plus tard, Kongzi est en train de corriger des devoirs. Elle prend une profonde inspiration et lui dit :

— Une équipe d'inspection est passée à la boutique aujourd'hui et a confisqué ma marchandise.

Elle s'attendait à une explosion de colère mais Kongzi reste silencieux. Il aspire une ultime bouffée de sa cigarette et écrase son mégot par terre. Meili se penche pour le ramasser, avant de le jeter à la poubelle.

— J'ai une paupière qui se contracte sans arrêt, dit-elle en se laissant tomber comme une masse sur le lit.

Dans un coin, la télévision bourdonne et des flocons de neige scintillent sur l'écran. L'odeur du tofu aux cinq parfums qu'ils ont mangé la veille imprègne encore la pièce.

— Il s'agit de l'œil droit, reprend-elle, je ne me souviens plus si c'est de bon ou de mauvais augure ?

Céleste appuie lourdement contre sa colonne vertébrale, empêchant l'oxygène de monter jusqu'à son cerveau. Elle se tourne sur le côté et se souvient que Tang va payer son amende, lui épargnant du même coup une véritable déroute financière. Elle pousse intérieurement un soupir de soulagement.

— Si c'est un homme dont la paupière droite se contracte, c'est de bon augure, dit Kongzi d'une voix dénuée d'expression. S'il s'agit d'une femme, c'est l'inverse. Qu'ont-ils emporté au juste ?

— Tout le stock de lait en poudre. Il y en avait bien pour mille yuans.

Meili s'attend là encore à un éclat. Il y a quelques jours, après avoir découvert sur Internet une photo du temple de Confucius à Qufu détruit par les Gardes rouges pendant la Révolution culturelle, il a renversé et piétiné leur bibliothèque tellement il était furieux que cet épisode jugé par lui infamant pour la lignée des Kong soit désormais visible dans le monde entier. Le regard de Meili se porte sur les tasses, les brosses à dents, les chaussettes qui trempent dans une cuvette en émail, puis sur les livres qui s'empilent dans un coin, à côté des débris de la bibliothèque. Sur la table, à côté du cartable de Nannan, trois chenilles vertes rampent le long d'un gobelet en carton.

Mais ce soir, Kongzi garde son calme. Il va dans la cour, s'assied sur une chaise et attrape une bouteille de bière derrière une pile d'assiettes, à côté du poêle à gaz. Depuis que la police l'a électrocuté, il a régulièrement de violents maux d'estomac. Il a presque cessé de fumer et ne peut plus absorber que de petites quantités de nourriture.

— Maman, j'ai faim, se plaint Nannan en se juchant d'un air endormi sur les genoux de Meili.

— Je t'ai ramené du porc braisé au riz gluant et des nouilles à la sauce pimentée.

— Mais je n'aime que le poisson et le chocolat…

Meili dispose la table au-dessus du lit, ouvre les barquettes qu'elle a ramenées du restaurant et en verse le contenu dans deux bols. Puis elle appelle Kongzi :

— Viens donc manger… Tu es toujours fâché à propos du bébé de ta sœur ? Ne t'inquiète pas, son nom ne sera pas inscrit dans le grand registre de la famille Kong. D'ailleurs, ta sœur n'est sûrement pas la première de votre lignée à avoir un enfant avec un étranger. Tu devrais évoluer avec ton temps.

— Maman, comment se fait-il que ton bébé soit toujours dans ton ventre ? demande Nannan en attaquant son repas.

— Peut-être a-t-il peur de subir le même sort que Bonheur et d'être étranglé avant d'avoir pu émettre un souffle.

— Quand je serai grande, je veux vivre dans un pays où l'on ne tue pas les bébés.

— Si j'arrive à gagner assez d'argent, dit Meili, tu pourras aller faire tes études à l'étranger quand tu auras dix-huit ans. Regarde, même tes petites chenilles vertes savent qu'elles doivent trouver l'endroit le mieux adapté à leurs besoins. Quand nous serons couchés, elles sortiront de leur gobelet et ramperont jusqu'à ce buisson, où elles tisseront leurs cocons et deviendront des chrysalides avant de se transformer en papillons et de prendre leur envol dix jours plus tard.

— Si je reste allongée assez longtemps dans ce lit, dit Nannan, est-ce que je finirai par me transformer en garçon ?

— Ce n'est pas si mal d'être une fille. Quand tu seras grande, tu pourras porter des boucles d'oreilles comme les miennes, de jolies robes et des colliers.

— Papa dit que lorsque Céleste sera né, nous pourrons rentrer chez nous. Tu auras eu un fils et une fille et tout le monde sera content.

— Nous ne pouvons rentrer nulle part, dit Meili. C'est le prix que nous avons à payer pour que Céleste puisse voir le jour.

Meili éprouve un brusque sentiment de fierté à l'idée que son ventre héberge Céleste depuis trois ans. Elle a envie de dire à Nannan que Céleste est une fille mais se retient à temps. Pendant la journée elle repousse son bébé sur le côté, de manière à masquer la rondeur de son ventre.

Une fois que Nannan s'est endormie, Meili se sert un verre de bière et s'allonge sur le lit. À la télévision, quelqu'un chante *Puisse le clair de lune t'apporter la paix, le soleil t'apporter la joie...* La chanson est brutalement interrompue par un spot publicitaire pour des saucisses en conserve. Meili éteint la télé. Étendue dans le noir, elle revoit brusquement les lunettes à montures d'écaille de Weiwei. Leur rencontre a eu lieu voilà déjà plusieurs années, comment se fait-il qu'elle repense à lui tout à coup ? Il s'était pourtant contenté de la caresser dans l'obscurité. Elle se souvient de l'orage qui avait éclaté cette nuit-là, tandis qu'ils étaient étendus dans la cabine, et du bruit de la pluie qui crépitait sur le toit. Mais elle sait aussi que la mémoire peut s'avérer trompeuse. Le toit de la cabine fuyait constamment : s'il avait plu ce soir-là, l'eau aurait ruisselé le long des tuyauteries rouillées, puis inondé le pont avant d'atteindre ses cuisses… Dans son rêve, elle voit un bananier ployer sous le poids de ses fruits. Elle se précipite vers l'arbre qui éclate brusquement, libérant une gerbe de papillons. Elle pénètre dans une grotte du désert, escalade une dune de sable et entend une voix murmurer : « Tu es revenue au lieu de ta naissance… » Elle lève la tête et se voit elle-même dressée dans le ciel comme une tour d'acier, ses jambes métalliques fermement plantées dans le sol et son vagin incurvé dans l'azur comme un arc-en-ciel.

MOTS-CLEFS : *profondeurs d'un puits, sang étranger, index, cabine téléphonique, joli minois, tigre et dragon, femmes de papier.*

Alors que Meili s'apprête à ôter ses chaussures à talons hauts, revenant de la boutique après une longue journée de travail, Cha Na débarque affolée et lui dit :

— Je viens d'apprendre que Kongzi gisait ivre mort devant le salon de massage du « Pied mignon » ! Tu ferais mieux d'aller t'occuper de lui. Nannan passera la nuit avec nous.

Meili empoigne un parapluie et se hâte de rejoindre Hong Kong Street où elle découvre en effet Kongzi étendu inconscient sous la pluie à l'entrée du salon de massage, la tête sur la première marche du perron. Ses vêtements imbibés d'eau pèsent tellement sur lui que Meili n'arrive pas à le soulever, bien qu'il ne soit pas très costaud. Elle essaie de le traîner le long du trottoir mais les pieds nus de Kongzi raclent le ciment et se mettent à saigner. Derrière la vitrine, les filles du salon de massage contemplent la scène d'un air moqueur. Rassemblant toute son énergie, Meili saisit les mains de son mari, passe ses bras par-dessus ses épaules et, d'un brusque mouvement de hanches, parvient enfin à le hisser sur son dos. Tel un paysan portant son cochon au marché, elle atteint ainsi l'extrémité de la rue et hèle un taxi qui les conduit jusque chez eux. C'est son anniversaire aujourd'hui. Tang voulait l'inviter dans un restaurant français de Foshan mais elle l'a convaincu de s'en tenir à de simples spécialités à la vapeur. Elle savait que Kongzi aurait oublié la date : elle pensait lui proposer d'aller dîner dans un restaurant cantonais du quartier, en lui disant qu'elle n'avait pas envie de faire la cuisine. Elle avait même décidé de prendre son courage à deux mains à cette occasion et d'essayer le « combat mortel du tigre et du dragon », une spécialité locale à base de viande de chat et de serpent, censée aider à l'équilibre du yin et du yang.

À peine ont-ils pénétré chez eux qu'une infecte odeur se répand dans la pièce, tandis que Meili débarrasse son mari de ses vêtements couverts de vomissures. Lorsqu'elle baisse son pantalon, elle s'aperçoit que son pénis ratatiné est recouvert d'un préservatif. Elle se fige, horrifiée, et sent ses cheveux se dresser sur sa tête. Sa première impulsion est d'arracher le sexe de son mari ou d'y mettre le feu. Elle pousse un long hurlement, tout en martelant de ses poings son crâne et sa poitrine, ce qui finit par le tirer de sa léthargie.

Kongzi l'écarte d'un geste, se redresse et aperçoit le préservatif qui a chu sur le sol : du sperme s'en écoule, formant une tache jaunâtre sur le tapis blanc. Meili s'empare d'un couteau, revoyant en pensée le patron du night-club qui l'avait violée, et s'écrie :

— Ordure ! Salaud ! Voyou dépravé ! Si tu as encore des couilles, sors-les donc, que je te les arrache !

Elle brandit son couteau et l'abat d'un geste brusque sur sa propre main, se tranchant net l'index gauche. Le sang gicle sur le tapis, à côté de la flaque de sperme. Elle laisse tomber le couteau, ouvre violemment la porte et sort en courant sous la pluie.

Une heure durant, elle longe la berge du lac dans un état de complet désespoir. Elle a l'impression que le ciel lui est tombé sur la tête, que le sol se dérobe sous ses pas : elle décide finalement de se rendre dans un cimetière voisin et de se pendre à un arbre. Jamais plus je ne pourrai faire confiance à Kongzi. Quel hypocrite ! Aller travailler en costume cravate, feindre ainsi la vertu… Elle aperçoit une cabine téléphonique et va s'y réfugier pour s'abriter de la pluie. Le moignon ensanglanté de son index amputé lui fait tellement mal qu'elle est à deux doigts de se trancher la main. En écoutant la pluie crépiter sur le toit en plastique, elle décroche le combiné et songe un instant à appeler Tang ou Weiwei : mais tous les hommes lui semblent brusquement suspects. L'écouteur contre son oreille, elle s'imagine que c'est Suya qui va répondre, à l'autre bout du fil. Tu entends l'averse qui tombe sur la Commune Céleste, Suya ? Il pleut vraiment des cordes. Tu étais auprès de moi pour mon anniversaire et le lendemain tu t'es évaporée. Toi aussi tu as été souillée et profanée. Mais moi, j'ai fait périr dans les flammes celui qui m'a violée, afin de venger ce crime et les outrages que tant d'hommes t'avaient fait subir. Tu avais raison : ce pays n'est pas fait pour les femmes. Il ne sert à rien de pardonner aux hommes et d'espérer qu'ils changeront. Cela n'advient jamais. Ce ne sont que de dégoûtants obsédés, tous autant qu'ils sont. Où es-tu à présent ? Puis-je te retrouver et rester avec toi ? Je n'ai nulle part où aller… Voyant une silhouette qui attend à l'extérieur que la cabine se libère, elle raccroche le combiné et sort en dissimulant tant bien que mal sa main dans le repli de son bras droit. La pluie lave le sang de sa blessure. Quel espoir me reste-t-il ? se demande-t-elle en descendant la rue déserte. Elle a l'impression d'être née au mauvais endroit et au mauvais moment – et d'être entraînée dans une spirale douloureuse dont la mort est l'unique issue.

La pluie a cessé lorsqu'elle arrive au cimetière. À travers ses larmes, elle considère les rangées de pierres tombales en granit et les offrandes funéraires disposées devant elles : pommes, oranges, voitures en carton et femmes de papier sur lesquelles le mot MAÎTRESSE a été tracé à l'encre noire, à moitié dilué par la pluie. Elle appuie sur le moignon sanglant de son doigt et un terrible éclair de douleur la traverse, tandis que le sang se remet à couler. Elle arrache un pan de sa manche et l'enroule en le serrant autour de la plaie afin d'endiguer ce flot… Ma vie s'écoule de moi. C'est donc ici que je vais dire adieu au monde… Lorsqu'elle a épousé Kongzi elle était convaincue, même s'il n'était pas riche, qu'ils mèneraient une vie heureuse ensemble, d'autant qu'il avait de l'éducation et descendait d'une illustre famille. Elle ne nourrissait pas des rêves exorbitants. Elle a accepté de quitter leur village et de mener cette vie vagabonde afin de pouvoir lui donner l'héritier mâle qu'il désirait tant. Mais au fil des années, cette obsession a fini par l'aveugler et il ne la voit plus depuis longtemps que comme une simple génitrice. Une fois la petite Céleste née, elle espérait pouvoir retourner dans le village des Kong, ouvrir un magasin, s'occuper de sa propre mère et vivre enfin en paix. Mais cet espoir s'est évanoui. Oui, l'heure a sonné et le terme de sa vie approche, il suffit maintenant de franchir le pas.

Regardant à ses pieds, elle aperçoit un faux certificat de mariage sur lequel figure un portrait de la star de cinéma Gong Li, découpé dans un magazine et collé à côté de la photo d'un vieillard décrépit. Kongzi ne lui a-t-il pas dit un jour qu'une fois dans l'au-delà il aimerait épouser Gong Li ? Peut-être que dans cette contrée lointaine, tous les rêves finissent par se réaliser… Ce n'était pas dans un tel décor qu'elle avait imaginé finir ses jours : mais quelle importance, au fond ? Au bout du compte, nous retournons tous à la terre, quel que soit l'endroit. Elle se revoit à l'âge de dix-sept ans, assise dans la voiture noire le jour de son mariage, le visage enduit d'une épaisse couche de maquillage. Des cadeaux étaient ficelés sur le toit : des couettes pliées avec soin et un panier rempli de canetons qui sentait le moisi. Kongzi s'était tourné vers elle et lui avait dit : « Une fois que nous serons mariés, tu m'appartiendras et c'est moi qui prendrai toutes les décisions relatives à notre famille. N'imagine pas un instant que tu pourras pointer ton joli minois au-dessus des murs du jardin. » Il avait posé la main sur la sienne et elle s'était sentie intimidée. Enfant, elle adorait que sa grand-mère lui raconte l'histoire du Bouvier et de la Tisserande céleste qui traversent la Voie lactée une fois par an sur un pont formé par des pies, pour passer une nuit ensemble. Elle espérait alors connaître un jour un amour aussi passionné que le leur. Meili va s'adosser à un arbre. Elle n'a pas la moindre idée de son nom, il a des feuilles lisses de la taille de ses mains, des branches qui évoquent des serpents. Il suffit qu'elle retire sa ceinture, se la passe autour du cou et l'accroche à une branche… Malgré l'inclination et l'affection que lui ont témoignées Weiwei et Tang, elle n'a jamais été infidèle à Kongzi. Pour l'épargner, elle ne lui a pas parlé du viol dont elle a été victime ni de la manière dont elle s'est vengée. Regardant à ses pieds, elle voit un gros crapaud ramper dans l'herbe et a brusquement envie de l'écraser. Sa main gauche est totalement insensible à présent et le sang coule de la plaie sur la terre mouillée, lourde de glaise et de macchabées. Elle regrette que les efforts qu'elle a faits pour aider Kongzi à perpétuer sa lignée l'aient empêchée de remplir ses devoirs envers ses propres parents. Pendant des années elle s'est privée de tout, économisant le peu qu'elle pouvait pour le leur envoyer, mais l'essentiel de cet argent est allé à la famille de son mari. Elle sait que sa mère n'envisagerait jamais de se noyer, comme l'avait fait celle de Weiwei. Elle se souvient comment elle l'avait prise dans ses bras et serrée contre elle le jour où son amie s'était jetée dans les profondeurs d'un puits avec sa fille de quatre ans, après avoir découvert que son mari couchait avec une autre femme. Ai-je peur de la mort ? se demande Meili en songeant que d'ici à quelques minutes son corps pendra à cet arbre. Non, je ne redoute rien. Je tremble à la vue d'un responsable du planning familial mais je me sens parfaitement calme en regardant la mort en face. Elle retire sa ceinture de cuir. Peut-être a-t-elle du sang étranger dans les veines, finalement. Elle se rappelle avoir entendu dire que son arrière-grand-mère s'était ouvert les veines après avoir mis au monde un enfant blond et se demande s'il n'y aurait pas une tendance suicidaire dans sa famille... Son frère s'est échiné comme un esclave dans les mines, sept jours sur sept, laissant leur père s'occuper de leurs champs le week-end, mais à eux deux ils n'ont pas réussi à payer les médicaments étrangers qui auraient pu enrayer le cancer de sa mère. Son frère était considéré comme le plus intelligent de la famille et Meili a dû quitter l'école primaire afin que ses parents puissent l'envoyer au lycée. Mais il a échoué à ses examens et n'est pas allé à l'université : aussi leurs sacrifices se sont-ils avérés vains, au bout du compte... Si elle meurt dans ce cimetière, où se réincarnera-t-elle dans sa prochaine existence ? Tout ce qu'elle sait, c'est que si elle se pend elle ne reverra plus jamais ses parents, ni Nannan, et que la petite Céleste mourra, elle aussi... Mon bébé vit toujours en moi, je ne peux pas le condamner ainsi. Je devrais au moins attendre qu'il soit né pour mettre un terme à ma propre existence. Ah, tout cela est de la faute de Kongzi ! Pourquoi devrais-je me résoudre à une nouvelle incarnation à cause de son attitude sordide et de son infidélité ? Les pensées confuses qui l'agitent finissent par s'éclaircir. Oui, c'est lui dont le corps devrait pendre à cet arbre – et non le mien.

Sur la tombe à ses pieds envahie par les mauvaises herbes, deux souris la dévisagent et lui rappellent les deux enfants qu'elle a perdus. Si elle met Céleste au monde, elle quittera Kongzi, économisera assez d'argent pour payer l'amende du planning familial et retournera s'installer dans son village natal de Nuwa avec ses deux filles. Mais si elle veut avoir suffisamment d'argent pour mener une existence confortable, elle doit absolument éviter de tomber enceinte : et la meilleure façon d'y parvenir, c'est que Céleste reste dans son ventre le plus longtemps possible. Elle doit devenir indépendante et apprendre à se servir de son cerveau. Elle n'a pas à se punir pour les crimes qu'a commis son mari. Elle sent qu'une femme longtemps assoupie en elle ne demande aujourd'hui qu'à s'éveiller et à émerger de sa léthargie. Elle se relève, les bras serrés contre sa poitrine. Oui, Kongzi peut bien aller au diable ! J'ai vingt-huit ans, les plus belles années de ma vie sont encore devant moi. Je me battrai et je réussirai à retourner sur les lieux de ma naissance, comme l'esturgeon qui remonte le Yangtze. Tu ne mourras pas à cause de moi, Céleste : quel que soit l'avenir qui nous attend, nous l'affronterons ensemble…

Meili quitte le cimetière d'une démarche chancelante. La route s'étire dans les ténèbres et brille devant elle comme une rivière de glace brisée.

MOTS-CLEFS : *herbes sauvages, urinoir, escalator, caractères compliqués, service rapide, mots-clefs, disparition d'une fillette.*

Quatre mois plus tard, Meili – désormais amputée d'un doigt – vit toujours avec Kongzi mais ils ont déménagé, abandonnant les abords de Hong Kong Road et de ses salons de coiffure. Les malheurs semblent toujours arriver à la chaîne. Le jour où Meili a été hospitalisée, suite à l'infection de sa plaie qui ne cicatrisait pas, elle a appris que son frère s'était disputé avec le directeur de la mine de charbon à propos de salaires impayés et avait été arrêté, puis condamné à deux ans de travaux forcés. Sa famille a touché le fond du trou. Le cancer de sa mère a rechuté et son père a dû renoncer à son travail pour s'occuper d'elle. Ils ne peuvent plus compter à présent que sur leur fille pour subsister.

Entre-temps, l'engagement temporaire de Kongzi à l'école primaire du Drapeau Rouge a pris fin et il fait office de directeur adjoint dans l'école réservée aux enfants de travailleurs itinérants que fréquente Nannan. Le soir, il chausse ses lunettes avec un air d'autorité encore plus appuyé que d'habitude, avant de corriger les devoirs de ses élèves. Quelques heures avant sa désastreuse visite au salon de massage du « Pied mignon », il avait découvert sur Internet un message que les Gardes rouges avaient adressé au président Mao après avoir saccagé le temple de Confucius : ils annonçaient triomphalement à leur grand leader avoir brûlé dix mille livres anciens, réduit en miettes six mille tablettes et mille pierres tombales, avant de décapiter la statue de « Kong le Cadet, le soi-disant maître à penser de dix mille générations », afin que l'éclat de la pensée de Mao Zedong rayonne pleinement sur les ruines du temple. Kongzi a expliqué à Meili que la lecture de ce message l'avait plongé dans une telle fureur qu'il avait descendu d'une traite une bouteille d'alcool de riz et ne se souvenait plus de ce qui lui était arrivé par la suite, ni de la manière dont il avait pu échouer sur les marches de ce salon de massage. Les filles du salon ont raconté à Meili qu'il avait débarqué en leur demandant un « service rapide » mais leur avait avoué une fois l'acte consommé qu'il n'avait pas un centime en poche : elles n'avaient donc eu d'autre choix que de le jeter à la rue. Meili avait planqué un marteau sous sa veste avant de venir les trouver, dans l'intention de tout casser, mais en voyant les lits de camp sur lesquels les filles dormaient dans l'arrière-boutique, elle avait eu pitié d'elles et avait changé d'avis. Elle imaginait les journées que Suya avait passées sur un lit identique dans une pièce aux relents infects, traitée comme un simple urinoir où les clients venaient se soulager à tour de rôle après avoir baissé leur pantalon.

Elle n'avait guère eu le loisir de se soucier de sa blessure à la main. Lorsqu'elle était revenue du cimetière, elle avait ramassé son doigt tranché et l'avait enveloppé dans un tissu en disant à Kongzi : « Je vais le conserver jusqu'à ce que nous soyons rentrés chez nous afin de l'enterrer dans le jardin de mes parents, où je reposerai moi-même un jour. » Après les fêtes du Nouvel An, elle s'est peu à peu détendue et a enfin l'impression de voir le bout du tunnel. En regardant Kongzi corriger ses copies jusque tard dans la soirée, elle ressent à nouveau la fierté qui était la sienne autrefois, lorsqu'elle était l'épouse de l'instituteur du village des Kong. Bien que l'école dont il est le directeur adjoint n'ait pas plus de statut légal que les enfants qu'elle accueille et qu'il ne touche qu'un salaire de misère, Nannan peut au moins suivre des études sans qu'ils aient à débourser un centime. Leur vie est de nouveau sur ses rails. Meili a confié sa boutique à Cha Na avant de prendre ses fonctions de directrice générale de « Hugo Electronics ». Elle ne permet plus à Tang de lui prendre la main. Lorsqu'elle était à l'hôpital, il venait la voir tous les jours et a prévenu Kongzi que s'il osait encore coucher avec une prostituée, il se débrouillerait pour le faire arrêter. Il avait prêté un ordinateur portable à Meili, qui pouvait donc surfer sur Internet depuis son lit d'hôpital. Et en l'engageant comme directrice générale, il lui a concédé la moitié des bénéfices de sa compagnie, après avoir ouvert un compte bancaire à son nom. Mais elle sait qu'elle ne pourra lui offrir en retour que son aide et son amitié.

Tang a loué un bureau dans un immeuble coquet du centre-ville, à côté d'un entrepôt de composants. Depuis le jour où Meili a emprunté pour la première fois l'escalator qui mène au premier étage – où se trouvent les bureaux de la société – sa joie reste teintée d'une certaine anxiété. Ce n'est pas tant qu'elle craigne que la compagnie ne perde de l'argent : le succès de sa boutique d'articles pour enfants l'a convaincue qu'elle a le sens des affaires. Elle a aidé Tang à créer un site Web qui a suscité l'intérêt de nombreux négociants dans le nord du pays et a poursuivi ses recherches concernant les dernières nouveautés en matière d'électronique. Le mois dernier, elle a entendu dire que les ordinateurs fabriqués en Chine seraient bientôt équipés de logiciels leur permettant de recopier des CD : elle a aussitôt bradé le stock qu'ils avaient encore sur les bras et qui s'avérerait bientôt périmé. Son inquiétude provient plutôt du malaise qu'elle ressent à l'égard de ses origines paysannes. Elle a souvent l'impression d'être comme une perdrix pouilleuse qui se serait introduite par erreur dans un poulailler flambant neuf. Elle s'est constitué toute une garde-robe mais ne sait jamais quel vêtement choisir. (Heureusement, lorsqu'elle est au bureau, la petite Céleste se recroqueville tellement que son ventre paraît presque plat.) Elle a conscience de la maladresse de son apparence et de ses carences dans le domaine culturel. Le jour où Tang lui a montré son impressionnante collection de CD et de romans étrangers, elle s'est sentie dans la peau d'une enfant ignare et a décidé de combler les immenses lacunes qui sont les siennes. Elle a acheté des disques pirates de Beethoven, Puccini, Gershwin et Miles Davis, qu'elle écoute tard le soir avec son casque. Et elle se fraie tant bien que mal un chemin dans les traductions des *Misérables*, d'*Oliver Twist*, de *Lumière d'août* et d'*Une brève histoire du temps* qu'elle a trouvées à moitié prix dans une librairie d'État.

Elle a l'impression d'avoir tellement de choses à découvrir qu'elle ne peut se permettre de se complaire dans son ignorance. Elle essaie chaque jour d'accroître son vocabulaire mais, lorsqu'elle tombe sur des textes en provenance de Hong Kong ou de Taïwan utilisant des caractères compliqués, elle doit faire appel à ses collègues pour les déchiffrer. Une fois que tout le monde a quitté le bureau, en fin de journée, elle reste pour feuilleter les journaux et les magazines, tout en parlant à voix basse à la petite Céleste. Depuis que Kongzi a imploré son pardon à genoux et lui a promis de ne plus remettre les pieds dans un salon de massage, il lui semble que l'heure a sonné et que Céleste peut désormais venir au monde. Elle sait que Kongzi sera déçu en découvrant qu'il s'agit d'une fille mais il est tellement rongé par le remords qu'il n'osera pas envisager de se débarrasser d'elle. Elle a donc dit à Céleste qu'elle pouvait sortir quand elle le voulait : tout est prêt désormais pour son arrivée.

Leur nouvelle maison se trouve juste en face de l'école illégale fréquentée par les enfants de travailleurs itinérants. C'est une affreuse bicoque en tôle ondulée, mais du moins est-elle étanche et à l'abri du vent. Dans la cour, à l'extérieur, se dresse un durian dont les branches lui servent d'étendage. Bien qu'il ne s'agisse pas d'un osmanthus, Meili a un peu l'impression grâce à lui de se retrouver dans la maison de ses parents. Elle s'est aperçue en lisant son journal que c'était l'arbre préféré de Suya. La bicoque et l'école sont bordées sur trois côtés par des champs en jachère le long desquels s'empilent de vieux postes de télévision. Il y a une dizaine d'années, avant que les paysans ne se recyclent dans le commerce des déchets électroniques, ces terrains étaient occupés par des rizières bien irriguées : mais ils sont aujourd'hui à l'abandon et envahis par les herbes sauvages, à l'exception de quelques parcelles où poussent des céleris et des taros. Au nord on aperçoit la Commune Céleste, avec ses maisons basses surplombées d'arbres centenaires. L'odeur des produits chimiques est moins prononcée par ici, cédant la place à l'herbe et au fumier.

L'école est installée dans un entrepôt d'engrais, juste derrière l'étendage improvisé de Meili. Le loyer est peu élevé, attendu que cette zone est sujette aux inondations. L'année dernière, pendant la saison des pluies, les eaux du lac ont débordé et se sont répandues jusqu'ici, charriant des tombereaux de bois et de plastique brûlé.

Meili espère qu'au bout d'une année de dur labeur, ils seront en mesure d'emménager dans un appartement du centre-ville, que ses parents viendront habiter avec eux et qu'elle aura les moyens de payer le traitement de sa mère à l'hôpital du district. Son cancer s'est aggravé et les hôpitaux de campagne ne sont pas en mesure de pratiquer les interventions nécessaires. L'entrepôt est juste assez grand pour accueillir les cinquante élèves de l'école. Au cas où des inspecteurs du gouvernement se manifesteraient, les élèves ont pour consigne de s'enfuir par la porte de derrière et d'aller se cacher dans les champs. L'an dernier, durant la campagne de répression nationale contre les établissements illégaux, les instituteurs ont fait monter leurs élèves dans un autobus de location et les ont emmenés à la campagne, tout en continuant leurs cours pendant le trajet.

À 8 heures du matin, les enfants pénètrent dans l'entrepôt en chantant un air populaire de Hong Kong : *Je n'ai pas le parfum des fleurs, ni la taille d'un arbre, je ne suis qu'un brin d'herbe que personne ne remarque. Nul ne me connaît…* Meili range son téléphone portable dans son sac, se regarde dans le miroir suspendu au durian et se met du rouge à lèvres ; puis elle enfile ses baskets et se met en route, en remontant le chemin qui longe la rivière. Ce sera la Fête du Printemps la semaine prochaine et avant que les festivités ne commencent elle tient à écouler son surplus de transistors. Une petite usine du Hubei est devenue l'un de ses principaux clients. Elle est dirigée par l'une des Wang Suya avec lesquelles Meili s'est liée d'amitié sur Internet. Cette femme la paie toujours rubis sur l'ongle avant qu'elle ne lui envoie la marchandise et a même promis de venir lui rendre visite un jour prochain avec sa fillette de cinq ans.

À travers la brume matinale qui monte de la rivière, Meili aperçoit une camionnette officielle du Tribunal de commerce, garée un peu plus loin. Elle fait aussitôt demi-tour, se rend dans un kiosque voisin et tente d'appeler M. Sun, le directeur de l'école. Mais celui-ci est en train de donner sa leçon de mathématiques et a débranché son portable. Elle appelle alors Kongzi, qui est encore endormi. Elle se précipite donc à l'école et conseille à M. Sun d'emmener les enfants dans les champs, afin qu'ils se cachent dans les anciens canaux d'irrigation. Pendant que les élèves se dispersent, elle empile dans un coin les cartables, les manuels et les paniers-repas, qu'elle recouvre ensuite d'une grande bâche noire. Puis elle sort dans la cour et y répand une bonne quantité de granules en plastique, afin que les inspecteurs croient que l'entrepôt abrite des déchets électroniques. Lorsque Kongzi émerge enfin, elle lui dit d'aller rejoindre les enfants dans les champs.

M. Sun réapparaît soudain, visiblement paniqué.

— Meili, pouvez-vous vous libérer ce matin et nous donner un coup de main ? J'ai fait venir un autocar : allez jusqu'au croisement et faites-lui signe de s'arrêter. Voici la carte du chauffeur.

En faisant monter les élèves dans l'autocar, Kongzi regrette de ne pas avoir eu le temps d'enfiler son costume habituel ni de mettre sa cravate : les enfants regardent d'un air amusé son short maculé de boue et ses tongs usagées. Il était censé donner une leçon de mathématiques et deux leçons de vocabulaire ce matin mais n'a pas emporté son manuel, comme la plupart des élèves.

— Roulez dans cette direction, dit Meili au chauffeur en désignant la route de sa main gauche qu'elle fourre ensuite précipitamment dans sa poche, gênée d'exposer son moignon. Et ne quittez pas les routes secondaires.

Elle considère ensuite les enfants et leur demande s'ils veulent qu'elle leur apprenne une chanson. Les enfants applaudissent et poussent des cris de joie.

— D'accord, poursuit-elle. Elle s'intitule : « Au sortir d'un rêve » et a été reprise dans le générique d'une nouvelle série que vous avez peut-être vue à la télé…

Son portable se met à sonner.

— Oui, dit-elle, ici la directrice de « Hugo Electronics ». Entendu, mon assistant ira inspecter la marchandise en milieu de journée. Et n'oubliez pas que nous voulons des emballages résistants.

Le car traverse une succession de paisibles villages. Des peupliers, des saules et des poteaux télégraphiques défilent le long de la route, à travers les vitres du véhicule. Rien qu'à la fraîcheur de la brise, Meili sait qu'ils ont quitté la Commune Céleste. Le bus s'arrête à l'entrée du bourg suivant. Si l'on excepte deux silhouettes qui se profilent au loin et les antennes qui oscillent sur les toits des maisons, le paysage est d'une immobilité parfaite. Une bannière bleu clair tendue à travers le village proclame : DE NOUVELLES TENDANCES EN MATIÈRE DE MARIAGE ET DE PROCRÉATION SE RÉPANDENT

À TRAVERS LE PAYS : DES FLEURS DE JOIE ÉCLOSENT DÉSORMAIS DANS CHAQUE MAISON. La perspective de cette longue route vide rend Meili nerveuse. Elle demande au chauffeur d'aller se garer un peu plus loin, à l'entrée du carrefour, afin qu'ils puissent prendre la fuite si la police se montrait.

Kongzi s'installe à l'avant du bus, ouvre un manuel qu'il a emprunté à l'un des élèves et dit :

— Reportez-vous à la leçon n° 18 et lisez à voix haute l'histoire qui figure au bas de la page. Tous ensemble, je vous prie : « L'imperméable. Tard un soir, le Premier ministre Zhou Enlai travaillait fébrilement à la lueur d'une chandelle lorsque le tonnerre se mit à gronder. La pluie ne tarda pas à crépiter avec violence. Il demanda alors à sa gouvernante d'apporter un imperméable à l'homme qui montait la garde devant chez lui. La gouvernante enveloppa les épaules du garde de son imperméable en lui disant : "Le Premier ministre Zhou m'a demandé de vous apporter ce manteau et de vous rappeler qu'il ne faut jamais rester sous un arbre pendant un orage." Le garde était tellement ému par l'attention du Premier ministre qu'il ne savait plus quoi dire. »

Kongzi rend le livre à l'élève et reprend :

— Et maintenant, les enfants, établissez la liste des mots nouveaux que contient ce texte.

Deux heures plus tard, l'autocar fait demi-tour et s'apprête à regagner l'école. Meili se retourne, s'agenouille sur son siège et s'adresse aux élèves :

— Ne vous inquiétez pas, nous serons rentrés à temps pour le déjeuner.

Des relents d'acide nitrique en provenance d'un atelier voisin pénètrent au même instant par une vitre ouverte.

— Tante Meili, comment se fait-il que votre bébé ne soit toujours pas né ? demande un garçon assis à l'avant. Maman m'a dit qu'il était dans votre ventre depuis quatre ans.

Un aigle aux serres jaunes est brodé sur la poche extérieure de sa veste.

— J'attends que le bébé puisse naître légalement, afin qu'il obtienne un permis de résidence, lui répond Meili. Sinon il sera comme vous tous et n'aura pas le droit de fréquenter une véritable école.

Meili porte aujourd'hui un jean, une chemise à rayures rouges et blanches et des boucles d'oreilles dorées. Si elle avait des lunettes, elle aurait tout à fait l'allure d'une institutrice en poste dans une école primaire officielle.

Lulu est assise à côté de Nannan. Elle lève vers Meili ses grands yeux qui ne cillent jamais.

— Mon père m'a dit que mon permis de résidence était faux, dit-elle. Cela veut-il dire que je ne pourrai pas aller à l'université de Beijing ?

— À quoi bon étudier, oncle Kong, si aucun d'entre nous ne peut aller à l'université ? demande un garçon joufflu arborant une raie au milieu.

— Quand je serai grand, je voudrais être juge et condamner à mort tous les responsables du planning familial, dit un petit garçon portant une veste bleue à la fermeture Éclair déchirée, au fond de l'autocar.

— Ne vous inquiétez pas, les enfants, dit Kongzi. M. Sun a fait une demande auprès du département de l'Éducation et avec un peu de chance notre école aura bientôt un statut légal.

— Oncle Kong, Confucius a-t-il eu autrefois autant de problèmes que nous lorsqu'il a créé ses écoles ? demande une fille à la queue de cheval et au regard perçant sous une frange qui lui recouvre presque les yeux.

— À son époque, Confucius n'avait pas de statut officiel : il enseignait donc illégalement, tout comme moi. Mais il n'était pas considéré comme un criminel. N'importe qui pouvait alors créer sa propre école. La situation est bien différente aujourd'hui, mais nous ne devons pas perdre espoir. Tous les enfants méritent de recevoir une éducation, qu'ils soient reconnus ou non par l'État. Nous devons défendre nos droits, sinon les choses ne changeront jamais dans ce pays.

— Oui, intervient Meili en se levant à son tour. Nous sommes responsables de notre destin et nous devons avoir le courage de combattre l'injustice, sous toutes ses formes. Grâce à Internet, de plus en plus de gens osent remettre en cause la politique de l'enfant unique. Le gouvernement organise des campagnes destinées aux jeunes couples, pour leur dire que les filles valent autant que les garçons – ce qui montre qu'il est conscient que des millions de fillettes ont été tuées à la naissance, suite à leur néfaste politique.

Une fille vêtue d'un blouson à carreaux noirs et blancs se lève et demande :

— Tante Meili, ma mère me manque. Elle travaille à Zhuhai. Mes notes baissent, chaque fois que je lui parle au téléphone.

— Pourquoi sommes-nous considérés comme des paysans ? demande une autre, qui arbore un blouson orange au col blanc.

— Parce que nous sommes nés à la campagne, répond Meili. Et du coup, notre destin est scellé : les autorités nous refusent l'accès à la libre éducation, aux soins médicaux et à tous les privilèges dont jouissent les habitants des villes. À travers le système de contrôle des ménages et les lois du planning familial, ils nous rivent à tout jamais à la terre. Mais nous ne devons pas céder au désespoir. Nous sommes plus de neuf cents millions et nous constituons les deux tiers de la population chinoise. On ne peut pas nous humilier ainsi à l'infini. Des millions de paysans ont déjà décidé d'enfreindre la loi et de rejoindre les villes. Notre peuple est en marche et nul ne pourra l'arrêter. J'ai entendu dire que la police n'empêche déjà plus les paysans de monter à bord des trains qui rejoignent les grandes agglomérations. Bientôt, les femmes enceintes ne redouteront plus de déambuler dans les rues, de crainte qu'on ne les arrête pour leur faire subir un avortement forcé. Et les paysans pourront aller et venir librement. Les barreaux derrière lesquels on nous a si longtemps relégués tomberont et nous serons enfin traités comme des citoyens à part entière.

— À quoi ressemble la campagne ? demande un garçon au nez aplati et aux cheveux hirsutes.

C'est le plus jeune élève de l'école et le seul qui soit né dans la Commune Céleste.

— La campagne, c'est ça, lui dit son voisin en désignant d'un doigt à la propreté douteuse le paysage qui s'étend derrière la vitre.

— Ces paysans ont-ils des permis de résidence ? demande le garçon au nez aplati.

— Probablement, dit une fille plus âgée derrière lui. Seuls les enfants comme nous, nés en dehors de tout cadre légal, ne peuvent pas en avoir. Nous n'avons même pas droit aux permis ruraux.

Une voiture de police les double à cet instant et se range un peu plus loin en travers de la route, obligeant l'autocar à s'arrêter. Deux policiers montent à bord.

— Qui est l'enseignant responsable ? demande l'un d'eux.

— Moi, répond Meili en se disant qu'elle s'en sortira probablement mieux que Kongzi.

— Une alerte au SRAS a été déclenchée dans ce district, dit le policier en chassant une mouche qui bourdonne autour de son visage. Vous n'avez donc pas reçu de circulaire à ce sujet ?

— Non, dit Meili, avant de se rappeler qu'elle a effectivement entendu parler de cette épidémie sur Internet. Ah, vous voulez parler de cette maladie des voies respiratoires… ? Bien sûr, nous avons été informés. C'est d'ailleurs pour cela que nous avons emmené les enfants à la campagne.

— Un strict couvre-feu a été imposé à la population, les instructions étaient claires. Regagnez immédiatement votre école. Une délégation de l'Organisation mondiale de la santé visite actuellement la Chine pour s'assurer que nous sommes en mesure d'accueillir les Jeux olympiques. S'ils découvraient des cas de SRAS dans la région, ce serait une catastrophe. Personne ne doit donc porter de masque facial.

— C'est entendu, nous transmettrons la consigne à l'ensemble du personnel de l'école du Drapeau Rouge, répond Meili aux policiers avant que ceux-ci ne regagnent leur véhicule.

— Tante Meili, j'ai besoin d'aller aux toilettes, dit un petit garçon en fronçant les sourcils, visiblement mal à l'aise.

Les autres garçons assis au fond de l'autocar éclatent de rire.

— En classe, il demande sans arrêt à sortir pour aller aux toilettes. Tout cela parce qu'il n'arrête pas de boire. Il a toujours soif !

— Il prétend qu'il mourrait s'il ne buvait pas !

— Du calme ! lance Meili. D'accord, va faire tes besoins derrière cet arbre.

Elle songe soudain que la fosse septique située derrière l'école n'a pas été nettoyée depuis des mois. Autrefois, dans leur village, les excréments étaient régulièrement retirés des fosses d'aisances : on les faisait ensuite sécher, afin qu'ils servent de combustible. Mais dans la Commune Céleste tout est laissé à l'abandon.

— Pourquoi le gouvernement nous empêche-t-il de fréquenter les écoles officielles ? demande Nannan tandis que l'autocar se remet en route.

Elle arbore ce jour-là un sweater rose et une queue de cheval. Lorsque Kongzi l'a emmenée avec lui à l'école du Drapeau Rouge, juste avant de quitter ses fonctions, elle a regardé les salles de classe aux rangées de bureaux impeccables et aux murs couverts d'affiches multicolores en lui disant qu'elle passerait volontiers le reste de sa vie dans un pareil endroit.

— Lorsque le département de l'Éducation nous aura donné son feu vert officiel, lui répond Kongzi, notre école sera conçue sur le même modèle. Il y aura un mât avec un drapeau devant l'établissement, un grand hall d'entrée, des toilettes modernes et un réfectoire. Dis donc, toi là-bas au fond… Tu ne m'as pas encore rendu ta leçon de vocabulaire…

— Je croyais qu'il fallait d'abord faire les additions, répond le garçon qu'il vient d'interpeller.

C'est le plus mauvais élève de la classe et Kongzi l'a récemment surpris en train de fumer dans les toilettes.

— Non, je vous ai demandé de recopier les mots nouveaux de la leçon n° 17 : ruisseau, océan…

— Nous serons rentrés pour le déjeuner, je te le promets, dit Meili à un autre enfant. Il y aura du riz, des légumes et une soupe.

Son téléphone se met à sonner dans sa poche.

— Oui, Cha Na… Oui, ces DVD de Disney se vendent bien, tu devrais en commander d'autres…

— Prenez tous vos cahiers, dit Kongzi, je vais vous donner une liste de mots-clefs figurant dans le texte, que vous devrez recopier dix fois. Vous êtes prêts ? Illuminer. Pâturages. Sereins. Verdoyants…

Meili contemple la photo de la petite fille aux cheveux surmontés de deux couettes qui figure sur la couverture du manuel qu'elle tient dans ses mains. Son regard se porte ensuite vers l'extérieur et elle aperçoit une affiche annonçant la disparition d'une fillette, placardée sur le flanc d'une camionnette qui passe en sens inverse. Un numéro de téléphone figure à l'arrière du véhicule, surmontant le message suivant : SI VOUS RETROUVEZ NOTRE FILLE, NOUS VOUS DONNERONS TOUT CE QUE NOUS POSSÉDONS. Meili éprouve une bouffée de sympathie à l'égard de ces gens et pense aussitôt à Née-sur-l'Eau.

— J'ai remarqué de nombreux avis de ce genre ces derniers temps, dit Kongzi en regardant s'éloigner la camionnette. Et j'ai lu dans les journaux que deux cent mille enfants disparaissaient chaque année en Chine – et qu'on ne les retrouvait pratiquement jamais.

De part et d'autre de la route, les eucalyptus se laissent nonchalamment caresser par les rayons du soleil. Leurs feuilles à l'extrémité vert pâle ont l'air aussi douces que des mains de bébé. Kongzi se tourne brusquement et s'écrie :

— Dong Ping ! Comment oses-tu jeter cette pochette en carton par la fenêtre ?

— Mais je l'ai ramassée dehors, répond le garçon en gigotant nerveusement. Je la renvoie simplement là où je l'ai trouvée.

— Tiens-toi tranquille ! lui lance Kongzi d'un air excédé. Si Confucius était là, il te frapperait les doigts avec une règle en bois.

Les garçons assis au fond se lèvent et s'écrient :

— Oui, oncle Kongzi ! Frappez-le ! Tenez, vous pouvez vous servir de cette raquette de ping-pong !

— Ou de ma casquette !

— Non, de mes baskets !

Meili éteint son téléphone et leur lance :

— Calmez-vous un peu, les enfants... Maintenant, écoutez-moi bien. La Fête du Printemps approche : si vos parents ne savent pas encore quoi vous offrir, dites-leur de passer à mon magasin, qui s'appelle « L'Empire des Jouets ». Ils y trouveront des quantités de cadeaux et de jeux merveilleux. Et s'ils présentent l'une des cartes de visite que je vais vous distribuer, ils pourront bénéficier d'une réduction de 20 %...

Arrivé à la lisière sud de la ville, l'autocar accélère et longe des rangées de baraques en tôle dont les gouttières brillent au bord des toits.

MOTS-CLEFS : *théâtre de la dynastie Ming, forme du visage, pomme caramélisée, bébé emmailloté, incrustée de bijoux, sensible.*

Une fois la parade des policiers terminée, Nannan regagne son siège en se frayant un chemin à travers la foule, chargée de trois bouteilles de Coca-Cola, à l'instant même où le rideau se relève. Les grands haut-parleurs qui flanquent la scène diffusent le prélude instrumental d'un opéra cantonais. Meili, Kongzi et Nannan sont assis au fond de la salle. Un groupe d'ouvriers débraillés en shorts et en tongs s'agitent derrière eux, la cigarette au bec. Les représentants des autorités locales occupent les premiers rangs, vêtus de chemises à manches courtes et de pantalons au pli impeccable.

— C'est ici qu'est né l'opéra cantonais, dit Kongzi en haussant la voix pour couvrir le tumulte. Ce théâtre est plus ancien que le temple de Confucius. C'est l'endroit rêvé pour assister à une représentation de *La Septième Fée confie son fils à la Terre.*

— Cet opéra est-il basé sur la légende de la Tisserande et du Bouvier ? demande Meili en prenant Nannan par l'épaule.

Elle fait craquer une graine de tournesol entre ses dents, recrache l'écorce et tend la graine à sa fille.

— Tu sais bien que je n'aime pas ça, dit Nannan en repoussant sa main.

— Mais celles-ci sont délicieuses, tu devrais au moins en goûter une…

Les tambours font un tel raffut à présent qu'elle doit pratiquement crier pour se faire entendre.

— Oui, dit Kongzi, la Septième Fée est la Tisserande, fille de l'Empereur de Jade et de la Mère de l'Ouest. Lorsqu'elle tombe enceinte du Bouvier, sa mère est furieuse et lui ordonne de regagner le Ciel. Elle doit donc confier à son père l'enfant qui vient de naître.

Les gongs, les violons, les tambours et les guitares résonnent à l'unisson et les regards du public se tournent vers la scène vivement éclairée où deux hommes déversent de la fumée blanche à l'aide de tuyaux, préparant la descente de la Fée sur la Terre.

— Regardez ! La voilà ! s'écrie Nannan en se levant.

La toile du décor descend, représentant un paysage de rizières en terrasses sous un ciel d'un bleu étincelant. Dans le public, les gens s'éventent avec leurs chapeaux ou leurs éventails en papier.

Une femme portant une tiare incrustée de bijoux et une longue tunique rouge descend du ciel, un nourrisson dans les bras, en chantant : *La Septième Fée berce son bébé emmailloté et regarde en pleurant les Neuf Régions, ses larmes s'écoulent comme une rivière…*

— C'est ennuyeux, bougonne Nannan. Je préférais la parade des policiers.

Ce spectacle gratuit a été organisé par les ballets de Foshan, en association avec la compagnie d'opéra cantonais du district de Shenxian, à l'occasion de la Fête des Armées, le 1er août. Meili, Kongzi et Nannan sont arrivés au théâtre à 17 heures, pour être sûrs d'avoir des places.

— Tais-toi donc ! lance Kongzi à sa fille en lui donnant une claque sur la cuisse.

— *Mon fils adoré est trop jeune pour comprendre ma douleur et savoir combien mon cœur se brise à l'idée de le quitter…*, chante la Fée.

Le Bouvier entre en scène, arborant un couvre-chef orné de pompons, une tunique retenue par une grosse ceinture et des bottes bien rembourrées. Tandis que les violons entament une mélopée mélancolique, il tourne autour de la Fée et la prend dans ses bras.

— J'ai le cœur qui bat, Kongzi ! Regarde…, dit Meili en prenant la main de son mari pour la plaquer sur sa poitrine, éparpillant du même coup ses graines de tournesol. Ce bébé me rappelle Née-sur-l'Eau. Elle n'était pas plus grande que ça quand tu es allé la vendre. J'ai eu des montées de lait pendant six mois, après son départ : mon corps la réclamait toujours…

Kongzi se dégage et boit une gorgée de Coca-Cola. Nannan aperçoit une camarade de classe dans la foule et lui adresse un signe de la main. Des relents de sueur, de soufre et de fumée de cigarette imprègnent l'atmosphère étouffante. Le théâtre en plein air de la dynastie Ming est édifié sur la rive nord du lac. Sa scène évoque l'entrée du temple de Confucius avec son toit doré soutenu par de grosses colonnes rouges. Les projecteurs éclairent les avant-toits où sont sculptées d'étranges créatures qui fixent le public, la gueule béante.

— *Oublie un instant ton chagrin*, chante le Bouvier à la Fée. *Laisse-moi sécher les larmes qui coulent sur ton visage et tenir mon fils dans mes bras.*

Il prend l'enfant des mains de la Fée et danse à travers la scène en le regardant. Les tambours battent la mesure au rythme de ses pas.

— Ce n'est pas un vrai bébé, dit Nannan en chassant un moustique de son bras. Il ne bouge même pas…

— *Je suis une créature céleste et tu es un simple mortel*, chante la Fée. *Notre amour a défié les lois du Ciel. J'ai été châtiée et humiliée, pour t'avoir donné un héritier mâle.*

Tandis que la Fée éclate en sanglots sur scène, Meili se met également à pleurer dans l'obscurité des derniers rangs. Il lui est pourtant loisible de rester sur terre, pour sa part, mais elle a dû mener l'existence d'une coupable en fuite, cherchant vainement un lieu où elle puisse mettre au monde son enfant en toute légalité. Au moins, personne n'a cherché à faire du mal à l'enfant de la Fée… Alors qu'à peine né son propre fils a été assassiné et condamné à une nouvelle incarnation.

Reportant sur la scène son regard rempli de larmes, Meili a brusquement l'impression que la Fée lui ressemble et que le Bouvier a les traits de Kongzi.

— *Quelles souffrances n'as-tu pas endurées pour me donner un héritier !* chante le Bouvier.

— *Je ne regrette rien*, lui répond la Fée. *Les cent journées que nous avons passées ensemble valent bien une vie de tristesse.*

— *Oui, cent jours durant nous avons été heureux, comme deux poissons dans les eaux d'un lac. Et maintenant que je tiens mon fils dans mes bras, ma tristesse se dissipe…*

— *Mon bien-aimé, nous n'étions pas destinés à demeurer ensemble. Maintenant que je t'ai confié notre fils, il faut que je regagne le Palais Céleste. Moi dans le Ciel, toi sur la Terre et la Voie lactée entre nous : il ne sera pas aisé de nous revoir…*

Meili tapote son ventre et chuchote : Ne t'inquiète pas, Céleste, je mettrai tout en œuvre pour que cette incarnation soit la bonne. Les lois du planning familial ne tarderont plus à être abrogées. Patiente encore quelques années en sécurité dans mon ventre jusqu'à ce que tu puisses naître en toute légalité. Et lorsque le moment sera venu, si tu refuses toujours de sortir, je t'extrairai de mes entrailles de mes propres mains !

Sur scène, la Fée tourne autour du Bouvier, le cœur brisé, en agitant ses longues manches d'un air désespéré. Meili caresse la queue de cheval de Nannan et sent ses larmes refluer peu à peu.

— Pourquoi pleurais-tu, maman ? lui demande Nannan. Ce bébé ne va pas mourir. Je comprends le cantonais : son père a dit qu'il s'occuperait de lui.

— Je pensais à Née-sur-l'Eau, dit Meili en s'essuyant les yeux et en évitant d'étaler son eye-liner.

— Si je mourais et me réincarnais en garçon, vous seriez tellement heureux, papa et toi. Je déteste être une fille !

— Cesse de chuchoter et regarde la pièce, lui lance Kongzi d'un air impatient.

Nannan se penche et frappe gentiment le genou de son père avec sa bouteille de Coca-Cola vide.

— *Quelle tristesse que tu doives nous quitter !* se lamente le Bouvier, engoncé dans son costume et ruisselant de sueur. *L'amour que j'ai pour toi est semblable à une rivière, l'épée la plus affûtée ne parviendrait pas à en trancher le cours. Adieu, ma douce Fée…*

— *Mon cœur se meurt, mais nous ne devons pas pleurer. Au revoir, mon époux… Au revoir, mon enfant…*

Meili regarde la Fée monter sur un nuage et s'élever dans le ciel bleu. Elle sent qu'une partie d'elle-même l'accompagne dans les hauteurs célestes.

Lorsqu'ils émergent enfin de la foule compacte, au sortir du théâtre, la robe de Meili est trempée de sueur. En cours de route, Kongzi lui prend la main et dit :

— Allons donc au restaurant. C'est moi qui vous invite.

— Vraiment ? répond Meili, stupéfaite. Entendu... Dans ce cas, suivez-moi.

Elle a décidé de les emmener dans le restaurant du Hunan que Tang lui a fait découvrir. Elle apprécie son atmosphère familiale et sa cuisine épicée.

Après que Kongzi s'est versé un verre de bière, Nannan le défie pour une partie de bras de fer. Elle empoigne sa main, fait pencher son bras, mais Kongzi réagit en plaquant d'un coup sec la main de sa fille sur la table.

— Doucement, Kongzi, lui dit Meili. Sers-nous plutôt un peu de ce porc braisé.

— Je croyais que tu avais renoncé à la viande.

— C'est vrai, mais je me dis qu'il faut tout de même que j'en mange de temps en temps, pour la santé du bébé. Les légumes et les condiments dont je me suis contentée cette semaine ne sont sans doute pas très nutritifs.

Depuis quelque temps, Meili suit un régime végétarien mis au point par un nutritionniste taïwanais, dans l'espoir de perdre du poids.

— Moi non plus, maman, je n'aime pas la viande, se plaint Nannan. J'ai envie d'une pomme caramélisée.

— Pourquoi n'avons-nous pas pensé à prendre une photo de Née-sur-l'Eau ? demande Meili à son mari. À qui ressemblait-elle, d'ailleurs ?

— Elle tenait de toi pour les traits et de moi pour la forme du visage, répond Kongzi.

Il fouille dans ses poches à la recherche de ses cigarettes, avant de se souvenir qu'il a cessé de fumer. À la place, il se met à tripoter son verre de bière.

— Non, dit Nannan, Née-sur-l'Eau était ma sœur, elle devait donc me ressembler. Je me souviens du jour où tu es revenu après l'avoir abandonnée, papa. Tu m'as dit : Ne sois pas triste, à partir d'aujourd'hui je n'aimerai plus que toi.

— Ne raconte pas des bêtises… Je n'ai jamais dit une chose pareille.

— Je l'ai pourtant entendu bien souvent dans ta bouche, intervient Meili. Kongzi, il y a une chose que je ne t'ai jamais avouée : Née-sur-l'Eau avait six doigts à la main gauche, à sa naissance. Sœur Mao lui en a coupé un dans la salle d'accouchement.

— C'est donc pour cela qu'elle avait la main bandée ! s'exclame Kongzi. Tu m'avais dit que Sœur Mao l'avait blessée sans le vouloir avec les forceps.

— Papa, pourquoi m'avez-vous appelée Nannan ? Cela ressemble plutôt à un nom de garçon. Mes camarades de classe me disent que c'est parce que tu rêvais d'avoir un fils.

— Non, dit Kongzi, j'ai toujours voulu avoir les deux : une fille et un garçon.

— Ne me raconte pas d'histoires ! Vous êtes toujours en train de parler du fils que vous n'avez pas maman et toi. Maintenant que je suis plus âgée, je comprends mieux la situation. C'est à cause de moi que les gens du planning familial ont tué Bonheur et que vous avez abandonné Née-sur-l'Eau. Le gouvernement interdit aux parents d'avoir plus d'un seul enfant.

— C'est peut-être la règle, Nannan, lui répond Kongzi, mais nous faisons de notre mieux ta mère et moi pour que tu ne te retrouves pas toute seule lorsque nous ne serons plus là.

— Dans ce cas, pourquoi as-tu vendu Née-sur-l'Eau ?

Une mouche quitte la main de Nannan et se pose sur la table. Kongzi s'apprête à l'écraser.

— Ne touche pas à cette mouche, c'est un nid à microbes ! s'exclame Meili. (Puis, se tournant vers Nannan :) Ton père n'a pas forcément… pris la bonne décision, ce jour-là. Nous travaillons tous les deux et mettons de l'argent de côté afin que tu puisses aller à l'université quand tu seras grande. Kongzi, j'ai encore faim… Commande donc un poisson à la vapeur et des légumes salés.

— Non, dit Nannan. Vous économisez de l'argent pour acheter un permis de résidence à la naissance de Céleste.

— Oui, dit Kongzi, cela fait également partie de nos projets. Nous rêvons d'un brillant avenir pour notre famille, Nannan. C'est pour cela que nous sommes venus ici : pour gagner de l'argent et te construire une vie meilleure. (Puis, se tournant vers la serveuse :) Un poisson à la vapeur, s'il vous plaît, et… voyons voir… apportez-nous aussi un « poulet des immortels ».

— Non, reprend Nannan, vous êtes venus ici pour échapper au planning familial. Tous les parents de mes camarades de classe sont dans le même cas que vous. Je comprends tout à présent. Si je n'étais pas née, jamais vous n'auriez quitté le village et le petit Bonheur serait en vie aujourd'hui. Je me déteste…

Nannan se lève et quitte la table. Kongzi remercie la serveuse venue déposer un nouveau plat sur la table et fredonne :

— *Humble mortel que je suis, je ne puis te suivre jusqu'au ciel. Les puissances célestes compatissent à ma douleur mais ne peuvent mettre fin à mon interminable attente…*

— Arrête de chanter, Kongzi ! s'exclame Meili. Écoute, Nannan grandit ces temps-ci. Son corps commence à se former et elle est de plus en plus sensible. Il faut que nous fassions attention aux propos que nous tenons devant elle. Et que tu arrêtes de lui faire réciter le *Classique des Trois Caractères*. Tu lui mets trop de pression.

Elle pose les coudes sur la table et se frotte les tempes. La veille, elle a invité Tang et six membres de leur équipe au « Princesse Karaoké » pour fêter son anniversaire, mais elle a beaucoup trop bu.

— J'ai lu le journal de Nannan, lui avoue Kongzi. Elle écrit qu'elle n'a pas de foyer et qu'elle se sent comme une rivière qui ne va nulle part.

— L'autre jour, elle m'a demandé le sens du mot « désespoir ». Je lui ai dit que c'était l'état dans lequel on se trouvait quand on n'avait plus le moindre espoir.

— Ne lui parle pas trop de sujets que tu maîtrises mal. La doctrine confucéenne du juste milieu recommande de ne pas s'attacher exagérément à l'existence, sans la mépriser pour autant. Le but est d'éviter les émotions extrêmes, qu'il s'agisse de la joie ou de la détresse, et d'apprendre à se satisfaire du sort qui vous est imparti.

— Tu ne rêves donc plus que de mener une vie paisible ? Où est passée ton ambition ? Quand mon frère sortira de ce camp de travail, je lui demanderai de venir travailler dans ma société.

Meili baisse les yeux et frotte le moignon luisant de son index amputé. Les ongles de ses quatre autres doigts sont recouverts d'un vernis rouge éclatant.

Kongzi attrape un morceau de riz gluant farci au porc.

— Mais ton frère n'y connaît rien. À quoi veux-tu l'employer ?

— Je n'y connaissais rien non plus, avant de commencer. Et pourtant, je suis la directrice de cette société.

— Oui, mais vous n'avez pas la même personnalité, dit Kongzi en se servant un nouveau verre de bière.

Le restaurant n'est qu'à moitié plein. À la table voisine, un homme vêtu d'un élégant costume gris et portant une perruque sert à son invité de marque un alcool de riz millésimé.

— Nannan est-elle aux toilettes ? s'enquiert Meili. Sa pomme caramélisée va refroidir.

Elle considère la liste des spécialités du Hunan affichées au mur : POIVRONS FOURRÉS AU PIMENT, VIANDE DE CHIEN À L'AIGRE-DOUCE, CANARD CROUSTILLANT À LA SAUCE DE SÉSAME... Elle regarde ensuite le poisson rouge qui va et vient dans un bocal à la propreté douteuse posé sur le comptoir, à côté du chat porte-bonheur en céramique qui n'arrête pas de lever sa patte gauche.

— Comme j'aimerais manger un de ces gâteaux au riz gluant que préparait ma grand-mère, dit la Mère en se regardant dans un miroir de poche pour rectifier son rouge à lèvres. Ou l'un de ces beignets aux grains de sésame dont elle avait le secret... Je n'ai pas toujours eu une telle confiance en moi. Toutes ces années, alors que je te suivais à travers le pays, enceinte et les pieds nus, je n'en menais pas large. C'est seulement une fois arrivée ici, dans cette ville-dépotoir où s'entassent tous les rebuts de l'électronique, que j'ai réussi à donner un sens à ma vie. Lorsque Céleste sera née, j'ai l'intention d'ouvrir une chaîne de magasins à travers le pays. Nous achèterons ensuite un appartement à Foshan et nous nous procurerons des permis de résidence afin que Nannan puisse fréquenter un collège de l'État. Mes parents n'ont plus le moindre revenu à présent. Ils ont engagé quelqu'un pour s'occuper de leurs champs mais le prix des graines et des engrais a tellement grimpé qu'ils ne font aucun bénéfice. Les cinq mille yuans que je leur ai envoyés cette année leur ont permis de se maintenir à flot, mais n'ont pas suffi à couvrir tous les frais médicaux de ma mère. Qui sait de quoi elle aura encore besoin à l'avenir ?

Une fois qu'ils ont fini leurs plats, la conversation s'enlise. Le Père s'affaire avec son cure-dent tandis que la Mère vérifie ses

messages sur son téléphone. L'esprit de l'enfant voit le fœtus changer de position dans le ventre de la Mère. Nannan n'a toujours pas regagné leur table.

— Où est passée Nannan ? s'inquiète soudain la Mère.

Le Père et elle regardent derrière eux, à travers la porte vitrée.

— Elle est là-bas, dit le Père. Sous les saules, au bord du lac...

— Cesse de me donner des coups de pied, mon petit, dit la Mère en se frottant le ventre. Un officier du planning familial pourrait t'apercevoir.

— Ne parle pas comme ça à ce fœtus, dit le Père en essuyant ses lunettes avec une serviette en papier. Tu vas finir par l'effrayer.

— Je doute que « fœtus » soit le terme approprié. Ce bébé a quatre ans et demi. Quand il se décidera à naître, il sera déjà en mesure de te réciter les *Analectes*...

MOTS-CLEFS : *Fête du Printemps, silhouettes fantomatiques, pétards, Père Sacré du Ciel, bébé calcifié, boue jaune.*

Voyant Meili se débattre pour farcir les raviolis avec son doigt amputé, Kongzi pose ses baguettes et lui propose de prendre le relais. La table est déjà couverte d'assiettes remplies de langue de porc en lamelles, de pieds de cochon braisés, de crevettes frites aux épices et de poulet mariné dans l'alcool.

— Je regrette que nous n'élevions plus de canards, dit Meili, mais les rivières sont vraiment trop polluées dans la région. Les derniers dont tu t'es occupé avaient un drôle de goût... Tu te rappelles l'époque où nous vivions sur l'îlot de sable et où nous mangions du canard rôti tous les jours ?

— Oui, tout le monde devrait pouvoir abattre une partie de sa basse-cour pour la Fête du Printemps.

— Ne parle surtout pas de mort la veille du Nouvel An chinois ! Cela nous porterait malheur. Tiens, bois une gorgée de cet alcool aux cinq céréales que m'a offert mon assistante. Et finissons vite de préparer ces raviolis à la vapeur, sinon les autres plats vont refroidir. Nannan, baisse la télévision et viens t'asseoir avec nous.

— Où est cet ail parfumé que tu as ramené l'autre jour ? demande Kongzi. J'aimerais l'essayer.

La pièce baigne dans la fumée des cigarettes et de l'encens. Sur une table basse, trois grosses baguettes sont plantées dans un bol de riz, devant trois petites pierres tombales en papier sur lesquelles Kongzi a inscrit le nom de son père et de ses grands-parents paternels. Autour du bol figurent des offrandes de tabac, de crevettes et de desserts sucrés. Nannan ignore la remarque de sa mère et reste sur son lit étroit, à regarder le gala de la Fête du Printemps qui passe à la télévision. Elle porte le blouson en nylon rouge et l'écharpe blanche que Meili lui a offerts la veille. Nannan aurait préféré un blouson violet mais sa mère a réussi à la convaincre – non sans mal – que le rouge lui allait mieux. Sur scène, à la télévision, une Chinoise hurle à tue-tête une chanson d'amour, tandis que des jeunes filles en costume tibétain et ouighour font une ronde autour d'elle. Nannan n'a que onze ans mais elle a eu ses premières règles ce matin. Meili était assise dans la cour, en train de nettoyer les pieds de cochon, lorsque Nannan a jailli des toilettes. Le sang coulait le long de sa jambe. Meili a d'abord cru qu'elle s'était coupée : mais après lui avoir ôté sa jupe et sa culotte, elle s'est aperçue qu'il s'agissait du sang des menstrues. Elle a étalé des sacs en plastique et des serviettes sur le lit de sa fille et lui a dit de s'allonger, avant de lui expliquer qu'il ne fallait pas qu'elle s'inquiète, que cela arrivait à toutes les filles lorsqu'elles grandissaient et devenaient des femmes. Mais Nannan était inconsolable. Elle a fondu en larmes, lui disant qu'elle ne voulait pas devenir une femme et qu'elle la détestait de l'avoir ainsi condamnée à ce triste rôle. Kongzi est allé nettoyer la cour, puis a préparé du thé au sucre de canne pour sa fille. Avant que le spectacle ne débute ce soir à la télévision, Nannan s'est de nouveau mise à pleurer, en disant qu'elle espérait que Céleste n'allait plus tarder à venir au monde – ce qui lui permettrait de mourir à son tour. Inquiet à son sujet, Kongzi a décidé de passer la soirée ici. Toutes les deux heures, Meili donne un verre d'eau et une nouvelle serviette hygiénique à sa fille.

Meili regarde les raviolis que Kongzi a préparés : ils sont aussi maigres et filiformes que lui.

— Au fait, dit-il, je ne te l'ai pas encore dit mais j'ai rencontré le patron du restaurant du Hunan, l'autre jour. Nous nous sommes mis à discuter et j'ai fini par lui dire mon nom : il m'a appris qu'un type qui nous cherchait était passé un jour à son restaurant. Un individu d'assez grande taille, s'exprimant bien et portant des lunettes. Crois-tu qu'il s'agissait de Weiwei – tu sais, l'homme qui recherchait sa mère ?

— À quand cela remonte-t-il ? demande Meili le cœur battant, certaine que c'était elle que Weiwei voulait revoir.

— Il y a tout juste deux ans, avant la Fête du Printemps.

À l'époque où les inspecteurs ont débarqué dans mon magasin, songe Meili en plongeant les raviolis farcis dans une casserole d'eau bouillante. Quand je suis arrivée au restaurant du Hunan ce jour-là, en compagnie de Tang, j'ai aperçu un homme qui ressemblait à Weiwei.

— Papa, c'est quoi le bonheur ? demande Nannan après avoir vu un homme en costume blanc chanter : *Ton bonheur me ravit...*

— Le bonheur, ma fille, c'est quand tu reviens de l'école avec un bon point. Quand le pays est en paix et que notre famille est unie.

— Viens donc manger ces raviolis, Nannan, dit Meili en en disposant quelques-uns sur une assiette. Il faut les tremper dans cette sauce au vinaigre.

— Je déteste les raviolis, maman. Et je veux rentrer chez moi.

Nannan se cale contre le montant du petit lit. À côté de son oreiller se trouve un paquet de gâteaux de riz entamé.

— Mais c'est ici, chez toi, dit Kongzi en lui montrant la collection de poupées étalées sur son lit.

Cha Na lui a offert presque tous les modèles qu'elle vend à la boutique, mais la préférée de Nannan reste celle à la robe rouge que son père lui a donnée des années plus tôt, malgré son piteux état et ses lèvres à moitié effacées. À son grand regret, néanmoins, la poupée a disparu et elle n'a pas pu remettre la main dessus depuis qu'ils sont venus s'installer dans cette bicoque en tôle.

— Non, dit Nannan, je veux dire que je veux retourner dans le village des Kong. Nous ne sommes pas nés ici et ma grand-mère me manque.

Sur sa couette jonchée de miettes figurent son manuel scolaire et un cahier de chansons à spirales. Depuis le début de l'hiver, Nannan a tendance à broyer du noir et à rester dans son coin. La semaine dernière, pendant la pause du déjeuner, elle s'est battue avec Lulu et l'a poussée par terre : depuis cet incident, les autres enfants de sa classe refusent de jouer avec elle.

— Tu n'avais que deux ans lorsque nous sommes partis, dit Meili. Comment peut-elle te manquer ?

Kongzi et elle ont les yeux rivés sur l'écran, tout en mangeant leurs raviolis.

— De plus, ajoute Kongzi, c'est cette maison qui est ton vrai foyer, puisque tu y vis avec tes parents.

Il boit une gorgée d'alcool aux cinq céréales et sourit d'un air satisfait. Outre ses fonctions de directeur adjoint, il vient d'obtenir un contrat de deux ans comme remplaçant à l'école du Drapeau Rouge grâce à l'intervention de Tang, qui a glissé un mot en sa faveur auprès des responsables régionaux de l'enseignement.

— Je ne me souviens plus du visage de grand-mère, répond Nannan, mais vous m'avez toujours dit qu'elle était gentille avec moi. Pourquoi n'avez-vous pas emporté la moindre photo d'elle ou de notre ancienne maison ? J'ai envie d'appeler mes grands-parents pour leur souhaiter une bonne année.

Kongzi n'a pas révélé à sa fille que son propre père était mort. À cette allusion, son sourire de contentement s'efface. Remarquant sa tristesse, Meili se tourne vers Nannan et lui dit :

— Si tes grands-parents te manquent, va donc te prosterner devant l'autel des ancêtres qui est installé là-bas.

— Se prosterner est une attitude féodale, réplique Nannan.

En entendant ces mots, Kongzi bondit de sa chaise et saisit Nannan par le col. Meili s'interpose, écarte son mari et prend sa fille dans ses bras.

— Ta fille n'a que onze ans ! s'exclame-t-elle. Tu ne peux pas exiger qu'elle saisisse toutes les subtilités de la piété filiale.

Kongzi jette ses baguettes au sol pour manifester sa colère, avant de monter le volume de la télévision. Une femme arborant l'uniforme vert de la police est en train de chanter : *Mon ange à la veste blanche, quand je suis arrivée dans ce monde c'est ton visage que j'ai vu en premier. Tu m'as prise dans tes douces mains et mise dans une couverture...* Dehors, dans la rue, on entend exploser des pétards.

Nannan se dégage de l'étreinte de Meili et dit :

— Je peux avoir du Coca-Cola, maman ?

— Dans ton état, il vaudrait mieux éviter les boissons froides.

— Mais j'en ai envie...

— Bon, d'accord. Kongzi, va lui chercher une bouteille dans le frigo.

Cela fait seulement deux jours qu'ils ont acheté ce frigo, mais il est déjà plein à craquer. Meili a même rangé son doigt coupé sur l'étagère du bas et Kongzi a planqué leur argent dans le freezer.

— Le sang ne doit plus beaucoup couler maintenant, murmure Meili à l'oreille de sa fille. Tu verras, demain il y en aura déjà moins.

— Tu me dis que cela se produira désormais tous les mois. Eh bien, je ne veux plus aller à l'école. Comment se fait-il que cela ne soit pas arrivé aux autres filles de ma classe ?

— Je suis sûre que cela s'est déjà produit, elles ne t'en ont simplement pas parlé. Avant de tomber enceinte, j'avais mes règles tous les mois moi aussi, mais cela ne m'empêchait pas d'aller et venir normalement, de porter de jolies robes ni de mettre de belles chaussures. Ce n'est pas si terrible, tu verras.

Meili s'aperçoit soudain que Nannan s'est endormie contre son épaule.

— Je suis pleine comme une outre, dit-elle en posant la main sur son ventre et en entendant battre le cœur de la petite Céleste, tandis que le spectacle de la Fête du Printemps tire à sa fin.

— Moi aussi, dit Kongzi en ôtant ses lunettes.

Durant les deux actes de la comédie qui a été diffusée quelques instants plus tôt, il a éclaté de rire à plusieurs reprises. Au bout d'un long silence, il reprend :

— Lors de la Fête du Printemps, les gens font des offrandes dans les temples à l'Empereur de Jade, au Bodhisattva de la Compassion et au Dieu de la Prospérité, mais personne ne s'avise d'en faire à Confucius.

— Ce sera bientôt le cas, dit Meili. J'ai lu sur Internet que le gouvernement avait récemment déclaré qu'il y avait beaucoup de leçons à tirer de la pensée de Confucius. On publie même des livres expliquant comment sa philosophie peut s'appliquer à notre vie quotidienne.

— C'est uniquement lié aux Jeux olympiques : le Parti veut donner l'impression que la Chine est toujours l'héritière de sa culture millénaire, malgré les trente années durant lesquelles le confucianisme a été voué aux gémonies et remplacé par le credo marxiste-léniniste importé de l'étranger.

— Peu importe les motivations du Parti ! Confucius est de nouveau officiellement à l'honneur : et du coup, Céleste redoutera peut-être moins de venir au monde... Tu devrais arrêter d'acheter sans arrêt des sucreries à Nannan. Elle a déjà deux caries. La pauvre... C'est curieux qu'elle ait eu ses règles si tôt. J'avais quatorze ans quand j'ai eu les miennes.

— Peut-être est-ce dû à tous ces produits chimiques répandus dans l'eau...

— Laissons-la dormir et allons faire un tour.

Meili rabat la couette sur les épaules de sa fille avant d'enfiler son jean bleu ciel préféré. Elle a découvert l'autre jour une photo sur Internet montrant une jeune femme vêtue d'un jean délavé et d'une chemise blanche nouée autour de la taille : l'image lui a tellement plu qu'elle l'utilise depuis comme fond d'écran sur son ordinateur. Quand vas-tu te décider à sortir, ma petite ? chuchote-t-elle en regardant son ventre. Demain, cela fera exactement cinq ans que tu vis à l'intérieur de moi. Tu devrais laisser souffler un peu ta pauvre mère...

Étant donné que l'école a fermé pour les fêtes du Nouvel An, l'ambiance est plutôt calme autour de chez eux. À la lueur du clair de lune, la cour en ciment, le durian et l'entrepôt en tôle ondulée évoquent une vieille photo un peu floue en noir et blanc. Sur la route qui longe la rivière, des silhouettes fantomatiques défilent dans l'obscurité, portant des lanternes qui oscillent au bout de leurs bras. La lumière qui émane d'une échoppe dressée dans la rue éclaire une femme qui passe, une perche chargée de légumes en travers des épaules, puis un homme portant une grosse tête en carton représentant un bébé. Des feux d'artifice éclatent dans le ciel, révélant brièvement les contours des immeubles au loin. Après avoir atteint l'extrémité de la route, Kongzi et Meili suivent la foule qui se presse jusqu'à l'entrée du temple consacré à la divinité locale. Tout autour, des lanternes en papier roses et rouges sont suspendues aux arbres ainsi que le long des toits aux angles recourbés. Des étals décorés de bannières rouges proposent des brioches fourrées à la vapeur, des beignets au sésame et des gâteaux de riz en forme de fruits. Les boutiques dressées près de l'entrée vendent de faux billets et des gerbes de baguettes d'encens.

— Et ces deux-là ? demande Meili en désignant la fresque qui orne la porte du temple et montre une belle jeune fille aux côtés d'un vieil homme à barbe blanche. Sont-ils mariés, à ton avis ?

Kongzi ignore l'identité des deux divinités. Il prend Meili par la main et l'entraîne à l'intérieur en disant :

— Allons faire brûler quelques baguettes d'encens et demander au Père Sacré du Ciel de nous accorder un sort favorable durant cette nouvelle année.

— Notre comptable vient se prosterner tous les jours dans ce temple, à la sortie du travail. Elle m'a dit qu'elle irait prier le Dieu de la Fortune le quatrième jour de la Fête du Printemps, la Mère de la Fleur d'Or le sixième, qu'elle se rendrait ensuite sur la tombe du Roi des Médecins, puis au temple de Dame Wang. Elle n'arrête pas...

L'intérieur du temple est vivement éclairé, à la lueur des chandelles, et une épaisse fumée s'élève d'une colonne hérissée d'encens, plus haute que Meili. Les gens se bousculent, transportant des têtes de cochon rôties, des poissons grillés et des poulets encore fumants qu'ils vont déposer sur les autels des divinités de leur choix.

Kongzi désigne la statuette de la Mère de la Fleur d'Or, flanquée du Dieu des céréales et des propriétaires terriens.

— Regarde, dit-il. Voici la déesse des naissances et de la fertilité. Tu devrais aller l'implorer, pour qu'elle te garantisse le meilleur accouchement possible.

— Céleste redoute de débarquer dans cet enfer, dit Meili en croisant les mains sur son ventre d'un geste protecteur. Je ne pense pas que la déesse de la fertilité y puisse grand-chose. Il y a trop de monde par ici et tous ces pétards qui explosent à l'extérieur m'inquiètent un peu : si jamais le temple prenait feu ? Rentrons à la maison, nous pourrons toujours revenir demain.

— Ne prononce pas le mot d'« enfer » le jour du Nouvel An ! lui lance Kongzi d'un air furieux.

— Bon, moi je rentre en tout cas. Et toi ?

Le cœur de Meili s'est mis à battre, tandis que des images du night-club en flammes surgissent dans son esprit.

— Les pétards ne peuvent pas déclencher d'incendie, dit Kongzi. Écoute, puisque nous sommes venus jusqu'ici, nous pourrions au moins allumer quelques baguettes d'encens. (Voyant l'expression terrorisée de Meili, il se rétracte aussitôt.) D'accord, allons-y…

Ils font demi-tour et regagnent la sortie, silhouettes moroses se frayant un chemin au milieu de la foule excitée.

Plus tard durant la nuit, Meili est réveillée par une nouvelle explosion de pétards. Elle aimerait pouvoir calfeutrer la porte et les fenêtres afin d'étouffer ce vacarme. Sans un minimum de calme, ses pensées ne peuvent pas remonter à la surface. Au fil des neuf dernières années, en dehors de ces moments où elle était éveillée, au beau milieu de la nuit, elle a rarement eu le loisir de réfléchir avec un peu de recul aux enfants qu'elle a eus ou qu'elle attendait, ainsi qu'aux diverses Meili qui se sont succédé en elle : l'épouse, la mère, la jeune fille qui aimait rire et chanter, la prisonnière du camp de travail, la fugitive, la femme d'affaires… Elle est ainsi restée longuement plongée dans ses pensées pendant cette terrible nuit d'été où elle a eu l'impression de couler elle aussi au fond de la rivière, en compagnie du cadavre de Bonheur ; au cours de ces nuits d'automne, après que Née-sur-l'Eau lui avait été arrachée ; ou celles qui ont suivi le départ de Weiwei, dont elle avait caché les lunettes à montures d'écailles sous son oreiller ; cette nuit d'hiver enfin, où elle a appris que Weiwei était venu jusqu'ici dans l'espoir de la retrouver. Bien que l'aube du premier jour de la nouvelle année n'ait pas encore pointé, elle sent que le rideau a déjà été tiré sur celle qui vient de s'achever. Elle sait que si Kongzi lui est encore infidèle, elle le quittera définitivement et entamera une nouvelle vie aux côtés de Tang. Pour être tout à fait honnête, il faut bien dire que Kongzi ne l'a vraiment trahie qu'à une seule reprise, alors qu'ils s'étaient déjà établis dans la Commune Céleste. Comparé aux nombreux individus qu'ils ont croisés au cours de leurs périples – cadres puissants entourés d'un essaim de jolies femmes ou paysans loqueteux couchant plusieurs fois par semaine avec les prostituées des salons de coiffure – il s'est montré relativement loyal et droit. Pourtant, elle n'a jamais été à ses côtés qu'une épouse constamment enceinte. Tang la considère autrement, comme un être humain à part entière. Durant ces neuf années, de la petite paysanne effarouchée qu'elle était au départ, elle est devenue une femme d'affaires accomplie. Jamais elle ne pourrait redevenir cette épouse soumise, obéissant aveuglément à son mari. Elle songe à l'enfant qui vit en elle depuis maintenant cinq ans, sans avoir été perturbé par ses propres inquiétudes. Elle n'ose même pas imaginer quelles calamités auraient pu lui arriver s'ils n'avaient pas trouvé refuge dans la Commune Céleste. Le Parti communiste ne fait preuve d'aucune humanité. À ses yeux, il n'est pas plus grave de tuer un bébé que d'écraser une mouche. Meili ignore quand Céleste se décidera enfin à sortir, mais lorsque ce sera le cas, elle baissera doucement le pont-levis de sa forteresse et la laissera suivre son chemin dans cet enfer terrestre... Oui, il est temps que tu sortes, ma petite, et que tu fasses tes preuves, lui dit-elle en silence. Je ne peux pas te protéger éternellement. Mais ne t'inquiète pas, je ne te forcerai pas tant que tu ne seras pas prête. Mon ventre a peut-être été violé, humilié, dégradé, mais il nous permet de vivre toutes les deux dans une forme de grâce. Elle sourit intérieurement, fière d'être à la fois une femme et une mère, double identité fondue dans un même corps. Demain elle ira s'inscrire au cours de yoga prénatal que dispense un professeur formé à Hong Kong. Elle a entendu dire que ces exercices assouplissent l'ossature pelvienne et permettent d'accoucher sans ressentir plus de douleur qu'une poule pondant un œuf. Elle se rendra également à Foshan pour se prosterner devant la grande statue de la Mère de la Fleur d'Or et lui demander de protéger la petite Céleste. Elle sait que lorsque l'esprit de l'enfant aura quitté son ventre, Céleste et elle devront mettre un terme à la symbiose de leur existence. Elle sait également que même si la vie est un parcours long et ardu, on peut y bénéficier d'un certain confort, au prix de quelques efforts. La petite Céleste arrivera dans ce monde en paria, privée de tous ses droits. Meili essaiera de gagner le plus d'argent possible, afin de permettre à cette enfant non reconnue d'accéder ne serait-ce que modestement au bonheur – même si elle ne sait pas très bien en quoi il consiste...

Dans l'obscurité, elle voit Weiwei se diriger vers elle. Elle le rejoint et lui dit : Je ne peux pas quitter Kongzi. Nous avons élevé notre fille ensemble, partagé la même couche et le même oreiller. Je ne peux pas abandonner ce sentier. D'ailleurs, vous n'êtes pas dans mon cœur... Après avoir imaginé cette scène, elle sent la chaleur lui monter au visage et une sorte de calme s'installer en elle. Elle secoue Kongzi et lui dit :

— Lève-toi ! Il est presque 6 heures ! Cela porte malheur de ne pas voir le soleil se lever le premier jour de l'année.

— Oui, sers-moi un autre verre, marmonne Kongzi avant de se retourner et de sombrer à nouveau dans le sommeil.

Meili songe au Kongzi qu'elle admirait tant, il y a une dizaine d'années, et sent le regret l'étreindre. Le passé lui paraît aussi terne et vidé de ses couleurs qu'un tapis de lotus flétris au fond d'une mare asséchée.

— Ouvrons donc cette bouteille de vin français qu'un client m'a envoyée, dit-elle en émergeant du lit et en enfilant ses tongs.

Les foules en liesse, les feux d'artifice et les chanteuses en robe rouge qui se succèdent en silence sur l'écran du téléviseur diffusent une lueur de fête dans l'obscurité de la pièce.

— Je viens de rêver de notre fils, dit Kongzi. Il me ressemblait comme deux gouttes d'eau et jouait aux billes au coin d'une rue, comme je le faisais moi-même autrefois. Qu'est-ce que j'ai pu m'amuser, quand j'étais enfant… Je revenais à la maison rayonnant de fierté, les poches remplies des cartes du *Roman des Trois Royaumes* que j'avais gagnées dans la journée. Je me demande où est passée ma collection de cartes, je suis sûr que Céleste aimerait jouer avec elle quand il sera grand.

— Hum… Il est peu probable que ces cartes l'intéressent. Il voudra plutôt que tu lui achètes un ordinateur. Ou une poupée électronique, s'il s'agit d'une fille.

Meili évoque parfois cette hypothèse pour tester la réaction de Kongzi.

— Si tu t'obstines à garder Céleste dans ton ventre, il pourrait bien se changer en fille, en effet… Ou durcir comme ce bébé calcifié dont j'ai entendu parler dans les journaux et qu'une vieille femme de quatre-vingt-dix ans a mis au monde après l'avoir porté pendant plus de soixante ans…

Kongzi boit une gorgée de vin rouge et fait la grimace.

— Beurk… Ce vin est trop sucré. L'alcool chinois est plus revigorant.

— Ce n'est pas moi qui retiens Céleste dans mon ventre, dit Meili. Elle redoute probablement de naître parce qu'elle sait que tu ne veux pas de fille. Si jamais c'était le cas, promets-moi d'être gentil avec elle.

Kongzi demeure silencieux. Soulagée par le calme de sa réaction, Meili poursuit :

— Il faudrait qu'un membre de ma famille se rende dans la grotte de Nuwa et prie pour que j'accouche bientôt. J'aimerais pouvoir appeler mes parents. Mon frère sera libéré ce mois-ci de son camp de travail. Et je voudrais m'assurer qu'ils ont bien reçu l'argent que je leur ai envoyé le mois dernier. Je l'ai viré sur le compte de mon oncle – celui qui habite dans le chef-lieu du district. Lorsque je lui ai téléphoné le mois dernier, il m'a promis de le donner à mon père.

Suite à ce coup de téléphone, Meili a appris qu'après l'emprisonnement de son frère son père s'est rendu au chef-lieu du district pour protester contre cette erreur judiciaire. Mais les autorités ont refusé de l'écouter. Il s'est donc planté devant le siège du Parti communiste et s'est mis à chanter l'Internationale, après avoir accroché autour de son cou une pancarte où il avait écrit : LIBÉREZ MON FILS. Dix minutes plus tard, la police est arrivée, l'a embarqué dans une estafette et gardé en prison pendant une semaine. Meili se représente la maison de ses parents avec ses trois pièces et son toit de tuiles, le jardin où se dresse l'osmanthus… Elle se souvient que sa grand-mère s'asseyait avec elle sous cet arbre et lui racontait la légende de la déesse Nuwa, la divinité au visage de femme et au corps de serpent qui a créé le monde et l'espèce humaine. Elle lui disait que dans les parages de la montagne de Nuwa se trouve un lac magique, capable de capturer les reflets de la lune. Au début des temps ce lac avait attiré Nuwa, la faisant tomber du ciel. Après avoir arpenté ses berges pendant des mois, Nuwa s'était sentie seule : elle s'était assise et avait modelé avec la boue jaune du rivage des silhouettes humaines, auxquelles elle donnait vie. Au bout d'un moment, lasse de progresser aussi lentement, elle avait plongé une corde dans une mare de boue et l'avait secouée dans tous les sens, projetant des éclaboussures qui s'étaient transformées sur le sol en une multitude d'êtres humains…

— Monte le volume, dit le Père. C'est l'heure des cours de la Bourse. J'ai acheté des actions de Shenzhen TV l'autre jour…

La Mère saisit la télécommande et regarde fixement l'écran. Une spirale d'encens monte jusqu'au plafond et s'échappe par une ouverture du toit avant de se dissoudre dans la nuit. L'esprit de l'enfant quitte la maison et prend la direction du lac, poursuivant sa lente remontée du temps.

MOTS-CLEFS : *poussière rouge, uniformes blancs, Mère de la Fleur d'Or, Livre Guinness des records, enveloppe rouge, délai de un mois.*

Après une brusque averse, la procession qui quitte le temple et escorte la statue de la Mère de la Fleur d'Or s'avance sur l'asphalte mouillé. Une foule imposante s'est massée le long des trottoirs. Pendant un moment, Meili et Nannan ne distinguent que le haut-parleur fixé sur la camionnette d'où émane une voix suraiguë, psalmodiant : *La Chine est entrée dans une nouvelle ère. La nation est prospère et le peuple vit en paix. Les rêves nourris pendant des siècles se sont réalisés. Le bonheur s'est installé pour l'éternité...* Derrière le véhicule, un groupe d'ouvriers coiffés de casquettes de baseball brandissent une bannière qui proclame : LA FABRIQUE DE GRANULES EN PLASTIQUE DE LA COMMUNE CÉLESTE SOUTIENT L'ÉDUCATION ET SPONSORISE GÉNÉREUSEMENT LES ÉCOLES DE LA RÉGION. Meili parcourt la foule des visages et aperçoit Pang, dont les nattes dépassent de son chapeau, ainsi que Ah-Fei qui s'est copieusement maquillée pour cacher son vitiligo. Elle adresse un petit signe de la main à ses anciennes collègues, qui lui répondent en souriant. Meili se demande comment s'en sort le vieux Shao : Cha Na lui a dit qu'il avait contracté une pneumonie et était retourné vivre dans son village du Jiangxi. Des musiciens munis de tambours apparaissent, suivis par une troupe d'écolières en uniformes blancs qui font tournoyer des lances et des épées. Trois garçons les entourent de chaque côté et brandissent des panneaux publicitaires vantant les mérites d'un fournisseur de composants électroniques d'occasion. L'humidité ambiante assourdit le roulement des tambours. Meili s'aperçoit tout à coup que Nannan regarde d'un air fasciné les robes, les chaussettes et les chaussures d'un blanc immaculé des écolières.

— Je voudrais aller les voir danser, lui dit sa fille.

Elle porte un tee-shirt jaune à manches longues par-dessus un chemisier rouge, un jean et une paire de bottes en caoutchouc. L'averse a chassé les relents de plastique brûlé qui imprégnaient l'atmosphère, ne laissant plus planer qu'une légère odeur de soufre. Meili regarde un groupe de femmes qui passent en dansant, vêtues de jeans à taille basse et de chemises blanches. Lorsqu'elles lèvent les bras, on aperçoit leurs nombrils.

— Il y a trop de monde pour le moment, dit Meili en entraînant Nannan. Allons manger quelques spécialités à la vapeur, je t'emmènerai ensuite à Foshan voir la plus grande statue de la Mère de la Fleur d'Or du district.

Elle a entendu dire que les pouvoirs de la déesse sont en ce jour à leur apogée et que toutes les requêtes qu'on lui adresse seront exaucées. Elle a retiré cinq cents yuans au distributeur afin de lui faire une offrande. Nannan et elle vont s'installer sous l'auvent d'une boutique, un peu en retrait. Meili a accepté de venir manger des spécialités à la vapeur en compagnie de Tang et elle a demandé à sa fille de l'accompagner pour empêcher celui-ci de lui faire des avances, bien que l'esprit de l'enfant à l'intérieur de son ventre constitue sa meilleure protection : au cours des six derniers mois, Kongzi lui-même n'a pas osé la toucher une seule fois.

Elles attendent une bonne demi-heure avant que la statue de la Mère de la Fleur d'Or n'apparaisse enfin. Elle se dresse dans un petit pavillon en bois porté par quatre hommes vêtus de longues tuniques brodées et coiffés de la toque noire des mandarins. On a frotté de la poudre rouge sur les joues de la statue et un baigneur en plastique a été placé dans ses bras. Elle paraît ainsi beaucoup plus vivante que la veille, à l'intérieur du temple. Quelques passants attardés la suivent, fumant des cigarettes et s'arrêtant de temps à autre pour discuter. Puis la troupe qui exécute la danse du Lion apparaît, sautant au rythme appuyé des tambours. Sur les trottoirs, les badauds les fixent sans expression, comme s'ils regardaient un spectacle télévisé.

Tang a choisi une table au fond du restaurant. Le cœur de Meili se met à battre tandis qu'elle se dirige vers lui.

— *Kung hei fat choi*, Tang ! lui lance-t-elle en déboutonnant l'élégant manteau blanc qu'elle a récemment acheté pour remplacer celui, nettement plus encombrant, qui l'a suivi depuis son départ du village des Kong.

— Vous parlez cantonais à présent ! lui dit Tang avec un sourire. Vous avez vraiment changé depuis votre arrivée ici.

— Désolée d'être en retard. Les rues sont noires de monde. La fabrique de recyclage des déchets électroniques pour laquelle je travaillais autrefois a fait défiler ses ouvriers, chargés de pancartes affirmant qu'elle soutenait l'éducation. Quelle blague ! Tous ses employés sont des travailleurs en situation illégale. Si cette société se soucie tant du bien public, pourquoi ne commence-t-elle pas par demander la légalisation des écoles réservées aux enfants d'émigrés ?

— Il est inutile de chercher à changer la politique du gouvernement, dit Tang. C'est une perte de temps. Tout ce que nous pouvons faire, c'est trouver le moyen de la contourner. Regardez, nous sommes officiellement enregistrés comme « paysans », vous et moi, mais j'ai réussi à faire mes études à l'étranger et vous êtes maintenant à la tête d'une société. Nous ne nous en sommes pas trop mal tirés, finalement...

— Autrefois, vous rêviez de mener une campagne pour un meilleur environnement, pour le développement de l'éducation, des soins médicaux et de la lutte contre la corruption du gouvernement... Vous avez changé, vous aussi !

Malgré la présence de Nannan, Meili reste sur ses gardes et fait en sorte que la conversation reste sur un terrain neutre.

Tang commande quelques plats puis demande à Nannan ce qu'elle désire, mais celle-ci se contente de hausser les épaules avant de se mettre à sucer son pouce.

— Une tarte à la crème devrait lui suffire, intervient Meili.

Elle voudrait vérifier son rouge à lèvres mais se sent gênée à l'idée de sortir son miroir de poche.

— J'ai commandé vos plats préférés, Meili : potage de riz au poisson et croquettes de taro. Tu ressembles de plus en plus à ta mère, ajoute Tang en se tournant vers Nannan. Tu as d'aussi beaux yeux qu'elle.

Meili a bien conscience que sa grossesse ne l'avantage guère et trouve les compliments de Tang bien exagérés. Ils la flattent, néanmoins, d'autant qu'elle prend toujours autant de plaisir à feuilleter les magazines de mode sur papier glacé.

— Un entrepreneur de la région voulait amener un pétard d'un kilomètre de long dans l'espoir de rentrer dans le Livre Guinness des records, reprend Tang. Mais il a dû y renoncer à cause de la pluie.

— Cela a dû lui coûter une fortune ! dit Meili en contemplant l'empreinte de son rouge à lèvres sur le bord de sa tasse.

— Il possède trois entreprises de recyclage et gagne un million de yuans par an, répond Tang. Mais dites-moi : votre mari se plaît-il dans son nouveau poste à l'école du Drapeau Rouge ?

— Oui, beaucoup. Il vous est très reconnaissant de l'avoir aidé de la sorte, mais il ne pouvait se joindre à nous aujourd'hui. Il a l'intention de demander au directeur de l'école s'il ne pourrait pas convaincre les autorités locales de lui confier la restauration du temple de Confucius.

— Quand je pense qu'il descend du grand sage à la soixante-seizième génération ! Eh bien, il ne laisse pas tomber son ancêtre, lui au moins... Les responsables du département de l'Éducation étaient très impressionnés quand je leur ai dit qu'il était son héritier direct : c'est pour cela qu'ils ont accepté de lui faire un contrat de deux ans. Oui, ce serait formidable si le temple de Confucius était remis en état. Pendant la Révolution culturelle, il servait de quartier général à l'office municipal de la voirie. Mais depuis lors, il est tombé en ruine.

— En quel dieu croyez-vous, Tang ? demande Meili, qui vient de remarquer un portrait du Dieu de la Longévité accroché dans l'entrée.

— Pas en ceux dont on voit les statues dans les temples, en tout cas... Je croyais autrefois en une autre forme de divinité, mais depuis que je suis revenu en Chine tout cela s'est un peu estompé.

— J'ai envie d'aller voir la statue de la Mère de la Fleur d'Or à Foshan pour lui demander si elle pense que je vais enfin mettre cet enfant au monde.

— Cela fait cinq ans que vous le portez, c'est bien ça ? Il est temps que vous le libériez. Vous pourriez déjà figurer dans le Livre Guinness des records au titre de la plus longue grossesse !

— Non, dit Meili. Une femme de quatre-vingt-dix ans est restée enceinte pendant soixante ans, dans cette même province. Quoi qu'il en soit, on ne peut pas dire que je n'ai pas fait de mon mieux : j'ai poussé de toutes mes forces mais c'est elle qui refusait obstinément de sortir.

Meili est toujours soulagée de pouvoir dire ouvertement que Céleste est une fille.

— J'ai entendu dire qu'un nouveau directeur, beaucoup moins conciliant, venait d'être nommé à la tête du planning familial du district : la Commune Céleste ne restera peut-être plus très longtemps le refuge qu'elle a été pour les femmes enceintes ces dernières années.

— Tant que j'habiterai au bord de ce lac insalubre, dit Meili, je ne risquerai rien. Les dirigeants ne viendront jamais patauger au milieu des déchets qui jonchent les berges. Et même dans ce cas, j'arriverais bien à me débarrasser d'eux. Quand je pense que je suis venue vivre ici en ayant la certitude que je ne risquais pas de tomber enceinte... Je croyais à cette époque que l'atmosphère de la région rendait les hommes infertiles. Mais je me suis fait avoir, à peine arrivée ici.

— Ah, vous me faites rire ! Vous êtes si directe, si naturelle...

— Vous voulez dire : ignare et grossière !

Meili songe tout à coup qu'elle peut désormais acheter à peu près tout ce dont elle a envie, mais que cette nouvelle aisance ne lui procure aucune véritable satisfaction. À l'époque où ils étaient trop pauvres pour aller au restaurant, Kongzi, Nannan et elle étaient beaucoup plus proches. Et ils avaient le temps de profiter des plaisirs simples qu'autorisaient leurs modestes revenus.

— Non, dit Tang, vous êtes indestructible. Les épreuves que vous avez traversées n'ont pas entamé votre force intérieure.

— Ma foi, il a bien fallu que je m'endurcisse. Imaginez les regards auxquels j'ai eu droit, en me promenant cinq ans durant avec un ventre pareil… Certains officiers du planning familial m'arrêtent encore dans la rue pour me dire que mon état porte tort à l'image de la ville et qu'il est grand temps que j'accouche. Je leur rétorque que la petite Céleste vit à l'intérieur de moi et se nourrit des aliments que j'absorbe. Elle ne coûte pas un centime à l'État et a le droit de rester dans mon ventre aussi longtemps qu'elle le voudra. Je vais même jusqu'à leur dire que je la mettrai au monde dès que le gouvernement aura renoncé à sa politique de l'enfant unique.

— Vous devriez être plus prudente. Vous ne savez donc pas que dans d'autres régions du pays on arrête des femmes en pleine rue pour les obliger à avorter ? Cela se produit tous les jours.

— Je le sais bien, j'en ai moi-même été victime autrefois. Les médecins ont injecté du poison dans le crâne de mon bébé, espérant ainsi le tuer. Mais comme il était encore en vie une fois sorti de mon ventre, ils l'ont étranglé sous mes yeux.

— Ce n'est pas un avortement, dit Tang dont le visage est devenu livide. C'est un meurtre de sang-froid. J'ignorais que vous aviez subi une telle épreuve !

Il se frotte le menton tout en jetant un regard inquiet vers Nannan.

— Vous voyez bien que tant que ce gouvernement n'aura pas renoncé à tuer des enfants, Céleste sera plus en sécurité là où elle est. En tant que mère, tout ce que je puis faire c'est lui offrir un abri confortable : à moins que quelqu'un ne vienne l'en arracher de force, elle peut y rester autant qu'elle voudra, ajoute-t-elle en saupoudrant de poivre son potage de riz.

— Vous me faites penser à l'héroïne d'un roman victorien qui se rebelle contre les conventions et les lois de son temps, à la recherche du bonheur… Avez-vous lu Charlotte Brontë ?

— Non, répond Meili, honteuse de son ignorance. Je n'ai pas lu ce livre mais vous pouvez me le prêter, si vous en possédez un exemplaire.

En prévision du déjeuner d'aujourd'hui, elle a confié son chemisier blanc au « New China Hotel », qui fait laver tout son linge à Foshan, d'où il revient imprégné non pas d'une odeur de plastique brûlé, mais d'effluves de rose et d'osmanthus. En dépit de ses appréhensions, elle attendait ce repas. Mais à présent, elle aimerait prendre Nannan par la main et s'en aller. Au lieu de ça, elle sert quelques encornets sautés à sa fille et reprend :

— Demain, au bureau, je vérifierai les comptes de l'année dernière et j'éliminerai tous les mauvais payeurs de notre liste de clients. Qu'en pensez-vous ?

— Ne parlons pas du travail... Dites-moi, comment avez-vous passé les fêtes du Nouvel An ?

— Nous nous sommes contentés de regarder le spectacle à la télévision en mangeant des raviolis. La Fête du Printemps m'amusait davantage quand j'étais enfant. À l'aube, nous faisions la tournée du village et les voisins remplissaient nos poches de bonbons.

Meili se souvient qu'elle avait noué une écharpe neuve autour de sa tête, lors d'un lointain Nouvel An, et que l'odeur du coton empesé l'avait accompagnée toute la journée.

— Vous êtes-vous servie de l'appareil photo digital que je vous ai offert à Noël ? demande Tang.

— Pas encore. J'attends la naissance de Céleste pour l'inaugurer.

Meili remarque que Nannan dessine avec un feutre des visages sur ses doigts et lui demande d'arrêter.

— Mais il sera périmé d'ici là ! s'exclame Tang. Nous sommes entrés dans l'ère du numérique et les modèles sont bons pour la casse au bout de quelques mois. Les gens réclament sans arrêt des écrans plus larges, des moteurs de recherche plus puissants, davantage de mémoire, et les appareils au rebut s'accumulent à une vitesse alarmante. Savez-vous que la Commune Céleste a accueilli cinq fois plus de déchets cette année qu'au cours des trois années précédentes ?

Voyant que l'attention de Meili faiblit, il sort une enveloppe rouge de sa poche et la donne à Nannan.

— C'est mon cadeau de Nouvel An, lui dit-il. Que cet argent te porte bonheur !

Nannan ouvre la pochette.

— Waouh ! Cent yuans ! Super ! La mère de Lulu ne m'a donné qu'un yuan. Merci, oncle Tang. Je pourrais acheter un billet d'avion avec ça ?

Meili se sent gênée, n'ayant mis que dix yuans dans l'enveloppe qu'elle destine au petit Hong. Elle s'excuse et s'éclipse un instant dans les toilettes afin de remplacer son billet par un autre, de cent yuans cette fois-ci.

Le téléphone de Tang se met à sonner alors qu'ils sortent du restaurant et Meili en profite pour prendre rapidement congé. Elle hèle ensuite un cyclo-pousse qui accepte de les conduire à Foshan pour quarante yuans.

— À quoi bon aller voir cette statue ? grommelle Nannan. Tu crois peut-être qu'elle va téléphoner à ton bébé et lui dire de sortir ?

Les visages qu'elle a dessinés sur ses doigts sont alternativement hilares et larmoyants.

— Ah, cesse donc de râler ! lui lance Meili.

Depuis quelques mois, elle essaie de se montrer tolérante face à la mauvaise humeur de sa fille, mais il lui arrive de perdre patience.

— Maman, tu peux me dessiner un point rouge entre les sourcils ? demande Nannan lorsqu'elles arrivent dans le centre de Foshan, une demi-heure plus tard. J'ai entendu dire que cela protégeait des démons.

— Attends un peu, nous arrivons...

Meili sort son rouge à lèvres, une fois descendue du cyclo-pousse. Mais alors qu'elle s'apprête à tracer ce fameux point rouge entre les sourcils de sa fille, la foule les pousse en avant et elle range le tube dans son sac.

Elles longent une rangée d'étals où des brochettes de mouton et des pieds de cochon grésillent au-dessus des braises, avant de pénétrer dans le vaste temple où planent d'épais nuages d'encens. Meili s'assoit : tous ces relents de graisse et de fumée lui soulèvent le cœur, ainsi que celui de la petite Céleste.

— Maman, lui demande Nannan tandis qu'elle se relève, c'est vrai que Céleste refusera de naître tant que je n'aurai pas disparu ?

— Mais non, pourquoi dis-tu une chose pareille ? répond Meili en regardant s'écouler d'un air distrait le flot des visiteurs.

— Tu disais que tu avais peur de la mettre au monde parce que tu avais déjà un enfant.

— Mais non, ça n'a rien à voir avec toi, répond Meili en entraînant sa fille et en suivant la foule dans la salle principale du temple.

Lorsqu'elles arrivent au pied du Bouddha doré, Meili se prosterne devant la statue mais ne se souvient plus de ce qu'elle voulait lui demander. À sa gauche, un jeune homme voudrait réussir ses examens ; à droite, un chauffeur de taxi aimerait que la saison des pluies se prolonge, ce qui lui vaudrait davantage de clients. Retrouvant enfin ses esprits, Meili joint les mains, regarde la statue du Bouddha et prie pour que sa mère guérisse, que son frère soit bientôt libéré et que Née-sur-l'Eau ne soit pas en train de mendier dans les rues mais qu'elle ait au contraire trouvé refuge au sein d'une famille attentionnée et qui prenne soin d'elle. Le brouhaha des voix qui chuchotent autour d'elle lui fait perdre le fil de ses pensées : elle se relève, prend la main de sa fille et se dirige vers la statue de la Mère de la Fleur d'Or.

— Je n'ai pas envie de voir cette statue, ronchonne sa fille. Il y a trop de monde par ici.

— Dans ce cas, va m'attendre à l'extérieur, lui dit Meili. Mais ne t'éloigne pas, cette fois-ci.

Tandis que Nannan gagne la sortie, Meili se dirige vers le fond de la salle où la foule est moins dense et où se dresse l'immense statue de la Mère de la Fleur d'Or. Elle allume une baguette d'encens, s'agenouille et se prosterne à plusieurs reprises, tournée sur le côté afin de ne pas appuyer sur son ventre. Elle s'assoit ensuite en tailleur, prend une profonde inspiration et lève les yeux vers le visage éraflé et un peu enfantin de la déesse. Pendant une fraction de seconde, elle a l'impression que les lèvres peintes de la statue esquissent un sourire. Puis sa conscience se trouble et elle voit une jeune fille marcher sur un chemin poussiéreux par une journée ensoleillée, un sac rempli de feuilles mortes en travers de l'épaule. Elle vient de franchir une épaisse forêt et son visage est couvert d'égratignures, comme celui de la statue aux joues bien roses… Le moignon de l'index gauche de Meili se met soudain à battre, comme un œil aveuglé sous l'assaut de la lumière. La petite Céleste s'étire, sa tête vient heurter les poumons de Meili avant de peser contre son nombril. Après avoir rassemblé ses pensées, Meili s'adresse à la statue et lui dit :

— Mère de la Fleur d'Or, ton puissant regard a parcouru les Quatre Mers et les Cinq Lacs. Je suis une simple paysanne du district de Nuwa et je me trouve enceinte pour la quatrième fois.

Bien que l'État ne veuille pas de cette enfant et qu'elle n'ait pas davantage envie de naître, je pense qu'il est de mon devoir de la mettre au monde : car une mère ne doit pas seulement concevoir ses enfants mais leur faire voir le jour et les regarder grandir. Je vous implore donc de me dire quand tout cela prendra fin ? Que me réserve l'avenir ? Un sort heureux ? Un désastre ?

La Mère de la Fleur d'Or la regarde d'un air impassible et lui dit :

— Gloire à Amitabha, le Bouddha de la Lumière Infinie. La vie est un océan de douleurs mais il suffit de tourner la tête pour apercevoir le rivage. Quand le temps sera venu, tu traverseras l'océan, dépasseras le cycle de la naissance et de la mort et atteindras l'autre rive. Mais avant cela, tu dois libérer l'enfant qui est en toi et le laisser affronter son propre karma.

— Ô Mère, je suis une paria : où que j'aille, on me dit toujours que je ne suis pas chez moi. Si je mets ma fille au monde dans un endroit où je n'ai pas de racines, ne sera-t-elle pas condamnée à mener une vie d'infortune ?

— Tu as voyagé à travers la poussière rouge de l'illusion et les souffrances que tu as connues t'ont donné une grande sagesse. Mais tes douleurs ne peuvent se comparer aux miennes. Je n'ai jamais connu le bonheur du mariage ni les joies de la maternité. À l'âge de quatorze ans, on m'a arrachée à ma famille en déclarant que j'étais la Déesse de la Naissance. Après cela, aucun homme n'a osé s'approcher de moi. À quarante ans, n'ayant jamais connu l'amour et vivant toujours dans la solitude, je me suis jetée dans le lac et mes os gisent encore au fond de son lit boueux.

— J'ignorais que vous vous étiez noyée ! Vous avez donc traversé la poussière rouge ! J'ai songé à me tuer moi aussi, il y a quelques années, mais je me suis dit que j'allais également entraîner la mort de mon enfant. Et pourtant, Mère Sacrée, vous devez avoir amassé un puissant karma grâce à tout ce que vous avez accompli au sein de ce temple, en aidant les vies nouvelles à s'incarner dans ce monde… Et regardez les offrandes qu'on vous fait : poulet, vin, riz, huile de sésame…

— Non, mon existence n'a connu aucune amélioration depuis mon trépas. Ne te laisse pas abuser par mes tuniques somptueuses et mes couronnes ornées de fleurs. Depuis la fondation de la dynastie communiste, j'ai été persécutée sans répit. Quand l'empereur Mao s'est fait le défenseur des mariages tardifs et des familles réduites, on m'a descendue de mon autel et remisée dans une pièce dénuée de lumière. Quand l'empereur Deng a lancé sa politique de l'enfant unique, mon temple a été reconverti en entrepôt de céréales. Et aujourd'hui, deux décennies plus tard, il a été démoli pour céder la place à la Bourse de commerce de la Commune Céleste.

— Du moins vous a-t-on relogée dans un cadre agréable.

— Tu crois peut-être qu'il est agréable d'être reléguée dans ce recoin obscur, en compagnie des autres dieux, et de dépendre des offrandes des étrangers ? On m'a placée ici à la condition que j'accepte d'être l'ambassadrice de cette désastreuse politique de l'enfant unique. Tu n'as pas vu le slogan qu'on a placé au-dessus de ma tête, menaçant les femmes de stérilisation et d'avortements forcés ? Quelle déchéance ! Pendant des milliers d'années, j'étais la déesse des Naissances et de la Fertilité, mais cette dynastie dépravée m'a transformée en déesse du contrôle des naissances ! Encore un peu, et je serai celle des avortements ! Je te le dis : la mort est pire que la vie.

— Ne soyez pas amère, Mère Sacrée ! Vous avez eu la chance de connaître les royaumes contraires de la vie et de la mort. Vos bénédictions ont protégé des générations de femmes enceintes et leur ont permis de mettre leurs enfants au monde en toute sécurité.

Sentant que Céleste s'agite à nouveau, Meili redresse son dos pour lui faire davantage de place.

— Oui, j'ai essayé de me consoler avec des pensées de ce genre. Même si aucun homme ne m'a jamais aimée, j'ai vu des fillettes venir au monde, grandir et devenir des femmes qui se prosternaient devant moi pour m'implorer de les aider à accoucher à leur tour. La joie que suscite chaque nouvelle naissance au sein d'une famille apaise un peu ma tristesse mais ne comble pas le vide où me laisse le fait de n'avoir pas eu d'enfant.

— Être une mère dans ce pays n'est pas de tout repos, Déesse Sacrée... Si vous reveniez dans ce monde et tombiez enceinte, vous regretteriez peut-être l'au-delà.

— Les mortels n'éprouvent aucune honte à massacrer des innocents : mais s'ils obligent les dieux à punir leurs actes barbares, qu'adviendra-t-il du monde ? Gloire à Amitabha, le Bouddha de la Lumière Infinie. J'ai assez parlé. Il est temps que tu t'en ailles.

S'apprêtant à se lever, Meili s'interrompt soudain et dit à la statue :

— Une dernière chose, Mère Sacrée. Six mois après que nous avions fui notre village, Bonheur, mon deuxième enfant, a été assassiné par les officiers du planning familial. Mais l'esprit de cet enfant n'a cessé de me suivre depuis lors, se réincarnant une deuxième, puis une troisième fois. C'est un esprit bizarre, sans genre bien défini, et qui ne semble pas avoir d'identité précise. Il se loge parfois dans le fœtus qui est dans mon ventre ; à d'autres moments j'ai l'impression qu'il me regarde en planant au-dessus de moi. Il me semble souvent qu'il m'observe depuis un monde futur, comme si mon présent était pour lui le passé. Mais quand j'essaie de formuler ces diverses pensées, la tête me tourne et j'ai l'impression que le temps repart en arrière. Cette troisième réincarnation est la plus étrange. Je dois vous l'avouer : cela fait maintenant cinq ans que ce fœtus est dans mon ventre. J'ai entendu parler d'une femme dont la grossesse avait duré soixante ans : quand elle l'a enfin mis au monde, son bébé était mort et dur comme de la pierre. Je ne supporte pas l'idée de ne jamais tenir cet enfant dans mes bras. Je vous en prie, Mère Sacrée, aidez-moi...

— L'esprit de l'enfant te suivra jusqu'à ce qu'il ait réussi à se réincarner. S'il ne parvient pas à le faire avant ta propre mort, il retournera au lieu de ta naissance sitôt après ton décès et s'unira à ton âme. Souviens-toi que l'univers est pris dans un perpétuel courant, passant constamment du yin au yang, du yang au yin, de l'être au non-être et inversement. Si tu acceptes ce flux, à travers le cycle des morts et des réincarnations, tu finiras peut-être par atteindre un état parfait de bonheur et de paix...

De nombreuses femmes enceintes se sont attroupées derrière Meili, attendant d'allumer à leur tour une baguette d'encens devant la statue de la Mère de la Fleur d'Or. Essuyant les larmes qui coulent de ses yeux, Meili se relève et attend quelques instants d'avoir retrouvé l'usage de ses jambes engourdies. Elle se fraie ensuite un chemin à travers la foule : mais lorsqu'elle émerge à l'entrée du temple, elle n'aperçoit pas Nannan. Elle se souvient que celle-ci a cent yuans sur elle et se dit qu'elle a dû aller acheter quelque chose à manger. Elle descend les marches du perron et parcourt les échoppes des yeux.

Son téléphone sonne brièvement. Tang vient de lui envoyer un texto : *à travers vos beaux yeux noirs j'ai pu lire dans votre cœur.* Meili esquisse un sourire. L'idée qu'on puisse être sensible à son apparence physique lui met du baume au cœur. Elle ouvre son faux sac Vuitton et en sort un miroir de poche pour retoucher son rouge à lèvres. Tranchant sur ce rouge éclatant, ses dents brillent comme de l'ivoire. Ses yeux sont encore rougis d'avoir pleuré et elle regrette de ne pas avoir amené de khôl… La Mère de la Fleur d'Or n'a jamais connu l'amour, se dit-elle. J'ai traversé bien des épreuves moi aussi, mais du moins aurai-je eu un mari, puis une fille. Et le bonheur est désormais à ma portée. Puisque la déesse m'a accordé sa bénédiction, je vais demander à Kongzi de consulter son calendrier et de choisir une date propice pour la naissance de Céleste. Tu m'entends, ma petite ? La prochaine fois que je viendrai dans ce temple, j'offrirai une veste au soi-disant bébé que porte dans ses bras la Mère de la Fleur d'Or. Elle veillera à ce que tu viennes au monde sans encombre : de la sorte, notre famille sera enfin au complet.

Se demandant si Nannan n'aurait pas eu un besoin pressant, Meili retourne à l'intérieur du temple, à la recherche des toilettes. En cours de route, elle aperçoit une boîte de bâtons de fortune : elle se penche, en choisit deux et les lance sur le sol. Ils atterrissent tous les deux du côté peint en noir. Sachant que cela n'est pas de bon augure, elle ramasse les bâtons et les lance à nouveau. Cette fois-ci, ils tombent tous les deux dans l'autre sens : signe d'un malheur imminent. Saisie d'une brusque panique, elle se hâte de rejoindre l'entrée et scrute les visages qui défilent autour d'elle. La pensée que Nannan ait pu être kidnappée la traverse soudain. Horrifiée, son regard s'arrête tour à tour sur un homme vêtu d'un blouson de cuir, un petit garçon avec un pull en laine, une femme arborant de grosses boucles d'oreilles… Apercevant enfin le col rouge d'un chemisier qui émerge d'un pull orange, elle s'écrie : « Nannan ! Où vas-tu donc ainsi ? » La jeune fille se retourne mais il ne s'agit pas d'elle.

Elle appelle Kongzi et lui demande de quitter sa réunion pour la rejoindre sur-le-champ, avant de partir explorer les rues environnantes. Après la violente averse de tout à l'heure, la ville de Foshan baigne dans une lueur vert foncé. Plus loin, sous la ligne des arbres, des motos recouvertes de bâches évoquent un troupeau d'animaux postés en embuscade. Meili regagne une fois encore le temple, en ressort à nouveau et repart dans les rues encombrées, scrutant d'un regard anxieux les passants et le décor environnant. Elle interroge l'un après l'autre tous les colporteurs installés aux abords du temple, leur demandant s'ils n'auraient pas aperçu une fillette susceptible d'être Nannan, mais tous lui répondent par la négative.

Kongzi et Tang débarquent à leur tour et participent aux recherches. Mais à la nuit tombée, la fillette demeure introuvable et ils décident d'aller signaler sa disparition à la police. Après avoir quitté le commissariat, une heure plus tard, Meili est désespérée. Elle vacille sur les marches du perron, les cheveux en désordre. Tang et Kongzi doivent la soutenir de chaque côté. Elle se tourne vers son mari et lui dit :

— Essaie de réfléchir… Chez qui aurait-elle pu aller ?

— Elle n'a plus guère d'amies à présent, en dehors de Lulu. J'ai appelé Cha Na à six reprises, mais elle n'a pas vu Nannan de la journée.

— La police refuse de nous aider, gémit Meili. Et si elle avait pris un autocar pour partir à l'autre bout du pays ? Plusieurs lignes quittent régulièrement Foshan.

— Mais elle n'avait pas de quoi acheter son billet, dit Kongzi en desserrant sa cravate.

— Si, elle a reçu cent yuans aujourd'hui à l'occasion du Nouvel An. Ah, mon Dieu, il faut que je me pose…

S'appuyant d'une main sur la marche, Meili s'assoit sur l'escalier en ciment. De l'autre côté de la route, un cocotier se dresse comme un grand parapluie vert.

— J'appellerai ma mère demain pour voir si elle n'est pas allée là-bas, dit Kongzi en s'asseyant à côté d'elle et en se forçant à rester calme.

— Nannan connaissait l'adresse ? demande Tang.

— Oui, il lui arrivait de poster du courrier qui lui était destiné. La semaine dernière, elle lui a envoyé la photo de sa classe que j'avais prise devant le théâtre de la dynastie Ming.

— Dans ce cas, passons à la gare routière pour voir si on ne l'aurait pas aperçue dans les parages, dit Tang. Vous avez entendu parler de cette bande de trafiquants d'enfants qui opéraient à Guangzhou et qu'on a arrêtés la semaine dernière ? Ils se postaient aux abords des gares, réussissaient à embarquer des jeunes filles dans leurs camionnettes et allaient ensuite les vendre aux bordels des communes environnantes.

— La police dit qu'elle ne peut pas encore ouvrir de dossier : il faut attendre un délai d'un mois après la disparition, dit Kongzi en essayant de contenir sa colère. Mais d'ici là, elle peut fort bien se retrouver dans un night-club à mille kilomètres d'ici. Ou avoir été vendue à un paysan dans un patelin reculé. Eh bien, je ne bougerai pas d'ici tant que la police refusera de nous aider à la retrouver.

Le téléphone de Tang se met à sonner.

— Merci de me rappeler, monsieur le Directeur Wu... Oui, c'est la fille de mes amis... âgée de onze ans... Oui, nous sortons à peine du commissariat... J'ai demandé à voir l'inspecteur Zhang mais je me suis heurté à un mur. Je sais que c'est un excellent ami de votre frère et je me demandais si vous ne pourriez pas l'appeler pour le convaincre d'ouvrir une enquête et de lancer des recherches... Formidable... Je vous remercie infiniment.

Tang raccroche et dit :

— C'est encourageant ! L'inspecteur Zhang est le bras droit du directeur de ce commissariat. Je vais nous chercher à boire, attendez-moi ici.

— J'attendrai, dit Meili. Mais toi, Kongzi, va à la gare routière.

Elle pose son téléphone sur ses genoux en espérant qu'il sonnera pour lui annoncer une bonne nouvelle. Elle n'arrive pas à croire que Nannan ait disparu, ni qu'une chose pareille ait pu lui arriver. En dehors de ses quatre semaines d'absence, sa fille et elle ne se sont jamais quittées. Perdre Nannan, ce serait comme d'être amputée d'un bras, songe-t-elle. Non – ce serait pire, bien pire... *Si je la perds, je mourrai.* À cette pensée, elle manque défaillir. Elle se souvient soudain de la manière dont sa fille pleurait quand elle était bébé. Âgée de trois mois, elle s'était mise à gémir sans qu'on puisse l'arrêter, deux jours durant. Finalement Fang, leur voisine, était venue l'examiner et s'était aperçue que son cou était couvert de plaques : des gouttes de lait maternel avaient coulé dans ses replis et la grattaient sans arrêt, après avoir séché.

Tang revient avec des bouteilles de Coca-Cola mais Meili n'en veut pas. Elle se souvient que son père lui en avait offert une, à l'occasion d'une Fête du Printemps : comme elle ne voulait pas se montrer égoïste en la buvant seule dans son coin, elle en avait donné deux ou trois cuillerées à Nannan. Sa fille n'avait que cinq mois à l'époque et cela lui avait donné la diarrhée.

— Allons, buvez-en une gorgée, dit Tang en s'agenouillant à ses côtés. Ne pleurez pas, Meili. Je suis sûr que Nannan est juste allée se promener quelque part et qu'elle sera rentrée ce soir. Même si j'ai remarqué qu'on signalait de plus en plus de cas d'enlèvements d'enfants dans les journaux ces derniers temps... La semaine dernière, la police a intercepté une camionnette en provenance de la province de Guangxi et a découvert à l'arrière vingt-huit bébés – toutes des filles – ficelées dans des sacs en plastique noir. La plus âgée n'avait pas trois mois. La police soupçonne leurs ravisseurs d'avoir voulu les vendre à des restaurants de Foshan. L'une de ces malheureuses était morte étouffée.

— Nannan a onze ans, aucun restaurant n'en voudra. Il est plus probable qu'on l'ait enlevée pour la vendre dans un bordel. Pourrez-vous mener une enquête dans les night-clubs de la région ? Je ne pense pas qu'elle ait pris le risque de monter dans un autocar pour se rendre dans une autre ville. Elle sait ce qui m'est arrivé lorsque j'étais à Wuhan et qu'il est dangereux pour les gens de la campagne de pénétrer dans une grande agglomération.

— Oui, dit Tang. Vous avez vu ce qui est arrivé à ce jeune travailleur itinérant, San Zhigang ? Diplômé de l'université, titulaire d'un emploi respectable, il a néanmoins été arrêté par la police dans les rues de Guangzhou et conduit dans un centre de détention et de rapatriement parce qu'il n'avait pas les papiers requis. Et là, il a été battu à mort. L'histoire s'est répandue grâce à Internet.

— Nannan est trop jeune pour être placée dans un centre de détention. Ah, mon Dieu... Pourquoi faut-il qu'une telle catastrophe nous arrive, alors que nous nous apprêtions à sortir des eaux troubles ? Nous est-il donc interdit de voir le jour et de respirer l'air du large ?

Meili contemple de l'autre côté de la route l'étendue du mur rouge et le ciel d'un bleu étincelant grossièrement raccordés l'un à l'autre, aussi disharmonieux que deux amants qui ont cessé de s'aimer.

MOTS-CLEFS : *rideau trouble, carcasse, balcon en ruine, lecteur de CD, fontaine publique, à peine visibles.*

Cinq jours après la disparition de Nannan, Kongzi se rend à la gare routière de la Commune Céleste pour assister à l'arrivée de l'autocar en provenance de Gouangzhou, puis se met en route vers le lac en empruntant un sentier bordé de saules et jonché de déchets. Son ombre étroite s'étire derrière lui. Lorsqu'il aperçoit des passants, il s'empresse d'aller leur demander : « Camarades, n'auriez-vous pas aperçu cette fillette ? Elle a un pull orange, une queue de cheval et un point rouge entre les sourcils. » Voyant qu'ils ne comprennent pas ses paroles, il répète son discours plus lentement, en essayant de mieux articuler. Mais les autochtones ne comprennent pas son accent ; quant aux travailleurs itinérants, ils hochent la tête en lui disant que des dizaines d'enfants disparaissent tous les mois dans la Commune Céleste et qu'il ferait mieux d'abandonner tout espoir de la retrouver. Avant de regagner son domicile, Kongzi fait systématiquement le tour du lac, redoutant que le fantôme de Bonheur n'y ait entraîné Nannan. La veille, il a aperçu la silhouette d'une fillette dans les profondeurs de l'eau mais, lorsqu'il s'est précipité, elle avait disparu. Il se souvient qu'âgée d'environ dix mois Nannan aimait se cacher dans une caisse en carton : lorsqu'il la retrouvait, elle éclatait de rire et décampait à toute allure.

Quand ils avaient acheté leur bateau, le premier soir, elle s'était précipitée par-dessus bord et avait sauté dans le vide. S'il n'avait pas entendu le bruit du plongeon, elle se serait probablement noyée : le temps qu'il arrive et balaie de sa lampe torche la surface de l'eau, on ne distinguait déjà plus qu'une petite touffe de cheveux. L'année suivante, alors qu'elle se penchait pour essorer ses cheveux mouillés, elle était à nouveau tombée dans la rivière. Mais cette fois-ci, elle était capable d'agripper le flanc de l'embarcation et de remonter toute seule sur le pont.

Kongzi quitte le sentier et se dirige vers le lac, à travers une étendue de carcasses d'ordinateurs et d'imprimantes hors d'usage. L'obscurité n'a pas encore gagné le ciel. À sa gauche se dresse une demeure datant de la dynastie Qing, ornée de linteaux sculptés, dont la façade a sombré dans le lac. Les émigrés qui occupent l'arrière de la propriété font sécher leur linge en travers d'un balcon en ruine. Sur une petite jetée en pierre qui prolonge l'ancien domaine, des canards picorent des restes de nourriture. L'eau d'un rouge sombre qui s'étend en dessous dégage une odeur d'excréments et de poisson pourri. Kongzi regarde les canards et songe à ceux qu'il élevait jadis et gardait dans une cage, sur le flanc du bateau. Le coq qui battait des ailes chaque matin à l'aube avant de pousser un cri strident avait terminé son existence au fond d'une casserole, pour le troisième anniversaire de Nannan. Sa chair avait un bon goût de maïs. Mais par ici, les canards qui se nourrissent de déchets chimiques sentent le soufre et ont le ventre rempli de morceaux de plastique et de fils de nylon. À sa droite s'élève un monticule de déchets peu à peu rejetés par la marée du lac. Il entreprend de l'escalader mais aperçoit soudain la carcasse d'un bateau. Il s'en approche, s'agenouille et passe la main sur l'armature en bois en songeant à leur ancienne embarcation. Les premiers temps, ils ignoraient comment l'entretenir : voyant qu'elle prenait l'eau, il avait demandé à un autre marin de l'aider à colmater les brèches. Mais au printemps suivant, alors que le soleil commençait à chauffer, il avait acheté de l'huile d'abrasin et calfeutré lui-même les fissures. Pendant qu'il repeignait le pont, Nannan lui tenait compagnie et brossait les cheveux de sa poupée. Kongzi se relève et examine l'épave de plus près.

— Mon Dieu, murmure-t-il soudain, mais c'est notre bateau ! Tu ne me crois pas, Meili ? Regarde donc : dix pas de la poupe à la proue, c'était exactement sa longueur... Si je creusais un peu sous cette coque, je suis sûr que je retrouverais la cabine où nous avons élevé notre enfant et passé tant de nuits. Maintenant que Nannan a disparu, le gouvernement n'osera plus nous réclamer d'amendes. Quittons la Commune Céleste et rentrons chez nous ! Appelle ta mère et dis-lui que nous arriverons bientôt...

Lorsqu'il atteint enfin le rivage, il considère la surface brune du lac et murmure : Nannan, ton père t'aime. Si tu reviens, je te promets que je ne me mettrai plus jamais en colère contre toi et ne t'obligerai plus à réciter les poèmes des Tang ni les *Analectes*. Baissant les yeux, il aperçoit soudain à sa grande stupéfaction la poupée en plastique de sa fille, dont les yeux bleus le fixent et dont les membres couleur chair sont à peine visibles sous le rideau trouble de l'eau.

— Laisse-la où elle est, entend-il Meili lui dire. Ce n'est pas la poupée de Nannan. La sienne avait une robe rouge.

— Les produits chimiques déversés dans le lac ont dû ronger le tissu et le dissoudre depuis longtemps.

— Mais souviens-toi : elle a perdu cette poupée quand nous nous sommes installés dans la bicoque en tôle, et non au bord du lac.

— Elle a pu tomber dans un canal et être emportée par le courant. Et avec tous les remous qui agitent le lac, il n'y a rien d'étonnant à ce qu'elle se soit ensuite échouée sur la berge.

— Tu parles comme un pêcheur de cadavres professionnel ! Écoute, Kongzi : cette poupée s'appelle une Barbie. Nous en avons vendu des centaines dans mon magasin. Il y a probablement plus de poupées Barbie que d'êtres humains sur cette planète. On en trouve dans toutes les décharges de la région. Laisse donc celle-ci là où elle est. Elle est d'une saleté repoussante.

Kongzi se penche, plonge la main dans l'eau et attrape la poupée par la jambe. Après avoir constaté que ses lèvres sont intactes, contrairement à celle de Nannan, il la rejette sur le monticule d'ordures qui se dresse derrière lui.

Lorsqu'il regagne le sentier, une jeune fille qui doit avoir trois ans de plus que Nannan lui lance :

— Vous ne voulez pas acheter un lecteur de CD ? Nous avons des Sony et des Samsung.

Elle se tient à l'orée d'une route qui rejoint le marché. Kongzi sait qu'au coin de cette rue, un peu plus loin, une échoppe vend de la canne à sucre, du gingembre et des écorces de mandarines séchées.

Il prend le prospectus que lui tend la jeune fille et lui montre la photo de Nannan en disant :

— Tu n'aurais pas vu cette fillette ? Elle a une grande cicatrice sur le pied gauche.

— Non, répond la jeune fille, mais j'ai la même robe qu'elle.

Le dernier éclat du soleil se reflète dans ses yeux sombres. Des piles de matériel électronique entourent le petit abri qui se dresse derrière elle.

— Tu l'as portée récemment ? demande Kongzi en se souvenant que quelqu'un lui a dit avoir aperçu Nannan au bord du lac, deux jours plus tôt.

Ses pensées se tournent ensuite vers Meili, qui a arpenté les rues de Foshan quatre jours d'affilée en brandissant une pancarte signalant la disparition de Nannan. Le soir, après avoir regagné leur bicoque en tôle, elle s'effondrait sur le lit en chantonnant : « Elle a deux dents cariées et une cicatrice sur le pied gauche… Elle aime le lait et les bonbons… Quand je l'ai emmenée à la clinique pour lui faire ses premiers vaccins, elle a souillé sa culotte et j'ai dû la laver dans la fontaine publique… Quand elle a appris à marcher, elle s'est péniblement mise debout en serrant contre elle son gros lapin en peluche, a fait trois pas et s'est étalée par terre sans lâcher son lapin… » Mais hier soir, Meili n'est pas revenue.

Il se demande ce qu'il va bien pouvoir faire après avoir rappelé ses parents le lendemain, si ceux-ci lui disent que Nannan ne s'est toujours pas montrée. Un frisson lui parcourt l'échine. Elle n'est pas retournée au village des Kong, elle ne s'est pas noyée dans le lac : elle a donc été kidnappée et vendue à un paysan dans les montagnes. Il a entendu dire que la police sauvait parfois des jeunes femmes qui avaient été enlevées de la sorte et vendues à des hommes dans des régions reculées du pays. Mais Nannan n'a que onze ans, elle est trop jeune pour se marier. On a donc dû la vendre sur le marché du sexe. Les journaux parlent fréquemment des efforts que fait la police pour démanteler ces réseaux de prostitution. Hier encore, il a lu un article rapportant que trois professeurs avaient prostitué leurs élèves à des dirigeants corrompus : ils escortaient eux-mêmes les adolescentes jusqu'aux domiciles privés de ces responsables officiels.

Comme toujours lorsque le soleil a disparu à l'horizon, le ciel baigne dans une lumière lointaine, le lac a des reflets dorés et la ville brille comme du verre poli. Quand ils vivaient dans leur cabane sur pilotis, Nannan venait souvent dans ces parages pour jeter dans le lac, selon les jours, le chapeau de Kongzi, la tasse du thermos où elle venait de se brûler les lèvres, un cartable dont la bride était cassée, une paire de chaussures qui lui faisaient mal aux pieds ou une petite voiture télécommandée qui n'arrêtait pas de sonner... À vrai dire, elle avait pris l'habitude de se débarrasser de la sorte des objets qui lui déplaisaient, avec le sentiment qu'il existait un lien entre le monde aquatique et son passé d'infortune.

Kongzi fait demi-tour et regagne leur cabane à la lisière de la ville, qui lui fait l'effet d'être plus un cercueil qu'une maison depuis la disparition de Nannan. Il a l'impression qu'il a été dépossédé de tout, à l'exception des blessures de son corps. Il aimerait se planter un couteau dans la main, pour oublier ne serait-ce qu'un instant le tourment qui le ronge. Tout en marchant, il se revoit portant Nannan dans son lit lorsqu'elle était bébé : il entend encore le bruit léger de son souffle dans son cou, sent encore sa bave mouiller le col de sa chemise. Il la tenait serrée contre sa poitrine et lui tapotait doucement le dos jusqu'à ce qu'elle soit endormie : mais dès qu'il se penchait pour la déposer dans son lit, sa petite main se crispait sur son épaule pour lui faire comprendre qu'elle était encore éveillée. Quand ils vivaient à bord du bateau, Nannan venait souvent le secouer au milieu de la nuit en criant : « Cesse de faire ces bruits affreux ! » Il se tournait alors sur le côté, Meili lui ayant dit qu'il ronflait comme un cochon lorsqu'il dormait sur le dos. Ce qui fait le plus de peine à Kongzi, c'est que Nannan n'ait pas pu retourner au village des Kong comme elle l'a toujours désiré. Elle n'avait que deux ans lorsqu'ils étaient partis et il pensait qu'elle aurait tôt fait d'oublier les lieux. Mais neuf ans plus tard, elle gardait toujours un souvenir précis, non seulement de sa grand-mère – la mère de Kongzi – mais du dattier dressé dans la cour et de la neige qui tombait en hiver. Elle disait que les flocons étaient noirs lorsqu'ils tombaient du ciel et qu'ils devenaient blancs en touchant le sol. Il lui avait promis qu'ils retourneraient au village dès que Céleste serait né. Certains souvenirs ne s'effacent jamais : ils reviennent sans cesse et rôdent en permanence à la lisière de la conscience. Pourtant, Kongzi a l'impression que sa mémoire s'est désormais vidée. Si Nannan ne réapparaît pas, l'arrivée de Céleste ne suffira pas à combler le vide qu'elle va laisser. Il se sent coupable d'avoir vendu Née-sur-l'Eau et causé une telle douleur à sa famille. Meili était tellement désespérée qu'elle s'est enfuie et Nannan a pleuré pendant des jours en le suppliant de lui ramener sa petite sœur. Il est puni aujourd'hui : pour avoir abandonné la fille dont il ne voulait pas, il a perdu celle qu'il aimait. Pourquoi les gens qui quittent leur terre natale connaissent-ils toujours un sort misérable ?

Le téléphone de Kongzi se met à sonner.

— J'ai retrouvé Meili, lui dit Tang.

Au cours des cinq derniers jours, Tang a visité tous les centres de détention et de rapatriement de la province et posté des avis de recherche sur des centaines de sites Web. Voyant que Meili ne rentrait pas hier soir, Kongzi lui a demandé de la chercher, elle aussi.

— Ramenez-la chez nous, répond-il. Je suis moi-même en route, le soir tombe et on n'y voit plus rien.

Cette nouvelle tire Kongzi de sa léthargie. Au moins a-t-on retrouvé Meili. Hier, elle disait qu'elle ne pouvait rester un instant de plus dans leur cabane, parce qu'elle percevait la présence de Nannan dans chacun des objets que contenait la pièce. Au bout du fil, à l'instant, Tang lui a dit qu'il l'emmenait à l'hôpital parce qu'elle n'arrêtait pas de divaguer. Il l'a trouvée dans la rue, assise sur un trottoir et lançant des cailloux sur la porte d'entrée d'un salon de massage. Elle est dans un tel état, a-t-il ajouté, que si Nannan passait à ce moment-là dans la rue elle ne la reconnaîtrait probablement pas.

Kongzi avance dans l'obscurité, les narines dilatées comme un chien, essayant désespérément d'identifier l'odeur de sa fille au milieu de toutes ces vapeurs toxiques. Ce dont il se souvient avant tout, c'est du parfum musqué de son cou. Contrairement à la puanteur acide qui imprègne l'atmosphère de la Commune Céleste, cette odeur-là a quelque chose de naturel et lui fait penser à la terre, aux graines et au sol gorgé d'eau qui gît sous ces épaisses couches de déchets électroniques.

MOTS-CLEFS : *vert et luisant, fleurs de poirier, Pont de l'Impermanence, cartes mémoire, banc de poissons.*

Dans les ténèbres profondes qui précèdent l'aube, Kongzi tient d'une main sa torche et soutient Meili de l'autre, tandis qu'ils rejoignent la lisière de la ville le long d'un canal encombré de déchets. L'endroit était encore navigable, il y a peu, et les bornes d'amarrage utilisées par les ferry-boats sont toujours visibles sur les berges. Le sentier de pierre est recouvert d'une épaisse couche de détritus. Quelques rares frondes vertes émergent pourtant au milieu des cartouches d'imprimantes broyées et des débris de fibre de verre, annonçant l'arrivée du printemps. La nuit dernière, Meili a déclaré qu'elle devait accoucher à bord d'un bateau : si Céleste naissait sur terre, il connaîtrait le même sort que le petit Bonheur. Avant de partir, elle a fourré une paire de ciseaux dans le sac en plastique qui contient des vêtements pour bébé, des serviettes et des carrés de mousseline, ainsi que l'appareil photo digital qu'elle a mis de côté pour cette occasion.

— Si nous allons plus loin, dit Kongzi, nous allons atteindre la mer.

Le grand sac qu'il porte en travers de l'épaule est rempli de couvertures, d'oreillers et d'alèses en plastique. Un fragment du journal de Nannan qu'il a lu la veille lui revient brusquement à l'esprit : « Papa a couché avec une prostituée. Je me suis cachée sous ma couette et j'ai pleuré. Maman lui a fait une scène et papa m'a donné dix yuans pour que j'aille lui chercher des cigarettes. L'horrible créature ! Je ne pourrai plus jamais l'aimer. »

— Non, dit Meili, la mer est encore loin, derrière ce rideau d'arbres à l'horizon. Mais regarde, Kongzi ! C'est notre bateau ! Bien sûr, il ne peut s'agir que de lui ! J'entends encore nos canards cancaner, pour un peu je sentirais presque l'odeur de leurs œufs...

La vérité, c'est que Meili serait bien en peine d'apercevoir la mer. Le ciel est encore trop sombre – et d'ailleurs, les immeubles en construction qui se dressent un peu plus loin dissimulent l'essentiel du décor.

Les déchets des ateliers de la Commune Céleste sont transportés et incinérés sur cette partie des berges, jugée suffisamment éloignée des zones résidentielles de l'agglomération. Le long du sentier, les troncs des cocotiers et des camphriers sont couverts d'une couche de cendre noire et dégagent une odeur qui rappelle la poudre à canon. Kongzi regarde l'épave que Meili lui désigne et se rappelle avoir déjà aperçu la carcasse de leur bateau quelque part ailleurs, il ne se souvient plus où.

— Tu es sûre que le travail a commencé ? lui demande-t-il.

— Oui, répond Meili, mon ventre s'est contracté et nous ne tarderons plus à faire la connaissance de Céleste. Descendons par ici et montons à bord de notre bateau. Il n'est sans doute plus en état de nous conduire jusqu'à la mer, mais du moins y serai-je à l'abri pour mettre notre enfant au monde. Le bateau va sur l'eau, l'eau s'écoule... Aucun officier du planning familial ne se risquera dans un pareil endroit. Je mettrai Céleste au monde, en mémoire du petit Bonheur. Weiwei n'a pas retrouvé sa mère, nous n'avons pas retrouvé Nannan : tel était le décret du destin. Mais quand un enfant disparaît, un autre s'apprête à naître. Ah, Mère de la Fleur d'Or, je n'ai pas dépassé le quota qui m'était imparti ! Mon unique enfant sera un citoyen de droit et bénéficiera d'un permis de résidence lorsque nous rentrerons chez nous. Je vous implore donc : faites en sorte qu'il arrive aujourd'hui sain et sauf sur cette terre.

Kongzi aide Meili à descendre la pente de la berge jonchée d'ordures et lui dit de s'asseoir pendant qu'il va préparer le bateau.

L'épave est à moitié immergée dans l'eau, sa poupe coincée entre les roseaux et un conglomérat de batteries de téléphones portables. Les planches vacillent et craquent lorsqu'il monte à bord. Il gagne précautionneusement la cabine et étend une alèse en plastique sur le pont, avant d'y disposer les couvertures et les oreillers. Il regagne ensuite la berge, escalade un amas de transformateurs en miettes et va extraire d'un monticule de cendres un rouleau de toile goudronnée qu'il cale sous la proue du bateau pour redresser et stabiliser l'embarcation. Meili monte à son tour à bord et rampe jusqu'à la cabine. Elle ôte son pantalon, s'allonge sur une couverture, glisse un oreiller sous ses cuisses et fixe l'étendue bleu sombre du ciel au-dessus d'elle.

— Quand il fera un peu plus clair, dit-elle en souriant, je serai sous la protection céleste. Kongzi, peux-tu tourner un peu le bateau afin que le bébé soit orienté vers le nord, en direction du pays où il aurait dû naître ? Il ne manque que le dattier planté dans la cour…

— L'arrière du bateau est pourri, dit Kongzi. Si je tente de le bouger, il risque de s'effondrer.

Kongzi transpire abondamment : la sueur ruisselle sur son visage et ses jambes sont couvertes d'une couche de cendre mêlée de boue. Il ferme les yeux, repensant à un autre passage du journal de Nannan : « J'ai connu le bonheur en de rares occasions, mais il était toujours teinté de tristesse. Mes parents me considèrent comme une gamine insupportable et je n'ai pas une haute opinion de moi-même. Maman me déteste, je déteste papa – je voudrais ne pas être sa fille… »

— Tu te rappelles notre première journée à bord de ce bateau ? lui dit Meili en ôtant ses sandales et en chassant les mouches qui bourdonnent autour de son visage.

— Oui, dit Kongzi. Tu avais le mal de mer et n'arrêtais pas de vomir. Nannan elle aussi avait vomi pendant la nuit.

— La première fois que je suis montée à bord, je me suis étalée sur le dos.

Meili caresse de la main la planche pourrie sur laquelle elle est étendue et revoit Nannan agenouillée dans la cabine, utilisant le pont comme une table sur laquelle elle dessinait ou écrivait des histoires.

— Cette nuit-là, reprend-elle, tu m'as dit que j'allais pouvoir donner naissance à une tribu de petits Kong, maintenant que nous avions notre propre bateau. Ma foi, il est temps que celui-ci vienne au monde… J'ai bu deux flacons d'huile de ricin hier pour déclencher le travail : que Céleste le veuille ou non, sa naissance sera pour aujourd'hui… Regarde, j'ai à nouveau des contractions…

— Je n'ai jamais rêvé d'être à la tête d'une tribu, dit Kongzi. Je voulais juste que tu puisses mettre au monde le petit Bonheur dans de bonnes conditions.

Kongzi piétine un tapis de cartes mémoire cabossées pour aller redresser quelques planches pourries à l'arrière du bateau. Une couche de détritus parfaitement stagnante recouvre la rivière. Seules quelques rares trouées laissent apparaître l'eau.

— Les contractions sont plus fortes. Essaie de trouver quelque chose qui me permette de caler mon dos.

Meili se tourne sur le côté et remue les jambes en cherchant la position la plus confortable. La paire de ciseaux émerge du sac en plastique entreposé à ses côtés.

— Je sens sa tête qui appuie sur le col de l'utérus… Il faut que je me mette à pousser…

Se rappelant les leçons de yoga qu'elle a suivies, Meili inspire profondément, avant de vider ses poumons en expirant très lentement. Elle transpire abondamment et déboutonne sa chemise blanche. Puis, en appui sur les mains et les genoux, elle se met à psalmodier d'une voix étrangement grave : *Oh, Mère… Mère…* Kongzi ne l'a jamais entendue émettre des sons pareils : on dirait une complainte funèbre, émanant des profondeurs de son ventre. *Oh, Mère… Les chenilles qui produisent la soie au printemps meurent avant l'arrivée de l'été. La flamme d'une bougie s'éteint quand sa mèche n'est plus que cendre. Les pétales des fleurs de poirier balayés par la pluie ne dessinent bientôt plus qu'une traînée de larmes sur le sol. Oh, Mère, tu es partie dans les ténèbres et m'as laissée dans la lumière. La Mort gît entre nous. Tu te tiens sur le Pont de l'Impermanence et contemples le vide qui s'étend au-delà…*

— Pourquoi chantes-tu une complainte funèbre ? demande Kongzi. Tu pourrais choisir un air plus joyeux.

Il est assis un peu plus haut sur la berge, au milieu d'un carré d'herbe couvert de gravats, et sort son téléphone pour regarder l'heure.

— Ces complaintes me donnent de la force, dit Meili, qui s'écrie soudain d'une voix aiguë : *Oh, Mère !…* Son cri fait trembler la carcasse du bateau, agitant du même coup l'eau de la rivière. *Tu as travaillé si durement en t'occupant de tes enfants, sans jamais penser à toi…* Bonheur, Née-sur-l'Eau, Céleste : vous pouvez sortir à présent ! N'ayez pas peur. Je vous protégerai et veillerai à ce qu'aucun d'entre vous ne disparaisse. Lorsque vous serez nés, nous pourrons tous rentrer chez nous à bord de ce bateau. Aide-moi à pousser, Kongzi ! Que tous ces petits Kong sortent enfin de moi ! *Oh, Mère, tu as disparu à présent et tu ne reviendras plus. Comme j'aimerais te suivre dans le royaume des ténèbres et m'occuper de toi, ainsi que doit le faire une fille vertueuse…*

Kongzi émerge dans la cabine et contemple l'orifice béant, entre les jambes de Meili. Les mouches qui errent sur ses cuisses pâles frottent leurs pattes antérieures avant de prendre leur envol.

— Parle moins fort, lui dit-il, quelqu'un pourrait t'entendre.

Il a laissé ses lunettes dans leur cabane, aussi le décor est-il un peu flou autour de lui. Il se retourne et scrute les monceaux de déchets qui se dressent derrière eux, préférant détourner son regard de l'obscur orifice qui lui a procuré tant de plaisir ces dix dernières années.

— Ne t'inquiète pas, Kongzi. Tous ces appareils déglingués qui nous environnent sont d'origine étrangère, ils sont bien incapables de comprendre ce que je dis…

La sueur inonde à présent les cheveux et la chemise de Meili. Une vague odeur d'essence plane dans l'atmosphère, lui rappelant les années qu'ils ont passées à bord du bateau, ainsi que le viol et l'incendie dont elle n'a jamais parlé à Kongzi.

— *Mère, tu as pris le chemin qui mène aux Sources Jaunes. Sur quelle épaule pourrai-je pleurer à présent ?… Comment as-tu pu m'abandonner ainsi ? Prends ma main, je t'en supplie…*

Des larmes coulent sur le visage de Meili. Tandis qu'une nouvelle vague de douleur la traverse, elle empoigne ses cheveux de la main droite et plonge celle qui est amputée d'un doigt dans son vagin. Le moignon de son index transmet aussitôt des images à son cerveau, lui permettant d'apercevoir le mystérieux canal obscur qu'elle n'a jamais vu jusqu'alors. Elle enfonce sa main plus profondément et distingue les marques qu'ont laissées sur les plis des parois humides toutes les intrusions masculines qu'elle a subies. Elle reconnaît ainsi les infections fongiques et les préceptes confucéens de Kongzi, l'odieuse empreinte du patron du night-club, la silhouette de Weiwei qui s'éloigne… Puis son moignon lui montre Tang, ce qui surprend Meili, étant donné qu'il n'a jamais eu accès à son intimité. Le seul moment de cet ordre qu'ils ont partagé a eu lieu le soir où elle l'avait invité avec d'autres collègues au « Princesse Karaoké », à l'occasion de son anniversaire. Tang avait réussi non sans mal à la convaincre de chanter quelques complaintes funèbres, ainsi que des chansons d'Anita Mui. Si Céleste ne lui avait pas donné de tels coups de pied, elle aurait chanté pendant des heures : non pas par gratitude, mais simplement parce que cela lui procurait une joie intense. Elle avait connu des moments de bonheur auparavant : pendant son voyage en train lors de leur lune de miel à Beijing, par exemple, alors qu'elle mâchait des prunes séchées et regardait défiler le paysage à l'extérieur ; ou quand Nannan traversait la cour pour lui apporter un tabouret en bambou afin qu'elle puisse s'asseoir ; ou encore lorsqu'elle regardait Née-sur-l'Eau sourire aux anges, endormie dans ses bras, quelques gouttes de lait maternel perlant sur sa joue… À chacune de ces occasions, Meili avait ressenti de la joie, mais jamais avec le même abandon que lors de cette soirée au « Princesse Karaoké ». Lorsque ses collègues étaient partis, elle avait pris les mains de Tang dans les siennes et s'était mise à chanter en fermant les yeux des airs qui évoquaient le passé et l'avenir, avec une telle impression de délivrance qu'elle en oubliait sa propre existence. Lorsqu'elle avait émergé de cet état, un peu plus tard, Tang s'était endormi, la tête posée sur ses genoux.

Sa main continue de remonter ce couloir de chair régi par les hommes et approche à présent de l'entrée, défendue par le Parti communiste. Elle se dit que, neuf ans plus tôt, jamais elle n'aurait osé frapper à cette porte contrôlée par l'État. Elle se sent assez courageuse pour le faire aujourd'hui mais ignore si elle osera la franchir. Pénétrer dans une propriété du gouvernement est un crime. Elle marque une pause et réfléchit un instant. Seul le Parti peut décider quel enfant est autorisé à naître et quel enfant doit mourir : mais du moment qu'elle paiera l'amende nécessaire,

Céleste aura le droit de vivre. Le Parti aura son argent et elle aura son enfant. Sans doute s'agit-il de ce principe du gagnant-gagnant prôné par le Premier ministre Jiang Zemin. Les jambes écartées comme les ailes déployées d'un canard, elle chasse les mouches de son visage inondé de sueur et dit :

— Personne n'est là pour enregistrer la naissance, Kongzi. Nous allons devoir prendre notre destin en main !

Sans attendre sa réponse, elle frappe à la porte de chair en disant :

— Maman est venue te chercher, mon enfant.

Les quatre doigts de sa main franchissent le col de l'utérus, déchirent le sac amniotique et tâtonnent à l'intérieur avant de trouver un pied.

— Une vie s'en va, une autre arrive !... Il faut que tu sortes à présent. Assez de tergiversations ! Tu n'as plus rien à craindre...

Meili tire, tire... mais le bébé refuse de bouger. Fondant en larmes, elle s'écrie :

— Aide-moi, mon enfant ! J'ai fait tout ce qui était en mon pouvoir !

Elle arrache sa chemise blanche et crie :

— Kongzi ! Enlève mon soutien-gorge ! J'étouffe !

Elle pousse une fois encore de toutes ses forces et s'effondre, épuisée, les jambes secouées de tremblements.

— S'il refuse de sortir, dit Kongzi, je vais appeler le 999 et je paierai pour qu'on te fasse une césarienne. La police pourra attester que Nannan a disparu, Céleste sera donc notre unique enfant et sa naissance sera considérée comme légale.

L'air nerveux, il regarde les monticules noirâtres de plastique brûlé qui jonchent le sol, puis l'étendue de téléviseurs démantelés qui constellent la rive opposée.

— Tais-toi donc, Kongzi ! La police a été on ne peut plus claire : une personne disparue n'est pas considérée comme morte. Il faudra attendre dix ans pour que nous puissions obtenir un certificat de décès. Ouvre ce sac, prends le fil qui se trouve à l'intérieur et attache mes cheveux. Mon Dieu, cette douleur est insupportable ! Ne serre pas mes entrailles aussi fort, mon enfant !...

Tandis qu'elle continue de pousser autant qu'elle le peut, son visage déformé par la douleur vire à l'écarlate et du lait s'écoule de ses seins. La carcasse pourrie du bateau vacille sur ses flancs. Les paupières serrées à en avoir mal, elle se met à chanter :

— *Mon cher enfant, je t'ai appelé dans mon sommeil... Ma chère mère, j'ai répété ton nom et me suis agenouillé devant toi plein de remords...*

La complainte l'emplit totalement avant de s'échapper d'elle. Une odeur de levure un peu rance commence à monter de son corps. À la suite d'une nouvelle poussée, du sang s'écoule enfin de son vagin et se répand sur le pont mouillé, formant des taches semblables à des fleurs et bientôt suivi d'une giclée plus épaisse.

— Céleste ! crie-t-elle. Viens sur terre à présent ! Maman t'attend...

Elle plonge à nouveau la main dans ses entrailles, empoigne une jambe et après une dernière secousse parvient à arracher le nourrisson des profondeurs de son ventre, avant de le relâcher sur le pont.

Impatiente d'apercevoir son enfant, elle se tord le cou et regarde entre ses cuisses avant de le voir enfin, étendu dans une mare de sang, le corps aussi vert et luisant qu'une pomme, la bouche et les yeux grands ouverts. Kongzi remonte à bord et s'empresse d'écarter les jambes du nouveau-né. Il entend au même instant une planche craquer sous ses pieds.

— Bon sang, dit-il, tu t'es tellement agitée que le bateau part en mille morceaux.

Il soulève le cordon ombilical liant toujours Meili à leur enfant.

— Comme il est long, dit-il. Où dois-je le couper ?

Meili lui désigne un endroit, au milieu du cordon. Kongzi prend les ciseaux dans le sac et le tranche, avant de faire un nœud serré.

— Je ne sens plus mes mains ni mes pieds, dit Meili dont le visage est devenu livide. Pourquoi tout devient-il noir autour de moi ? Tu me vois ? Je suis à la barre maintenant, le vent soulève ma robe et entraîne les nuages dans le ciel... Prends du papier hygiénique, Kongzi, et nettoie un peu mes jambes. Je suis désolée que notre enfant soit une fille. Comme elle sent bon... Elle a l'odeur de l'osmanthus.

— Mais Céleste est un garçon, tu ne le vois donc pas ? s'exclame Kongzi. La douleur te fait divaguer. D'ailleurs, nous le savions depuis le début, grâce à cette échographie. Regarde… Touche-le, entre les jambes… Tu crois peut-être qu'il allait changer de sexe dans ton ventre ? Pauvre enfant, je ne crois pas qu'il ait réalisé qu'il était né…

Kongzi se penche et soulève son fils à bout de bras.

— Ma vie n'a donc pas été vaine, ajoute-t-il. Nous avons engendré un héritier de Confucius à la soixante-dix-septième génération. Je jure solennellement de gagner assez d'argent pour lui procurer un certificat de naissance au nom de Kong le Céleste.

— Mais pourquoi est-il tout vert ? demande Meili. On dirait un de ces extraterrestres comme on en voit dans les jeux vidéo. Oh, regarde de ce côté, Kongzi ! Quelle aube splendide ! Les esprits des enfants tombent du ciel comme des haricots blancs éparpillés par la déesse Nuwa. Mais ils s'évanouissent dès qu'ils touchent le sol…

— Des haricots blancs ? Tu veux dire : des flocons de neige ? Ton esprit te joue des tours, Meili. Nous sommes le 9 mars, c'est le premier jour du printemps et il ne peut pas neiger. Oui, le soleil est en train de se lever.

L'eau commence à lécher les jambes de Meili. Ses orteils pointent à la surface comme des lotus sur un lac verdâtre.

— Il n'a pas crié, dit-elle. Emmène-le au sommet de ce champ pour que le soleil éclaire son visage.

Meili ne sourit plus. L'épave s'est totalement disloquée à présent et elle gît dans l'eau, ses longs cheveux noirs étalés derrière elle comme une barque. Lentement son corps coule, s'enfonce, et ses cheveux disparaissent à leur tour, ondulant autour de son visage comme un banc de poissons.

Tandis que le corps de la Mère descend vers le lit de la rivière, l'esprit de l'enfant se libère et entreprend le long voyage qui le ramènera, à travers ses trois incarnations et en remontant le cours de multiples rivières, jusqu'au lieu de son dernier repos.

Serrant son enfant contre sa poitrine, Kongzi remonte la berge et se retrouve devant l'immense plaine grise et couverte de déchets qui semble s'étendre à l'infini. Il s'avance, piétinant les circuits imprimés rouillés qui émergent du sol comme des débris de tuiles éparpillés, les cartes graphiques dont les piles ont été arrachées, les coques de téléphones portables cuivrées et argentées, écrasant sous ses pas des microcircuits et des connecteurs audio en forme de cartouches. Épuisé, les jambes tremblantes, il arrive enfin au sommet d'une colline de cartes mères et brandit à bout de bras son fils inanimé face aux premières lueurs de l'aube.

Mise en page
PCA
44400 Rezé

Achevé d'imprimer par Dupli-Print (95)
en septembre 2014

N° d'édition : L.01ELHN000326.A002
Dépôt légal : août 2014
N° d'impression : 2014091599

Imprimé en France